A ESTETIZAÇÃO DO MUNDO

GILLES LIPOVETSKY E JEAN SERROY

A estetização do mundo

Viver na era do capitalismo artista

Tradução
Eduardo Brandão

5ª reimpressão

Companhia Das Letras

Copyright © 2013 by Éditions Gallimard

Cet ouvrage, publié dans le cadre du Programme d'Aide à la Publication 2014 Carlos Drummond de Andrade de la médiathèque, bénéficie du soutien du ministère français des Affaires étrangères et du Développement international.

Este livro, publicado no âmbito do programa de auxílio à publicação 2014 Carlos Drummond de Andrade da mediateca, contou com o apoio do Ministério francês das Relações Exteriores e do Desenvolvimento Internacional.

Grafia atualizada segundo o Acordo Ortográfico da Língua Portuguesa de 1990, que entrou em vigor no Brasil em 2009.

Título original
L'Esthétisation du monde: Vivre à l'âge du capitalisme artiste

Capa
Raul Loureiro

Foto de capa
Alex Majoli/ Magnum Photos/ Latinstock

Preparação
Ana Cecília Agua de Melo

Índice onomástico
Luciano Marchiori

Revisão
Ana Maria Barbosa
Mariana Zanini

Dados Internacionais de Catalogação na Publicação (CIP)
(Câmara Brasileira do Livro, SP, Brasil)

Lipovetsky, Gilles
    A estetização do mundo: Viver na era do capitalismo artista / Gilles Lipovetsky, Jean Serroy; tradução Eduardo Brandão. — 1ª ed. — São Paulo: Companhia das Letras, 2015.

    Título original : L'Esthétisation du monde: Vivre à l'âge du capitalisme artiste.
    ISBN 978-85-359-2569-2

    1. Artes — Aspectos sociais 2. Consumo (Economia) 3. Cultura de massa 4. Estética — Aspectos econômicos I. Serroy, Jean. II. Título.

15-01906   CDD-700.103

Índice para catálogo sistemático:
1. Capitalismo artista: Estética: Arte   700.103

Todos os direitos desta edição reservados à
EDITORA SCHWARCZ S.A.
Rua Bandeira Paulista, 702, cj. 32
04532-002 — São Paulo — SP
Telefone: (11) 3707-3500
www.companhiadasletras.com.br
www.blogdacompanhia.com.br
facebook.com/companhiadasletras
instagram.com/companhiadasletras
twitter.com/cialetras

Sumário

Introdução 11

As quatro eras da estetização do mundo 15

    A artealização ritual 16

    A estetização aristocrática 18

    A moderna estetização do mundo 20

    A era transestética 27

Pode a beleza salvar o mundo? 32

Viver com o capitalismo artista: estética contra estética 35

1. O capitalismo artista 39

O complexo econômico-estético 41

A inflação do domínio estético 49

    O estilo como novo imperativo econômico 49

    Uma diversificação proliferante 52

    A escalada do efêmero 54

    A explosão dos locais da arte 56

    A disparada dos preços na arte moderna e contemporânea 58

    Um hiperconsumo estetizado 61

Os quatro círculos do capitalismo artista 63

Artes de consumo de massa e capitalismo artista 70

Grande Arte e arte comercial 74

Arte, moda e indústria: o tempo das hibridizações artistas.... 78

O sistema hipermoda 78

Estilo, hibridização e co-branding 80

Mixagem dos gêneros 82

Quando a arte e a moda se casam 87

A hibridização hipermoderna 91

A expansão econômica dos mundos transestéticos 93

*Corrida à concentração: as multinacionais do capitalismo
artista* 95

Uma economia dos extremos 101

Investimentos financeiros e capitalismo artista 104

A disparada da comunicação: a máquina promocional 107

A arte como profissão 109

Banalização e sonho da identidade artista 111

Profissionalização e especialização das atividades artísticas 115

Brilho das estrelas e trabalhadores da sombra 118

O espírito do capitalismo artista: força da crítica ou poder
do mercado? 120

Capitalismo artista e crítica artista 120

Capitalismo artista e mitologia da felicidade 124

*O capitalismo artista diante do desafio da exigência
ecológica* 127

2. As figuras inaugurais do capitalismo artista 130

As três fases do capitalismo artista 134

A invenção da loja de departamentos: os palácios do desejo.. 136

Arquitetura: o comércio como espetáculo faraônico 137

Vitrines mágicas 140

Cenários e mise-en-scène: o grande espetáculo 141

As catedrais do consumo 145

O reinado da alta-costura 149

Uma instituição metade artística, metade industrial 152

Produção em massa e gostos estéticos: de Ford a Sloan.......... 155

O modelo e a cópia 156

Série industrial e capricho estético 158

Design, primeiro ato: funcionalismo e mercado 161

Arte, artesanato e indústria 161

A estética industrial a serviço do mercado 166

A segunda era do design 170

Os Trinta Gloriosos Anos do design 172

"O complô da moda" 176

Estilistas e criadores 182

O leve, o descontraído e o juvenil 184

Das lojas de departamentos aos shopping centers 186

A estética pobre das grandes superfícies comerciais 187

A poesia das passagens... 188

A invenção do shopping center.................................. 189

Espaço kitsch, compras uniformes............................ 190

O tempo suspenso 193

Cinema e música: o nascimento das artes de consumo
de massa.. 194

A indústria do cinema 194

A sétima arte.. 198

Padrão e singularidade 201

Star-system 203

A estrela como obra de arte.................................... 206

A música na era da indústria de massa......................... 209

Do reclame à publicidade 214

A primeira era da publicidade moderna 214

Uma poesia da rua... 219

Um novo espírito publicitário................................. 220

3. Um mundo design 225
Design e economia da variedade 227
Em todos os continentes 232
Arte, design e star-system 238
O tempo dos híbridos 241
Memória, design e vintage 245
Um design emocional 249
O design em todos os sentidos 252
O design, expressão e vetor de individualização 254
Pluralismo e ecletismo 257
O design sustentável 259

4. O império do espetáculo e do divertimento 262
A era do hiperespetáculo 263
O espetáculo excessivo 270
   Gigantismo 271
   Choque visual 273
   Provocação 275
   Escalada da violência 276
   Celebridades 277
   Espetáculo no espetáculo 279
   O sensacional e o abjeto 280
Extensões do hiperespetáculo 283
   A realidade "show" 283
   Exposições-espetáculo 287
   O esporte como grande espetáculo 290
   O hipershow das passarelas 292
   O videoclipe, ou a hiperestimulação visual 294
Fim da competição espetacular? 295
   Réquiem para a publicidade-espetáculo? 297
   O belo futuro do hiperespetáculo comunicacional 300

Um mundo kitsch 302

Kitsch, o mundo é kitsch 303

Do kitsch aos kitsch(s) 309

5. O estágio estético do consumo 315

A cidade a consumir 315

Arquiteturas comerciais e paisagens urbanas 316

Os prazeres da cidade das compras 319

O gerenciamento patrimonial 323

O consumidor transestético 326

A expansão social do consumo estetizado 329

Estetização ou empobrecimento do consumidor? 332

O ambiente de vida e suas ambivalências estéticas 337

Rumo a uma cidade sensível 338

Miséria da paisagem urbana 339

A home personalizada 342

Os refinamentos da boca 343

O embelezamento de si... 348

Ditadura da beleza 350

Homens e mulheres 354

Beleza e mundialização 357

Progresso na beleza? 359

Modas e looks... 361

Culto da juventude, androginia e individualismo 363

O look e o corpo 366

Tatuagem e piercing 368

O internauta transestético 372

Consumo cultural: do *Homo festivus* ao *Homo aestheticus* 376

A dissonância das preferências individuais 377

Tédio e decepção 380

A relação turística com a Arte 382

Homo festivus como Homo aestheticus 384

6. A sociedade transestética: até onde?...................................... 387

Uma ética estética de massa... 388

Uma hipermodernidade desunificada 391

As contradições da cultura hipermoderna 394

    Valores hedonistas e medicalização da vida........................ 395

    Valores ecológicos contra ética estética? 397

    A educação contra a permissividade............................... 399

    Hedonismo e performance 400

Os paradoxos da sociedade transestética 402

    Qualidade de vida e ativismo 404

    O virtual e o sensual 406

    O falso e o autêntico 407

    São todos criativos 409

    Amenidade e violência.. 411

Vida estética e valores morais.. 412

Sociedade de aceleração e estética da vida............................ 416

Notas 423

Índice onomástico 457

Introdução

O capitalismo não goza da melhor das imagens, é o mínimo que se pode dizer. Se fizéssemos a lista dos termos e juízos que se pespega com maior frequência ao liberalismo econômico, tanto na opinião pública como entre um bom número de intelectuais, não há dúvida de que os carregados de valores negativos prevaleceriam em muito sobre os mais positivos. Era verdade ontem, continua sendo hoje, ainda que as diatribes do anticapitalismo revolucionário tenham perdido sua antiga credibilidade. Capaz de aumentar as riquezas, de produzir e difundir em abundância bens de todo tipo, o capitalismo só consegue isso gerando crises econômicas e sociais profundas, exacerbando as desigualdades, provocando catástrofes ecológicas de grandes proporções, reduzindo a proteção social, aniquilando as capacidades intelectuais e morais, afetivas e estéticas dos indivíduos. Abraçando unicamente a rentabilidade e o reinado do dinheiro, o capitalismo aparece como um rolo compressor que não respeita nenhuma tradição, não venera nenhum princípio superior, seja ele ético, cultural ou ecológico. Sistema comandado por um imperativo de lucro que não tem outra finalidade senão ele próprio, a economia liberal apresenta um aspecto niilista cujas consequências não são apenas o desemprego e a precarização do trabalho, as desigualdades sociais e os dramas humanos, mas também o desaparecimento das formas harmoniosas de vida, o desvanecimento do encanto e da graça da vida em sociedade: um processo que Bertrand de Jouvenel chamava de "a perda de amenidade".[1] Riqueza do mundo, empobrecimento das existências; triunfo do capital, liquidação do saber viver; superpoder das finanças, "proletarização" dos modos de vida.

O capitalismo aparece assim como um sistema incompatível com uma vida estética digna desse nome, com a harmonia, a beleza, o bem viver. A economia liberal arruína os elementos poéticos da vida social; ela dispõe, em todo o planeta, as mesmas paisagens urbanas frias, monótonas e sem alma, estabelece por toda parte as mesmas franquias comerciais, homogeneizando os modelos dos shopping centers, dos loteamentos, cadeias de hotéis, redes rodoviárias, bairros residenciais, balneários, aeroportos: de leste a oeste, de norte a sul, tem-se a sensação de que aqui é como em qualquer outro lugar. A indústria cria uma pacotilha kitsch e não cessa de lançar produtos descartáveis, substituíveis, insignificantes; a publicidade gera a "poluição visual" dos espaços públicos; as mídias vendem programas dominados pela tolice, a vulgaridade, o sexo, a violência — em outras palavras, "tempo de cérebro humano disponível".[2] Construindo megalópoles caóticas e asfixiantes, pondo em risco o ecossistema, tornando insípidas as sensações, condenando os seres humanos a viver como rebanhos padronizados num mundo insulso, o modo de produção capitalista é estigmatizado como barbárie moderna que empobrece o sensível, como ordem econômica responsável pela devastação do mundo: ele "enfeia toda a terra", tornando-a inabitável de todos os pontos de vista.[3] Esse juízo é amplamente compartilhado: a dimensão da beleza se estreita, a da feiura se amplia. O processo iniciado com a Revolução Industrial prossegue inexoravelmente: é um mundo mais desgracioso que dia após dia se desenha.

Um quadro tão implacável assim não tem falhas? Estamos condenados a aceitá-lo em bloco? Se o reinado do dinheiro e da cupidez tem efeitos inegavelmente calamitosos no plano moral, social e econômico, dá-se o mesmo no plano propriamente estético? O capitalismo se reduz a essa máquina de decadência estética e de enfeamento do mundo? A hipertrofia das mercadorias vai de par com a atrofia da vida sensível e das experiências estéticas? Como pensar o domínio estético no tempo da expansão mundial da economia de mercado? São algumas questões a que nos propomos responder aqui.

Os aspectos devastadores da economia liberal se impõem com tanta evidência que não se pode pô-los em dúvida. Mesmo assim existem realidades mais amenas que convidam a reconsiderar o que ocorre na cena do capitalismo de consumo superdesenvolvido. Devemos radiografar uma ordem econômica cujos efeitos são menos unidimensionais, mais paradoxais do que afirmam seus mais ferozes contestadores.

No decorrer da sua história secular, as lógicas produtivas do sistema mudaram. Não estamos mais no tempo em que produção industrial e cultura remetiam a universos separados, radicalmente inconciliáveis; estamos no momento em que os sistemas de produção, de distribuição e de consumo são impregnados, penetrados, remodelados por operações de natureza fundamentalmente estética. O estilo, a beleza, a mobilização dos gostos e das sensibilidades se impõem cada dia mais como imperativos estratégicos das marcas: é um modo de produção estético que define o capitalismo de hiperconsumo.

Nas indústrias de consumo, o design, a moda, a publicidade, a decoração, o cinema, o show business criam em massa produtos carregados de sedução, veiculam afetos e sensibilidade, moldando um universo estético proliferante e heterogêneo pelo ecletismo dos estilos que nele se desenvolvem. Com a estetização da economia, vivemos num mundo marcado pela abundância de estilos, de design, de imagens, de narrativas, de paisagismo, de espetáculos, de músicas, de produtos cosméticos, de lugares turísticos, de museus e de exposições. Se é verdade que o capitalismo engendra um mundo "inabitável" ou "o pior dos mundos possível",[4] ele também está na origem de uma verdadeira economia estética e de uma estetização da vida cotidiana: em toda parte o real se constrói como uma imagem, integrando nesta uma dimensão estético-emocional que se tornou central na concorrência que as marcas travam entre si. É o que chamamos de *capitalismo artista* ou *criativo transestético*, que se caracteriza pelo peso crescente dos mercados da sensibilidade e do "*design process*", por um trabalho sistemático de estilização dos bens e dos lugares mercantis, de integração generalizada da arte, do "look" e do afeto no universo consumista. Criando uma paisagem econômica mundial caótica, ao mesmo tempo que estiliza o universo do cotidiano, o capitalismo é muito menos um ogro que devora seus próprios filhos do que um Jano de duas faces.

Assim, o desenvolvimento do capitalismo financeiro contemporâneo não exclui de modo algum a potencialização de um capitalismo de tipo artista em ruptura com o modo de regulação fordiano da economia. Não se deve entender com isso um capitalismo que, menos cínico ou menos agressivo, daria as costas aos imperativos de racionalidade contábil e de rentabilidade máxima, mas um novo modo de funcionamento que explora racionalmente e de maneira generalizada as dimensões estético-imaginárias-emocionais tendo em vista o lucro e a conquista dos mercados. O que daí decorre é que estamos num novo ciclo marcado por uma relativa desdiferenciação das esferas econômicas e estéticas, pela desregulamentação das distinções entre o econômico e o estético, a indústria e o estilo, a moda e a arte, o divertimento e o cultural, o comercial e o criativo, a cultura de massa e a alta cultura: doravante, nas economias da hipermodernidade, essas esferas se hibridizam, se misturam, se curto-circuitam, se interpenetram. Uma lógica de desdiferenciação que é menos pós-moderna do que hipermoderna, a tal ponto se inscreve na dinâmica de fundo das economias modernas que se caracterizam pela otimização dos resultados e pelo cálculo sistemático dos custos e benefícios. Paradoxo: quanto mais se impõe a exigência de racionalidade monetária do capitalismo, mais este conduz ao primeiro plano as dimensões criativas, intuitivas, emocionais. A profusão estética hipermoderna é filha das "águas frias do cálculo egoísta" (Marx), da cultura moderna da racionalidade instrumental e da eficiência econômica.

Nesse sentido, o "arrazoamento" (Heidegger) é, mais que nunca, a lei do cosmos hipermoderno, com a diferença de que a dominação da racionalidade produtiva e mercantil não elimina de modo algum o avanço das lógicas sensíveis e intuitivas, qualitativas e estéticas. E, simultaneamente, a uniformidade planetária do "calcular tudo"[5] não deve ocultar a excrescência das criações de intuito emocional. A lei homogênea do arrazoamento e da economização do mundo é o que leva a uma estetização sem limites e ao mesmo tempo pluralista, privada de unidade e de critérios consensuais. Donde a nova fase de modernidade que nos caracteriza: depois do momento industrial produtivista, eis a era da hipermodernidade, a uma só vez "reflexiva"[6] e emocional-estética.

AS QUATRO ERAS DA ESTETIZAÇÃO DO MUNDO

Com o capitalismo artista se molda uma forma inédita de economia, de sociedade e de arte na história. Sem dúvida, a atividade estética é uma dimensão consubstancial ao mundo humano-social, o qual Marx dizia, em seus escritos de juventude, se distinguir do universo animal por não poder ser modelado sem levar em conta "as leis da beleza".[7] Em toda parte e sempre, inclusive nas sociedades "primitivas" sem escrita, os homens produziram uma multidão de fenômenos estéticos de que são testemunhos os acessórios, pinturas do corpo, códigos culinários, objetos esculpidos, máscaras, penteados, músicas, danças, festas, jogos, formas de hábitat. Não há sociedade que não se empenhe, de uma maneira ou de outra, num trabalho de estilização ou de "artealização"[8] do mundo, trabalho esse que é o que "singulariza uma época ou uma sociedade",[9] efetuando a humanização e a socialização dos sentidos e dos gostos.

Essa dimensão antropológica e trans-histórica da atividade estética sempre aparece sob formas e em estruturas sociais extremamente diferentes. Para pôr em relevo o que a estetização hipermoderna do mundo tem de específico, adotaremos, numa ótica panorâmica, o ponto de vista da longuíssima duração, esquematizando ao extremo as lógicas constitutivas dos grandes modelos históricos da relação da arte com o social. A esse respeito, podemos pôr em relevo quatro grandes modelos "puros" que organizaram, ao longo da história, o processo imemorial de estilização do mundo.

A artealização ritual

Durante milênios, as artes em vigor nas sociedades ditas primitivas não foram em absoluto criadas com uma intenção estética e tendo em vista um consumo puramente estético, "desinteressado" e gratuito, mas com uma finalidade principalmente ritual. Nessas culturas, o que pertence ao estilo não pode ser separado da organização religiosa, mágica, clânica e sexual. Inseridas em sistemas coletivos que lhes dão sentido, as formas estéticas não são fenômenos com funcionamento autônomo e separado: a estruturação social e religiosa é que em toda parte regula o jogo das formas artísticas. Trata-se de sociedades em que as convenções estéticas, a organização social e o religioso são estruturalmente ligados e indiferenciados. Traduzindo a organização do cosmos, ilustrando mitos, exprimindo a tribo, o clã, o sexo, cadenciando os momentos importantes da vida social, as máscaras, os penteados, as pinturas do rosto e do corpo, as esculturas, as danças têm inicialmente uma função e um valor rituais e religiosos.

Porque a arte não tem existência separada, ela enforma a totalidade da vida: rezar, trabalhar, trocar, combater, todas essas atividades comportam dimensões estéticas que são tudo, menos fúteis ou periféricas, a tal ponto que são necessárias ao sucesso das diferentes operações sociais e individuais. O nascimento, a morte, os ritos de passagem, a caça, o casamento, a guerra dão lugar em toda parte a um trabalho de artealização feito de danças, de cantos, de fetiches, de acessórios, de relatos rituais estritamente diferenciados segundo a idade e o sexo. Artealização cujas formas não são destinadas a ser admiradas por sua beleza, mas a conferir poderes práticos: curar as doenças, enfrentar os espíritos negativos, fazer a chuva cair, fazer aliança com os mortos. Muitos desses objetos rituais não são feitos para ser conservados: são descartados, destruídos depois do uso, ou repintados antes de cada nova cerimônia. Não há artistas profissionais ilustres, não há obras de arte "desinteressadas", muitas vezes não há nem mesmo termos como "arte", "estética", "beleza". E, no entanto, como salientava Mauss, "a importância do fenômeno estético em todas as sociedades que nos precederam é considerável".[10]

Tal controle do todo coletivo sobre as formas estéticas não exclui, sem dúvida, nesta ou naquela circunstância, certa liberdade de criação ou de expressividade individual. Mas são fenômenos limitados e pontuais, a tal ponto as práticas estéticas nessas sociedades são entranhadamente comandadas por suas funções cultuais e sociais, que se fazem acompanhar por regras extremamente precisas. Em toda parte, as artes são executadas com todo o respeito a regras draconianas e fidelidade à tradição. Não se trata de inovar e de inventar novos códigos, mas de obedecer aos cânones recebidos dos ancestrais ou dos deuses. Uma artealização ritual, tradicional, religiosa assinalou o mais longo momento da história dos estilos: uma artealização pré-reflexiva, sem sistema de valores essencialmente artísticos, sem desígnio estético específico e autônomo.

A estetização aristocrática

Herdeiro da Antiguidade clássica,[11] que o humanismo do Renascimento reabilita e reivindica expressamente, um segundo momento se instala na saída da Idade Média e se estende até o século XVIII. Ele constitui as primícias da modernidade estética com o advento do estatuto de artista separado do de artesão, com a ideia do poder criador do artista-gênio assinando suas obras, com a unificação das artes particulares no conceito unitário de arte em seu sentido moderno, aplicando-se a todas as belas-artes, com obras destinadas a agradar um público endinheirado e instruído, e não mais apenas a comunicar os ensinamentos religiosos e responder às exigências dos dignitários da Igreja. A missão propriamente estética da arte ganha relevo, tendo o artista de se esforçar para eliminar todas as imperfeições e buscar as imagens conformes ao que há de mais belo, de mais harmonioso na natureza. Com a emancipação progressiva dos artistas em relação às corporações, estes vão usufruir, por meio de seus contratos com os comanditários, de uma margem de iniciativa desconhecida até então: a aventura da autonomização do domínio artístico e estético põe-se em marcha.

Esse momento secular é contemporâneo da vida de corte, do aparecimento da moda e dos jogos de elegância, dos tratados de "boas maneiras", mas também de uma arquitetura que oferece a própria imagem do refinamento e da graça, de um urbanismo de inspiração estética, dos jardins que se parecem com quadros, com terraços, esculturas, espelhos d'água, fontes, vastas perspectivas, destinados a encantar e a maravilhar o olhar. Não mais apenas a *commoditas*, mas a graça das formas harmoniosas, o prazer estético, a *venustas* (Alberti), em cidades agradáveis, bonitas, "de aparência deleitável e de amável moradia" (Francesco di Giorgio Martini). Os artistas são solicitados e convidados às cortes europeias para criar ambientes magníficos, embelezar o interior dos castelos e o arranjo dos parques. As igrejas, querendo seduzir e atrair os fiéis, oferecem, com a era barroca, um espetáculo teatral desmesurado com fachadas sobrecarregadas de esculturas, estruturas que desaparecem sob as ornamentações, efeitos de ótica, jogos de sombra e de luz, baldaquinos, tabernáculos, púlpitos, ostensórios, cálices, cibórios decorados com abundância: toda uma arte exuberante se dissemina para criar um espetáculo grandioso, valorizar a beleza dos ambientes e o esplendor dos ornamentos. Os monarcas, os príncipes, as classes aristocráticas se lançam em grandes obras destinadas a tornar suas cidades e suas residências mais admiráveis; edificam castelos marcados pela elegância do estilo, constroem palácios, palacetes, *villas* suntuosas, cercadas por parques imensos povoados de estátuas e confiados aos melhores arquitetos. Remodelam as cidades de um ponto de vista estético, criando praças compostas de casas com fachadas harmoniosas e alinhadas, ruas que proporcionam grandes efeitos de perspectiva: o embelezamento das cidades se tornou um objetivo político central. Impõe-se uma "arte urbana", uma mise-en-scène teatral da cidade e da natureza que enobrece o ambiente habitado e realça o prestígio, a magnificência, a glória dos reis e dos príncipes.

A partir do Renascimento, a arte, a beleza, os valores estéticos adquiriram um valor, uma dignidade, uma importância social novos, de que são testemunho o ordenamento urbano, as arquiteturas, os jardins, o mobiliário, as obras de cristal e de louça, o nu na pintura e na escultura, os ideais de harmonia e de proporção. Gosto pela arte e vontade de estilização do ambiente de vida, que funcionam como meio de autoafirmação social, maneira de exibir sua posição e de realçar o prestígio dos poderosos. Durante todo esse ciclo, o intenso processo de estetização (elegância, refinamento, graça das formas) em vigor nas altas esferas da sociedade não é movido por lógicas econômicas: ele se apoia em lógicas sociais, em estratégias políticas da teatralização do poder, no imperativo aristocrático de representação social e no primado da competição pelo estatuto e o prestígio constitutivos das sociedades holísticas, em que a importância da relação com os homens prevalece sobre a da relação dos homens com as coisas.[12] O eclipse do universo cavaleiresco, o desarmamento dos grandes senhores, a constituição de uma sociedade e de um homem de corte, a laicização de certo número de valores tornaram possível um processo elitista de estilização das formas, de estetização das normas de vida e dos gostos (refinamento dos ambientes, interesse crescente pela música, "bela galanteria", arte da conversação, elegância da linguagem e da moda): uma primeira forma de sociedade estética nasceu no coração das sociedades aristocráticas do Antigo Regime. O *incipit* de *A princesa de Clèves*, romance emblemático dessa sociedade de corte e dessa "civilização dos costumes",[13] constata-o como uma evidência: "A magnificência e a galanteria nunca se manifestaram na França com tanto esplendor…".[14]

A moderna estetização do mundo

O terceiro grande momento histórico a organizar as relações da arte e da sociedade corresponde à era moderna no Ocidente.

Encontrando seu esplendor a partir dos séculos XVIII e XIX, coincide com o desenvolvimento de uma esfera artística mais complexa, mais diferenciada, a qual se liberta dos antigos poderes religiosos e nobiliárquicos. Enquanto os artistas se emancipam progressivamente da tutela da Igreja, da aristocracia e, depois, da encomenda burguesa, a arte se impõe como um sistema com alto grau de autonomia que possui suas instâncias de seleção e de consagração (academias, salões, teatros, museus, marchands, colecionadores, editoras, críticos, revistas), suas leis, seus valores e seus princípios próprios de legitimidade. À medida que o campo da arte se autonomiza, os artistas reivindicam em alto e bom som uma liberdade criadora tendo em vista obras que não tenham contas a prestar a ninguém, a não ser a si mesmas, e que não se dobrem mais às demandas vindas "de fora". Uma emancipação social dos artistas bem relativa, na medida em que é acompanhada por uma dependência de novo tipo, a dependência econômica das leis do mercado.

Mas enquanto a arte propriamente dita reivindica sua orgulhosa soberania ostentando desprezo ao dinheiro e ao ódio ao mundo burguês, constitui-se uma "arte comercial" que, voltada para a busca do lucro, do sucesso imediato e temporário, tende a se tornar um mundo econômico como os outros, adaptando-se às demandas do público e oferecendo produtos "sem risco", de obsolescência rápida. Tudo opõe esses dois universos da arte: sua estética, seu público, bem como sua relação com o "econômico". A era moderna se moldou na oposição radical entre a arte e o comercial, a cultura e a indústria, a arte e a diversão, o puro e o impuro, o autêntico e o kitsch, a arte de elite e a cultura de massa, as vanguardas e as instituições. Um sistema de dois modos antagonistas de produção, de circulação e de consagração, que se desenvolveu essencialmente apenas nos limites do mundo ocidental.

Essa configuração sócio-histórica traz consigo uma subversão geral dos valores, estando a arte investida de uma missão mais elevada que nunca. Em fins do século XVIII, Schiller afirma que é pela educação estética e a prática das artes que a humanidade pode avançar em direção à liberdade, à razão e ao Bem. E, para os românticos alemães, o belo, via de acesso ao Absoluto, está situado, com a arte, no topo da hierarquia dos valores. A era moderna constituiu o marco no qual se efetuou uma excepcional sacralização da poesia e da arte, as únicas reconhecidas como capazes de exprimir as verdades mais fundamentais da vida e do mundo. Enquanto na esteira do criticismo kantiano a filosofia deve renunciar a revelar o Absoluto e a ciência deve se contentar com enunciar as leis da aparência fenomenal das coisas, atribui-se à arte o poder de fazer conhecer e contemplar a própria essência do mundo. Desde então, a arte está situada acima da sociedade, desenhando um novo poder espiritual laico. Não mais uma esfera destinada a proporcionar deleite, mas o que revela as verdades últimas que escapam à ciência e à filosofia: um acesso ao Absoluto e ao mesmo tempo um novo instrumento de salvação. O poeta faz concorrência ao padre e toma seu lugar em matéria de desvendamento último do ser:[15] a secularização do mundo foi o trampolim da religião moderna da arte.[16]

Tal sacralização da arte é muito bem ilustrada na invenção e no desenvolvimento da instituição museológica. Extraindo as obras de seu contexto cultural de origem, cindindo-as de seu uso tradicional e religioso, não as limitando mais ao uso privado e à coleção pessoal, mas oferecendo-as ao olhar de todos, o museu encena o valor propriamente estético, universal e atemporal delas; ele transforma objetos práticos ou cultuais em objetos estéticos que devem ser admirados, contemplados por si mesmos, por sua beleza que desafia o tempo. Lugar de revelação estética destinada a dar a conhecer obras únicas, insubstituíveis, inalienáveis, o museu tem o encargo de torná-las imortais. Dessacralizando os objetos culturais, dota-os em contrapartida de um estatuto quase religioso, devendo as obras-primas ser isoladas, protegidas, restauradas, como testemunhas do gênio criativo da humanidade. Espaço de fetichização destinado à elevação espiritual do público democrático, o museu é marcado por ritos, solenidades, certo clima sacral (silêncio, recolhimento, contemplação): ele se impõe como templo laico da arte.[17]

Da arte se espera que provoque o êxtase do infinitamente grande e do infinitamente belo, que faça contemplar a perfeição, em outras palavras, que abra as portas da experiência do absoluto, de um além da vida comum. Ela se tornou lugar e caminho da vida ideal outrora reservada à religião.[18] Nada é mais elevado, mais precioso, mais sublime que a arte, a qual possibilita, graças ao esplendor que produz, suportar a hediondez do mundo e a mediocridade da existência. A estética substituiu a religião e a ética: a vida só vale pela beleza, tanto que diversos artistas afirmam a necessidade de sacrificar a vida material, a vida política e familiar à vocação artística: trata-se para eles de viver para a arte, de dedicar sua existência à sua grandeza.

Afirmando sua autonomia, os artistas modernos se insurgem contra as convenções, cercam sem cessar novos objetos, se apropriam de todos os elementos do real com fins puramente estéticos. Impôs-se assim o direito de tudo estilizar, de tudo transmudar em obra de arte, até mesmo o medíocre, o trivial, o indigno, as máquinas, as colagens resultantes do acaso, o espaço urbano: a era da igualdade democrática tornou possível a afirmação da igual dignidade estética de todos os assuntos, a liberdade soberana dos artistas de qualificar de arte tudo o que criam e expõem. Em face da soberania absoluta do artista, não há mais realidade que não possa ser transformada em obra e percepção estéticas. Após Apollinaire e Marinetti, os surrealistas lançam o slogan "a poesia está em toda parte". Rompendo com toda função heterogênea da arte, construindo-se na transgressão dos códigos e das hierarquias estabelecidas, a arte moderna pôs em marcha uma dinâmica da estetização sem limite do mundo, podendo qualquer objeto ser tratado de um ponto de vista estético, ser anexado, absorvido na esfera da arte pela simples decisão do artista.

Mas a ambição dos artistas modernos superou em muito o horizonte exclusivamente artístico. Com as vanguardas nasceram as novas utopias da arte, tendo esta como finalidade última ser um vetor de transformação das condições de vida e das mentalidades, uma força política a serviço da nova sociedade e do "novo homem". Em oposição à arte pela arte e ao simbolismo, Breton declara que é "um erro considerar a arte como um fim", e Tatlin proclama: "A arte morreu! Viva a arte da máquina!". Rejeitando a autonomia da arte, não reconhecendo nenhum valor na estética decorativa "burguesa", os construtivistas proclamam a glória da técnica e o primado dos valores materiais e sociais sobre os valores estéticos. O belo funcional deve banir o belo decorativo, e as construções utilitárias (imóveis, roupas, mobiliário, objetos…) tomam o lugar do luxo ornamental, sinônimo de desperdício decadente. A arte não deve mais ser separada da sociedade nem ser apenas um prazeroso passatempo para os abastados: a estética do engenheiro deve poder reformular, num "design total", a integralidade do ambiente cotidiano dos homens. Não mais projetos de embelezamento do ambiente em que vivem, mas a "máquina de morar" (Le Corbusier) que corresponda às necessidades práticas dos homens e ao custo mínimo. A era moderna vê se afirmar assim, por um lado, a "religião" da arte, por outro, um processo de desestetização liderado em particular pela arquitetura e pelo urbanismo, que condenam o ornamento e o embelezamento artificial do construído, preconizam construções geométricas totalmente despojadas, a substituição da composição harmoniosa dos jardins clássicos pelos "espaços verdes".

Ao mesmo tempo, em diversas correntes, um novo interesse pelas artes ditas menores se manifesta. Enquanto se multiplicam as críticas dirigidas à indústria moderna — acusada de propagar a feiura e a uniformidade —, florescem projetos de embelezamento da vida cotidiana de todas as classes, a vontade de introduzir arte em toda parte e em toda coisa pela regeneração e a difusão das artes decorativas. De Ruskin ao *Art Nouveau*, de William Morris ao movimento Arts & Crafts, depois à Bauhaus, não faltam correntes modernistas que denunciam "a concepção egoísta da vida de artista" (Van de Velde), a nefasta distinção entre "Grande Arte" e "artes menores", preconizando a igual dignidade de todas as formas de arte, uma arte útil e democrática sustentada pela reabilitação das artes aplicadas, das artes industriais, das artes de ornamentação e de construção. Não mais quadros e estátuas reservados a uma classe social superior, mas uma arte que se estenda ao mobiliário, aos papéis de parede, à tapeçaria, aos utensílios de cozinha, aos têxteis, às fachadas arquitetônicas, aos cartazes. Com a era democrática, a arte se atribui como missão salvar a sociedade, regenerar a qualidade da *home* e a felicidade do povo, "mudar a vida" de todos os dias: o Modern Style foi batizado por Giovanni Beltrami como "*Socialismo della Bellezza*".

A estetização própria da era moderna seguiu assim dois caminhos principais. Por um lado, o estetismo radical da arte pura, da arte pela arte, de obras independentes de qualquer finalidade utilitária, não tendo outra senão elas mesmas. Por outro, e no exato oposto, os projetos de uma arte revolucionária "para o povo", uma arte útil que se faça sentir nos menores detalhes da vida cotidiana e voltada para o bem-estar da maioria.

No entanto, esses projetos modernistas fracassaram notoriamente no plano estético. O paradigma funcionalista aplicado à cidade, cujo arremate é a carta de Atenas, concretizou-se, depois da Segunda Guerra Mundial, na construção de grandes conjuntos geométricos, cidades-dormitório, torres e blocos habitacionais, marcados pelo anonimato, a homogeneidade fria, a feiura triste. As "renovações-trator", aplicando ao urbanismo os princípios fordianos-tayloristas do mundo industrial, não fizeram nada mais que criar, com seu planejamento urbano, sua especialização funcional do espaço, seu zoneamento monofuncional, uma paisagem de subúrbios "desumanizados" e sinistros. Ninguém ignora também que a estetização do ambiente doméstico, durante todo esse período, permaneceu bastante limitada nas camadas inferiores da pirâmide social. A uma produção de luxo de alto valor criativo se opõe então uma produção industrial em série, sem estilo nem originalidade, destinada às massas. Em toda parte, esse longo ciclo é marcado por um sistema dicotômico insuperável opondo estilo e indústria, arte e produção de massa, vanguarda e pacotilha kitsch.

Déficit de estilo próprio da modernidade industrial inaugural que no entanto não impediu uma nova etapa de estetização em massa, trazida principalmente pelas indústrias culturais nascentes e pelas transformações da grande distribuição. A esse respeito, cabe reconhecer que foram antes as lógicas industriais e mercantis, e não a esfera da arte propriamente dita, que tornaram possível o processo de estetização de massa. Com o advento das artes de massa e das estéticas mercantis — que o cinema, a fotografia, a publicidade, a música gravada, o design, as lojas de departamentos, a moda, os produtos cosméticos ilustram —, desencadeou-se pela primeira vez uma dinâmica de produção e de consumo estético na escala da maioria. Iniciada no século XIX, essa dinâmica cresceu fortemente a partir da segunda metade do século passado: com a sociedade de consumo de massa se impôs uma cultura estética de massa, tanto através dos novos valores celebrados (hedonismo, ludismo, divertimento, moda...) como através da proliferação dos bens materiais e simbólicos impregnados de valor formal e emocional. De fato, o universo industrial e comercial foi o principal artífice da estilização do mundo moderno e da sua expansão democrática.

A era transestética

Na presente obra sustenta-se a ideia de que uma quarta fase de estetização do mundo se instalou, remodelada no essencial por lógicas de mercantilização e de individualização extremas. A uma cultura modernista, dominada por uma lógica subversiva em guerra contra o mundo burguês, sucede um novo universo em que as vanguardas são integradas na ordem econômica, aceitas, procuradas, sustentadas pelas instituições oficiais. Com o triunfo do capitalismo artista, os fenômenos estéticos não remetem mais a mundinhos periféricos e marginais: integrados nos universos de produção, de comercialização e de comunicação dos bens materiais, eles constituem imensos mercados modelados por gigantes econômicos internacionais. Acabou-se o mundo das grandes oposições insuperáveis — arte contra indústria, cultura contra comércio, criação contra divertimento: em todas essas esferas, leva a melhor quem for mais criativo.

No tempo da estetização dos mercados de consumo, o capitalismo artista multiplica os estilos, as tendências, os espetáculos, os locais da arte; lança continuamente novas modas em todos os setores e cria em grande escala o sonho, o imaginário, as emoções; artealiza o domínio da vida cotidiana no exato momento em que a arte contemporânea, por sua vez, está empenhada num vasto processo de "desdefinição".[19] É um universo de superabundância ou de inflação estética que se molda diante dos nossos olhos: um mundo *transestético*, uma espécie de hiperarte, em que a arte se infiltra nas indústrias, em todos os interstícios do comércio e da vida comum. O domínio do estilo e da emoção se converte ao regime *híper*: isso não quer dizer beleza perfeita e consumada, mas generalização das estratégias estéticas com finalidade mercantil em todos os setores das indústrias de consumo.

Uma hiperarte também na medida em que não simboliza mais um cosmos, não expressa mais narrativas transcendentes, não é mais a linguagem de uma classe social, mas funciona como estratégia de marketing, valorização distrativa, jogos de sedução sempre renovados para captar os desejos do neoconsumidor hedonista e aumentar o faturamento das marcas. Eis-nos no estágio estratégico e mercantil da estetização do mundo. Depois da arte--para-os-deuses, da arte-para-os-príncipes e da arte-pela-arte, triunfa agora a arte-para-o-mercado.

Cada vez mais as indústrias culturais ou criativas funcionam de modo hiperbólico, com filmes de orçamentos colossais, publicidades criativas, séries de TV diversificadas, programas de televisão que misturam o erudito com o music hall, arquiteturas--esculturas de grande efeito, videoclipes delirantes, parques de diversão gigantescos, concertos pop com uma mise-en-scène "extrema". Mais nada escapa das malhas da imagem e do divertimento, e tudo o que é espetáculo se cruza com o imperativo comercial: o capitalismo artista criou um império transestético proliferante em que se misturam design e star-system, criação e *entertainment*, cultura e show business, arte e comunicação, vanguarda e moda. Uma hipercultura comunicacional e comercial que vê as clássicas oposições da célebre "sociedade do espetáculo" se erodirem: o capitalismo criativo transestético não funciona na base da separação, da divisão, mas sim do cruzamento, da sobreposição dos domínios e dos gêneros. O antigo reino do espetáculo se apagou: ei-lo substituído pelo do hiperespetáculo que consagra a cultura democrática e mercantil do divertimento.

As estratégias mercantis do capitalismo criativo transestético não poupam nenhuma esfera. Os objetos usuais são penetrados por estilo e look, muitos deles se tornam acessórios de moda. Os designers, os artistas plásticos, os criadores de moda são convidados a redesenhar a aparência dos produtos industriais básicos e dos templos do consumo. As marcas de moda para o grande público copiam os códigos do luxo. As grandes lojas, os hotéis, bares e restaurantes investem num trabalho de imagem, de decoração, de personalização de seus espaços. O patrimônio é reabilitado e montado à maneira dos cenários cinematográficos. O centro das cidades é figurinizado, cenografado, "disneyficado" tendo em vista o consumo turístico. A publicidade se pretende criativa e os desfiles de moda parecem performances. As arquiteturas de imagem fazem sucesso, valendo por si mesmas, por sua atratividade, sua dimensão espetacular, e funcionam como vetor promocional nos mercados concorrenciais do turismo cultural.

Os termos utilizados para designar as profissões e as atividades econômicas também trazem a marca da ambição estética: os jardineiros se tornaram paisagistas; os cabeleireiros, *hair designers*; os floristas, artistas florais; os cozinheiros, criadores gastronômicos; os tatuadores, artistas tatuadores; os joalheiros, artistas joalheiros; os costureiros, diretores artísticos; os fabricantes de automóveis, "criadores de automóveis". Frank Gehry é celebrado em toda parte como um arquiteto artista. Até certos homens de negócio são pintados como "artistas visionários" (Steve Jobs). Enquanto se deflagra a concorrência econômica, o capitalismo trabalha para construir e difundir uma imagem artista de seus atores, para artealizar as atividades econômicas. A arte se tornou um instrumento de legitimação das marcas e das empresas do capitalismo.

A extraordinária extensão das lógicas transestéticas também se manifesta no plano geográfico. Estamos no tempo do capitalismo globalizado que impulsiona uma estilização dos bens de consumo de massa não mais circunscrita ao Ocidente. Nos cinco continentes estão em ação indústrias criativas que criam produtos estilizados, moda, *entertainment*, uma cultura de massa mundializada. Sempre houve culturas particulares imprimindo sua marca nas diferentes produções; temos agora um processo de estilização que adota, nos quatro cantos do mundo, os mesmos registros de sedução, de design, de entretenimento comercial e cujos atores se encontram todos numa concorrência econômica feroz. O monopólio ocidental da criação industrial e cultural terminou: a era transestética em marcha é planetária, sustentada que é por firmas gigantes que têm o globo como mercado.

Mas o processo de estetização hipermoderno extrapola em muito as esferas da produção, tendo alcançado o consumo, as aspirações, os modos de vida, a relação com o corpo, o olhar para o mundo. O gosto pela moda, pelos espetáculos, pela música, pelo turismo, pelo patrimônio cultural, pelos cosméticos, pela decoração da casa se difundiu em todas as camadas da sociedade. O capitalismo artista impulsionou o reinado do hiperconsumo estético no sentido de consumo superabundante de estilos, decerto, porém mais amplamente, no sentido etimológico da palavra — a αισθησις dos gregos —, de sensações e de experiências sensíveis. O regime hiperindividualista de consumo que se expande é menos estatutário do que experiencial, hedonista, emocional, em outras palavras, estético: o que importa agora é sentir, viver momentos de prazer, de descoberta ou de evasão, não estar em conformidade com códigos de representação social.

Assim, o capitalismo artista não criou apenas um novo modo de produção, mas favoreceu, com a cultura democrática, o advento de uma sociedade e de um indivíduo estético ou, mais exatamente, transestético por não depender mais do estetismo à moda antiga, compartimentado e hierarquizado. Vivemos num universo cotidiano transbordante de imagens, de músicas, concertos, filmes, revistas, vitrines, museus, exposições, destinos turísticos, bares descolados, restaurantes que oferecem todas as cozinhas do mundo. Com a inflação da oferta consumatória, os desejos, os olhares, os juízos propriamente estéticos se tornaram fenômenos presentes em todas as classes sociais ao mesmo tempo que tendem a se subjetivizar. O consumo com componente estético adquiriu uma relevância tal que constitui um vetor importante para a afirmação identitária dos indivíduos. Coisa cotidiana, o consumo transestético atinge em nossos dias quase todos os aspectos da vida social e individual: à medida que recua a ascendência dos imperativos de classe, comer, beber, vestir-se, viajar, morar, ouvir música, tudo isso se torna uma questão de gostos subjetivos, de emoções pessoais, de opções individuais, de preferências mais ou menos heterogêneas: é uma estética autorreflexiva que estrutura o consumo hiperindividualista. Há que convir: o capitalismo não acarretou propriamente um processo de empobrecimento ou de deliquescência da existência estética, mas sim a democratização em massa de um *Homo aestheticus* de um gênero inédito. O indivíduo transestético é reflexivo, eclético e nômade: menos conformista e mais exigente do que no passado, ele se mostra ao mesmo tempo um "drogado" do consumo, obcecado pelo descartável, pela celeridade, pelos divertimentos fáceis.

Um hiperconsumidor certamente apressado, zapeador, bulímico de novidades, mas que nem por isso deixa de lançar um olhar estético, não utilitário, para o mundo. Nos museus de todo tipo que se multiplicam, cada coisa é, de fato, estética e adquire um "valor de exposição" no lugar dos valores rituais ou funcionais. O mesmo se dá com o olhar turístico que em toda parte só vê paisagens a admirar e a fotografar, como se fossem cenários ou pinturas. Com o incremento do consumo, somos testemunhas de uma vasta estetização da percepção, da sensibilidade paisagística, de uma espécie de fetichismo e de voyeurismo estético generalizado. Enquanto o *Homo aestheticus* está hoje amplamente despojado das referências da sua própria cultura, o consumo estético-turístico do mundo não cessa de se propagar.

E nesse rastro se constituiu um modelo estético da vida pessoal, bastando observar que são os valores inicialmente preconizados pelos artistas boêmios do século xix (hedonismo, criação e realização de si, autenticidade, busca de experiências) que se tornaram os valores dominantes celebrados pelo capitalismo de consumo. A ética puritana do capitalismo original cedeu lugar a um ideal estético de vida centrado na busca das sensações imediatas, nos prazeres dos sentidos e nas novidades, no divertimento, na qualidade de vida, na invenção e na realização de si. A vida estetizada pessoal aparece como o ideal mais comumente compartilhado da nossa época: ele é a expressão e a condição do incremento do hiperindividualismo contemporâneo. À estetização do mundo econômico corresponde uma estetização do ideal de vida, uma atitude estética em relação à vida. Não mais viver e se sacrificar por princípios e bens exteriores a si, mas se inventar, estabelecer para si suas próprias regras visando uma vida bela, intensa, rica em sensações e em espetáculos.

PODE A BELEZA SALVAR O MUNDO?

Mas se os princípios de uma existência estética adquiriram uma legitimidade de massa, cabe frisar que não são os únicos a exercer sua ascendência. De fato, em nossas sociedades, estes se confrontam ou entram em conflito às vezes frontal com todo um conjunto de outros valores, como a saúde, o trabalho, a eficácia, a educação, o respeito pelo meio ambiente, as exigências superiores da moral e da justiça. Multiplicam-se em toda parte as tensões geradas por exigências sociais antinômicas. Tais contradições intraculturais tornam possíveis mudanças permanentes ao mesmo tempo que uma intensificação da dinâmica de individualização das escolhas, dos gostos, dos comportamentos. Em troca, estamos fadados a uma existência cada vez mais reflexiva, problemática, conflitual em todas as suas dimensões, sejam íntimas, familiares ou profissionais. O ideal estético que triunfa é o de uma vida feita de prazeres, de novas sensações, mas simultaneamente temos de dar prova de excelência, de eficiência, de prudência. A sensação de qualidade de vida parece recuar à medida que se intensificam os imperativos de saúde, eficácia, mobilidade, rapidez, desempenho. A ética estética hipermoderna se mostra impotente para criar uma existência reconciliada e harmoniosa: nós a sonhamos voltada para a beleza, e ela é voltada para a competição. O presente é sem dúvida o eixo temporal preponderante, mas não para de ser minado pelas inquietudes relativas ao devir planetário, ao futuro individual e coletivo ameaçado por uma economia cuja dimensão caótica se revela a cada dia de maneira gritante. A inconsequência e a frivolidade de viver são comprometidas pela miséria social e pela sorte trágica dos que ficam à margem. Salta aos olhos que a vida numa sociedade estética não corresponde às imagens de felicidade e de beleza que ela difunde em abundância no cotidiano. É um *Homo aestheticus* reflexivo, ansioso, esquizofrênico que domina a cena nas sociedades hipermodernas. As produções estéticas proliferam, mas o bem viver está ameaçado, comprometido, ferido. Consumimos cada vez mais belezas, porém nossa vida não é mais bela: aí se encontram o sucesso e o fracasso profundos do capitalismo artista.[20] Assim, temos que fazer o luto de uma bela utopia, agora que sabemos que é uma ilusão acreditar que "a beleza salvará o mundo".

As belezas são excessivas, mas não nos aproximamos em absoluto de um mundo de virtude mais elevada, de maior justiça ou mesmo de maior felicidade. O capitalismo hipermoderno artealiza numa escala enorme nosso ambiente cotidiano, porém não temos em absoluto uma sensação de maior harmonia, a tal ponto esse sistema produz ao mesmo tempo o "mau gosto", o banal, a estereotipia. Acrescentemos que, devido a essa superestetização, os gostos se diversificam, se individualizam, e os consumidores se mostram mais exigentes, mais críticos. É por isso que a sociedade transestética aumenta inevitavelmente a sensação de enfeamento do mundo: quanto mais belezas sensíveis, estilos, espetáculos, mais se desenvolvem as decepções, as rejeições, as detestações relacionadas a um número crescente de produtos culturais.

A sociedade contemporânea da profusão estética nem por isso está mais imbuída de um culto da arte, investido das mais elevadas missões emancipadoras, pedagógicas e políticas: a arte deixou de ser considerada uma educação para a liberdade, a verdade e a moralidade. E as estéticas mercantis que triunfam não têm de modo algum a ambição de nos fazer alcançar um absoluto em ruptura com a vida cotidiana. É de uma estética do consumo e do divertimento que se trata: não mais artes destinadas a comunicar com as forças invisíveis ou elevar a alma pela experiência extática do Absoluto, mas sim "experiências" consumatórias, lúdicas e emocionais aptas a divertir, a proporcionar prazeres efêmeros, a vitaminar as vendas. Quanto mais a arte se infiltra no cotidiano e na economia, menos é carregada de alto valor espiritual; quanto mais a dimensão estética se generaliza, mais aparece como uma simples ocupação da vida, um acessório que não tem outra finalidade senão a de animar, decorar, sensualizar a vida ordinária: o triunfo do fútil e do supérfluo. A sociedade transestética não tem mais nada de sagrado ou de aristocrático: ela é uma etapa suplementar no avanço da era mercantil e democrática que, desregulamentando as culturas de classe, acarreta a individualização dos gostos, ao mesmo tempo que uma ética estética do consumo. Quanto mais estéticas mercantis, mais o estetismo à antiga se eclipsa em benefício de um transestetismo em que se sobrepõem arte e diversão, estilo e lazer, espetáculo e turismo, beleza e gadget. Eis-nos na época da desabsolutização da arte, tanto das suas missões como da sua vivência.

Num contexto assim, paradoxal e ambivalente, evitemos entoar o refrão maniqueísta do enfeamento do mundo, tanto quanto o do "reencantamento do mundo". A oferta de todo um conjunto de consumos de maior valor agregado não elimina o espetáculo da nova pobreza, das cidades sem estilo, dos corpos desgraciosos, das criações culturais pobres e vulgares, da desculturação dos estilos de existência. O que se anuncia nada mais é que uma comercialização extrema dos modos de vida na qual a dimensão estética ocupa, sem dúvida, uma posição primordial, mas que, apesar disso, não desenha um universo cada vez mais radiante de sensualidades e de belezas mágicas. No mundo fabricado pelo capitalismo transestético convivem hedonismo dos costumes e miséria cotidiana, singularidade e banalidade, sedução e monotonia, qualidade de vida e vida insípida, estetização e degradação do nosso meio ambiente: quanto mais a astúcia estética da razão mercantil se põe à prova, mais seus limites se impõem de maneira cruel a nossas sensibilidades.

VIVER COM O CAPITALISMO ARTISTA: ESTÉTICA CONTRA ESTÉTICA

Na escala da História, não é, evidentemente, o Belo que será capaz de "salvar o mundo". Em face dos imensos problemas econômicos, sociais e ecológicos que se anunciam ruidosamente, é patente que nenhuma solução será encontrada sem a mobilização da inteligência dos homens, sem o investimento na pesquisa e na inovação, nas ciências e nas técnicas, que, é claro, não resolverão tudo, longe disso, mas sem as quais a humanidade não escapará das catástrofes em série. Há que convir: nesse plano, devemos esperar salvação antes da inteligência racional e técnica que da arte.

Não obstante, neste tempo órfão de grandes promessas religiosas e políticas, o ideal de vida estética se reveste mais que nunca de uma importância capital. Porque se a estética sem a inteligência racional é impotente para enfrentar os desafios do futuro coletivo, a razão tecnocientífica sem a dimensão estética é incapaz de nos colocar no caminho de uma vida bela e saborosa. O capitalismo artista certamente conseguiu criar um ambiente estético proliferante; ao mesmo tempo, ele não para de difundir normas de existência de tipo estético (prazer, emoção, sonho, evasão, divertimento). Mas o modelo estético de existência voltado para o consumo que ele promove está longe de ser sinônimo de vida bela, a tal ponto é acompanhado de adicção e de frenesi, de sujeição aos modelos mercantis, de uma relação com o tempo e o mundo dominada pelos imperativos de velocidade, de rendimento, de acumulação. Uma vida estética digna desse nome não poderia ser prisioneira dos limites das normas de mercado e se realizar num universo devorado pela precipitação e a urgência. Desse ponto de vista, a vida consumista merece inúmeras críticas, e não em nome de uma ética ascética revisitada, mas, ao contrário, em nome de um ideal estético superior que se pretenda a serviço da riqueza da existência individual, um ideal que privilegie a sensação de si e do mundo, o recentramento no tempo interior e na emoção do momento, a disponibilidade para o inesperado e o instante vivenciado, a fruição das belezas ao alcance da mão, o luxo da lentidão e da contemplação.

Não há um ideal estético único, e o mercado não poderia ser seu vetor exclusivo, a não ser que se mutilassem os modos de existência dos indivíduos. Donde a exigência de fazer que viver na era do capitalismo transestético não consista em se alinhar somente às ofertas prementes e estonteantes do mercado. Em nossos dias, cumpre postular duas formas ou duas versões bem diferentes da vida estética: uma, comandada pela submissão às normas aceleradas e ativistas do consumismo; a outra, pelo ideal de uma existência capaz de escapar das rotinas de vida e de compra, de suspender a "ditadura" do tempo precipitado, de degustar o sabor do mundo se dando o tempo da descoberta. À estética do acelerado há que opor uma estética da tranquilidade, uma arte da lentidão que é abertura para as fruições do mundo, permitindo "estar mais próximo da própria existência".[21]

O capitalismo artista aparece como um vetor fundamental de estetização do mundo e da existência. Mas é evidente que essa dinâmica não é totalmente positiva, tanto no que concerne às criações como às formas de consumo: a sociedade, o consumidor, o indivíduo transestéticos não estão à altura do ideal que podemos conceber de uma "vida bela". Por isso, convém frisar os limites, as contradições que estão no cerne da sociedade de mercado transestética, assim como os caminhos que conduzem a uma vida estética mais rica, menos insignificante, menos formatada pelo consumismo. Reconhecer a contribuição do capitalismo artista bem como seus fracassos: eis o objeto deste livro.[22]

1. O capitalismo artista

Arquiteturas-espetáculo de tirar o fôlego que redesenham museus, estádios e aeroportos, ilhas artificiais que compõem uma palmeira gigante, galerias comerciais que competem em luxo decorativo, lojas que parecem galerias de arte, hotéis, bares e restaurantes com decorações cada vez mais "tendência", objetos comuns cuja beleza os transforma quase em peças de coleção, desfiles de moda concebidos como mise-en-scènes e quadros vivos, filmes e música em profusão a toda hora e em todo lugar: será que o capitalismo, desde sempre acusado de destruir e enfear tudo, não é algo mais que o espetáculo aflitivo do horror e funciona também como empreendedor de arte e motor estético?

Se a era hipermoderna do capitalismo, que é a do mundo de umas três décadas para cá, é mesmo a da planetarização e da financeirização, da desregulamentação e da excrescência de suas operações, também é a que está marcada por outra espécie de inflação: a inflação estética. Não são apenas as megalópoles, os objetos, a informação, as transações financeiras que são capturadas numa escalada hiperbólica, mas o próprio domínio estético.

Estão aí os mundos da arte capturados, por sua vez, nas malhas do *híper*, já que o capitalismo contemporâneo incorporou em larguíssima escala as lógicas do estilo e do sonho, da sedução e do divertimento, nos diferentes setores do universo consumatório. Se há uma bolha especulativa, existe outro tipo de bolha extremamente inflada, mas que, no entanto, não conhece nem crise nem crash:[1] vivemos no tempo do boom estético sustentado pelo capitalismo do hiperconsumo.

Com a época hipermoderna se edifica uma nova era estética, uma sociedade superestetizada, um império no qual os sóis da arte nunca se põem. Os imperativos do estilo, da beleza, do espetáculo adquiriram tamanha importância nos mercados de consumo, transformaram a tal ponto a elaboração dos objetos e dos serviços, as formas da comunicação, da distribuição e do consumo, que se torna difícil não reconhecer o advento de um verdadeiro "modo de produção estético" que hoje alcançou a maioridade. Chamamos esse novo estado da economia mercantil liberal de capitalismo artista ou capitalismo criativo, transestético.

No tempo da financeirização da economia e dos seus prejuízos sociais, ecológicos e humanos, a própria ideia de um capitalismo artista pode parecer, não ignoramos, oximórica e até radicalmente chocante. No entanto, é mesmo essa a fisionomia do novo mundo que, confundindo as fronteiras e as antigas dicotomias, transforma a relação da economia com a arte do mesmo modo que Warhol havia transformado a relação da criação artística com o mercado, preconizando uma *art business*. Depois da época moderna das disjunções radicais, eis a era hipermoderna das conjunções, desregulamentações e hibridizações de que o capitalismo artista constitui uma figura particularmente emblemática.

O COMPLEXO ECONÔMICO-ESTÉTICO

O capitalismo artista não data de hoje, claro. Suas primeiras manifestações aparecem já no início da segunda metade do século XIX. Mas, e aí está a novidade, a era hipermoderna desenvolveu essa dimensão artista a ponto de fazer dela um elemento fundamental do desenvolvimento das empresas, um setor criador de valor econômico, uma jazida, cada dia mais importante, de crescimento e de empregos. A atividade estética do capitalismo era reduzida ou periférica: ela se tornou estrutural e exponencial. É essa incorporação sistêmica da dimensão criativa e imaginária aos setores do consumo mercantil, bem como a formidável dilatação econômica dos domínios estéticos, que autoriza a falar de um regime artista do capitalismo.

Há que dissipar, logo de saída, um mal-entendido: o que consistiria em assimilar o capitalismo artista ao reinado triunfal da beleza no mundo pela via milagrosa da economia de mercado. A dimensão artista do capitalismo é da ordem do projeto e das estratégias empresariais, não dos resultados obtidos. Se esse sistema produz beleza, também produz mediocridade, vulgaridade, "poluição visual". O capitalismo artista não faz passar do mundo do hediondo para o da beleza radiante e poética. Em suma, as operações que o caracterizam são essencialmente as da mise-en-scène e do espetáculo, da sedução e do emocional, cujas manifestações podem ser muito diferentemente apreciadas no plano estritamente estético. O critério da beleza, necessariamente subjetivo, não pode ser o que permite qualificar o estado do capitalismo artista, mas sim a organização objetiva da sua economia, na qual as operações de estilização e de moda, sedução e cosmetização, divertimento e sonho se desenvolvem em grande escala nos níveis da elaboração, da comunicação e da distribuição dos bens de consumo. O capitalismo artista não é designado como tal em razão da qualidade estética das suas realizações, mas dos processos e das estratégias que emprega de maneira estrutural visando à conquista dos mercados. Não se trata do apogeu da beleza no mundo da vida, mas da reorganização deste sob o reinado da artealização mercantil e da fábrica industrial das emoções sensíveis.

São novas estratégias empregadas pelas empresas, que contribuem para constituir um novo modelo econômico em ruptura com o capitalismo da era industrial. Diferentemente da regulação fordiana anterior, o complexo econômico-estético é menos centrado na produção em massa de produtos padronizados do que nas estratégias inovadoras, quais sejam, a diferenciação dos produtos e serviços, a proliferação da variedade, a aceleração do ritmo de lançamento de novos produtos, a exploração das expectativas emocionais dos consumidores: um capitalismo centrado na produção foi substituído por um capitalismo de sedução focalizado nos prazeres dos consumidores por meio das imagens e dos sonhos, das formas e dos relatos. Desde então, a competitividade das empresas já não se baseia tanto na redução dos custos, na exploração das economias de escala, nos ganhos permanentes de produtividade, quanto em vantagens concorrenciais mais qualitativas, imateriais ou simbólicas. Apostando em novas fontes de criação de valor, as empresas contemporâneas, notadamente através de estratégias focalizadas nos gostos estético-afetivos dos consumidores, forjaram o chamado modelo pós-fordiano ou pós-industrial da economia liberal.

Outro mal-entendido deve ser evitado. Falar de capitalismo artista não significa potencialização de uma preocupação criativa que faça recuar os imperativos de comercialização e de rentabilidade. Na verdade, as dimensões criativas e imaginárias se afirmam à medida que se intensificam a financeirização da vida econômica, a "ditadura" do mercado e de seus objetivos a curto prazo. Com o triunfo do regime artista ou criativo, o capitalismo não se torna "menos" capitalista: muito pelo contrário, ele o é cada vez mais e numa escala vastíssima, como atestam a magnitude crescente dos investimentos financeiros, a mundialização dos mercados do consumo, da moda e do luxo, o desenvolvimento das multinacionais da cultura, a predominância do marketing e da comunicação, os lucros consideráveis que são gerados. Quanto mais o capitalismo se mostra artista, mais a competição econômica se desencadeia e mais se impõe a hegemonia dos princípios empresariais, mercantis e financeiros. Com toda evidência, ele não se converteu a um éthos romântico qualquer: integrando em suas realizações uma "parte criativa" crescente, ele prossegue irresistivelmente em sua empreitada de mercantilização de todas as coisas, de maximização do lucro, de racionalização das operações econômicas.

Se o capitalismo é de fato esse modo de produção fundado na aplicação do cálculo racional à atividade econômica, note-se que em sua versão artista ele não para de moldar produções destinadas a gerar prazer, sonhos e emoções nos consumidores. Na nova economia do capitalismo, já não se trata apenas de produzir pelo menor custo bens materiais, mas de solicitar as emoções, estimular os afetos e os imaginários, fazer sonhar, sentir e divertir. O capitalismo artista tem de característico o fato de que cria valor econômico por meio do valor estético e experiencial: ele se afirma como um sistema conceptor, produtor e distribuidor de prazeres, de sensações, de encantamento. Em troca, uma das funções tradicionais da arte é assumida pelo universo empresarial. O capitalismo se tornou artista por estar sistematicamente empenhado em operações que, apelando para os estilos, as imagens, o divertimento, mobilizam os afetos, os prazeres estéticos, lúdicos e sensíveis dos consumidores. O capitalismo artista é a formação que liga o econômico à sensibilidade e ao imaginário; ele se baseia na interconexão do cálculo e do intuitivo, do racional e do emocional, do financeiro e do artístico. No seu reinado, a busca racional do lucro se apoia na exploração comercial das emoções através de produções de dimensões estéticas, sensíveis, distrativas. Na era hipermoderna, a "gaiola de ferro" (Weber) da racionalidade instrumental e burocrática realizou a façanha de assimilar, integrar seu contrário: a dimensão pessoal e intuitiva, imaginária e emocional.

Sob esse aspecto, a economia artista participa sem embaraços do desenvolvimento da nova economia do imaterial que, assinalando o fim da organização fordiana da produção, constitui uma mutação dos fatores de crescimento e dos paradigmas de competitividade e de criação de valor. O dinamismo da economia desmaterializada não repousa apenas na informação e no conhecimento, mas também na engenharia do estilo, dos sonhos, das narrativas, das experiências significantes, em outras palavras, nas dimensões imateriais do consumo. A uma "economia cognitiva" se soma uma economia intuitiva ou estética: juntas, elas ilustram a ascensão do registro imaterial típico do modelo pós-fordiano do capitalismo hipermoderno. Fundado numa economia assentada nas narrativas, imagens e emoções, o capitalismo artista se impõe como um dos componentes do novo "capitalismo imaterial"[2] movimentado por "mercados individuados de experiências, de preferências subjetivas" cada vez mais heterogêneas,[3] cujas alavancas de criação de valor são o saber, a inovação, a imaginação.

O capitalismo artista é, assim, englobado no capitalismo hipermoderno centrado na valorização do capital dito imaterial, também qualificado de "capital inteligência", "capital humano", "capital simbólico". André Gorz tem razão em salientar a flutuação que envolve os termos "capitalismo cognitivo" e "sociedade do conhecimento", como se tudo repousasse sobre a ciência, o conhecimento técnico, os conteúdos formalizados e matematizáveis. Na verdade, o conhecimento não é a única forma de "capital" geradora de valor; o que conta agora em matéria de criação de riqueza é muito mais a "inteligência", que inclui as capacidades de inovação, a imaginação, as qualidades expressivas e cooperativas, as competências emocionais, o conjunto dos saberes humanos, inclusive os intuitivos.[4] Nesse sentido, o capitalismo artista está menos vinculado ao capitalismo "cognitivo" do que à nova sociedade de cultura ou "sociedade da inteligência".

Dizer que existe aliança entre o capitalismo e a arte não significa advento de um modo de produção idealmente criativo, sem choques nem freios. Na verdade, existem entre esses dois polos contradições que remetem a sistemas de referências, objetivos, profissões dessemelhantes. De um lado, investidores, gestores, marqueteiros voltados para a eficácia e a rentabilidade econômica. De outro, criadores em busca de autonomia e animados por ambições artísticas. Demandas de liberdade criadora que se chocam contra os processos de racionalização e os controles exercidos pelas firmas sobre as narrações, roteiros, scripts, design e casting, tendo em vista assegurar maior sucesso comercial e maiores lucros. As empresas têm de atrair os talentos e estimular a inovação, mas, ao mesmo tempo, a fim de diminuir os riscos, elas se empenham em frear as criações audaciosas, em reproduzir as fórmulas que "dão certo" mais facilmente. As lógicas financeiras e organizacionais podem assim vir a contrariar a criatividade que devem, por outro lado, imperativamente favorecer: essa é uma das contradições do sistema que faz que as empresas do capitalismo artista possam apresentar graus de criatividade bem diferentes, conforme seu modo de organização e os momentos.

Se o casamento do econômico com a estética criativa é hoje estrutural, os dispositivos institucionais que o encarnam, assim como o peso crescente do mundo das finanças, dão muitas vezes mais prioridade ao primeiro polo que ao segundo. Não sem consequências às vezes nefastas: foi por isso que, nos anos 1990 e 2000, uma *major* como a Disney, com a sua financeirização e sua pesada máquina burocrática, tornou-se lenta em reagir; enquanto numerosos artistas deixavam a companhia, ela não soube antecipar a ascensão do digital e ficou atrasada no domínio dos desenhos animados.[5] Para além desse exemplo, é no conjunto do mundo da moda e das indústrias criativas que se encontra a tensão mais ou menos intensa entre o comercial e o criativo. Essa tensão não é uma anomalia, ela é constitutiva da organização bipolar do capitalismo artista, para o qual a moda, o design, o cinema, a música "não são apenas arte".

Quaisquer que sejam as tensões e contradições atuantes, o capitalismo artista não deixa de funcionar como um sistema no qual o peso do mercado e as lógicas financeiras e de marketing se impõem com uma intensidade sem precedentes. Isso se observa nas indústrias culturais, na moda, no luxo e até no mundo da arte. A importância das lógicas mercantis no mundo da arte não é coisa nova, mas com toda evidência, no tempo da mundialização, um novo patamar é atingido, como atestam em particular a magnitude dos investimentos dos colecionadores e os picos vertiginosos que o preço das obras atinge. Cada vez mais a arte aparece como uma mercadoria entre as outras, como um tipo de investimento de que se espera alta rentabilidade. A idade romântica da arte cedeu o passo a um mundo no qual o preço das obras é mais importante e mediatizado do que o valor estético: hoje é o preço mercantil e o mercado internacional que consagram o artista e a obra de arte. É o tempo da "*art business*", que vê triunfar as operações de especulação, de marketing e de comunicação. Se o capitalismo incorporou a dimensão estética, esta se acha cada vez mais canalizada ou orquestrada pelos mecanismos financeiros e mercantis. Donde o sentimento frequentemente compartilhado de que quanto mais o capitalismo artista domina, menos arte e mais mercado se tem.

Se tentarmos agora determinar as características mais gerais a particularizar o capitalismo artista, estas podem ser reduzidas a quatro lógicas principais.

1. A integração e a generalização da ordem do estilo, da sedução e da emoção nos bens destinados ao consumo mercantil. O capitalismo artista é o sistema econômico que funciona com base na estetização sistemática dos mercados de consumo, dos objetos e do ambiente cotidiano. Hoje, o paradigma estético não é mais exterior às atividades industriais e mercantis, mas está incorporado nelas. Resulta um modo de produção marcado pela osmose ou pela simbiose entre racionalização do processo produtivo e trabalho estético, espírito financeiro e espírito artístico, lógica contábil e lógica imaginária. Nessa configuração, o trabalho artístico é no mais das vezes coletivo, confiado a equipes com uma autonomia criativa limitada, controlada por gestores e integrada no seio de estruturas hierárquicas mais ou menos burocráticas. Não obstante, trata-se de criar beleza e espetáculo, emoção e *entertainment*, para conquistar mercados. Nesse sentido, é uma *estética estratégica* ou uma "engenharia do encantamento"[6] que caracterizam o capitalismo artista.

2. A generalização da dimensão empresarial das indústrias culturais e criativas. Hoje, os mundos da arte constituem cada vez menos um "mundo à parte" ou "uma economia às avessas":[7] eles são regidos pelas leis das empresas e da economia de mercado, com seus imperativos de competição e rentabilidade. No universo do cinema e da televisão, os operadores, que investem às vezes somas consideráveis, exigem uma rentabilidade igual à dos outros setores: com o capitalismo artista triunfa o *management* das produções culturais. Até os museus devem ser administrados como empresas, pôr em prática políticas de comercialização e de comunicação, aumentar o número de visitantes, encontrar novas fontes de receita. No capitalismo artista, as obras são julgadas muito mais em função de seus resultados comerciais e financeiros do que quanto às suas características propriamente estéticas.

3. Uma nova superfície econômica dos grupos empenhados nas produções dotadas de um componente estético. O que era

uma esfera marginal se tornou um setor fundamental da atividade econômica, envolvendo capitais gigantescos e realizando faturamentos colossais. Não estamos mais no tempo das pequenas unidades de produção de arte, e sim dos mastodontes da cultura, dos gigantes transnacionais das indústrias criativas, da moda e do luxo, tendo o globo como mercado.

4. O capitalismo artista é o sistema em que são desestabilizadas as antigas hierarquias artísticas e culturais, ao mesmo tempo que as esferas artísticas, econômicas e financeiras se interpenetram. Onde funcionavam universos heterogêneos se desenvolvem processos de hibridização que misturam de maneira inédita estética e indústria, arte e marketing, magia e negócio, design e *cool*, arte e moda, arte pura e divertimento.

São processos que impedem de reduzir a dimensão artista do capitalismo a um simples embelezamento ou paramentação do sistema. Longe de ser uma variável periférica ou anedótica, o paradigma estético contribuiu, paralelamente ao desenvolvimento da produtividade industrial, para criar uma verdadeira mutação econômica: de um capitalismo centrado na produção passou-se a um capitalismo de consumo de massa. Até pouco depois da Segunda Guerra Mundial, a massa da população só trabalhava para satisfazer suas necessidades fundamentais; e tudo o que era supérfluo, frívolo, fantasista, era considerado pelas classes populares como algo a proscrever, por ser sinal de desperdício condenável. Isso muda com o desenvolvimento do capitalismo artista, que vai se empenhar, com sua oferta estética, em incitar os consumidores a comprar pelo prazer, a se divertir, a dar livre curso a seus impulsos e a seus desejos, a descobrir o prazer de mudar seu cenário de vida, a se libertar de seus complexos puritanos de sobriedade e de economia.

Por meio das estratégias da obsolescência dos produtos, do estilo e da sedução, o capitalismo transformou radicalmente as lógicas de criação e de produção, de distribuição e de consumo. Seu próprio sentido se subverteu: não mais sistema econômico racional, mas máquina estética produtiva de estilos, de emoções, de ficções, de evasões, de desejos, e tudo isso não mais, como acontecia antes, para uma elite social restrita, mas para o conjunto dos consumidores: o capitalismo artista não cessa de construir universos ao mesmo tempo mercantis e imaginários. Hoje, os produtores dão ênfase a bens capazes de tocar a sensibilidade estética dos consumidores; não propõem mais apenas produtos de que se necessita, mas produtos diferenciados de que se tem vontade, que agradam e fazem sonhar. O capitalismo artista forjou uma economia emocional de sedução assim como um consumidor louco por novidades permanentes e desculpabilizado quanto à ideia de aproveitar ao máximo a vida aqui e agora. A conversão é profunda e histórica: o consumidor mínimo é substituído por um consumidor transestético ilimitado.

A INFLAÇÃO DO DOMÍNIO ESTÉTICO

A excrescência dos domínios estéticos constitui o aspecto mais imediatamente identificável do capitalismo artista. Suas manifestações são incontáveis. Podemos no entanto procurar construir seu modelo de inteligibilidade a partir de cinco lógicas principais que tocam tanto os objetos industriais como a cultura, a distribuição e o consumo.

O estilo como novo imperativo econômico

A generalização do design nas indústrias de consumo aparece como a característica mais evidente do avanço espetacular do capitalismo transestético. Nenhum objeto, por mais banal que seja, escapa hoje da intervenção do design e de seu trabalho estilístico. Até os produtos que outrora eram estritamente utilitários e tinham pouco a ver com a dimensão estética (telefones, relógios, óculos, material esportivo ou de escritório, roupas de baixo, transportes coletivos) são agora redesenhados por designers, quando não artistas de vanguarda, repaginados continuamente, transformados em acessórios de moda. Um estilismo que se estende até aos territórios dos aromas, dos sons, das sensações tácteis. É todo o universo dos objetos de consumo que agora é penetrado, alimentado, envolvido por processos de tipo artístico como o design, o *packaging*, o merchandising visual, a publicidade, o grafismo.

Essa dinâmica não é totalmente nova, mas, sem paralelo no passado, adquiriu uma importância estratégica primordial na gestão das marcas e na competição econômica. O capitalismo artista funciona como um sistema marcado pela intensificação dos investimentos em matéria de estética e pela generalização do imperativo do estilo nas indústrias de consumo. Não há mais produção de bens de consumo fora do processo de design, e isso não somente nos países ricos, mas também nos emergentes.

Todo produto destinado aos mercados do consumo se encontra aureolado, nimbado por uma dimensão de estilo. Começam até a oferecer complementos decorativos, kits adesivos personalizados para as latas de lixo pessoais e as lixeiras dos prédios. Não apenas os produtos industriais, mas também a publicidade, as revistas, os platôs da televisão, os sites de internet são objeto de um trabalho estilístico (mise-en-scène, busca de ambiência e de originalidade, decoração, renovação rápida das formas e dos estilos) realizado por profissionais especializados. No tempo do capitalismo transestético, não se vende apenas um produto, mas estilo, elegância, beleza, *cool*, emoções, imaginário, personalidade. O mundo mercantil se tornou ao mesmo tempo valor de uso, valor de troca e valor estético: o capitalismo artista é esse sistema no qual indústria e arte, mercado e criação, utilidade e moda, marca e estilo não são mais disjuntos.

Nada mais escapa às operações de design-decoração; tudo é pensado e realizado para parecer "tendência", seduzir, ser imagem e novo, produzir efeitos visuais e emocionais. Grandes lojas, hotéis, bares e restaurantes são objeto de um trabalho de decoração personalizado, de display comercial, de teatralização em matéria de ambiente, de conceito, de cor, de iluminação.[8] Fábricas, depósitos, prisões, mosteiros desativados são convertidos em hotéis chiques ou em centros de arte. Cidades históricas são revitalizadas e requalificadas com mise-en-scènes, efeitos de luz, itinerários patrimoniais, criação de zonas dedicadas aos prazeres urbanos e turísticos. A orla marítima, os sítios de montanha, as paisagens de todo tipo são remanejadas a fim de valorizar sua beleza e sua "autenticidade". Ao mesmo tempo, multiplicam-se os parques temáticos com espetáculos, mise-en-scènes arquitetônicas, vilarejos recompostos, cenarizações temáticas, ambientes encantados, decorações kitsch.

Tudo em nosso ambiente de objetos, de imagens e de sinais é hoje retocado, designeado, paisageado tendo em vista a conquista dos mercados: o capitalismo de hiperconsumo é o da artealização exponencial de todas as coisas, da extensão do domínio do belo, do estilo e das atividades artísticas ao conjunto dos setores ligados ao consumo.[9] Quanto mais a lógica midiático-mercantil triunfa, mais a oferta comercial é objeto de um trabalho de estilo: com o capitalismo criativo e transestético o que se instala é menos o recuo do belo do que um excesso de arte, uma animação estética sem fronteiras, uma cosmetização ilimitada do mundo. Em seu reinado se desenvolve "a estetização total da vida cotidiana",[10] a erosão das fronteiras entre a arte e a indústria, o estilo e o entretenimento, a arte e a vida de todos os dias, a arte de elite e a arte de massa.

Em seu célebre *Manifesto do futurismo* (1909), Marinetti escrevia: "O esplendor do mundo se enriqueceu com uma nova beleza: a beleza da velocidade. [...] Um automóvel roncando [...] é mais belo que a *Vitória de Samotrácia*".[11] Tudo acontece como se o capitalismo houvesse sido capaz de realizar em grande escala, na escala da sociedade, a provocação de Marinetti, a tal ponto as produções mercantis tomaram de fato o lugar da arte "elevada". Agora, há mais beleza no universo tecnomercantil do que na arte contemporânea, que, de resto, renunciou amplamente ao ideal de beleza clássico.

Uma diversificação proliferante

A segunda característica que assinala a explosão artista hipermoderna remete ao processo de multiplicação e de heterogeneização estéticas observável não apenas na arte, no design e na decoração, mas também na moda e nas indústrias culturais. O domínio da arte propriamente dito é contemporâneo da sua desdefinição bem como de um transvazamento de formas, de práticas, de experiências profundamente heteróclitas: um regime de arte excepcional a ponto de se poder qualificá-lo de "pós-histórico", não fazendo mais sentido a ideia de busca da essência da arte, de exclusivismo e de "linha histórica correta".[12] O design, que deixou de ser comandado por um estrito funcionalismo, vê conviverem, no mesmo momento, os estilos mais díspares. Não se contam mais as marcas de moda que oferecem, a todos os preços e para todas as idades, os mais variados looks, étnicos ou vintage, sexy ou hip-hop, clássico ou barroco, yuppie ou *sportswear*. Nunca foram produzidos tantos filmes, séries de tv, espetáculos e músicas de todo gênero: a plataforma iTunes Store da Apple tem 20 milhões de títulos musicais, os sites de *streaming* musical Deezer e Spotify oferecem respectivamente 13 e 15 milhões de títulos.

Cliquem no YouTube ou em qualquer plataforma musical da web, e terão uma hipertrofia de grupos, de títulos musicais, de ritmos, de estilos, que compõem uma esfera estética fragmentada, quase ilimitada. Depois do tempo da unidade estética, eis a época plural em que tudo é possível, em que tudo pode coexistir, se superpor, se misturar como num grande bazar caleidoscópico.

Sem dúvida sempre houve, nas sociedades históricas diferenciadas, diversos tipos de estéticas: a oposição entre cultura de elite e cultura popular ofereceu por séculos a fio uma ilustração exemplar disso. Mas é numa escala e com um significado totalmente diferentes que se manifesta hoje esse fenômeno: não estamos mais no modelo convencional de uma oposição dicotômica enquadrada por uma hierarquia de critérios estabelecidos, mas numa nebulosa fragmentada, aberta, dominada por um pluralismo estético reivindicado e generalizado. O notável, hoje, é que estamos desprovidos de referências consensuais, de centro dominante que estabeleça uma hierarquia estável. Não dispomos mais de um polo hegemônico dotado de autoridade suficiente para impor, de cima para baixo, uma hierarquia incontestre de critérios e de normas. A era da inflação estética é descentralizada, desierarquizada, estruturalmente eclética.

Estamos numa cultura fracionada, balcanizada, em que se multiplicam as mais diversas mestiçagens, em que convivem os estilos mais dessemelhantes, em que as tendências *cool* proliferam sem ordem, sem regularidade temporal, sem unidade de valor. Com o capitalismo transestético triunfa uma profusão caótica de estilos num imenso supermercado de tendências e de looks, de modas e de design. É uma proliferação dissonante, desregulamentada, que caracteriza o domínio estético contemporâneo, paralelamente às desregulamentações econômicas constitutivas do turbocapitalismo.

Não obstante, e esse ponto deve ser frisado logo de saída, a inflação da variedade que se apresenta é de tipo paradoxal. Porque se os estilos mais heterogêneos na moda, na música, no cinema, na arte têm direito de cidadania, não é menos verdade que esse fenômeno é acompanhado por uma fortíssima concentração dos sucessos, criando um amplo sentimento de monotonia, de déjà-vu, de sempre igual. A oferta musical é imensa, mas são sempre os mesmos sucessos e os mesmos cantores que ouvimos nas ondas. Os desfiles de moda oferecem o espetáculo de uma grande variedade de estilos, porém o da rua não tem surpresas e é cada vez mais parecido em todo o globo. E encontramos em todos os grandes museus do mundo as obras ou as exposições dos mesmos artistas contemporâneos em voga. O capitalismo artista e sua ordem midiático-publicitária é um sistema que produz a "diversidade homogênea",[13] a repetição na diferença, o mesmo na pluralidade.

A escalada do efêmero

Uma terceira característica define a excrescência do capitalismo artista. É o processo de aceleração das mudanças dos estilos que se exprimem na moda, nos produtos culturais, na publicidade, nos objetos, na decoração das lojas. Com a primeira modernidade, a moda aparecia como o paradigma do efêmero. Essa lógica ganhou agora todos os outros setores: design, decoração, cosméticos, esporte, mobiliário, hotelaria, gastronomia, agroalimentar, não há mais domínio que escape ao fenômeno da moda e das tendências, salvo que o ritmo do processo se acelerou enormemente. Num mundo em aceleração crescente,[14] o universo do estilo não pôde escapar da dinâmica de fluidificação intensiva da era hipermoderna, e a produção, o consumo, a distribuição, a comunicação em matéria estética se tornaram "*non stop*". Aqui também nem tudo é absolutamente novo, estando o domínio do estilo destinado já há tempos à mudança. Não obstante, a generalização e a aceleração do ritmo das renovações são patentes.

Nos anos 1960, um filme fazia sua carreira nas salas em dois ou três anos; hoje, de acordo com o Centre National de la Cinématographie, os filmes na França realizam 80% das suas receitas nos quinze primeiros dias de exibição em sala. Inflação de novidades, redução do tempo de exibição, retirada extremamente rápida do mercado em caso de baixa frequência do público: o sistema é superaquecido. A exacerbação dos sucessos efêmeros alcança da mesma maneira o universo da música gravada. Segundo os profissionais do setor, é cada vez mais difícil imaginar carreiras de artistas capazes de durar trinta ou quarenta anos. O mais frequente é ver o imenso sucesso de um álbum que depois não se confirma: a queda vertical ou o esfarelamento das vendas após um primeiro sucesso tende a se tornar a regra. Enquanto os sucessos efêmeros representavam, pouco tempo atrás, de 10 a 15% do mercado, hoje representam pelo menos um terço.[15]

Enquanto a duração dos produtos industriais é cada vez mais curta, seu visual, seu design não param de mudar em altíssima velocidade. O mesmo acontece com a decoração dos bares, restaurantes, lojas, sites da web. O Google faz evoluir frequentemente seu logo, que às vezes é modificado de maneira pontual por um só dia, por ocasião de acontecimentos particulares. Superou-se inclusive o momento das grandes tendências bianuais que organizavam o mundo da moda: é o tempo da *fast fashion*, da criatividade e da inovação em fluxo contínuo, mas também das *microtrends*, das mil novas tendências apresentadas cada dia, quase em tempo real, nos sites e blogs de "*coolhunting*" que proliferam na web.

Quem quiser se informar sobre as tendências à antiga compreende rapidamente que aquele mundo institucionalizado, regulamentado, de andamento bem definido acabou. Claro, as grandes agências de estilo entregam, em seus cadernos de tendências, um ou dois anos antes os motivos, coloridos, texturas das próximas estações. Mas ao mesmo tempo os *trends firms*, *trends briefings* e congêneres não param de anunciar, com grande reforço de neologismos, as novidades criativas, os looks descolados. E todas as informações e fotos são despejadas continuamente, disponíveis de imediato. Ficou impossível fazer a radiografia precisa das tendências, tanto elas mudam dia a dia, renomeadas sem parar pelos analistas do *cool*. No universo da última moda adolescente, não é mais a tendência da estação que conta, mas a do instante. E cada um, na época do ciberespaço, pode anunciar a todo momento o advento de uma enésima tendência. Donde uma incrível profusão de looks logo "ultrapassados": a velocidade das tendências, das criações de todo gênero, da informação contínua é tal, que supera os limites da capacidade de assimilação do consumidor.

A explosão dos locais da arte

A dinâmica inflacionista não diz respeito apenas aos objetos, estilos e tendências, mas também aos monumentos tombados[16] e aos locais de exposição da arte. Os museus e centros de arte contemporânea, primeiro: no mundo, a quantidade de museus aumenta 10% a cada cinco anos; havia nos Estados Unidos, antes de 1920, 1200 museus; no início dos anos 1980 havia cerca de 8 mil.[17] Às vezes se diz, brincando, que se cria um museu por dia na Europa: mais de 30 mil museus estão hoje catalogados nos 27 países da União Europeia. Somente Paris tem mais de 150 museus. A quantidade de museus na França é objeto de debate: em 2003, a Direction des Musées de France declarava 1200 museus classificados como "Musées de France", mas fora dessa categoria alguns guias trazem listas que vão de 5 mil a 10 mil museus. Hoje, os novos museus são abertos não só nas grandes metrópoles, mas também nas cidades médias e até em pequenas localidades. Praticamente, não há mais um município que não queira ter o "seu" museu, como sinal de afirmação de identidade e, o que não é menos importante, como centro de atração turística capaz de gerar visitantes e, portanto, retornos comerciais.

No decorrer dos anos 1980, o número de galerias de arte teve um forte aumento, praticamente dobrou.[18] Muitas dessas galerias têm vida breve, o que faz com que, como seu alto índice de mortalidade é compensado por um índice elevado de natalidade, seu número permaneça relativamente estável.[19] Em todo caso, é um número elevado: em 1990, contavam-se 330 em Paris e mais ou menos o mesmo número em Nova York. A edição do guia *Bill'art 2004* apresentava 590 galerias de arte moderna e contemporânea e avaliava cerca de 6 mil locais "abertos ao público com a vocação de apresentar todas as formas de arte". Galerias que, na verdade, não param mecanicamente de se multiplicar na medida em que o mercado de arte, saindo dos limites da Europa e da América do Norte, se globaliza. São agora milhares de galerias e locais de arte, apresentando em Shanghai, São Paulo, Istambul, Abu Dhabi, milhares de exposições e dezenas de milhares de obras de artistas que, por sua vez, também se tornaram incontáveis.

Tal torrente é revelada também pela multiplicação das bienais, salões e feiras de arte internacional no mundo inteiro. Depois da Documenta de Kassel e da Bienal de Veneza, existem agora mais de uma centena de bienais que apresentam centenas e milhares de artistas. Todos os anos, mais de 260 feiras de arte são organizadas no mundo,[20] a que se somam as feiras paralelas ou "off", que agrupam galerias mais jovens, menos estabelecidas, que apresentam artistas menos conhecidos e menos caros. Em Paris, no ano de 2009, a FIAC apresentou 203 galerias de 210 países, acrescida de quatro feiras off e 75 exposições. Em 2010, a Art Basel Miami acolheu 2 mil artistas, 29 países e 250 galerias, enquanto uma multidão de feiras e manifestações off se desenrolavam por quase toda a cidade. Feiras que se organizam agora em redes e funcionam como multinacionais da arte: Art Basel, que de Basileia se estendeu a Miami e Hong Kong, e a feira inglesa Frieze, recriada em Nova York. E o processo de expansão se amplia também com a VIP Art Fair, primeira feira de arte on-line, que reuniria em 2011, durante uma semana, 138 galerias internacionais apresentando 7500 obras de 2 mil artistas.

Com o capitalismo artista, o pequeno mundo da arte à antiga cede lugar à *hyperart*, superabundante, proliferante e globalizada, aquela em que se apagam as distinções entre arte, negócio e luxo. Aqui, a profusão (obras e manifestações) não tem nada a ver com o desperdício da "parte maldita" tão cara a Georges Bataille, mas assinala a nova cara do capitalismo artista que, adaptando-se eficazmente à multiplicação planetária das grandes fortunas e dos colecionadores, dos investidores e especuladores, cria um sistema de comercialização e de difusão da arte em escala internacional.

A disparada dos preços na arte moderna e contemporânea

Depois das obras e dos locais da arte, é a esfera dos preços que, no domínio da arte moderna e contemporânea, concretiza com maior evidência a lógica inflacionista do capitalismo artista. Desde os anos 1980 o mercado mundial da arte experimenta um crescimento sem precedentes, que passou, conforme um estudo da The European Fine Art Foundation, de 27,7 bilhões de euros em 2002 a 43 bilhões em 2010, quando cresceu 52% em relação a 2009, ano negro devido à crise financeira. Mais particularmente, o mercado da arte contemporânea foi capturado numa espiral inflacionista que só perde o fôlego em tempos de crise. Até a crise financeira de 2008, os preços das obras de arte contemporânea dispararam, devido notadamente às compras especulativas: os preços da arte contemporânea aumentaram 85% entre 2002 e janeiro de 2008, e os lances milionários foram multiplicados por seis entre 2005 e 2008. Essa euforia delirante certamente levou uma ducha fria com a crise aberta pela falência do banco Lehman Brothers, mas os preços em seguida se estabilizaram antes de recomeçar sua progressão, mesmo que mais suave.

E se a última crise fez cair as mais-valias, não fez de modo algum soçobrar o preço das obras raras e reconhecidas, que representam um valor-refúgio em face do caos financeiro e econômico. De novo, o mercado da arte moderna e contemporânea voa de recorde em recorde: a escultura *Pink Panther* de Jeff Koons foi vendida em 2011 por 16,8 milhões de dólares, pela Sotheby's New York; a tela de Joan Miró, *Le Corps de ma brune*, foi leiloada em 2012 pela soma recorde de 20,2 milhões de euros. E não é mais excepcional ver os preços de artistas contemporâneos superarem os dos mestres clássicos e modernos.[21] Estamos no momento em que os preços das estrelas da arte contemporânea alcançam picos inigualados, em que os recordes de venda são o tempo todo superados por novos recordes mais estrondosos ainda, em que os lances nos leilões soam cada vez mais altos. Preços tão assombrosos que permitiram a um Damien Hirst ser classificado entre as cinquenta maiores fortunas da Inglaterra.[22]

Também é notável, nessa explosão das cotações, a velocidade com que ela se produz. Apresentada pela primeira vez em vendas públicas em 1991, uma obra de Liu Xiaodong foi vendida por 7851 euros; quinze anos depois, sua obra *New Displaced Population* foi arrematada por mais de 2 milhões de euros. Desde 1998, os preços dos artistas asiáticos foram multiplicados em média por quarenta, às vezes por cem![23] E essa subida meteórica dos preços atinge um número cada vez maior de setores, inclusive os que, outrora, eram considerados "menores", como vídeo, design, fotografia: o produto das vendas de fotografias foi multiplicado por treze entre 1998 e 2008. Uma tiragem de Andreas Gursky foi arrematada, em 2011, por 4,3 milhões de dólares na Christie's de Nova

York. Essa soma estratosférica, recorde mundial no gênero, destronou os recordes precedentes de Cindy Sherman (3,8 milhões de dólares) e Richard Prince (3,4 milhões de dólares). O mercado da arte contemporânea é dominado pelas lógicas do superlativo e da hiperaceleração.

A decolagem do mercado hipermoderno da arte é acompanhada por outra característica relacionada à parte crescente do mercado dos leilões no comércio da arte. Não faz muito, este era orquestrado no essencial pelas galerias: agora o é cada vez mais pelas vendas públicas. Estamos num momento em que as transações efetuadas nas vendas públicas não param de progredir; depois do mundinho mais ou menos confidencial das galerias, assistimos à potencialização dos jogos da oferta e da procura, da mundialização das transações, de um mercado capitalista em escala planetária dominado por duas sociedades multinacionais, a Christie's e a Sotheby's,[24] que substituem uma lógica artesanal por uma lógica empresarial que visa controlar o conjunto das operações: multiplicação das salas de venda, política de promoção, diversificação dos serviços financeiros, papel de peritos e conselheiros dos colecionadores, organização de exposições.[25]

As razões da disparada dos preços não são misteriosas. Elas se devem a um aumento da demanda acarretado pelo considerável crescimento do número de compradores ricos, de novos colecionadores vindos da Ásia, da Rússia, do Oriente Médio, mas também pela multiplicação dos especuladores e dos fundos de investimento atraídos pela velocidade das mais-valias. Desde 2011, a China se impôs como número um mundial do mercado da arte, ultrapassando os Estados Unidos. Explosão da demanda que pôde criar uma bolha especulativa junto com uma enxurrada de novas assinaturas para responder às novas condições do mercado. A fuga para a frente financeira da arte vem fazer eco a uma economia que se tornou mundial e financeirizada. Alta fulgurante dos preços e das cotações, explosão da demanda, loucura especulativa, oferta pletórica de artistas que às vezes se convertem em "produtores de arte": o mercado da arte contemporânea ilustra, tal como o design, a moda ou as indústrias culturais, a nova posição da arte no capitalismo artista, agora uma posição planetária e financeirizada.

Não mais, como no tempo das vanguardas históricas, um setor que se pretende revolucionário e "antieconômico", mas um sistema que participa plenamente do sistema midiático, econômico e financeiro. O que caracteriza a arte contemporânea não é mais a transgressão, mas sua conformidade às realidades do mercado mundializado e de sua matemática financeira. O sistema produtivo do capitalismo integra a arte, enquanto esta se torna *art business*, estratégia de investimento, suporte de especulação, produto de aplicação julgado de acordo com a performance de rendimento. É nesse contexto que surge um novo perfil de colecionador de arte, menos "conhecedor" e atento às próprias obras, mais receptivo aos movimentos de moda, menos preocupado em constituir uma coleção do que em especular ou diversificar seu portfólio. Atesta-o notadamente o aumento da velocidade de circulação das obras: se no passado as obras voltavam ao mercado a cada vinte ou trinta anos, atualmente o tempo de detenção é de em média menos de dez anos. Como o resto, o "amor" à arte não escapa das malhas da sociedade da velocidade e do efêmero.

Um hiperconsumo estetizado

Um quinto traço caracteriza a proliferação estética: ele diz respeito à dinâmica exponencial do consumo. O capitalismo artista se distingue tanto pela artealização em grande escala da esfera da oferta, como por uma espiral consumativa estetizada que ele cria para a maioria. Vemos agora no capitalismo artista um consumidor cada vez mais ávido por design, gadgets, jogos, modas, decoração de interiores, mas também por produtos cosméticos, spas, cirurgia estética.[26] Cada vez mais desejoso, também, de descobertas, de exotismos, de viagens: o turismo, de acordo com a Organização Mundial do Turismo, se tornou, com seus 900 milhões de viajantes internacionais, a primeira indústria do mundo, representando quase 12% do PIB mundial. Nunca as exposições e os museus alcançaram tais recordes de visitantes;[27] e nunca se consumiu tanta música, tanto concerto, tantas séries de televisão, filmes, festivais (2 mil festivais a cada ano na França). O capitalismo artista não só desenvolveu uma oferta proliferante de produtos estéticos, como criou um consumidor faminto de novidades, de animações, de espetáculos, de evasões turísticas, de experiências emocionais, de fruições sensíveis: em outras palavras, um consumidor estético ou, mais exatamente, transestético.

Do mesmo modo que multiplica as criações estilísticas, o capitalismo artista também desenvolve um consumo cada vez mais abundante em experiências estéticas no sentido original de sensações, de experiências sensíveis e emocionais: o αισθητικος dos gregos. Democratizando o consumo, o capitalismo artista produziu um olhar ou um modo de percepção "desinteressado", uma certa "distância do olhar", um consumidor estético perpetuamente à espreita dessas "impressões inúteis" que, segundo Paul Valéry, são inseparáveis da experiência estética.[28] A estética hipermoderna do consumo não corresponde ao esteticismo ou ao dandismo à moda antiga: assim, tomando um exemplo apenas, se é verdade que a arte move multidões, é igualmente verdade que estas prestam somente uma atenção dispersa, fugidia ou turística às obras de arte. O consumo transestético remete à nova relação hedonista com o consumo orientada para o "sentir", tendo em vista emoções e "experiências" renovadas; ele não é mais que um consumo estético desdiferenciado, ampliado, generalizado, que busca em todos os domínios, na arte propriamente dita mas também fora dela, novas percepções, o *fun*, descobertas, sensações, vibrações hedonistas e emocionais. Assim, o individualismo possessivo cedeu lugar a um individualismo consumista experiencial e transestético.

A estética entrou, assim, na era do hiperconsumo de massa. Não é o esnobismo formalista e cerimonial, que Kojève analisava,[29] que se delineia no horizonte, mas o emocionalismo consumista, a adicção às mudanças que proporcionem sensações e experiências renovadas: um modelo de vida transestética centrada nos prazeres dos sentidos, nas fruições da beleza, na animação perpétua de si.

Assim, o mesmo capitalismo que caminha no sentido da racionalização das atividades desenvolvendo técnicas tecnocientíficas e uma lógica contábil é também aquele que trouxe consigo um processo de artealização generalizada, uma espécie de excrescência estética que se manifesta como um fato social total, a tal ponto implica os lazeres e a comunicação, os interesses econômicos e nacionais, a relação com os objetos, com o hábitat, consigo mesmo e com o corpo. Não é um paradoxo menor o de que o mesmo sistema econômico que repousa no cálculo racional dos custos e dos benefícios também é aquele que desenvolve o sentido e a experiência estéticos das grandes massas, mesmo que de um novo gênero.

OS QUATRO CÍRCULOS DO CAPITALISMO ARTISTA

Diferentes autores se empenharam em descrever o deslizar progressivo do capitalismo em direção a seu regime artista, criativo ou transestético. Luc Boltanski e Ève Chiapello mostraram assim a importância crescente, a partir dos anos 1990, do modelo artista no mundo da empresa.[30] Em resposta às críticas dirigidas à alienação, à inautenticidade, ao formalismo burocrático, à mecanização das relações humanas, afirmou-se uma neogestão que toma emprestados os valores historicamente sustentados pela boêmia. Celebrando os valores de mobilidade e de plenitude individual, de engajamento e identificação pessoais com o trabalho, o capitalismo conseguiu encampar as denúncias artistas do capitalismo. No capitalismo novo estilo, a arte, os artistas e o mundo ideal que eles encarnam (criatividade, mobilidade, autenticidade, motivação, engajamento, autodeterminação) se tornaram um modelo de gestão para o mundo empresarial da performance e da inovação. Hoje, certos dirigentes de empresa se dizem "artistas", e multiplicam-se os livros que salientam os paralelismos ou as semelhanças entre o artista e o empresário:[31] assunção de riscos, exigência de criatividade constante, contexto cada vez mais concorrencial.

Pôde-se igualmente reconhecer nas artes o laboratório do mercado de trabalho tal como este se apresenta no neocapitalismo desregulamentado. De fato, o que domina a organização das profissões artísticas é o trabalho como freelancer, o emprego intermitente, a flexibilidade contratual; ora, é essa dinâmica que está presente hoje nos setores tanto dos empregos menos qualificados como dos mais qualificados. Em toda parte se multiplicam os empregos atípicos, os empregos em tempo parcial, os contratos de trabalho com duração definida, o trabalho terceirizado, o trabalho independente: é a hora da individualização e da multiplicação das formas do trabalho assalariado. Pierre-Michel Menger salienta assim, a justo título, a ironia da nossa época em que as artes, que por muito tempo fizeram figura de realidade oposta à hidra capitalista, aparecem hoje como a vanguarda da hiperflexibilidade do mercado de trabalho.[32]

Por mais exatas que sejam essas mudanças relativas à organização do trabalho, às metamorfoses da gestão, aos novos princípios de legitimação e de mobilização do mundo do trabalho, não são as que privilegiamos aqui. O capitalismo artista ou transestético não é apenas o sistema que aclimata ao mundo da empresa os valores ou a ideologia artista, ele é antes de mais nada o sistema que dilata e incorpora a seu funcionamento as atividades pertencentes ao mundo da arte, a ponto de fazer delas uma dimensão fundamental da vida econômica. A arte, tal como a analisamos aqui, é menos modelo de organização destinado a mobilizar a criatividade dos executivos do que vetor de desenvolvimento econômico e processo que penetra cada vez mais no universo da produção e dos serviços. O capitalismo artista se apresenta como o sistema em que a inovação criativa tende a se generalizar, infiltrando-se num número crescente de outras esferas. Transformando o universo da produção por hibridização estética, ele remodela ao mesmo tempo a esfera dos lazeres, da cultura e da própria arte.

É por isso que nossa perspectiva se aproxima mais das que salientam o deslocamento do capitalismo de produção para um capitalismo de tipo cultural. Nessa nova economia que repousa nas tecnologias de comunicação, no marketing, nas indústrias culturais e no turismo, a prioridade não se volta apenas para a fabricação material dos produtos, mas também para a criação de imagens, de espetáculos, de lazeres, de roteiros comerciais que possibilitam a distração e experiências excitantes. Segundo Pine e Gilmore, o mercado da experiência aparece como a nova fronteira do capitalismo, a quarta idade econômica sucedendo às das matérias-primas, dos produtos e dos serviços.[33] Assim, nosso mundo se apresenta como um vasto teatro, um cenário hiper-real destinado a divertir os consumidores. Atualmente, são os estilos, os espetáculos, os jogos, as ficções que se tornam a mercadoria número um, em toda parte os "criativos" é que se impõem como novos criadores de valor e desenvolvedores de mercados. A economia transestética se apresenta como capitalismo experiencial, capitalismo do sonho orientado para as produções de divertimentos, ambientes, emoções. Em certo sentido, "todo mundo trabalha agora no espetáculo" e no show business, tendo em vista a estetização do consumo: "A fase cultural do capitalismo é regida por uma lógica de performance no sentido artístico do termo".[34]

No entanto, é preciso recuar ainda um pouco as fronteiras desse "supercapitalismo", pois seus territórios incluem os produtos capazes de fazer vivenciar experiências e emoções estéticas. No caminho traçado por Becker, devemos considerar os "recursos materiais", as técnicas concebidas para um uso estético, como parte integrante dos "mundos da arte".[35] As indústrias que trabalham voltadas para os artistas e o consumo estético são peças constitutivas dos mundos da arte, e portanto do capitalismo artista. Assim, por capitalismo artista não entendemos apenas o sistema em que a economia é cada vez mais movimentada pelas produções culturais, mas também um sistema que produz em massa cada vez mais produtos high-tech que possibilitam práticas de consumo estético. Os instrumentos de música, os videogames, as filmadoras, aparelhos fotográficos e estereofônicos, leitores, mesas digitalizadoras, leitores de e-book, tablets, tocadores digitais de áudio "pertencem" assim ao campo do capitalismo artista, tanto quanto o turismo, o cinema, a publicidade, a moda, os artigos de luxo, as edições musicais. Com isso, suas fronteiras nem sempre delimitam domínios homogêneos e exclusivos, pois muitos bens de consumo têm um uso utilitário, ao mesmo tempo que cultural.

Desse ponto de vista, a revolução das tecnologias da informação, longe de fazer o reinado do capitalismo artista recuar, amplia ainda mais seu império ao possibilitar uma produção em massa de produtos digitais destinados ao consumo cultural e estético de um número gigantesco de pessoas: o "capitalismo informacional"[36] alimenta o crescimento exponencial do capitalismo artista. De fato, cabe observar que atualmente o setor cultural e o das novas tecnologias da informação e da comunicação são fortemente interdependentes. Estes são um dos principais vetores do crescimento das atividades das indústrias culturais, das mídias e da internet. E, reciprocamente, o dinamismo dessas tecnologias high-tech depende em grande parte da existência de conteúdos sedutores e criativos (música, jogos, imagens, séries, filmes).

É evidente que, nessas condições, não se poderia reduzir o capitalismo artista ao sistema do mercado da arte. Este representa apenas uma pequena parte de seus territórios, os quais incluem também as indústrias de consumo, na medida em que elas estilizam sistematicamente seus produtos e vendem mais prazer e emoções do que simples produtos utilitários. O capitalismo artista, criativo ou transestético não deve tampouco ser vinculado a um setor da vida econômica — no sentido em que se fala de setor primário, secundário ou terciário —, nem a um ramo especializado, como a indústria automobilística, a construção ou o agroalimentar. Incluindo atividades tão variadas quanto certas produções de forte componente tecnológico, o design, os produtos cosméticos ou a publicidade, mas também as artes do espetáculo, a moda, o luxo, o turismo, os parques temáticos, os videogames, a música, o cinema, a arquitetura, o capitalismo transestético é difícil de circunscrever: ele apresenta uma característica multiforme e multipolar, se manifesta numa multidão de setores e de ramos e se apodera sem cessar de novos domínios mais ou menos heterogêneos, que percorre redesenhando os produtos e as imagens, integrando a dimensão do gosto, do prazer e do divertimento dos consumidores a serem seduzidos.

O capitalismo artista é esse sistema que produz em grande escala bens e serviços com fins comerciais, mas impregnados de um componente estético-emocional que utiliza a criatividade artística tendo em vista a estimulação do consumo mercantil e do divertimento de massa. Ele engloba produtos industriais e produtos culturais, bens raros e bens de *mass market*, "produtos singulares"[37] e produtos intercambiáveis. Na interseção da produção material e da criação cultural, do comércio e da arte, da indústria do divertimento e da moda, ele resiste a uma cartografia definida de uma vez por todas.

Um exemplo particularmente emblemático é proporcionado pelo mundo da Apple, tal como foi concebido por seu fundador e guru, Steve Jobs, a saber, o casamento arranjado da alta tecnologia com o design, da performance com o lúdico, com a prioridade dada na empresa aos serviços de concepção gráfica e ergonômica encarregados de imaginar os mais belos objetos possíveis e os mais inovadores: Jonathan Ive, o chefe do design, trabalhava diretamente com Steve Jobs. A fusão da informática com a elegância, da tela com o gestual, do móvel com o tátil (ampliar a imagem do iPhone afastando dois dedos na tela, deslizar o polegar no anel de clique do iPod) gerou um universo particular, um universo transestético em que os milhões de adeptos do Mac se diferenciam dos usuários comuns pelo sentimento de pertencer a uma comunidade em que o computador não é apenas uma máquina, mas uma cultura, uma "*cool attitude*", um estilo de vida.

O próprio Steve Jobs, ao mesmo tempo que era a coqueluche dos mercados financeiros, foi frequentemente considerado um "artista", um visionário genial que introduziu um estilo de vida, quase uma filosofia, cujo slogan publicitário-artista indicava o caminho: "*Think different*". Ele não foi apenas objeto de devoção como um artista, ele contribuiu para transformar o usuário qualquer em "esteta do digital".[38] Uma firma em que a preocupação estética conta tanto quanto a inovação tecnológica, uma marca que possui milhões de *aficionados* em todo o globo, o dirigente de uma multinacional comparado mais a um "diretor artístico" do que a um capitão da indústria, produtos magníficos idolatrados porque "mudaram a vida":[39] a marca da maçã e seu criador iconoclasta aparecem como os símbolos perfeitos do capitalismo artista contemporâneo.

Se considerarmos agora o capitalismo artista ou criativo em seu conjunto para determinar suas áreas de extensão, podemos distinguir quatro círculos fundamentais de natureza heterogênea, cujos territórios no entanto não deixam de apresentar cruzamentos e interconexões. O primeiro designa o que se costuma chamar de "indústrias da cultura e da comunicação" (música, cinema, edição, criações televisivas, videogames, HQs, portais, sites de difusão, plataformas de compartilhamento de vídeos na web). O segundo círculo remete a todos os elementos "concretos" que constroem um ambiente de vida, uma existência cotidiana mais estética e recreativa (arquitetura, decoração, design, moda, produtos cosméticos, luxo, gastronomia, locais comerciais, parques de atração, sítios do patrimônio, jardins e paisagens). O terceiro círculo remete ao universo da arte propriamente dita (galerias, museus, centros de arte, exposições, bienais, feiras de arte, empresas de leilões). O quarto círculo, o menos "puro", o mais distante do núcleo central do sistema, engloba as indústrias manufatureiras, cujos produtos técnicos possibilitam as produções e os consumos culturais dos artistas e do público. Esses círculos, cruzando-se, criam todo dia sinergias crescentes.

Acrescentemos este ponto. O capitalismo artista é constituído por empresas que combinam um polo econômico e um polo criativo. Observe-se todavia que esse casamento se concretiza em formas e orientações que podem ser bem diferentes. Ora essa composição se realiza por meio de políticas inovadoras ambiciosas, com investimentos maciços na criatividade e o reconhecimento da importância central do trabalho efetuado pelas equipes encarregadas da realização das imagens, do design e das narrativas. Ora a exigência de rentabilidade é tal que acaba sufocando a dimensão estética, reduzida ao mínimo necessário. Portanto, se as firmas do capitalismo de consumo se vinculam ao regime artista, nem todas estão empenhadas da mesma maneira neste.[40] A dimensão artista das empresas está longe de ser igualmente repartida no sistema: ela é uma questão de graus numa escala que admite os mais e os menos.

ARTES DE CONSUMO DE MASSA E CAPITALISMO ARTISTA

Sistema de essência transestética, o capitalismo artista mistura estruturalmente arte e indústria, arte e comércio, arte e entretenimento, arte e lazer, arte e moda, arte e comunicação. Nele, a arte nunca se apresenta numa forma pura ou autônoma, mas sempre associada e misturada às lógicas do comercial, do utilitário, do *entertainment*. Desse modo, o capitalismo artista deve ser entendido como o estado da ordem econômica liberal que, não tendo mais como eixo fundamental a produção dos bens de equipamento, investe cada vez mais nas indústrias de criação a fim de colocar no mercado uma multidão de produtos e serviços de consumo atraentes, de bens que proporcionem prazer, distração e experiências emocionais.

Num texto de 1928, Paul Valéry sustentava que havia razões para pensar que as imensas mudanças ligadas à modernidade "transformam toda a técnica das artes, agem com isso sobre a própria invenção, chegando talvez a ponto de modificar maravilhosamente a própria noção de arte".[41] Aí estamos. Com o capitalismo artista, a arte não se limita mais às obras "desinteressadas" destinadas aos museus e às galerias: ela agora se alia ao comércio, à indústria, ao consumo mercantil, a divertimento do maior número possível de pessoas. Arte híbrida, tornou-se "arte de massa",[42] acessível sem esforço ou sem cultura erudita e visando um vastíssimo público potencialmente planetário. E, mais precisamente ainda, *arte de consumo de massa*, cujos primeiros grandes protótipos foram os cartazes publicitários e o cinema. Artes de consumo de massa que constituem uma invenção sem precedentes, uma ruptura decisiva em relação às definições clássicas ou românticas da arte.

A arquitetura, por certo, é uma arte de massa, mas o cinema ou a música de variedades são artes de consumo de massa na medida em que são inseparáveis das lógicas do efêmero, da mudança permanente, da novidade sistemática produzida com a maior acessibilidade possível para o divertimento do maior número possível de pessoas. Não mais uma arte a serviço de grandes ideais superiores, mas uma arte destinada à comercialização de massa e voltada para a busca de sucessos, de hits renovados incessantemente. A meta não é a elevação espiritual do homem ou a realização da essência da arte, mas um consumo sempre novo de produtos culturais capazes de dar prazer, criar sonho, proporcionar uma satisfação imediata para todos. A arte de consumo de massa é tudo, menos arte pela arte: ela só existe voltada para a sedução dos consumidores e produzida para ser vendida ao mais vasto público. Com a arte de consumo de massa, a relação entre criação e consumo não pode ser pensada de acordo com o modelo temporal simples da diferença entre o antes e o depois. Na verdade, o princípio do consumo está de saída e intrinsecamente presente no próprio processo de produção, pois se trata de obter o mais amplo sucesso comercial possível. A arte de consumo de massa é a arte na qual o trabalho do autor não é autônomo, mas organizado tendo em vista o plebiscito do público. O que caracteriza o modo de produção da arte de consumo de massa é um misto de produção-consumo-distribuição.[43]

O capitalismo transestético inventou esse tipo de arte, inédito na história, que integra em sua ordem os seguintes princípios: a lógica econômica, o mercado de massa, o marketing, a série, o múltiplo, a obsolescência acelerada, a renovação permanente. Uma arte de massa cujo objetivo não é criar a experiência elitista do Absoluto, da veneração ou do recolhimento, mas lucrar, estimular o consumo de todos através dos prazeres passageiros e imediatos, fáceis, incessantemente renovados e que não exigem nenhum aprendizado, nenhuma competência, nenhum enraizamento ou impregnação culturais particulares. Nesse sentido, a arte de consumo de massa é arte ao mesmo tempo que não é cultura, pois esta implica sempre uma tradição comunitária determinada.[44] As épocas anteriores conheceram artes rituais, artes populares e tradicionais, artes religiosas, artes de elites; único em seu gênero, o capitalismo artista, por sua vez, gerou uma arte de consumo de massa que não requer nenhuma cultura especializada. Não se trata mais de estar a serviço da moral ou da religião, nem mesmo da Ideia de Beleza, mas de vender sonho e emoção ao maior número possível de pessoas, de comercializar obras que proporcionem uma satisfação fácil e imediata a consumidores cujas principais motivações são o prazer e a diversão. É um engano denunciar essa arte como subarte ou não arte: trata-se de uma arte de terceiro tipo, a arte dominante da hipermodernidade.

É verdade, no entanto, que muitos empresários criativos adotam uma postura deliberadamente antiartística, afirmando que suas produções não são arte, mas entretenimento. Tal posição é dominante em particular em Hollywood, onde os profissionais do cinema negam frequentemente a dimensão artística de seus filmes. Walt Disney já declarava que desejava apenas "divertir e fazer as pessoas rirem... agradando-as, em vez de se preocupar com se exprimir ou realizar criações obscuras". Mais recentemente, Steven Spielberg e Jeffrey Katzenberg afirmam: "O essencial reside numa boa história, somos contadores". A finalidade última não é a criatividade artística, mas o sucesso comercial, a rentabilidade dos filmes. Num contexto em que os orçamentos não param de inflar, os criadores têm uma liberdade artística mais reduzida, controlados que são pelos responsáveis pela direção, a gestão e o marketing. E tudo parece indicar o fortalecimento da exigência comercial: assim, as *majors* do cinema tratam de reproduzir as fórmulas que tiveram êxito em novas "sequências", cujo universo imaginário é explorado à maneira de uma franquia, ou de privilegiar tudo o que possibilite a inserção de marcas comerciais nos filmes.[45]

É inegável que as decisões acerca das artes de consumo de massa são fortemente — e, talvez, cada vez mais — orientadas para a rentabilidade. Mas isso não basta para recusar a elas qualquer dimensão artística. Existem no capitalismo artista tensões, quando não contradições, entre organização empresarial e criação, marketing e arte, mas estas não são insuperáveis, não eliminam as orientações propriamente criativas e estilísticas. Em toda parte, a meta do ganho se cruza com os tratamentos de tipo artístico. Se o capitalismo artista funciona com contradições, ele também põe em prática mecanismos de conciliação ou de aliança dinâmica entre racionalização e magia cultural, economia e arte, estratégia de desenvolvimento e imaginação criativa, de que resultam universos de sonho com valor artístico. Tanto isso é verdade que as produções da Disney foram apresentadas numa exposição do Grand Palais em Paris, em 2007, numa perspectiva histórica que procurava ligar a arte dos estúdios às correntes artísticas dos séculos xix e xx. E enquanto os videogames adquiriram um estatuto estético, como atesta a exposição que lhes foi consagrada pelo mesmo Grand Palais em 2011-2,[46] não se contam mais as exposições de design industrial nos maiores museus do mundo.

Grande Arte e arte comercial

Falar de capitalismo artista transestético implica não reduzir o conceito de arte ao de Grande Arte, mas incluir neste as artes comerciais e industriais, a moda, o kitsch, a indústria do *entertainment*. Ninguém discordará de que existem diferenças manifestas entre essas esferas distintas, mas nem por isso elas deixam de ser membros da mesma família "estética", na medida em que todas se caracterizam por operações de "artealização" do mundo, de estilização das formas, de "correção da natureza" (Baudelaire), de criação e difusão de modelos e, nessa esteira, por um trabalho social de transformação dos olhares, juízos e sensibilidades estéticas. Baudelaire, desviando-se da Grande Arte e tomando em consideração objetos tidos como insignificantes (pó de arroz, acessórios), sublinhava "a alta espiritualidade da indumentária", o parentesco da arte, da moda e da maquiagem.[47] Cabe dar um passo adiante nessa abordagem rejeitando a ideia de dessemelhança absoluta entre arte de criação e artes comerciais. Na escala de uma teoria antropológico-social da arte, não há fosso ontológico entre essas diferentes produções: juntas elas forjam o universo das aparências, esculpem as definições do Belo, estilizam as coisas e os sons, os corpos e os sonhos, idealizam os sentimentos e alimentam o imaginário.

Não podemos nos ater à dicotomia nítida tradicionalmente estabelecida entre as belas-artes e as artes industriais e comerciais, não sendo estas últimas consideradas uma arte digna desse nome, pois são interessadas e visam o lucro por meio de estratégias mercantis. Não só essa divisão torna a arte inacessível à maioria das pessoas, como não faz justiça às artes de massa que proporcionam inegáveis satisfações *estéticas* ao maior número possível delas. De fato, não se tem certeza de que as emoções sentidas num concerto pop sejam substancialmente diferentes das experimentadas na ópera. Quer se trate de uma sinfonia de Beethoven, quer de uma canção de variedades, a emoção criada é igualmente de tipo estético. O prazer sentido em contato com uma obra "formatada" ou kitsch não deixa de ser, por isso, de natureza estética. Em que os afetos, os modos de participação do público, os medos e as lágrimas suscitados pelos filmes para o grande público são de outra natureza que os gerados pelo teatro "nobre"? Sob esse aspecto, nada distingue a arte de massa da Grande Arte. Convenhamos: mesmo que pouco refinado ou pouco sutil, o sentimento que acompanha o rap, o rock, o turismo, as HQs, a foto de moda, um telefilme, uma série é uma vivência da arte entre outras.

O que justifica não considerar as obras comerciais como arte propriamente dita? Sua falta de qualidade e de criatividade? Mas nem a originalidade,[48] nem mesmo o valor estético são condições *sine qua non* de uma obra de arte. Um romance "ruim" não deixa de ser um romance; e uma cançoneta popular, uma obra musical. O próprio rap, tão depreciado devido a seus ritmos barulhentos e suas letras grosseiras, pode ser considerado uma forma legítima de arte.[49] O mesmo vale para as séries de TV que fazem seu o que, desde a aurora dos tempos, representa um dos elementos constitutivos, universais, da vida cultural, artística e social: a narrativa. Não há dúvida: a arte das séries de televisão pertence muito menos ao domínio da arte das imagens que ao da arte imemorial de contar histórias.[50] A série televisiva demarcou seu território, vinculando sua própria forma a essa predominância da narrativa. Ainda que as pesquisas formais não estejam ausentes das mais ambiciosas, para elas é menos o aspecto visual que conta do que a estrutura narrativa, com todas as possibilidades de interrupções, de cruzamentos, de narrativas alternadas, mas também de retomada das grandes temáticas imemoriais que a forma folhetinesca oferece. Contada por episódios, como Sherazade contava seus mil e um contos para mil e uma noites, a série se apresenta como uma forma de arte de consumo de massa cujo sucesso é crescente.

Acrescentemos que não é verdade que as obras comerciais são sempre pobres ou inconsistentes. Várias séries televisivas e filmes para o grande público se baseiam atualmente em roteiros complexos (*Short Cuts*, *Babel*, *A origem*). Os roteiros de um número crescente de séries americanas são escritos hoje pelos melhores romancistas e autores de policiais: Michael Chabon (*Hobgoblin*), Stephen King (*Kingdom Hospital*), Salman Rushdie prepara *The Next People*. Acerca das séries, David Simon (autor de *The Wire*) fala de "romances visuais". E a "multiplexidade" no cinema vai se acentuando, tendo a compreensão clara e imediata da narrativa deixado de ser um imperativo absoluto do cinema comercial. Atualmente, o caótico, o vago, o desunificado, a complexidade narrativa encontraram seu lugar até nos blockbusters.[51]

Num outro plano, é esquecer que até as grandes obras de arte nunca foram exteriores à realidade dos contratos mercantis. Os pintores que exerciam sua arte em Roma no início do século XVII puseram-se a executar pequenos formatos, tendo como modelo as "bambochadas" popularizadas por Van Laer (que aliás tinha o apelido de Bamboccio), porque esses quadros correspondiam exatamente à dimensão dos alforjes de cavalo e podiam portanto ser vendidos mais facilmente aos viajantes que desejassem comprá-los. E nenhum dos grandes pintores da época, Caravaggio, La Tour, Poussin, jamais se mostrou indiferente às encomendas e à questão dos preços de venda de suas obras. É esquecer também que muitas obras hoje consideradas obras-primas incontestes foram em seu tempo recusadas pela arte oficial como não pertencentes ao mundo da arte: basta ver os juízos emitidos sobre os borrões dos impressionistas, sobre a vulgaridade de Zola ou, no início, sobre o baixo nível do cinema.[52] Aliás, por que a preocupação com o dinheiro impediria de realizar obras de qualidade estética? A história da arte prova permanentemente o contrário: basta ver Alexandre Dumas ou Picasso! É por isso que é necessário ampliar a noção de arte incluindo esses domínios considerados "menores" que são o design industrial, as artes decorativas, a moda, as músicas de variedade, o rock, as imagens publicitárias, o cinema, as HQS. Elas constituem, com as artes "nobres", os diferentes "mundos da arte" do capitalismo artista transestético.

Conquistando todos os setores do consumo cotidiano, a arte não está mais apenas na arte, ela inerva o próprio mundo mercantil. Donde os paradoxos salientados por Yves Michaud: quanto menos sedução existe nas obras de arte contemporâneas (na medida em que estas não procuram mais satisfazer os sentidos e desvalorizam o objeto produzido em benefício dos procedimentos e da experiência do público), mais o mundo da cotidianidade se artealiza; quanto menos a arte contemporânea visa o Belo, mais o mundo se estetiza. A época em que se impõe a "arte desestetizada"[53] é aquela que vê triunfar um mercado e uma sociedade estéticos generalizados. Mas será mesmo da "vaporização da arte" que se trata, de uma passagem ao "estado gasoso"?[54] Não é seguro que essa imagem seja totalmente adequada, pois ela não explica, precisamente, a *incorporação estrutural*, imperativa, calculada, da dimensão estética no universo dos bens de consumo. Não se trata de passagem da arte ao "estado de gás ou de vapor", mas de reestruturação do universo consumatório pelo princípio criativo que funciona como estratégia de marketing, processo criador de valor, instrumento de competitividade das empresas. A arte que impregna o mundo comercial não se difunde à maneira de um "éter estético": ela procede de um projeto e de uma estrutura organizativa que estabelece objetivos e controla os criadores. O design não é um simples princípio decorativo que cobre de "vapor" estético um produto, e sim uma lógica global que visa a coerência deste, a integração ótima de todos os seus elementos.

Como quer que seja, há que convir: não é mais a Arte elevada e desdenhosa do mercado que embeleza o mundo, é o próprio capitalismo armado de seu novo braço artístico. O império da estética nas sociedades hipermodernas marca, no universo dos produtos e do consumo, a vitória do capitalismo artista.

ARTE, MODA E INDÚSTRIA: O TEMPO DAS HIBRIDIZAÇÕES ARTISTAS

Ao integrar a exigência de estilo no mundo comercial, o capitalismo toma a seu encargo não apenas a missão tradicionalmente atribuída à Arte, mas institui um universo em que se mistura a oposição estrutural e cultural entre a economia e a arte. O capitalismo artista coincide com o desenvolvimento de um mundo econômico hibridizado pela arte, no qual se apagam as distinções entre esta e a moda. O universo econômico que se estabelece derruba essas antigas compartimentações: estamos no tempo hipermoderno da mistura dos gêneros, das transversalidades criativas, das desregulamentações produtoras de ligações ou de sínteses estético-mercantis. No tempo dos cruzamentos hipermodernos, os produtos de grande consumo se confundem com a moda, a moda imita a arte, a publicidade reivindica a criatividade artista e a arte se aproxima do produto moda e luxo. O capitalismo artista funciona no *crossover* generalizado entre estilo e negócio,[55] moda e mercadoria, arte e tendência de moda: seu modo de funcionamento é transestético, transgênero, trans-hierárquico.

O sistema hipermoda

Se o capitalismo transestético é definido pela estetização da mercadoria, não se deve porém perder de vista que esse processo se dá através da renovação perpétua da forma dos produtos e de sua embalagem, por meio da mudança cada vez mais rápida da publicidade, da decoração das lojas e de sua arquitetura interior. Este é um tempo em que o universo da produção, da comunicação e da distribuição obedece a um processo de obsolescência estilística acelerada, que é o mesmo em vigor na moda. Nas sociedades redesenhadas pelo capitalismo artista, a moda deixou de ser vinculada a uma esfera privilegiada — o vestuário —, como foi o caso séculos a fio. Ela se apresenta como um processo generalizado, uma forma transfronteira que, apoderando-se de cada vez mais domínios da vida coletiva, reestrutura os objetos e os lugares, a cultura e as imagens. Os jogos e os esportes, os acessórios, a imprensa e a televisão, a publicidade e o design, a higiene e a alimentação, o lazer e o turismo, os museus, os bares e os hotéis: mais nada disso, inclusive o próprio mundo da arte, é exterior aos mecanismos da moda. Estamos no tempo da moda generalizada ou hipermoda,[56] e no entanto, paradoxalmente, a roupa ocasiona cada vez menos despesas para as famílias.

Nas indústrias do consumo, do lazer e da comunicação, é preciso renovar perpetuamente os modelos e os programas, inovar, acelerar os ritmos da mudança. Segundo The Innova Database, todo ano 100 mil novos produtos aparecem no mercado agroalimentar dos cinco continentes; e mais de oitocentos novos perfumes são lançados no mercado mundial. A aceleração da obsolescência dos produtos é observada em toda parte, um número enorme desses tem uma vida média que não ultrapassa dois anos: os celulares não ficam mais de oito meses no mercado; dois terços dos filmes ficam menos de dois meses em cartaz; mais de 50% dos perfumes desaparecem logo no primeiro ano; a vida média de um livro na livraria é hoje de pouco mais de três meses contra seis há uma geração. O imperativo do Novo, exaltado de longa data pela moda e desde o fim do século XIX pelas vanguardas, está hoje incorporado a um capitalismo que se tornou, com isso, artista. O capitalismo transestético é aquele em que a produção é remodelada pelas lógicas-moda do efêmero e da sedução, por um imperativo de renovação e de criatividade perpétuas.[57]

O capitalismo transestético coincide com a expansão ilimitada da sedução estética, com a mise-en-scène total do consumo e de nosso entorno pessoal. São blocos inteiros da vida cotidiana que se banham hoje num clima artealizado de hedonismo, de lazer, de estilo tendência, de ambiente lúdico e humorístico, "jovem" e cool. Design polissensorial, *concept store* e *fun shopping*, teatralização dos *lounge bars* e dos restaurantes temáticos: hoje, os produtos (até mesmo o papel higiênico!), a sinalização e os espaços obedecem a uma lógica de cosmetização sistemática, de estética-moda onipresente (repaginação, fantasia, decoração tendência). Com o capitalismo artista, o princípio de sedução estética não é mais um fenômeno socialmente limitado à arte e ao luxo, ele inerva a sociedade de hiperconsumo em seu conjunto sob o signo da moda.

Estilo, hibridização e co-branding

Todos os dias o mundo industrial se cruza um pouco mais com o universo da moda. Depois do automóvel, os utensílios de cozinha e de banheiro, as escovas de dente, a lingerie, os calçados esportivos, os óculos, os relógios não são mais apenas produtos "técnicos", mas artigos de grife, incessantemente renovados e apresentados em coleções. O iPod foi vestido com capas assinadas por Dior. Philips e Swarovski colaboraram para coleções de pendrives engastados com cristais em forma de coração, cadeado ou animais. Prada, Armani, Dolce & Gabbana assinaram celulares, respectivamente, para a LG, Samsung e Motorola. É o tempo da mistura transestética da moda e do high-tech.

Não basta mais lançar produtos de qualidade técnica; é preciso ser "tendência", espetacularizar a oferta mercantil, lançar regularmente novas linhas apresentadas como coleções de moda. Com a primeira versão do Twingo, a Renault falou pela primeira vez de "coleção", com uma nova série lançada a cada dois anos. Multiplicam-se as séries limitadas de modelos de automóveis concebidos em colaboração com marcas de moda, tendo por alvo as motoristas: assim, vemos no mercado o Nissan Micra Lolita Lempicka, o Fiat 500 Gucci, o Lancia Ypsilon Elle (numa alusão à revista feminina). O carro-conceito Peugeot HX1 foi apresentado com o sapato-conceito exclusivo assinado pelo criador de calçados Pierre Hardy: uma associação de um veículo pensado como modelo de alta-costura com um sapato high-tech futurista.

Ao mesmo tempo, as parcerias com as notoriedades da moda se banalizam: Karl Lagerfeld redesenhou, para uma série limitada, a garrafa da Coca-Cola Light, dando-lhe uma nova aparência chique e moderna; Christian Lacroix e Jean-Charles de Castelbajac criaram relógios Swatch; a Renault lançou o Twingo Kenzo, o Twingo Benetton, o Twingo Elite, em colaboração com a agência de modelos Elite; Stella McCartney, Madonna e Jimmy Choo assinaram minicoleções a preços baixos para a H&M. Nem a informação e o high-tech escapam: Karl Lagerfeld sugeriu uma versão repaginada do jornal *Libération*, e Christian Lacroix vestiu as composições do TGV. O capitalismo artista realiza a hibridização hipermoderna da produção industrial e da moda, do desempenho técnico e do estilo.

O mesmo ocorre com as indústrias de material esportivo. Um número cada vez maior de marcas esportivas apela para designers e criadores reconhecidos que desenvolvem coleções com look descolado: Puma dirigiu-se a Jil Sander, Alexander McQueen, Hussein Chalayan. A Adidas chamou Stella McCartney. Reebok e Armani se associaram para criar uma coleção de *sports-*

wear de luxo; nessa ocasião foi lançada uma campanha publicitária no maior outdoor do mundo (220 metros por quinze).

São operações de *co-branding*, de casamentos de estilo e tecnologia, imagens de luxo e produtos abordáveis que ilustram o peso da comunicação no marketing contemporâneo, bem como as exigências de diferenciação nos mercados ultracompetitivos do capitalismo artista. Estamos nos antípodas do estilo "desinteressado", com a parte artista funcionando como ferramentas de promoção e comunicação, estratégias de diferenciação e de personalização destinadas a fortalecer notoriedade e imagem de marca. Mais que nunca, a dimensão de sonho e de estilo é mobilizada a serviço da gestão das marcas comerciais, num tempo em que a oferta técnica pura já não basta para se impor nos mercados e conquistar os novos consumidores emocionais, sedentos de novidades, looks-moda, singularidades estéticas.

Mixagem dos gêneros

O luxo, que era um setor marcado pela permanência e pela tradição artesanal, também resvalou para o reino da moda-espetáculo. Em 1994, Tom Ford se torna diretor artístico da Gucci e insufla na grife um espírito provocador, moda e marketing: ele rejuvenesce a marca com um estilo glamoroso e campanhas publicitárias transgressoras que exploram o veio pornô-chique. Marc Jacobs, *fashion designer* outsider e anticonformista, célebre por suas criações *grunge*, é contratado como diretor artístico da Vuitton em 1997. Ele convida artistas de vanguarda a revisitar os produtos Vuitton e contrata top models e estrelas para modernizar a imagem da marca, transformando-os em faróis *hip* do luxo. Do mesmo modo, Jean Paul Gaultier se torna o criador do prêt-à-porter feminino da Hermès em 2004, substituindo Martin Margiela, outro iconoclasta, que ocupava o cargo desde 1998. A era hipermoderna é aquela em que se unem a tradição e o descolado, o patrimônio e a vanguarda, a "eternidade" e o efêmero, as raízes e a criação contemporânea. À medida que as estratégias de marketing do *mass market* se exercem na arena do luxo, este aparece como um novo continente-moda. Até então as bodas do luxo com a moda diziam respeito ao vestuário: estamos no momento em que todos os artigos, sejam velhos ou novos, participam plenamente do funcionamento-moda. Apagou-se uma velha dicotomia, na esteira dos cruzamentos impulsionados pelo capitalismo artista.

A essas interferências se soma a hibridização transestética do comércio e do artístico propriamente dito, quando as marcas apelam a artistas ou criadores de vanguarda para a concepção de certos produtos ou a decoração das suas lojas. Takashi Murakami e Stephen Sprouse desenharam bolsas, lenços, *badges* para a Vuitton. Murakami criou uma empresa própria, que organizou uma coleção de moda com Miyake, produziu filmes de animação, lançou campanhas promocionais, realizou clipes, capas de CD, objetos variados.[58] Swatch confiou o projeto de certo número de modelos realizados em séries limitadas a artistas como Victor Vasarely, Pedro Almodóvar, Kiki Picasso, Keith Harring, Sam Francis. Em outro domínio, o novo clube parisiense Silencio, que também é um local de difusão de filmes, concertos e debates, foi projetado por David Lynch.

A atividade artística propriamente dita é cada vez mais incorporada ao universo mercantil, não sem comprometer a tradicional antinomia vanguarda e negócio, arte e moda. O que aparecia como mundos heterogêneos cedeu lugar a uma realidade híbrida, transestética, em que os artistas põem seu talento a serviço da estilização das produções industriais, enquanto as empresas ganham notoriedade e lucram com o trabalho das vanguardas, que não hesitam mais em solicitar e pôr em cena. Paralelamente, certos artistas contemporâneos (Murakami, Jeff Koons, Damien Hirst...) transformam seus nomes em marca e comercializam produtos em série com etiqueta em seu nome e fabricados por sua empresa, que em alguns casos supera a centena de assalariados.

Enquanto a indústria se torna moda, o luxo e a moda ostentam uma imagem artista. É o tempo da mistura dos gêneros, da desestabilização das distinções tradicionais que opõem cultura artística e cultura material, arte e economia, vanguarda e mercado, criação e indústria: a Renault se autoproclamou "criadora de automóveis" e lançou seu novo carro elétrico, o Twizy, não em revendedoras, mas na loja mais tendência de Paris, Colette.[59] A Mercedes-Benz, pondo em destaque Gorden Wagener, designer-chefe da casa, faz campanha com o slogan: "Nossos carros são verdadeiros objetos de arte".

E as marcas jogam com essa ambiguidade. Em 1998, a BMW ofereceu, em série limitada, o conversível "Magritte". A Cofinluxe lançou, com licenciamento mundial, os perfumes Salvador Dalí e Andy Warhol. Com o capitalismo hipermoderno, os nomes de artistas se impõem como marcas e instrumentos de marketing promocional de produtos industriais. Assim, Picasso se tornou uma verdadeira marca[60] com registro do nome e da assinatura: uma empresa foi constituída para a gestão dos direitos e da venda de licenças comerciais para produtos com a etiqueta "Picasso". Se Warhol se apropriou das marcas, metamorfoseando-as em obras de arte, agora é o capitalismo que transforma os nomes de artistas em produtos comerciais e vetores publicitários.

Paralelamente, muitas grandes marcas, no domínio do luxo em particular, investem recursos financeiros consideráveis em fundações (Cartier, Vuitton, Prada) destinadas a apoiar a criação, ou na organização de exposições de diversos gêneros. Hermès patrocinou a HBOX, concebida por Didier Faustino e Benjamin Weil, um espaço de projeção nômade que divulga as criações de videomakers: essa exposição foi acolhida pelo Centre Pompidou, estendendo-se depois a diversos museus da Europa, Ásia e América. Em 2008, Chanel lançou uma exposição itinerante, Mobile Art, reunindo as obras de quinze artistas que reinterpretam a célebre bolsa acolchoada Chanel: todas as obras são apresentadas num pavilhão com traços curvilíneos, assinado pela arquiteta Zaha Hadid. A plataforma Prada Transformer realizada por Rem Koolhaas abriu suas portas em 2009 em Seul: essa estrutura flexível tetraédrica, que muda de forma girando em torno de si mesma, tem por vocação acolher exposições de arte, desfiles de moda, concertos, festivais de cinema.[61] São investimentos que trazem um forte retorno de imagem para as marcas[62] e desvinculam o luxo da sua imagem de tradicionalismo burguês e de superfluidade mercantil.

Enquanto o mecenato cultural "clássico" apresenta sinais de esgotamento,[63] os grandes grupos se empenham em ser operadores de arte e de cultura organizando eles próprios manifestações que financiam, a fim de controlar melhor sua imagem e obter melhor visibilidade. Na era do capitalismo transestético, a arte se impõe como uma ferramenta de "comunicação acontecimental" que permite enobrecer as marcas, criar uma imagem audaciosa, criativa, menos mercantil. Por esse caminho, a marca efetua uma espécie de transmutação simbólica, exibindo-se alinhada à gratuidade, à doação generosa. Em fase com o gosto do público pelas grandes exposições, as operações *arty* são emblemáticas da potencialização da comunicação na gestão das marcas, uma comunicação que procura outros trampolins além do patrocínio e do marketing agressivos, novos dispositivos visando dar sentido e altura a elas, participar da vida da cidade, criar um vínculo com seu público. O capitalismo artista é o sistema em que, por intermédio da arte, as marcas, ambicionando reencantar o mundo, se põem em cena, criam a emoção ou o vivencial ao mesmo tempo que se posicionam no registro da duração "eterna" da criação e da beleza.

Mas o processo de hibridização e de mistura das esferas é a tal ponto constitutivo do capitalismo artista que se estende até os atores principais do próprio mundo da arte. Assim, na era hipermoderna, os grandes colecionadores podem desempenhar ao mesmo tempo um papel de mecenas, de marchand, de criador de exposição, de diretor de galeria, de promotor e de comunicador de arte. Charles Saatchi é, inicialmente, um publicitário que se torna colecionador, cria um prêmio artístico, lança *labels* e correntes de vanguarda, organiza exposições de grande repercussão em diversos museus. Jeffrey Deitch foi crítico de arte, criador de uma consultoria de investimento artístico, corretor, consultor, representante dos interesses de Jeff Koons, organizador de exposições que fazem sensação em sua galeria nova-iorquina. Colecionador de arte contemporânea, François Pinault controla a casa de vendas Christie's e cria uma fundação e museus (Palazzo Grassi e Punta della Dogana) que apresentam sua coleção particular e exposições temporárias. É a época da interpenetração dos papéis artísticos e comerciais, midiáticos e financeiros.[64]

E diversos artistas se fazem criadores de pequenas "empresas artísticas", produtoras ou prestadoras especializadas de serviços: de Andy Warhol a Jeff Koons, de Engels a Hyber, de Van Lieshout aos hackers da net, assistimos ao advento do artista-empresário. Trata-se ora de fundar uma empresa meio real, meio utópica que permite que o artista adote uma posição crítica em relação à economia e ao mercado da arte, ora de tomar como modelo a empresa comercial ou inaugurar novas relações com a empresa (Heger e Dejanov e seu contrato com a BMW).[65] Ou então de rejeitar a arte pura e a hierarquia cultural assumindo plenamente a transformação da obra em produto comercial ou "produto de arte", conforme a lei do lucro e a afirmação da arte como negócio (Murakami). Na era hipermoderna, certos artistas é que se tornam operadores de cruzamentos transestéticos entre o mundo da empresa e o da arte.

Mas se os mecanismos de hibridização se exercem tanto na economia como na arte, o paralelismo logo encontra seus limites. Se a incorporação do paradigma estético na economia transformou a organização do capitalismo, a cultura e os modos de vida, por seu lado as práticas da "Economics arts" se apresentam como epifenômenos de ressonância quase nula. O capitalismo artista mudou inteiramente os objetos e os signos da vida cotidiana ao mesmo tempo que os olhares, a sensibilidade e as aspirações de grande número de pessoas. O mesmo não se dá com a preocupação da economia na arte contemporânea, que se revela incapaz de qualquer mudança digna de nota e até mesmo de suscitar a curiosidade cultural. Num caso, a promoção do modelo transestético possibilitou o advento de um novo mundo; noutro, trata-se no mais das vezes de pequenas paródias ou subversões libertárias que não instigam ninguém, jogos de artistas sem consequência, nem econômica nem artística: achados de efeitos imperceptíveis. Hoje há muito mais revolução na economia do que na arte: é o capitalismo artista que pode pretender "mudar o mundo", não mais a arte de vanguarda.

Quando a arte e a moda se casam

Da mesma forma que os bens de consumo corrente aparecem como produtos-moda, o mundo da arte também se mistura de maneira íntima com a moda. Essa proximidade não é recente; diferentes artistas já realizaram no decorrer do século passado figurinos para espetáculos, desenharam motivos para vestuário de moda e cartazes para os espetáculos em exibição. Não obstante, os universos da arte e da moda, pensados como heterogêneos, também funcionavam de acordo com lógicas dessemelhantes. Não é mais assim.

Podemos considerar Warhol como o primeiro elo e a figura prototípica da subversão que se efetuou. Ao se proclamar *"business artist"*, Warhol passa do modelo da boêmia e do artista "suicidado pela sociedade" (Artaud) ao artista mundano que, obcecado pelo sucesso e pelo dinheiro, extrai inspiração do universo da cultura de massa, da moda, do jet set internacional, das imagens de superstars e de todas as formas de celebridade. Suas telas reproduzem dólares, a garrafa de Coca-Cola, *"golden shoes"*, e também os rostos de Marilyn Monroe, Liz Taylor, Elvis Presley. Em seus autorretratos (realizados com rosto maquiado e peruca loura) e em suas serigrafias seriais de estrelas, Warhol exprime seu gosto pela mise-en-scène teatralizada de si, seu fascínio com a artificialidade e a aura das divas. Seu ateliê, a Factory, se torna o centro da vida *in* e um local de festas perpétuas em que se encontram estrelas, gente da moda, do rock, das mídias, as subculturas da vanguarda. Warhol gosta dos grandes astros e se dedica a construir sua imagem e sua obra conforme os caminhos espetaculares do star-system e da publicidade. Para "ser tão conhecido quanto as latas de sopa Campbell" (Leo Castelli), ele participa de todos os acontecimentos, atuando em todos os campos capazes de atrair a atenção das mídias: pintura, fotografia, cinema, romance gravado em cassete, telenovelas, rock. Não para de se impor como astro hollywoodiano, sendo produtor e diretor de sua própria imagem supermidiatizada. Postulando uma pintura sem profundidade, mecânica e superficial, introduzindo o glamour e o comercial na arte, sua obra assinala o triunfo das aparências e do mercado, da publicidade e da moda. Podemos considerá-lo como o primeiro artista cuja obra é emblemática das hibridizações do capitalismo artista rematado.

A notoriedade de Warhol é tamanha que em 1965 ele é classificado no "barômetro da moda" de Eugenia Sheppard logo depois de Jacqueline Kennedy.[66] Reatando com a lógica espetacular e artificialista da moda, o mundo da arte se aproxima do show, do produto midiático e *hip*. Com Warhol, todas as fronteiras se confundem, as da arte e dos negócios, da cópia e do original, do museu e do supermercado, da *high* e da *low* art, do artista e do astro, da obra e da publicidade, da arte e da moda.

Desde então, as interpenetrações da arte e da moda se tornam incontáveis.[67] Estamos no momento em que a moda é cada vez mais celebrada em pé de igualdade com a arte. São inúmeros os museus e galerias de arte que homenageiam os criadores de moda: Jean Paul Gaultier foi consagrado no Museu de Belas-Artes de Montreal, Yamamoto no Victoria & Albert Museum de Londres, Armani no Guggenheim de Nova York e de Bilbao. As coleções de alta-costura de primavera-verão 2011 de Dior, Alexis Mabille, Christophe Josse foram apresentadas respectivamente no museu Rodin, no museu Bourdelle, no Palais de Tokyo, como se a moda flertasse antes com a arte do que com o consumo comercial. E desfiles espetáculo (Galliano, Chalayan, Margiela…) misturam as disciplinas suprimindo as fronteiras entre moda, design, arquitetura, espetáculo, vídeo, coreografia, performance. Não mais a moda pura encerrada em si mesma, mas a moda como arte total que mistura todas as artes, a moda como arte viva, e não mais simples apresentação de roupas.

Os artistas mais afamados, fotógrafos, artistas plásticos, videomakers, diretores de cinema, trabalham diretamente para as revistas de moda, as marcas, as lojas, as coleções, a publicidade destas. Mas a confusão das esferas vai muito mais longe. O museu Guggenheim de Bilbao convidou o diretor de teatro Robert Wilson para instalar as criações de Armani; Kamel Mennour, galerista de Paris, e Jérôme Sans, diretor do Palais de Tokyo, desfilaram para Hermès na bienal de Lyon; o fotógrafo Jean-Pierre Khazem assina campanhas publicitárias reivindicando-as como instrumentos de sua promoção pessoal. O que era mais ou menos indigno se tornou uma marca de reconhecimento e de sucesso legítimo. Os artistas já não cultivam com orgulho o insucesso: agora é o contrário. Desde os *sixties*, "estar na moda é bom; estar fora de moda é esteticamente condenável".[68] Onde havia descontinuidade, vemos se desenvolver uma continuidade inédita entre os mundos da arte e da moda.

Hoje, muitos artistas se mostram fascinados com a moda e a ordem mercantil, atuam largamente em sua criação no mundo publicitário e midiático, jogam com as imagens do luxo, trabalham com o universo glamoroso das marcas, dos cosméticos, das compras. O tempo do artista maldito passou: estamos no momento da transestética, em que o importante é menos a criação do que a celebridade, em que os artistas renomados têm um status de astros reconhecido na grande imprensa, em que o preço das obras parece ser o sinal do seu valor artístico, em que a notoriedade dos artistas se constrói como uma marca. No tempo do capitalismo artista, as mídias se impõem como novas instâncias de consagração dos talentos, a notoriedade passa cada vez mais pelo caminho do espetacular, da comunicação, da midiatização: o mesmíssimo caminho da moda.

Assim caminha o mundo transestético do capitalismo criativo: ainda que não haja fusão da arte, da moda, das mídias e da mercadoria, as fronteiras destas se tornaram menos distintas, mais permeáveis, e seus domínios menos hierarquizados. Multiplicam-se em toda parte os pontos de convergência que fazem flutuar os limites entre os gêneros, em toda parte são minadas as oposições entre o sério e o lúdico, entre a arte e a moda, entre a criação e o divertimento. Estamos no momento em que os cruzamentos do capitalismo com a arte correspondem em linhas gerais ao projeto de Warhol, de fundir arte e universo comercial. O capitalismo efetuou uma revolução igual à de Warhol no conceito de arte que ele impulsionou. Enquanto se realiza a mestiçagem da produção industrial com a arte, a arte se apresenta como *business*, segundo a célebre fórmula de Warhol: "*Being good in business is the most fascinating kind of art. Making money is art and working is art and good business is the best art*".

A hibridização hipermoderna

Num livro que ausculta as transformações culturais do consumo e da comunicação contemporâneos,[69] Pascale Weil salientava que se havia passado de um imaginário de antagonismo a um imaginário de reconciliação, de diálogo ou de aliança. O diagnóstico é inegavelmente justo, mas a perspectiva ainda pode ser ampliada. Não há somente conjunção entre domínios outrora opostos, há desregulamentação das fronteiras, mistura das esferas e das categorias, dissolução das antigas hierarquias de gêneros. É o tempo da mixagem da arte e da indústria, da arte e da publicidade, da arte e da moda, da moda e do esporte, do design e da escultura. Certas galerias de arte fazem pensar em lojas de presentes, os museus e os vernissages se apresentam como lugares e momentos *hip*, as lojas de moda parecem galerias de arte, a publicidade joga a carta da criatividade ostentatória, o artesanato se autoproclama criação artística; a arte faz a moda, a moda e os produtos industrializados são *arty*. A era transestética hipermoderna segue o rumo da desregulamentação e da hibridização: os processos de desmantelamento dos limites, que estão em curso no universo financeiro, também se manifestam nos mundos do comércio, da moda e da arte.

A que se deve essa dinâmica de desregulamentação e de hibridização culturais? Notemos em primeiro lugar que ela não faz mais que dar seguimento à lógica consubstancial do capitalismo como "destruição criadora" e sistema de desterritorialização, de que Marx dizia que não pode existir sem revolucionar constantemente os instrumentos de produção e todo o sistema social. Depois de derrubar os limites nacionais, o capitalismo arremete contra as antigas delimitações de gêneros e de esferas que freiam a inovação e a criação de novos mercados. Nesse sentido, a hibridização da arte não é mais que uma das formas do processo de inovação perpétua e de expansão contínua inscrito no programa genético do capitalismo. Arruinando as compartimentações, minando as hierarquias tradicionais, cruzando os gêneros, novos caminhos se abrem para conquistar novos mercados e novos consumidores.

Em segundo lugar, a máquina de hibridização contemporânea não pode ser separada do perfil da nova cultura consumatória centrada nas expectativas de qualidade de vida, de sedução e de emoções, de experiências e de sensações sempre renovadas. Os cruzamentos da oferta industrial com a moda e a arte estilizam as produções e podem assim responder às demandas crescentes de arte, de beleza, de experiências estéticas em todos os domínios da existência. Com a nova era do consumo mais emocional do que estatutário, e cada dia mais qualitativo, se afirma uma busca incessante de experiências hedonistas e sensíveis, renovadas e "surpreendentes", que precisamente a hibridização transestética está em condições de fornecer. Numa época dominada pela obsessão da mudança perpétua, a hibridização artista é o que permite proporcionar diferenças, formas e experiências novas. Nada a ver com as estratégias de distinção e com as lutas simbólicas de classes: no mais profundo, é o culto do Novo assim como a dinâmica da individualização do consumo "intimizado" que sustentam a multiplicação das operações de hibridização.

Em terceiro lugar, não é inútil frisar que esses fatores de fundo não poderiam ter produzido tais efeitos fora de uma cultura democrática em que o imaginário da igualdade tende a arruinar as antigas classificações hierarquizadas de gênero, as hierarquias entre as diferentes artes. A partir do momento em que, sob o influxo da cultura igualitária, o princípio hierárquico que fundamenta a oposição entre *high* e *low*, arte maior e arte menor, artes de elite e artes de massa,[70] é sistematicamente demolido, nada mais impede a multiplicação das aproximações e mixagens culturais. Cabe, portanto, constatar que o mercado e a igualdade trabalham no mesmo sentido revolucionário de desterritorialização transestética. As novas hibridizações artistas se encontram no cruzamento dessas duas séries de fenômenos que, nesse plano, têm efeitos convergentes.

A EXPANSÃO ECONÔMICA DOS MUNDOS TRANSESTÉTICOS

As relações da arte com o comércio não datam de hoje. Mas, na era do capitalismo artista triunfante, é numa escala totalmente diferente que esses vínculos se constroem: enquanto a indústria incorpora o cultural, este se gere como uma indústria, desenvolvendo-se em mercados transnacionais. O universo da arte, do belo e da cultura deixou de ser um mundinho à parte: ei-lo reestruturado pelas leis do híper, das multinacionais, da escalada financeira, da hipertrofia promocional e mercantil. O que era uma esfera marginal e periférica se tornou uma realidade de dimensão planetária envolvendo investimentos e interesses financeiros gigantescos.

Assim, no capitalismo do último período, o setor cultural constitui, pelo faturamento e pelo número de empregos gerados, uma verdadeira indústria, um componente fundamental da atividade econômica. Em expansão rápida, é um dos setores mais dinâmicos do comércio mundial. As trocas internacionais de bens culturais dobraram entre 1994 e 2002. Entre 2000 e 2005, as trocas de bens e de serviços criativos aumentaram 8,7% ao ano em média. Segundo estudos da UNCTAD, as exportações mundiais de produtos criativos alcançaram 424,4 bilhões de dólares em 2005 (ou seja, 3,4% do comércio mundial total), contra 227,5 bilhões em 1996. O peso das indústrias culturais é hoje estimado em 2,706 trilhões de dólares, ou seja, 6,1 pontos do PIB mundial, e seu crescimento continua, apesar da crise. As empresas de *entertainment* se impõem atualmente como gigantes transnacionais movidos por estratégias de diversificação e de expansão planetária: para dar apenas o exemplo da Disney, essa *major* emprega cerca de 130 mil pessoas e teve um faturamento de 42,3 bilhões de dólares em 2012, relativo às suas atividades ligadas ao cinema, à televisão, aos produtos derivados, aos hotéis e parques de lazer.

Os interesses econômicos em jogo são colossais, o que traduz o papel das indústrias nos PIBS: 2,6% na União Europeia, 2,8% na França, 6,3% nos Estados Unidos. Em 2010, o mercado mundial da televisão representava 289,2 bilhões de euros. O peso das indústrias culturais no comércio exterior supera, nos Estados Unidos, o dos setores de aeronáutica, da química, da agricultura, do automobilismo e da defesa. Em 2009, a bilheteria acumulada dos filmes projetados nos Estados Unidos, na Europa, na China e no Japão proporcionou um faturamento de 22,4 bilhões de dólares.[71] Ao que se deve acrescentar o faturamento da exploração de filmes em DVD, 29 bilhões de dólares em 2008, que foi superado pela primeira vez naquele ano pelo faturamento dos videogames, 32 bilhões de dólares. Em 2011, apenas o faturamento dos parques temáticos da Disney foi de 11,8 bilhões de dólares.

Mais amplamente, todas as indústrias envolvendo bens de consumo carregados de uma dimensão estética são o que melhor ilustra a mudança de escala econômica dos setores do capitalismo artista. Moda, acessórios, cosméticos, publicidade, luxo: todos esses setores adquiriram uma superfície econômica tão inédita quanto considerável. Em 2010, o mercado mundial dos cosméticos, marcado pela aceleração contínua das vendas nos países emergentes, era estimado em 150 bilhões de euros. O do luxo mais do que dobrou entre 1995 e 2007, atingindo 170 bilhões de euros e perto de 1 trilhão, segundo a avaliação do Boston Consulting Group, se for acrescentado ao perímetro clássico (moda, perfume, bebidas, couro, joias, relógios) o mobiliário de luxo, a decoração de interiores, as obras de arte, os carros de luxo, jatos e iates. Uma formidável expansão, inseparável também do aumento da demanda nos países emergentes: assim, a parte da China no mercado do luxo passou de 3% em 2007 a 10% em 2011.[72]

Corrida à concentração: as multinacionais do capitalismo artista

Por muito tempo os mundos da arte se apoiaram em pequenas unidades econômicas: ateliês de artistas, pequenas casas de luxo familiares, pequenas galerias. Não é mais assim no capitalismo artista global. As pequenas casas independentes e artesanais foram sucedidas por megagrupos multimarcas, gigantes financeiros que se constituíram através de uma forte vaga de operações de fusão e de aquisição, em particular nos anos 1990.

O setor do luxo é, nesse plano, particularmente representativo. Nele, os movimentos de concentração se desenvolveram em resposta às necessidades consideráveis de financiamento ligadas aos projetos de expansão, aos lançamentos de novos produtos, às aberturas de lojas em todo o planeta, necessários à edificação de marcas internacionais. As numerosas barreiras à entrada nesse mercado acarretaram a concentração que conhecemos, dominada por três grandes líderes: lvmh (mais de sessenta marcas), Richemont (dezessete marcas), ppr Luxury Group (catorze marcas). Entre 1995 e 1999, esse setor passou por mais de cem fusões e aquisições que permitiram que os líderes crescessem mais de 20% por ano. O prêt-à-porter (Yves Saint Laurent, Donna Karan, Helmut Lang, Jil Sander...), os perfumes e cosméticos (Bliss, Hard Candy...), o couro (Sergio Rossi, Berluti, Church's...), a relojoaria e a joalheria (Jaeger LeCoultre, tag Heuer, Ebel, Officine Panerai...): nenhum segmento escapou da vaga de fusões e aquisições. Em toda parte, o movimento de fundo é o seguinte: as pequenas marcas nacionais ou de nichos são absorvidas pelos "mastodontes". Até mesmo as grandes marcas são pegas nesse movimento: em 2011, a lvmh comprou a Bulgari por 4,3 bilhões de euros.

Essa concentração dos atores criou gigantes econômicos que detêm uma parte crescente do mercado. Em 2012, a ppr anunciava um faturamento de 9,7 bilhões de euros realizado notadamente em mais de oitocentas lojas geridas diretamente, e o grupo Richemont, 8,8 bilhões de euros (resultado de 2011). Entre 2005 e 2009, a lvmh registrou um crescimento anual médio de 19% de seu resultado líquido; número um mundial do luxo, o grupo teve em 2010 um faturamento que superou os 20 bilhões de euros.

Uma mesma dinâmica governa os setores dos cosméticos e da moda para o grande público. Em 2012, a gigante L'Oréal faturou 22,4 bilhões de euros. Em 2009, Procter & Gamble se aproximava dos 18 bilhões de dólares e a Unilever, dos 10 bilhões; Estée Lauder pesava mais de 7 bilhões e Shiseido, cerca de 6 bilhões de dólares. A moda também assiste à constituição dos "gigantes" mundiais. Em 2010, o grupo Inditex empregava 100 mil pessoas, contava mais de 5 mil lojas no mundo e exibia um faturamento de 12,5 bilhões de euros, graças notadamente à sua marca-farol, Zara. No mesmo ano, a h&m empregava 60 mil pessoas e totalizava 2200 lojas. No setor dos equipamentos esportivos, inseparável agora das lógicas da moda, a concentração vai de vento em popa. A Nike se apoderou da Umbro, compra que ocorreu dois anos depois da aquisição da Reebok pela Adidas, pela soma de 3,1 bilhões de euros. A ppr adquiriu a Puma. Em 2009, a Adidas declarava um faturamento de 10,4 bilhões de dólares, e a Nike aposta num crescimento de 8% ao ano do seu faturamento, projetando uma meta de 27 bilhões de dólares até 2015.

O mesmo tipo de concentração se observa no mundo publicitário, regido doravante pela onipresença de grandes agências de superfície internacional, nascidas de fusões e de concentrações.[73] Em 2009, num setor atingido diretamente pela crise, os grandes grupos apresentam faturamentos que continuam sendo impressionantes: no caso dos quatro primeiros, o britânico WPP, de 12,8 bilhões de dólares; o americano Omnicom, 11,7 bilhões; o francês Publicis, 6,9 bilhões; o americano Interpublic, 6,03 bilhões.

Essa dinâmica também é encontrada nas indústrias culturais: o peso econômico destas é acompanhado por movimentos de concentração e de internacionalização, criando mercados culturais de tipo oligopolista com um forte desequilíbrio dos fluxos — seja no domínio do cinema, da edição ou da música, o mercado é dominado por conglomerados, pouco numerosos e de dimensão mundial. Os quinze primeiros grupos do audiovisual representam quase 60% do mercado mundial dos programas. O livro, setor tradicional e portador dos altos valores da cultura e das letras, não escapa a isso: apenas treze países dividem o essencial do mercado mundial, para o qual os Estados Unidos e a Europa ocidental contribuem com dois terços. A mesma lógica oligopolista está em ação no universo da música gravada: de 75% a 80% do mercado mundial da música é controlado por quatro grandes multinacionais (que há pouco passaram a ser apenas três, com a compra em 2011, pela Universal, do catálogo da EMI Music); na França, as quatro *majors* do disco compartilham 80% do mercado.

Mesma dinâmica no cinema, em que as *majors* não param de aumentar sua influência. As sete *majors* hollywoodianas monopolizam o essencial da produção, da distribuição e da difusão de filmes. No nível interior, elas realizam 90% das receitas das salas, são responsáveis por quatro quintos da produção anual do cinema americano e, no plano internacional, ocupam cerca de 80%

das telas do mundo. Assim, um pequeníssimo número de grandes firmas domina um mercado em torno do qual gravita uma multidão de pequenas e médias empresas independentes que se encarregam da inovação artística demasiado arriscada para as *majors*: os economistas chamam essa estrutura de mercado de "oligopólio com franja".

As concentrações das indústrias culturais são ao mesmo tempo horizontais, para favorecer as sinergias entre os diferentes produtos culturais (filmes, música, livros, produtos derivados), e verticais (produção, distribuição, difusão), a fim de facilitar a difusão desses produtos. Desde os anos 1980, multiplicam-se as fusões e aquisições, que levaram à integração das *majors* em grandes entidades compostas por atividades que vão além do universo do cinema. Por toda parte ocorrem aproximações entre as *majors*, as redes de televisão, os provedores de acesso. O grupo Disney controla os Studios Disney, a Pixar, a Buena Vista, a Miramax, o Disney Channel, a ABC, a ESPN, parques temáticos. O grupo Time-Warner está presente no cinema (Warner Bros.), na televisão (CNN, HBO), na música (Warner Music), na imprensa (*Time, Fortune*), na internet (AOL). A News Corporation comprou a 20th Century Fox e a Sony adquiriu a Columbia-Tristar. Essa integração das *majors* em conglomerados gigantes não se deu sem causar notáveis transformações na economia e no modo de funcionamento delas.

No mesmo modelo, a partir dos anos 1980 a aproximação das companhias discográficas com os grupos de televisão e de comunicação se torna a regra: o grupo musical BMG desenvolve atividades na imprensa, na edição e na televisão; a Sony, que compra a CBS, cria o CD padrão, ao mesmo tempo desenvolve o material eletrônico, o cinema, os videogames. Os vínculos estabelecidos com a televisão — programas que promovem os artistas da empresa, concursos revelando jovens cantores, clipes promocionais, produtos derivados — vitaminam a venda de discos. O sistema oligopolista favorece essas sinergias, acarretando, no início dos anos 2000, a integração das companhias discográficas no âmbito de vastos conglomerados multimídia, o que traduzem as fusões AOL/Time-Warner ou Vivendi/Universal. Já líder da música gravada, a Universal Music se torna igualmente a número um da edição musical mundial, graças à sua fusão com a BMG Publishing em 2007 (25% de participação de mercado).

O fenômeno se prolonga no universo do *live*,[74] organizado antes de maneira mais "artesanal" por empresas independentes. A época é testemunha de concentrações sem precedente dos operadores e das estruturas que constituem uma verdadeira mutação no setor do espetáculo de variedades. Em face da crise do disco provocada pelos downloads ilícitos,[75] as *majors* diversificam suas atividades e compram, em especial, salas de concerto e organizadoras de turnês: de 2001 para cá, a Universal comprou a Olympia depois o Sanctuary Group, a Warner Music France adquiriu a Jean-Claude Camus Productions e a Nous Productions, a Sony fez a aquisição da Arachnée. A Live Nation Entertainment, agora a número um mundial da produção de concertos, ostenta um faturamento de 5 bilhões com mais de 20 mil espetáculos organizados, em 2009, em 57 países. O objetivo perseguido pelos gigantes do show business é encontrar fontes "multirrendimentos", realizar economias de escala, controlar a integralidade do ramo musical via "estratégias de 360 graus", que consistem em gerir o conjunto das atividades artísticas: organização dos concertos, venda de ingressos, discos, suportes digitais, patrocínios, parcerias de marcas, produtos derivados. Com o capitalismo artista, a carreira de um artista se torna equivalente a uma marca comercial, objeto de uma gestão global.

É provável que, em razão da crise atual do disco, os fenômenos de integração vertical na indústria musical continuem, com as *majors* do ramo procurando desenvolver plataformas de *streaming* musical ou se aliar com os provedores de acesso à internet e os sites de escuta, os quais controlam a difusão da música. O iTunes oferece o download dos concertos organizados pela Live Nation. A Universal Music, a Sony BMG e a Warner Music assinaram contratos com o MySpace, que oferece uma plataforma de música on-line. A Apple negociou com as quatro principais empresas do disco o uso do seu serviço iTunes Store. A Orange se aliou com o Deezer, que assinou contrato com todas as *majors* do disco. O objetivo é, cada vez mais, realizar sinergias entre os diferentes órgãos dos grandes grupos, mas também fazer alianças entre criadores de conteúdos e fornecedores de conteúdos que disponham de serviços de *streaming*.

O mercado da arte tampouco escapa do fenômeno de concentração oligopolista. O sistema que pertencia amplamente ao "artesanato" e que subsistiu como tal até os anos 1960 foi substituído por um mercado mundial centrado num duopólio das casas de leilão (Christie's e Sotheby's), presentes em mais de quarenta países mundo afora, alguns megacolecionadores e um pequeno número de galerias líderes que adotam estratégias mundiais. No mercado da arte, tal como nas indústrias culturais e do luxo, vem ocorrendo um alto grau de concentração do mercado mundial. As grandes galerias de arte se organizam numa verdadeira rede internacional: contam-se onze galerias Gagosian no mundo. Até mesmo certos museus se tornam peças emblemáticas do capitalismo artista global, combinando lógica de marca com expansão internacional. Desde 1998, a fundação Guggenheim lançou uma política de "filialização" e uma estratégia de internacionalização que resultou numa verdadeira multinacional da arte. A fundação exporta sua marca e suas coleções; depois de Nova York, ela abre museus-satélite em Veneza, Bilbao, Berlim, Las Vegas. O processo faz adeptos: o museu Picasso aluga suas obras-primas, e o Louvre, vendendo seu nome, que se tornou uma marca, abre Louvres descentralizados, de Lens a Abu Dhabi.

Uma economia dos extremos

A lógica de concentração não se aplica apenas às grandes empresas do capitalismo transestético. Ela afeta os fenômenos relativos aos sucessos e às receitas dos bens culturais, bem como à renda dos artistas. Esses fenômenos têm tamanha amplitude que são parte integrante do que foi chamado de "economia dos extremos",[76] representativa do capitalismo hipermoderno.

Assim, a multiplicação dos filmes, a hiperpromoção das superproduções de orçamento elevadíssimo, a redução do tempo de exibição em sala acarretaram uma concentração do sucesso numa quantidade de filmes cada vez mais restrita: numa década, 80% do lucro global de Hollywood foi realizado por 6% do total de filmes produzidos. De 506 longas-metragens exibidos na França em 2001, trinta filmes foram responsáveis por mais de 50% dos ingressos e uma centena representava quatro quintos destes.[77] Em dezembro de 2006, cinco filmes ocuparam 70% das telas e, num ano, 40% dos longas eram apresentados em somente 4% das salas. A mesma lógica acontece nos museus: os 26 museus da Île-de-France atraíram, em 2009, 58% do público.[78] O mesmo se dá na indústria musical. Na França, em 2001, os cinco álbuns mais vendidos representaram três quartos das vendas. Em 2009, 85% das chegadas de novos artistas franceses às rádios estavam concentradas em quinze títulos e menos de dez cantores. Quanto mais a oferta aumenta, mais o sucesso se concentra num número limitadíssimo de títulos e de artistas.[79]

Notemos que a economia digital não consegue de modo algum inverter o efeito superstar ou blockbuster, contrariamente às esperanças que suscitou a célebre teoria da "cauda longa" de Chris

Anderson. Embora o comércio eletrônico seja capaz de multiplicar de maneira considerável a variedade oferecida aos consumidores, as vendas permanecem extremamente concentradas num pequeno número de referências.[80] Apesar de existir, o fenômeno da "cauda longa" se revela muito modesto e parece pouco capaz de poder constituir uma realidade econômica efetiva.[81] Tem-se todo o direito de pensar que essa lógica paradoxal — consumo hiperconcentrado, oferta diversificada superabundante — está destinada a se perpetuar. Por que o que pode guiar o consumidor imerso na hiperescolha? Na verdade, o contexto de diversidade cultural pletórica não o leva, salvo marginalmente, a privilegiar os títulos pouco conhecidos, mas sim a se voltar para o que tem visibilidade, aquilo de que se fala mais, aquilo de que ele pode falar com os outros.

O capitalismo artista é, portanto, o sistema no qual se observa uma distribuição extremamente desigual do sucesso, uma espiral dos desempenhos extremos. Atestam isso os recordes de audiência e de receitas, os discos de ouro, as paradas de sucesso, os best-sellers, os superstars. As indústrias culturais lançam cada vez mais produtos, mas somente uma pequena proporção deles alcança sucesso e dá lucro: em 2005, apenas quatro filmes franceses venderam mais de 2 milhões de ingressos no país. E dos 1296 filmes franceses exibidos nas salas entre 1991 e 2001, 701 venderam menos de 25 mil ingressos. Nesse sistema, um produto que tem êxito absorve as perdas da maioria: é uma lógica de cassino que estrutura a economia das indústrias culturais.

E na edição musical, estima-se que somente 10% das obras dão lucro, contra 30% dos filmes.[82] No cinema, a média dos resultados registrados pelas *majors* hollywoodianas e, mais comum, pelos estúdios com uma produção importante revela que somente um terço dos filmes dá dinheiro, um terço garante seu equilíbrio e um terço é deficitário. Na França, somente 19,3% dos filmes de mais de 7 milhões são rentáveis.[83] Mas, com um orçamento de 11 milhões de euros, *A Riviera não é aqui* gerou 245 milhões de dólares de receitas no mundo. Nesse setor profundamente marcado pela incerteza e pela imprevisibilidade do sucesso, dada a impossibilidade de prever o que conquistará o público,[84] a lógica econômica leva a multiplicar os produtos, a produzir sempre mais para multiplicar as chances de êxito, o que aumenta ainda mais o poderio das *majors*, as únicas que dispõem de meios próprios para assumir essa estratégia.

É também todo o sistema dos custos e dos orçamentos que participa do extremo. Os custos de produção variam muitíssimo de um álbum a outro, de um filme a outro, de um spot publicitário a outro. Nos Estados Unidos, no início dos anos 2000, a gravação de um álbum musical de qualidade mínima custava cerca de 10 mil dólares, enquanto o álbum de um superstar podia superar os 500 mil dólares. Os blockbusters de orçamento colossal se multiplicam: todo ano, Hollywood produz cerca de quinze filmes cujo orçamento ultrapassa os 100 milhões de dólares. E os picos são atingidos com 247 milhões de dólares para o *Titanic* de James Cameron, em 1997, e 500 milhões para *Avatar*, do mesmo diretor, em 2009, produzidos pela Fox. Os orçamentos alcançam somas tão elevadas que a própria economia dos filmes acentua a tendência observada em todos os demais domínios da produção industrial: de um lado, os de altíssimo orçamento, "blockbusters" que requerem financiamentos enormes e mecanismos pesados de financeirização; de outro, os de baixo orçamento, filmes de custo mais modesto, assumidos por uma produção mais a cargo das médias e pequenas indústrias independentes do que dos grandes grupos internacionais.

Lógica dos extremos que é encontrada nos fenômenos de notoriedade e de remuneração, com a economia do star-system tendo como característica concentrar o sucesso e os ganhos vertiginosos num pequeníssimo número de artistas (os superstars), enquanto a imensa maioria dos outros é deixada de lado. As diferenças entre os adiantamentos recebidos pelos músicos atestam isso. Nos Estados Unidos, um jovem artista que assina com uma gravadora independente para a gravação de um disco recebe entre 5 mil e 125 mil dólares; um artista de carreira consolidada que assina com uma *major*, entre 300 mil e 600 mil dólares, um superstar, mais de 1,5 milhão de dólares.[85] Ao trocar a Warner Music pela Live Nation, Madonna obteve a módica soma de 120 milhões de dólares, confirmando seu título de cantora mais bem paga do mundo.

Investimentos financeiros e capitalismo artista

Claro, firmas independentes subsistem, mas as necessidades de investimentos cada vez mais consideráveis as levam a buscar novas fontes de financiamento capazes de assegurar sua expansão internacional. Por essa razão, algumas marcas decidem entrar na Bolsa, outras optam por abrir seu capital a fundos de investimento, dos quais um número cada vez maior assume participações ou compra a integralidade das marcas em pleno desenvolvimento ou em dificuldade. Como o luxo proporciona margens líquidas elevadíssimas, já não é raro ver bancos de negócios se interessarem por esse setor, lançando fundos especializados. Atraídos pela rápida rentabilização de seus investimentos, esses fundos adquirem firmas pequenas ou médias, mas também grupos maiores. Assim, a Azzaro Couture foi comprada pelo Reig Capital Group, Tommy Hilfiger pela Apax Partners. A Jil Sander foi adquirida da Prada pelo fundo de investimento britânico Change Capital Partners e a Charles Jourdan pelo fundo de investimento Finzürich. A Permira assumiu o controle do grupo Valentino numa operação de mais de 2,5 bilhões de euros. A Taittinger foi comprada pelo fundo americano Starwood Capital por 2,8 bilhões de euros.

O teatro de operação dessa corrida às aquisições não é mais exclusivamente ocidental; é mundial. Numerosos grupos e fundos asiáticos mostram agora seu interesse pelas marcas de luxo europeias. A Lanvin foi comprada pela bilionária taiwanesa Shaw-Lan Wang, a Lalique por um indiano (Emerisque Capital); a Robert Clergerie foi vendida para um fundo chinês, assim como a Cerruti e a ST Dupont. Em 2010, a indiana Megha Mittal adquiriu a Escada, sociedade alemã de prêt-à-porter feminino.

Os lucros previstos no cinema levam bancos, grupos de investimento, fundos de pensão a intervir no capital das *majors* e no financiamento dos filmes. Entre 2004 e 2007, perto de 10 bilhões de dólares foram apostados no cinema hollywoodiano pelos fundos de investimento. Hoje eles financiam produtoras como a Weinstein Co., ou adquirem o controle de estúdios como a MGM. Em 2004 a Goldman Sachs investiu 1 bilhão de dólares na Weinstein Co., e a MGM é hoje de um consórcio de fundos liderado pela Providence, a TPG e a Sony. Em 2006, a Merrill Lynch financiou 20% da produção da Paramount, enquanto o JP Morgan e o fundo Perseus Capital investiram 500 milhões de dólares para financiar 25 filmes da Warner, escalonados em cinco anos.[86]

Quer se trate de multinacionais que contam com recursos consideráveis, quer de atores de dimensão mais reduzida, em todos os casos se afirma a posição preponderante dos objetivos e das estratégias econômicas, a centralidade da corrida à rentabilização das atividades e dos capitais. Se há estetização da mercadoria, há ainda mais financeirização dos mundos com componente estético. À medida que se afirma o imperativo criativo, a ordem financeira se impõe cada dia um pouco mais como o centro de gravidade, como a ordem estruturadora dos mundos da arte em escala mundial. As estratégias financeiras e os objetivos comerciais é que tomaram o poder, que comandam as políticas de grupo e de marca. A criatividade artística só tem lugar se favorecer as vendas, a rentabilidade financeira, a remuneração máxima dos acionistas. Ganhar participação de mercado, internacionalizar a oferta, ampliar os territórios da marca: uma nova fase, radical, da modernização mercantil dos mundos da arte se estabeleceu. Essa nova subordinação da estética ao econômico é de essência hipermoderna, na medida em que nela se expressa a radicalização ou a exacerbação do "espírito do capitalismo" que marca profundamente o mundo contemporâneo.

Assim como o "turbocapitalismo"[87] se libertou das antigas regulamentações que enquadravam a atividade econômica, também o capitalismo se emancipou dos entraves do éthos desinteressado que limitava o campo de operação das atividades financeiras. Hoje a arte contemporânea pode se apresentar como um verdadeiro investimento financeiro, uma mercadoria como as outras, ou mesmo um objeto de especulação. Investimentos maciços na arte são efetuados em razão das perspectivas de alto rendimento. Os fundos comuns de investimento em arte se multiplicam, baseando-se nas aquisições em parceria com marchands ou compras diretas nos ateliês de artistas. Depois da iniciativa do British Rail, um fundo de pensão britânico que criou em 1973 o primeiro fundo de investimento em arte, e do BNP Art em 1981, a Société Générale criou o Fine Art Fund em 2004; e em 2010, a A&F Markets lançou o Art Exchange, uma bolsa de artes que possibilita comprar e vender cotas de obras de arte, como na Bolsa de Valores. Com o capitalismo transestético do último período, a arte se impõe como um dos componentes dos investimentos financeiros em busca de vetores de diversificação e taxas de rentabilidade elevadas.

Vê-se assim que, por um lado, o capitalismo criativo ergue sem cessar novos templos à glória da arte, enquanto, por outro, procede a um trabalho de dessacralização via anexação da arte por meio das lógicas da especulação e do desempenho financeiro.

Toda uma parte do capitalismo celebra a originalidade, a criatividade e a personalidade, enquanto outra fortalece a comercialização impessoal do mercado. O culto à arte se estende a novas atividades (design, moda, foto, cinema...) paralelamente a seu desencantamento mercantil.

A disparada da comunicação: a máquina promocional

A constituição dessas multinacionais é acompanhada por uma nova posição e um novo peso dos mecanismos de comunicação e de marketing na gestão das marcas. Em trinta anos, as despesas publicitárias americanas foram multiplicadas por dez; entre 1985 e 1998, as despesas em patrocínio das grandes sociedades o foram por sete. Na França, os investimentos publicitários progrediram 187% entre 2000 e 2005. O capitalismo artista atesta uma formidável potencialização das estratégias de marketing e de comunicação que assegurem a notoriedade e o sucesso das marcas. Hoje, é através das mídias e das operações de comunicação que se constrói em grande parte o sucesso das marcas. O papel da comunicação não é evidentemente uma descoberta contemporânea, e o capitalismo moderno nunca ignorou sua importância. Mas a mudança de escala relativamente a essa esfera é tal que acarreta uma verdadeira subversão da lógica: esse fator, outrora secundário, hoje se tornou preponderante.

Todos os setores estão envolvidos. Na Nike, as despesas de promoção-comunicação são tão elevadas quanto as relativas à produção material dos calçados. A mesma tendência se encontra nas indústrias do luxo. A Gucci aumentou em mais de 59% seu orçamento publipromocional de 1994 a 1998. Na TAG Heuer, ele representava, na virada dos anos 2000, 25% do faturamento. Estima-se geralmente que as despesas em publicidade e comunicação representem entre 15% e 20% dos custos de uma grande marca de luxo. Atualmente, o orçamento necessário para o lançamento de um novo perfume de uma grande casa de perfumes representa entre 60% e 100% do faturamento esperado no primeiro ano. Em 2004, o custo médio de produção de um filme publicitário se elevava a 300 mil euros. Mas um pequeno número de spots tem orçamentos de dar vertigem: 35 milhões de euros, ao que disseram, para o Nº 5 da Chanel com Nicole Kidman; 30 milhões de euros para The Black Mamba da Nike.

Na indústria musical, conforme os discos e a notoriedade do artista, o orçamento promocional representa entre 25% e 50%, ou mais, do custo global da produção. Nas *majors*, não é raro o orçamento destinado à midiatização (publicidade, promoção, videoclipe) de um disco ser quatro a cinco vezes superior ao da sua produção. Ainda que, em virtude da crise por que passa, o ramo da música esteja na era das economias em matéria de publicidade televisiva, álbuns e clipes, nesse setor, salvo exceção, produzir custa menos do que promover.[88]

Do mesmo modo, as estratégias comerciais e publicitárias elaboradas pelas *majors* hollywoodianas, apesar de se sujeitarem às economias que se tornaram necessárias devido à redução dos orçamentos, continuam a lançar mão de recursos gigantescos. A estratégia de cobertura (*blanket strategy*) assegura o lançamento simultâneo do filme no mundo inteiro, o que se traduz por um aumento considerável do número de cópias. Enquanto, nos anos 1970, um filme dispunha para os Estados Unidos de apenas trezentas cópias, hoje são 4 mil que asseguram a difusão em seu território nacional, e 5 mil a 6 mil no mercado internacional. A mesma inflação se repete nas campanhas publicitárias. Dos anos 1940 aos 2000, o orçamento de promoção médio de um filme passou de 7% a 30%, 40%, ou mesmo 50% da produção. O orçamento médio de marketing de um filme, que era de 6,5 milhões de dólares em 1985, alcançou 39 milhões em 2003. Na França, os investimentos publicitários dos filmes dobraram entre 2001 e 2004, e seu crescimento continuou apesar da crise. Chegou-se a atingir em 2009, com *Avatar*, um montante faraônico, o maior já consagrado ao lançamento de um filme: 150 milhões de dólares apenas para a promoção.

Esse superinvestimento financeiro na comunicação tem, é claro, uma função explicitamente comercial. Mas também visa criar prestígio, sentido e valor simbólico, dotar os produtos de um valor artístico, cultural, mítico, para além do seu valor utilitário. Estamos no momento em que, por intermédio da comunicação, do design, da inovação, a marca se empenha em funcionar à maneira da "assinatura de um artista renomado, atestando que o objeto não é uma mercadoria vulgar, mas um produto raro, incomparável".[89] Com o *styling*, a publicidade e a comunicação, os objetos de marca se tornam "cultura", aparecem como produtos "artistas", não substituíveis pelos que têm uma função similar. Graças a essa criação transestética, constrói-se um capital imaterial ou simbólico que infunde sonho, excelência, exclusividade em tudo o que a marca produz. Assim como na arte, é o nome da marca que faz a diferença e o valor do produto. Não se vendem mais produtos, e sim marcas que se apresentam como universos de sentido e de experiência: nova estratégia empresarial que requer despesas de comunicação decuplicadas ao mesmo tempo que novos registros criativos, emocionais e imaginários.[90] Enquanto o *branding* transestético triunfa, os logos podem se transformar em centro de interesse principal, em estilo de vida, em estrelas, ou mesmo em objeto de desejo.[91]

A ARTE COMO PROFISSÃO

O capitalismo transestético ou criativo também é esse sistema que assiste ao crescimento considerável das profissões ligadas à arte e às indústrias culturais. O boom da economia criativa e hiperconsumidora faz com que o número de profissionais que exercem os ofícios ligados à arte alcance cifras que não têm mais comparação com o que eram, não apenas nos séculos precedentes, mas inclusive nas décadas recentes. Na França, o efetivo total de pessoas trabalhando nos setores culturais era, em 2003, segundo as estimativas do Institut National de la Statistique et des Études Économique (INSEE), de 444 mil pessoas, das quais 119 mil no espetáculo ao vivo. Entre 1990 e 1999, as profissões culturais aumentaram cerca de 20%, ao passo que a população ativa em seu conjunto não progredia mais do que 4,4%. Hoje, na União Europeia, as indústrias culturais representam 4,6% dos empregos; na França, o setor criativo ocupa 546 mil pessoas, contra 225 mil no automobilístico; na Alemanha, 719 mil contra 440 mil na química; e nos Estados Unidos, a indústria do *entertainment* tem oito vezes mais empregados do que a automobilística.

Esse desenvolvimento se observa nos domínios da pura prática de uma arte, e isso qualquer que seja a dificuldade de cifrar precisamente uma profissão em que muitas vezes é necessário exercer uma atividade secundária para ganhar a vida.[92] Os Estados Unidos contam com 2 milhões de "artistas" profissionais, o que equivale a 1,5% da população ativa; seu número foi multiplicado por quatro desde 1965. Foram recenseados 32 mil dançarinos e coreógrafos, 179 mil músicos e cantores, 190 mil escritores e 100 mil artistas somente na cidade de Nova York. No conjunto dos Estados Unidos, o número de artistas plásticos aumentou 60,8% entre 1980 e 2000, passando de 153 mil a 246 mil. Na França, em 2008, 162 mil pessoas exerciam uma profissão classificada no item "artes plásticas e profissões artísticas". Em 2005, cerca de 22 mil artistas autores eram filiados à Maison des Artistes, dos quais 9 mil pintores, 6200 artistas gráficos, 2200 escultores, 1900 ilustradores. Entre 1982 e 1999, o efetivo de artistas plásticos aumentou 25%; o dos artistas de variedades, 121%; o de comedian-tes e artistas dramáticos, 244%. Nas artes do espetáculo, os efetivos foram multiplicados por 2,4.[93] Nos Estados Unidos, em 2002, o Bureau of Labor Statistics (BLS) arrolava 215 mil músicos profissionais. Na França, em 1999, contavam-se 22 934 artistas profissionais da música e do canto (variedades à parte) e 8621 artistas de variedades. Um estudo do Ministério da Cultura estimava em mais de 25 mil o número de músicos intérpretes na França em 2000. Em 2008, são computados 48 mil arquitetos, 82 mil pessoas pertencentes às profissões literárias e 180 mil trabalhando no audiovisual e nos espetáculos ao vivo.

Banalização e sonho da identidade artista

O aumento dos profissionais das artes não é o único fenômeno a ser levado em conta. O capitalismo artista também é o sistema que contribuiu para democratizar largamente a ambição de criar, com um número cada vez maior de indivíduos exprimindo o desejo de exercer uma atividade artística paralelamente a seu trabalho profissional; eles reivindicam o estatuto de artista ainda que não façam disso sua profissão principal — e hoje grande número de amadores tem níveis equivalentes a certos profissionais. Estamos no momento em que, graças às ferramentas informáticas e à internet, o fosso entre profissional e amador não para de diminuir.[94] São incontáveis os artistas plásticos, os videomakers e fotógrafos amadores; os participantes de corais se multiplicam;[95] nunca os editores receberam tantos manuscritos; os quadrinhos, a infografia, a roteirização atraem cada vez mais jovens; e uma legião deles se candidata aos concursos de reality show, tipo *Nouvelle Star* e *Star Academy*, sonhando em se tornar estrelas.

Um processo que deve ser ligado ao boom da nova cultura individualista que dá prioridade aos desejos de autonomia, de realização e de expressão de si. A cultura hedonista e psicológica acarretou uma forte espiral nas aspirações a ser você mesmo por realizações singulares e pessoais. Na cultura "pós-materialista", ganhar dinheiro não basta mais: as pessoas sonham em ter um trabalho não rotineiro e livre, querem se realizar, se exprimir, criar, fazer coisas estimulantes que a atividade profissional não permite. Desejos artísticos de massa que revelam os limites da vida consumista, na medida em que esta não possibilita a realização das atividades criativas. A arte é aquele domínio que permite traduzir sua singularidade, sua diferença pessoal numa época em que a religião e a política não oferecem mais, como outrora, a possibilidade de afirmar sua identidade. Ao que se soma o desejo narcísico de visibilidade, de reconhecimento, de celebridade, largamente reforçado pelas mídias e pelo surto da individualização. A arte é precisamente a atividade capaz de satisfazer tais expectativas, na medida em que sua banalização, por meio de programas de televisão, revistas, reportagens, proporciona a cada um a ideia de que ela não é um domínio reservado aos outros, mas que é perfeitamente legítimo se tornar alguém competente nele. O artista não é mais o outro, o profeta, o marginal, o excêntrico: pode ser também eu, qualquer um. No capitalismo artista tardio, "todos somos artistas".

Essa era hipermoderna da condição de artista prolonga, ao mesmo tempo que rompe com ela, a dinâmica encetada no século XVIII e sobretudo no XIX, quando se desenvolveu o processo da promoção social dos artistas. A primeira era da igualdade tornou possível a entronização dos artistas na esfera da elite social, na sociedade dos salões, no Tout-Paris: engalanados de novos prestígios, reconhecidos como figuras de grandeza moral e intelectual, e até como magos, guias inspirados, os artistas frequentam então os salões mundanos em que são admitidos em pé de igualdade, ascendem à altura de heróis literários e se tornam célebres, a ponto de serem erguidas estátuas a eles, como aos políticos. Embasadas pelo regime da igualdade, efetuaram-se uma ascensão social e uma "aristocratização" dos criadores, concretizadas tanto por meio de seu reconhecimento pela sociedade como por sua reivindicação insolente de uma rebelião boêmia.[96]

Aristocratização que deve ser pensada como um fenômeno de essência democrática, na medida em que a excelência social dos artistas não é ligada a um estatuto hereditário, mas ao talento individual, ao trabalho, ao mérito independente do nascimento. No entanto, a promoção social dos artistas não se explica apenas como obra da revolução democrática. Ela é inseparável de um novo culto, "a religião da arte", que se desenvolveu em face da crise metafísica e ontológica aberta pelas Luzes. Na era moderna, a Arte se impõe como o que deve substituir a metafísica declinante, contrabalançar a secura dos saberes científicos, servir de contrapeso à alienação ou à inautenticidade da vida cotidiana.[97] É a conjunção da nova posição social do artista e da sacralização moderna da arte que explica, no século XIX, o aumento do número de praticantes e amantes da arte.

Esse período inaugural da igualdade moderna, que viu se afirmar a ascensão social dos artistas e seu reconhecimento como visionários-gênios capazes de revelar o Absoluto, o Ser, o Invisível, "as verdades mais fundamentais do Espírito" (Hegel), se encerrou. Não se vê mais, nos artistas, gigantes que exprimem as verdades últimas inacessíveis à razão filosófica ou científica: eles se tornaram astros midiatizados, espécies de "comunicadores" ou de animadores da vida cultural, cuja função é criar o novo, fazer sentir emoções particulares e mutáveis por meio de obras em que a dimensão subjetiva, às vezes gratuita ou irrisória, prevalece amplamente sobre a dimensão universal e a expressão do Absoluto. O culto ao novo e à expressão subjetiva substituiu a função de revelação ontológica atribuída pelos modernos à arte.

Após a sagração da arte e dos artistas investidos de uma função de revelação "mística" da verdade, eis o tempo mais prosaico dos artistas-estrelas que, reconciliados com o mercado e as mídias, criam mônadas fechadas em si mesmas, acontecimentos mais ou menos contingentes que ecoam uma visão ultraindividualista ou narcísica. O poeta romântico podia aparecer como "a consciência de si do universo" (Novalis);[98] o artista tinha vocação para exprimir o Ser e apresentar o universal no particular; muitos artistas das vanguardas históricas (Kandinsky, Mondrian, Malevitch, Arp, Lissitzky) se fixavam como objetivo descobrir e realizar a própria essência da arte. A idade hipermoderna pôs fim a esse imaginário ideológico e, ao mesmo tempo, à religião romântica da arte.

Não há mais "grandes discursos" da arte, não há mais alcance ontológico, não há mais visão escatológica, não há mais grandes apostas, não há mais sentido forte. Tem-se a sensação de que triunfam o arbítrio individual, o objeto inessencial, a escalada dos excessos, o novo pelo novo, o espetacular puro. Por toda parte, fantasias pessoais e infinitos joguinhos com o quase nada. Considerada globalmente, a esfera artística tende a se identificar com uma ordem dessubstancializada, vagamente fútil, sem importância, sem consequência, sem aposta cultural maior. A esse respeito, cumpre notar que a arte contemporânea se aproxima cada vez mais do universo superficial e arbitrário da moda, aparece como uma manifestação de supermoda, de hipermoda.[99] No momento da radicalidade hipermoderna, apaga-se a posição supereminente da arte como "grau supremo do pensamento, da sensação" (Novalis): com o reinado hipermoderno do pluralismo, do subjetivismo e do relativismo estético, não vivemos o fim da arte, mas do fetichismo moderno da arte. A estetização excrescente do mundo e a dessacralização da arte assinalam juntas a plena maturidade do capitalismo artista.

A religião da arte se extinguiu, mas a magia da vida artista continua. Ela se identifica a um trabalho rico e gratificante, não rotineiro, não burocrático e, além de tudo, capaz, numa sociedade midiática em que o artista não é mais maldito e sim celebridade, de proporcionar ganhos elevados e notoriedade aos que têm sucesso. Doravante, o trabalho democrático não se manifesta mais na ascensão dos artistas aos círculos elitistas da sociedade, mas na banalização da reivindicação da identidade de artista, na legitimidade da autoafirmação artística de cada um. E, enfim, no forte aumento das vocações criativas. O que se dissolve é a excepcionalidade artística investida de uma missão superior ou supereminente: a igualdade democrática e o capitalismo transestético conseguiram diluir a oposição entre o criador e o homem comum, entre o "alto" e o "baixo", o artístico e o comercial, tornando mais banal o estatuto de artista, qualquer que seja a consagração mundial de que gozem as divas do mercado. A era do capitalismo artista tardio é a era da dessacralização da criação, que corre paralelamente à estrelização dos criadores.

Profissionalização e especialização das atividades artísticas

Os artistas não estão mais identificados com o que podem ter sido: pessoas à margem, membros de uma boêmia social, representados simbolicamente por imagens que faziam deles seres à parte, profetas inspirados ou artistas malditos. Eles são considerados agora como pertencentes ao que alguns chamam de "classe criativa" e outros de classe dos "manipuladores de símbolos".[100] E ao lado deles figura todo um conjunto de profissões que tiveram um formidável desenvolvimento no âmbito das "indústrias criativas":[101] críticos de arte, curadores, galeristas, arquitetos, fotógrafos, artistas gráficos, designers,[102] agentes artísticos, animadores, cenógrafos, produtores, estilistas, tradutores, professores de arte.

Essa profissionalização da arte tende a fazer dela uma atividade regida, como as outras, pelas regras de funcionamento administrativas e jurídicas que as integram no sistema geral do funcionamento social. O que havia tempos os escritores buscavam — Corneille foi um dos primeiros, ao defender os rudimentos de um direito autoral — ou os pintores — negociando suas telas por intermédio de um marchand —, a saber, um estatuto social e econômico, se tornou a norma. A vida artística é hoje regida por contratos, conduzida por agentes, julgada por peritos, submetida a seguros e negociações de advogados. Se Johnny Halliday adoece, logo se deflagra uma batalha jurídica, atribuições de responsabilidade, processos de centenas de milhões de euros. Se os roteiristas de Hollywood entram em greve pedindo participação nos lucros, todo o setor econômico do cinema é atingido, também com centenas e centenas de milhões de dólares em jogo. No que Howard S. Becker chama de "os mundos da arte",[103] o criador não pode mais existir por si mesmo: ele é integrado num processo complexo de produção, distribuição, comunicação, que faz da produção artística, no sentido mais amplo do termo, um setor que envolve amplamente os técnicos, mas também os contratos jurídicos da relação de trabalho, os sistemas de seguridade e de aposentadoria, as convenções sindicais. Hoje, o artista que tem sucesso na sua carreira é escoltado por procuradores, advogados, consultores jurídicos e fiscais. E, como todo setor profissional, o das profissões da arte se organiza para defender seus direitos.

Vemos isso através das tensões, das reivindicações e das lutas sociais. Um conflito como o dos trabalhadores intermitentes do espetáculo, ao mesmo tempo que aponta as difíceis condições da profissão, evidencia que o setor artístico é hoje parte integrante do sistema econômico e social; até mesmo na venerável Comédie-Française, o pessoal de cena deflagra uma greve para reclamar, dados os vencimentos considerados demasiado desiguais dos atores, uma revisão da tabela salarial para o conjunto dos assalariados. A quantidade de escolas, institutos, formações que preparam para as profissões da arte, da cultura, da comunicação, da moda, e a diversidade de especialidades propostas são outra ilustração disso. Aliás, no espírito das jovens gerações, o desejo de se tornar artista já não se associa tanto ao sonho romântico da aspiração a viver inteiramente para a sua arte, mesmo que numa pobreza extrema, e sim ao projeto de carreira orientado pela ideia da fortuna rápida e do êxito social: ser cantora, como Madonna, ou jogador de futebol, como Zidane, e rico como eles...

As possibilidades de trabalhar na área artística são tanto maiores por se desenvolverem nesse setor atividades cada vez mais especializadas e segmentadas. As inovações tecnológicas, a renovação das artes, as transformações das empresas culturais acarretaram uma acentuação da divisão do trabalho artístico, de novas profissões, de novas identidades profissionais, uma diferenciação e uma especialização crescentes das atividades criativas. Onde o artista era um solitário, a atividade estética tal como o sistema a desenvolve atualmente requer uma multiplicidade de participantes. Para se dar conta disso, basta ver hoje os créditos de um filme de Hollywood: a quantidade de participantes e a variedade de tarefas são garantidas por um corporativismo muito codificado, que faz que só possam participar da filmagem operadores, maquiadores, eletricistas, decoradores, carpinteiros, motoristas, cozinheiros, locadores de trailers oficializados por contrato assinado com a produção. O mesmo ocorre com qualquer concerto: na retaguarda do cantor sozinho no palco com sua guitarra, além dos músicos que o acompanham, são inúmeras as pessoas que fazem parte do espetáculo, dos diversos técnicos aos responsáveis pela logística, dos agentes de segurança aos motoristas dos caminhões que transportam o material.

Brilho das estrelas e trabalhadores da sombra

A disparidade dos rendimentos e das cotações acompanha essa dinâmica de diferenciação. De um lado, temos as estrelas internacionais, um número reduzidíssimo de grandes nomes com uma visibilidade extrema; do outro, temos os obscuros com estatuto precário, visibilidade ínfima e salários na mesma medida. Artistas como Jeff Koons ou Murakami veem suas obras ultrapassar vários milhões de dólares; mas somente 6% dos artistas plásticos declararam, na França, uma renda anual superior a 45 mil euros. Não é preciso lembrar o montante dos cachês astronômicos dos *superstars* americanos, a não ser para salientar que eles apenas traduzem a disparidade extrema que é a realidade da profissão: em 1983, 82% dos membros do sindicato dos atores americanos receberam menos de 5 mil dólares por sua atuação em filmes.[104] Em 1994, 10% dos atores franceses, grandes nomes do palco e da tela, dividiam entre si 52% da remuneração total paga aos atores, enquanto a metade desses recebia apenas 11% do montante total dos cachês;[105] e o fenômeno não para de se acentuar.

Os cachês vertiginosos das grandes estrelas não são, é claro, uma realidade recente. Mas o nível de remuneração de astros e estrelas nos últimos vinte anos passou a um estágio superior em razão da mudança de escala dos mercados, do quase desaparecimento dos contratos estáveis e, enfim, da participação nas receitas dos filmes. O cachê de Bruce Willis para fazer *O sexto sentido* elevou-se a 20 milhões de dólares, mas o ator ganhou algo como 100 milhões de dólares graças à participação nos resultados da obra. Com o capitalismo artista tardio, se reforçam as desigualdades intracategoriais, o enriquecimento dos mais célebres, a disparidade entre os superganhadores e os perdedores. É o tempo do star-system exacerbado, da "*winner-take-all society*" (em que o ganhador embolsa toda a aposta).[106] Se o capitalismo criativo transestético confunde as fronteiras da arte e do comércio, em compensação ostenta cada vez mais claramente disparidades exorbitantes no domínio do êxito simbólico e material. Assim, o capitalismo artista se caracteriza pela "produção de amplas disparidades a partir de diferenças reduzidas no início e do caráter cumulativo das vantagens concorrenciais precoces".[107]

A consagração tem hoje a característica de atingir jovens artistas e se efetuar num tempo curtíssimo. Até a Segunda Guerra Mundial, as obras de vanguarda adquiridas pelos museus eram pouco numerosas e eram compradas apenas por raros colecionadores. E era raro um artista de vanguarda vender ou ser reconhecido fora do seu meio imediato. Não é mais assim. A partir dos anos 1960, a arte contemporânea é quase imediatamente reconhecida e comprada por públicos burgueses mais amplos; os novos talentos são rapidamente adotados pelo mercado, acolhidos nas instituições públicas e fazem um ingresso cada vez mais precoce nas coleções particulares. Multiplicam-se as retrospectivas de artistas cada vez mais jovens. O intervalo entre o início da carreira e a celebridade às vezes se reduz a alguns anos. Tudo, e para já: o sistema caminha rumo à aceleração do processo de reconhecimento, à respeitabilidade quase imediata, aos rendimentos elevados obtidos bem cedo na carreira dos que "têm êxito". O capitalismo transestético tem pressa de rentabilizar os investimentos, os nomes e as notoriedades. Desenvolvendo a lógica do star-system, o capitalismo artista alinhou o funcionamento da arte com a temporalidade curta do imediatismo midiático e da moda.

Enfim, o notável é que, nos mundos atuais da arte, as desigualdades extremas em matéria de notoriedade e de ganho, sem deixar de provocar às vezes contestação e indignação pela disparidade demasiado gritante, principalmente em tempo de crise, entre a enormidade das somas pagas às celebridades da arte, do cinema, do esporte, do show business[108] e a modéstia dos rendimentos da massa, geram também uma espécie de curiosidade, quando não de fascínio. Embora desigualmente aceita, a inflação das cifras é no entanto exposta e comentada avidamente em toda parte, posta em cena pelas mídias que celebram as melhores vendagens de livros ou títulos musicais, os recordes de ingressos nas salas de cinema, os cachês astronômicos das estrelas, os píncaros alcançados nos leilões pelas obras de arte. Uma espetacularização midiática a que se segue uma amplificação ainda maior das desigualdades de celebridade e remuneração. O capitalismo transestético não é apenas essa formação que difunde a arte nos objetos da vida comum, é também o sistema que conseguiu fazer do preço das obras e do ganho dos artistas a própria marca da sua excelência. Damien Hirst é mais célebre pelo preço de suas obras do que pelo conteúdo artístico destas: foi classificado como "o artista vivo mais caro do mundo". Como a cotação dos artistas se tornou o sinal definitivo da sua qualidade, o triunfo do mercado é tanto econômico quanto cultural: ele alterou a maneira de perceber, de apreciar, de qualificar a arte e os artistas. Nesse plano, é menos a arte que ganha do que a lógica propriamente econômica do capitalismo.

O ESPÍRITO DO CAPITALISMO ARTISTA: FORÇA DA CRÍTICA OU PODER DO MERCADO?

Capitalismo artista e crítica artista

Naturalmente, não se pode explicar tal reviravolta do capitalismo sem levar em consideração todo um conjunto de novos fatores — econômicos, políticos e tecnológicos. Mas outros fatores, mais especificamente ideológicos, também puderam ser salientados, como em particular o que Luc Boltanski e Ève Chiapello chamam de "crítica artista",[109] na qual eles enxergam uma das duas grandes forças ideológicas principais na origem da virada do capitalismo contemporâneo.

Desde a sua formação, o capitalismo viu serem-lhe dirigidas violentas críticas baseadas em diversos motivos de indignação. Entre estes se acham, por um lado, a miséria e as desigualdades sociais, que estão na base da "crítica social"; por outro lado, a opressão dos seres, o desencanto, a inautenticidade dos objetos, das pessoas e dos sentimentos que estão na origem da "crítica artista", que se apresenta como uma contestação radical da racionalização, da reificação e da mercantilização capitalistas. Essa forma de crítica, que surge na segunda metade do século XIX e deita raízes no dandismo e na boêmia, foi fortemente amplificada em fins dos anos 1960, com a contracultura e a contestação virulenta da sociedade de consumo, dos modos de vida burgueses, de todas as formas de alienação e de sujeição (disciplina do trabalho, familismo, moral sexual, autoridade, hierarquia). Esse momento de maré alta crítica vê crescer uma multidão de reivindicações conclamando ao prazer, à criatividade, à espontaneidade, a uma libertação que atinge todas as dimensões da vida.

Foi para responder a essa crítica artista que se forjou um "novo espírito do capitalismo", em particular na forma de uma nova gestão que, denunciando as grandes organizações hierarquizadas, rígidas e planificadas, desenvolve novos dispositivos de gestão (empresa em rede, equipes autônomas de trabalho, qualidade total, redução dos escalões hierárquicos). Essas propostas fazem eco às denúncias da crítica artista, das aspirações à autonomia, à autorrealização dos indivíduos, a um mundo "mais humano", mais convivial, mais autêntico.

Foi também em reação à proliferação dos objetos inúteis e feios, à ditadura do quantitativo, ao reinado da inautenticidade e da padronização, que o capitalismo se empenhou num processo de "mercantilização da diferença" mediante uma produção em pequenas séries de bens e serviços mais singulares, mais diferenciados, destinados a reduzir o mal-estar ligado à massificação do mundo industrial. Donde o desenvolvimento dos produtos ditos "autênticos" (paisagem, patrimônio, lugares típicos), bem como o formidável investimento nas indústrias culturais, no turismo, na hotelaria, na gastronomia, na moda, no design, na decoração de interiores, como maneira de responder às críticas da inautenticidade da vida cotidiana. Assim, a crítica artista poderia ser a força ideológica principal no desenvolvimento do capitalismo criativo, aparecendo a estetização do mundo como a apropriação pela ordem mercantil das denúncias de seus inimigos.[110]

Se é incontestável (conforme veremos, a propósito da questão do design, com as teorias desenvolvidas por Ruskin, William Morris e com os caminhos preconizados por movimentos como Arts & Crafts) que a era industrial fez de fato surgir algo como uma crítica artista, resta saber qual foi sua influência real sobre o desdobramento transestético do capitalismo. A esse respeito, qualquer que seja a importância do papel que as utopias e as críticas sociais da inautenticidade tiveram, tudo indica que elas foram muito menos decisivas que as estratégias propriamente comerciais que "exploram" as disposições estéticas do consumidor, a sedução do belo, a atração em si da emoção e da distração. Nesse sentido, a mutação que o capitalismo artista representa deve ser atribuída muito mais à "mão visível dos gestores",[111] que abrange todo o potencial de rentabilidade que os sonhos, as ficções e as emoções humanas encerram, do que aos movimentos de indignação ou de revolta contra o inautêntico.

É o que testemunham as lojas de departamentos e os cartazes publicitários, que são duas grandes manifestações estéticas da primeira fase do capitalismo artista. Em ambos os casos, o trabalho artístico veio em resposta a objetivos estritamente comerciais, às novas necessidades do grande comércio e dos industriais, abrangendo perfeitamente todo o potencial comercial que podiam representar o "cenário", a mise-en-scène estética, a sedução dos lugares e das imagens. Foi para maravilhar a clientela e estimular a compra que Boucicaut se empenhou em transformar o Bon Marché num palácio de sonho. Foi também para aumentar a notoriedade da marca, superar os concorrentes, aumentar o faturamento que os industriais confiaram a artistas gráficos, desenhistas, pintores a tarefa de produzir cartazes de qualidade artística que estimulassem a imaginação e seduzissem o olhar. Não se trata de apropriação da "crítica artista" moderna, mas de lógica comercial que se vale da atratividade "eterna" e imediata da beleza e da sedução.

A loja de departamentos e o anúncio não ilustram sozinhos a utilização das estratégias de sedução no início do capitalismo artista. Também o cinema se construiu logo de saída como uma indústria de sonho, criando estrelas deslumbrantes, oferecendo ao público ficções, emoções, riso, os prazeres da evasão, em outras palavras, apoiando-se em aspirações antropológicas básicas: prazeres, narrativas, imagens, emoções, beleza, sonho. Um dos grandes dispositivos do capitalismo artista nascente, o cinema, surgiu e se desenvolveu sem dever nada às críticas feitas ao capitalismo. Nenhuma resposta a críticas ou a reivindicações de autenticidade, mas invenção de um composto indústria-arte baseado na exploração das emoções.

O início do século xx também vê aparecer no mundo industrial propostas visando casar intimamente estilo e produção a fim de conquistar os mercados. Na Alemanha, o industrial Walther Rathenau confia ao arquiteto Peter Behrens a tarefa de dar uma identidade de estilo à produção da AEG, com a convicção de que a dimensão estética é conforme aos interesses da empresa. A General Electric funda a comissão de "estética do produto" no início dos anos 1920. Ainda nos Estados Unidos, Daniel H. Burnham, tomando a palavra no Chicago Commercial Club, sustenta que "a beleza sempre foi mais bem paga do que qualquer outro bem, e sempre será". E. Calkins publica em 1927 "Beauty, The New Business Tool", um artigo no qual a dimensão estética é postulada como instrumento para gerar vendas e lucro: segundo Calkins, o tempo da eficácia praticamente passou e deve-se abrir espaço para o que ele chama de "beleza", que cria um clima de estimulação e de compulsão de compra benéfico aos negócios. Raymond Loewy, entre as duas guerras, conseguiu convencer vários industriais de que "a feiura vende mal", enquanto o aspecto atraente dos produtos facilita o desenvolvimento do comércio. No mesmo momento, Roy Sheldon e Egmont Arens apresentam a mudança de estilo ("*style obsolescence*") como o novo Eldorado dos negócios, fazendo que todo bem se torne assim um bem não durável, incessantemente renovável.[112] A incorporação do princípio de estilização na produção dos objetos industriais se difundiu quando os industriais perceberam o poder mercantil da "beleza" e a vantagem competitiva que ela podia proporcionar nos mercados concorrenciais.

E, mais tarde, a partir dos anos 1980, é menos para atender às "intensas demandas de autenticidade e de desmassificação" do que para enfrentar a queda do consumo ligada à saturação dos mercados domésticos dos bens de consumo duráveis que o capitalismo se empenhou em produções diferenciadas de séries curtas. O capitalismo artista deve seu formidável desenvolvimento muito menos às denúncias da economia liberal do que a seu movimento próprio impulsionado pelas lógicas de concorrência e de inovação permanente. Foi do interior da própria máquina econômica que nasceu e se desenvolveu o capitalismo artista: ele é filho da economia liberal, muito mais que dos detratores desta.

Capitalismo artista e mitologia da felicidade

Não só a ideia de crítica artista não explica as forças reais que acarretaram as metamorfoses transestéticas do capitalismo, como

Luc Boltanski e Ève Chiapello superestimam o papel desta nas transformações do "espírito" do capitalismo.

Sabemos desde Max Weber que o capitalismo necessita de um conjunto de crenças, de um "espírito" que contribua para justificar sua ordem, motivar os homens, favorecer a interiorização das coerções e a adesão ao sistema. Em sua forma original, o espírito do capitalismo coincidiu com a criação de uma nova relação com a atividade profissional, que deveria ser exercida como uma "vocação", um dever, uma finalidade em si da existência. O espírito primeiro do capitalismo se afirma na forma de deveres que prescrevem uma conduta racional no próprio interior do trabalho, de uma ética puritana que condena a fruição da riqueza e dos prazeres que a existência pode proporcionar. Assim, o espírito do capitalismo não nasceu do interior de si mesmo, a partir de uma lógica utilitarista: a conduta racional prescrita deita suas raízes em crenças e práticas religiosas, no espírito do ascetismo cristão.[113]

Evidentemente, o mesmo já não acontece com o novo espírito do capitalismo, que se define por um sistema de legitimidade diametralmente oposto, centrado na valorização das fruições materiais, no hedonismo do bem-estar, do divertimento e do lazer. Neste caso, a justificação fundamental do capitalismo artista é a elevação perpétua do nível de vida, o bem-estar para todos, as satisfações incessantemente renovadas, a perspectiva de uma vida bela e excitante. Assim, um sistema de justificação moral foi substituído por uma legitimação de tipo estético, pois valoriza as sensações, as fruições do presente, o corpo de prazer, a leveza da vida consumista. Notemos que essa ordem de valores não encontra suas raízes últimas na "crítica artista" radical, e sim, muito mais profundamente, na ideologia individualista dos direitos humanos que afirma a universalidade dos direitos à igualdade e à felicidade. A ideologia do bem-estar consumista não foi construída em resposta às rejeições à modernidade desumanizante do capitalismo, mas pelo desenvolvimento de um modelo individualista, materialista e mercantil do ideal democrático da felicidade.

Ao mesmo tempo, não são mais argumentações morais que constroem no dia a dia a legitimidade do capitalismo, mas imagens, estimulações, uma ambiência, uma espécie de utopia estética fabricada pelas mídias, pelos objetos, vitrines, publicidade, cinema, turismo. É preciso se convencer de que o capitalismo artista não é apenas produtor de bens e de serviços mercantis, ele é ao mesmo tempo "o lugar principal da produção simbólica",[114] o criador de um imaginário social, de uma ideologia, de mitologias significantes. A sociedade de consumo "é o próprio mito dela mesma", escrevia com razão Baudrillard, um mito sem grandeza, sem exterioridade nem transcendência, mas que constitui "um discurso pleno, autoprofético, que a sociedade faz sobre si mesma, um sistema de interpretação global",[115] uma constelação inédita de valores capaz de fazer as massas sonharem.

Assim, o éthos do capitalismo artista se constitui muito menos incorporando a contestação radical dos valores do capitalismo do que inventando, sob a pressão do jogo da concorrência, dos imperativos de inovação e de conquista dos mercados, uma cultura materialista, hedonista e individualista da felicidade que deita suas raízes nos valores democráticos oriundos das Luzes. O papel histórico atribuído à crítica artista é superestimado: foi principalmente o próprio funcionamento da economia moderna e de seus mecanismos concorrenciais que engendrou o conjunto de fins, de valores, de mitologias, em outras palavras, "as significações sociais imaginárias" (Castoriadis) típicas do novo espírito capitalista. Não se deve reduzir este às ideias-valores que são a base da empresa em rede e das operações de apropriação das exigências de liberdade e de autenticidade, pois ele é constituído, em seu cerne, pelos ideais hedonistas e pela *fun morality*": uma ideologia que se generalizou, desde os anos 1950, antes mesmo dos golpes da contracultura. E esse sistema de justificação "estética" decorre mais da dinâmica da ideologia individualista e da busca de novas possibilidades de lucro e de mercado do que da crítica artista que estigmatiza a ordem mercantil liberal. É preciso ver no novo espírito do capitalismo muito menos uma apropriação desta última do que uma invenção do próprio mercado, gerador de razões culturais e de significações simbólicas.

É por isso que não se pode subscrever a ideia de que "o operador principal de criação e de transformação do espírito do capitalismo é a crítica".[116] Foi o capitalismo que possibilitou difundir em todas as camadas sociais as normas hedonistas da realização pessoal. Se tomarmos certa distância em relação ao ponto de vista dos atores da época, a crítica artista dos anos 1960-70 apenas fez uma lógica estética já encetada, de sua parte, pelo próprio capitalismo de consumo dar mais um passo à frente, embora radical. Não é exato ver na crítica do inautêntico o elemento-chave que possibilitou a virada do neocapitalismo. Para além de suas antinomias evidentes, o capitalismo de consumo e as correntes da crítica artista trabalharam juntos para o mesmo descrédito do antigo sistema de legitimação da modernidade disciplinar. A análise de Boltanski e Chiapello subestima o poder que tem o capitalismo de abalar as configurações ideológicas tradicionais e inventar seu sistema de legitimidade. Se os ideais da contracultura foram capazes de transformar os costumes e os valores e de se impor no corpo social, é que o capitalismo de consumo já havia, de sua parte, dissolvido a cultura disciplinar-autoritária à moda antiga. Desse ponto de vista, a obra própria do capitalismo, sob a pressão permanente da concorrência, sem dúvida foi mais significativa do que os valores em nome dos quais ele foi radicalmente criticado e contestado.

O capitalismo artista diante do desafio da exigência ecológica

Relativizar o papel da crítica artista no desenvolvimento do capitalismo transestético não significa negar nenhum papel à crítica. Em particular, estamos no momento em que, precisamente, um tipo de consciência crítica está recompondo a ideologia do capitalismo. Simplesmente, não é nem a crítica artista nem a crítica social que se encontra no primeiro plano, mas a crítica ecológica. O processo já está em andamento: um número cada vez maior de empresas joga a carta do respeito ao meio ambiente; só se fala em economizar energia, preservar os recursos naturais, reduzir o CO_2, reciclar o lixo, lutar contra o desmatamento. O design e a arquitetura ecológica estão na ordem do dia; até as marcas de moda fazem profissão de fé ecológica. Em toda parte os ecoprodutos são celebrados: o respeito ao meio ambiente se tornou um argumento de venda dos especialistas do marketing.

Sob esse aspecto, a mudança é notável. O capitalismo, que se desenvolveu sob o signo do descompromisso, do culto ao presente, do desperdício, do lúdico, é hoje obrigado, em resposta às novas exigências relativas à preservação da ecosfera, a incorporar o que lhe era alheio, a saber, o princípio de responsabilidade aplicado ao futuro, a preocupação planetária, a consideração do impacto da produção no meio ambiente. Salta aos olhos que um novo sistema de legitimidade vem sendo construído sob a pressão da crítica ecológica: esta é e será cada vez mais um agente fundamental da transformação tanto do espírito do capitalismo como de suas realizações concretas.

Mas que não haja ilusões: a nova ideologia que toma forma não reata em absoluto com a ética ascética à moda antiga. Não esperemos do capitalismo artista que ele ponha num pedestal os valores da frugalidade. Ele, sem dúvida, integra agora uma nova dimensão ética — o respeito ao meio ambiente ou o desenvolvimento sustentável — mas sem renunciar com isso à dimensão estética (hedonismo, ludismo, beleza, imagem, criatividade) que o constitui como capitalismo de consumo. Assim, vemos surgir novas orientações mistas, como o consumo responsável, o luxo sustentável, o ecoturismo. Estamos no tempo da hibridização da estética e da ética, da arte e da ecologia: essa aliança é que vai constituir o cerne das justificativas do capitalismo transestético que se anuncia.

2. As figuras inaugurais do capitalismo artista

O capitalismo artista não data de hoje, nem mesmo de ontem. Sua carreira histórica começa de fato com a industrialização, com a produção em série e a economia moderna do consumo. E embora chegue à plena maturidade na segunda metade do século xx, ele já existia um século antes, desde a origem, mesmo que de maneira mais limitada, por meio de diversos dispositivos que posteriormente adquiririam uma outra amplitude econômica e social.

Com o capitalismo artista são inventados uma dinâmica e um funcionamento econômico de tipo radicalmente novo. É evidente que não é a primeira vez na história que se desenvolvem mercados estéticos, em que lógicas econômicas se casam com a arte e as artes. Havia, notadamente, antes da era industrial, uma grande diversidade de produções estéticas e de estilos: os objetos de artesanato, os produtos da moda, as criações de ateliês. Mas essas atividades apresentavam uma dupla característica. Em primeiro lugar, eram "encastradas" no tecido social,[1] enquadradas pelo costume, pelas regulamentações estritas editadas pelas cidades e pelas corporações. Em segundo lugar, essas produções de tipo artesanal se efetuavam em mercados locais e isolados, logo de dimensão reduzida: pequena produção, proveniente de pequenas unidades — de marcenaria, de joalheria, de relojoaria, de costura — e intervindo num universo mercantil fragmentado ao extremo, em que não era a livre concorrência que atuava,[2] mas a especificidade do saber-fazer e a proximidade dos que, formados pelo aprendizado em ateliês e enquadrados por regras corporativas, possuíam a arte adequada. Em outras palavras, os mercados que existiam não tinham nada a ver com a *economia de mercado* característica do capitalismo moderno. Para que as primeiras formas do capitalismo artista surgissem, foi preciso que se tornassem realidade as condições gerais que possibilitaram o desenvolvimento de uma economia liberal: autonomização da esfera econômica em relação às outras esferas da vida social, advento de uma economia comandada pelos preços de mercado, e somente por eles, constituição de mercados para todos os elementos da indústria, desenvolvimento de uma demanda de massa, indiferenciada e anônima, preeminência do indivíduo sobre a comunidade.

Essas condições só puderam se realizar no século xix. O capitalismo industrial e liberal subverteu inteiramente o antigo mundo regulamentado em que o econômico era absorvido no sistema social. A partir dos anos 1870-80 estabeleceu-se um regime inédito de produção e distribuição funcionando em mercados de grande amplitude. Estes não são mais locais, nem mesmo regionais, mas sim nacionais, devido ao advento de uma produção industrial de bens de consumo e dos meios modernos de transporte e comunicação. Combinados com as novas máquinas de processo contínuo fabricando produtos em grande quantidade e de forma automática, são a origem direta da era da produção em massa e do mercado de massa.[3] Pondo ao alcance de todos e em todo o território um conjunto de produtos padronizados (cigarros, fósforos, cereais matinais, sopas, leite condensado em lata, carne em conserva, filmes fotográficos...), as empresas industriais modernas criaram os primeiros mercados de massa, a primeira era da sociedade de consumo.

A revolução da produção em massa foi acompanhada por uma dupla revolução nas modalidades de comercialização e de comunicação das mercadorias. A primeira, a mais espetacular, consiste na invenção das lojas de departamentos; a segunda, na invenção do design, da embalagem e da publicidade modernas. Essas revoluções criaram dispositivos fundamentais do capitalismo artista nascente, pelos quais o poder das empresas de formar e modelar o mercado aumentou consideravelmente.

O novo regime de produção possibilitou o aparecimento da grande distribuição moderna. É com ela que o capitalismo artista começa verdadeiramente sua aventura histórica "em larga escala", atribuindo uma posição central e inédita à teatralização do local de venda, à mise-en-scène das mercadorias: a lógica de sedução se imiscuiu no próprio funcionamento do comércio de consumo. Um capitalismo inédito se instala e, casando comércio e emoção estética, cria um mundo de imagens e sonhos mercantis, como escreve Benjamin analisando as "passagens" parisienses: "O capitalismo foi um fenômeno natural pelo qual um novo sono, cheio de sonhos, se abateu sobre a Europa, acompanhado por uma reativação das forças míticas".[4]

A potencialização do processo de sedução estética se manifesta também através da invenção e do desenvolvimento das embalagens. Para escoar a produção das novas máquinas de alta produtividade, os industriais começaram a embalar seus produtos, em vez de vendê-los a granel como era a regra antes. Com isso, o consumidor não pode mais avaliar os produtos vendo-os diretamente, tocando-os e provando-os, mas somente pela embalagem e a marca que nela figura: sucedeu ao acesso tátil e polissensorial um modo de avaliação indireto, abstrato, imaginário dos bens de consumo. Daí a exigência de cuidar do visual das embalagens (desenho, grafismo, cor) a fim de captar a atenção e o desejo dos consumidores. Com o *packaging*, os produtos de grande consumo não se separam mais de uma dimensão de pequena teatralidade decorativa e sugestiva: eles se tornam elementos de espetáculo do cotidiano. Impedindo o contato físico com os produtos, a embalagem, paradoxalmente, acentua o poder que eles têm de estimular gostos, permitindo, por meio dos jogos cenográficos, pôr em movimento as projeções imaginárias do consumidor.[5]

A era de produção em grande série viu se desencadearem as críticas ao mau gosto e à feiura da produção industrial. Foi nesse âmbito que apareceram diversas correntes ambicionando melhorar a qualidade estética dos objetos fabricados em série, reconciliar criação e padronização, beleza e indústria, arte e técnica moderna. Tornar mais puros e, sobretudo, mais belos, mais atraentes os objetos industriais começou a se impor como um desafio para certo número de empresas. Assim, com o primeiro capitalismo moderno de consumo teve início um processo de estilização do mundo industrial e comercial, por meio desses dois grandes dispositivos que são o design de objetos, por um lado, e a pompa decorativa dos novos espaços de venda, que são as lojas de departamentos, por outro.

O imperativo estético rapidamente intervém como meio para dar toda a sua força à venda e aumentar o lucro dos industriais; e essa lógica também ganhou o mundo da comunicação comercial por meio da publicidade moderna. Esta vai substituir os anúncios tradicionais, de função puramente informativa, e seu objeto primeiro será oferecer uma imagem espetacular, distrativa, do produto e da marca.

Lógica de distração que se concretizou em grande escala sobretudo com o desenvolvimento do cinema, que, paralelamente à publicidade, à alta-costura e às lojas de departamentos, constitui uma das figuras mais emblemáticas do capitalismo artista inaugural. Se Boucicaut quis transformar o Bon Marché em "palácio de conto de fadas", Hollywood se impôs nas primeiras décadas do século xx como uma mistura de arte e de indústria, uma indústria de divertimento de massa, uma "fábrica de sonhos". Produzindo sem cessar novos filmes de diferentes gêneros, criando estrelas de sublime beleza, o cinema se afirma ao mesmo tempo como indústria e como arte. Como indústria que requer investimentos às vezes maciços, busca o maior sucesso comercial possível a fim de rentabilizar os capitais mobilizados; como arte, cria protótipos, narrativas, imaginários, estrelas que fazem o público sonhar. O capitalismo artista nascente inventou integralmente uma arte de consumo de massa, indústrias de sedução, assim como um mundo de sonho baseado na mercadoria.

Embelezar, seduzir, inovar, distrair: são essas as leis de bronze do capitalismo artista. A partir do segundo terço do século xix, toda uma série de fenômenos tecnológicos, econômicos e estéticos transformou os locais de venda e, depois, mais ou menos acentuadamente, o universo da publicidade, dos objetos, do cinema e da música, seguindo caminhos inéditos. Criou-se uma nova civilização, que se empenha, com êxito desigual, em casar arte e indústria, sedução e comércio, divertimento e negócio, estética e comunicação. Está formado o código genético do capitalismo artista, e ele se encontra na origem do desenvolvimento de uma arte comercial, de uma arte industrial, de uma arte da distração que se baseia nos princípios da mudança perpétua, da sedução estética, do divertimento de massa. Capitalismo de consumo e capitalismo artista são inseparáveis.

AS TRÊS FASES DO CAPITALISMO ARTISTA

Nessa perspectiva, podemos distinguir três grandes períodos do capitalismo artista, que correspondem às três fases históricas do capitalismo de consumo.[6] São esses grandes momentos que nos propomos analisar aqui, privilegiando, neste capítulo, as figuras estruturantes que assinalam o nascimento e os primeiros desenvolvimentos históricos do capitalismo artista. Para traçar suas grandes linhas, consideraremos tão só os elementos de base, os grandes traços simplificados, mas aptos a captar a evolução do que é um movimento geral e crescente de estetização do mundo da produção, da distribuição e do consumo de massa.

A primeira fase, que abarca o primeiro século do capitalismo de consumo até a Segunda Guerra Mundial, vê surgirem os princípios mas também algumas das estruturas fundamentais do capitalismo artista: lojas de departamentos, *industrial design*, alta-costura, publicidade, cinema, indústria musical. Esse ciclo é marcado por um capitalismo artista *restrito*.

Na segunda fase, que abarca as décadas "gloriosas" dos anos 1950 aos 1980, a lógica artista ganha em poder econômico e em superfície social; ela se difunde no design, na moda, na publicidade, nas indústrias culturais, embora a organização fordiana das empresas ainda limite estreitamente a dimensão estética. Constituiu-se então um capitalismo artista *estendido*.

A terceira fase, que corresponde ao capitalismo dos últimos trinta anos, é a da excrescência dos mundos da arte, das multinacionais da cultura, da planetarização do sistema artista. Mas, igualmente, da multiplicação das estéticas, da desregulamentação da antiga oposição entre arte e economia, hibridizações de todo tipo em que se cruzam a indústria, o comércio, a arte, a moda, o design, a publicidade: o capitalismo artista vê triunfar sua dimensão *transestética*. Outrora menor, ele funciona hoje num regime maior, híper e planetário: seu papel no funcionamento do capitalismo de hiperconsumo não para de se potencializar.

O capitalismo artista é hoje movido por um destino *mundial*. Mas conserva os vestígios de suas figuras inaugurais: as mais emblemáticas destas, constitutivas das fases i e ii, são o objeto do presente capítulo.

A INVENÇÃO DA LOJA DE DEPARTAMENTOS: OS PALÁCIOS DO DESEJO

A figura mais imediatamente visível, identificada, observada, comentada, que lança o capitalismo em sua aventura artista é inegavelmente a loja de departamentos.[7] A grande distribuição, encarregada de escoar os artigos padronizados, se impôs bem cedo, através desta, como um espetáculo fulgurante de beleza, teatralidade e luxo. O capitalismo de consumo inventou e multiplicou novos espaços estéticos: "templos" das compras que, combinando comércio e mise-en-scène, deram o pontapé inicial do capitalismo artista.

No sistema tradicional, a distribuição se efetuava por meio de estabelecimentos de pequena dimensão, sem alcance nacional e atingindo apenas uma clientela reduzida. Os produtos apresentados podiam, sem dúvida, oferecer qualidades estéticas, mas os bazares, as lojas, as bancas de feiras dos tempos anteriores ignoravam no essencial o princípio da mise-en-scène decorativa dos locais de venda: o que dominava era a estocagem, a acumulação dos produtos, o empilhamento mais ou menos organizado das mercadorias, sem esforço de estilo nem preocupação com o consumidor. O que tornava uma loja "rica" era a qualidade dos produtos ou o luxo dos artigos apresentados, não a teatralidade ou a elegância do espaço comercial.

Em face do mundo do pequeno e do obscuro, que era o do comércio das pequenas lojas, as lojas de departamentos criam, por seu gigantismo, sua arquitetura e seu cenário, um mundo mágico e teatral, uma atmosfera de fascinação e de festa, locais cheios de cores e de sensações que provocam a imaginação. Zola ilustrou essa transformação profunda em *O paraíso das damas*, opondo a lojinha à moda antiga, cujo nome — Ao Velho Elbeuf — é revelador de um tempo que ficara para trás, ao templo triunfante do novo comércio. Sua descrição salienta os traços do que é, no sentido forte do termo, uma revolução comercial. De fato, a loja de departamentos se destaca, desde o início, não só por sua monumentalidade, mas também por seu esplendor. A esse sonho feérico, Octave Mouret, futuro diretor do Paraíso das Damas, dá corpo quando, imaginando em *Roupa suja* a futura loja de departamentos de seus sonhos, "se mostr[a] cheio de desprezo pelo comércio antigo, em lojas úmidas, escuras, sem mostrador", a que opõe "um comércio novo, acumulando todo o luxo da mulher em palácios de cristal".[8]

Arquitetura: o comércio como espetáculo faraônico

Revolução da loja de departamentos: é a mudança de escala do imóvel que aparece como a característica mais espetacular da mutação comercial. E é seu gigantismo que, como um espetáculo, atrai imediatamente a multidão. Com seus 50 mil metros quadrados de superfície, o Bon Marché é sua figura prototípica. Não que seja o único: o Grands Magasins du Louvre e o Bazar de l'Hôtel de Ville abrem no mesmo ano, como, um pouco mais tarde, nos Estados Unidos, Stewart's, Lord and Taylor e Arnold Constable and Co. Mas a loja parisiense se impõe, pela amplitude e pela exemplaridade do que é, como modelo que serve verdadeiramente de referência, em particular quando Aristide Boucicaut concebe o projeto de construir um novo prédio que represente a quintessência de um sistema de venda que pretende levar à perfeição. O edifício cuja pedra fundamental ele lançou no dia 9 de setembro de 1869 traduz o poder ostensivo de um capitalismo comercial que lá encontra as próprias condições das suas ambições.

O fato de confiar o projeto ao arquiteto Louis-Charles Boileau e ao engenheiro Gustave Eiffel diz muito sobre as intenções do construtor: os dois são pioneiros de uma arquitetura de ferro e de vidro que proporciona uma nova relação com o espaço e a luz, possibilitando a instalação de grandes vidraças pelas quais a luz, entrando aos borbotões, ilumina os mostradores e valoriza os produtos. Essa promoção estética da luz rompe radicalmente com a obscuridade que prevalecia até então nas lojinhas uniformemente sombrias.[9] Aqui, grandes cúpulas[10] encimam cada corpo de fachada, e o coração da loja é coberto por uma imensa abóbada de vidro cujos suportes metálicos recortam a matéria com a luz natural. Encontramos no edifício, com os dois grandes materiais que simbolizam o triunfo do progresso técnico e industrial, o ferro e o vidro, a ilustração dos mesmos grandes sonhos estéticos que, com outros materiais, na forma de rendas de pedra, inspiravam os construtores de cúpulas da Itália barroca, como Guarini da igreja de San Lorenzo e Borromini da de San Carlo alle Quattro Fontane.

Outro elemento dominante, num edifício de proporções já consideráveis, é a importância dada à fachada. Sua monumentalidade e seu comprimento impressionam ainda mais porque as entradas, em particular, no que concerne ao Bon Marché, a entrada principal, na Rue de Sèvres, apresentam um estilo ornamental ostentatório: acima de um pórtico onde figura o nome da loja, cariátides e estátuas de deuses deitados são encimadas por um frontão que assimila o edifício a um templo.[11] Esse estilo carregado e hiperbólico caracteriza a decoração de um prédio que busca, antes de mais nada, provocar a imaginação.

Esse aspecto externo vai se enriquecer e se sobrecarregar com o correr das décadas. Marcado de início por um neoclassicismo que não economizava em pompa, como no Palácio de Mármore de Alexander Turney Stewart — que é nos anos 1860 o maior edifício nova-iorquino, com suas imensas colunatas de estilo coríntio —, dará nas décadas seguintes cada vez mais espaço para a moda do orientalismo. Em 1876, John Wanamaker utiliza na Filadélfia uma estação ferroviária abandonada para criar a primeira "*department store*" americana, a Grand Depot, cuja fachada original ele decora com torres nas quais as vidraças são ornamentadas em filigrana com motivos de inspiração orientalizante. A construção de torres que se erguem acima do corpo do prédio afirma a supremacia dos templos assim erigidos, numa competição vertical comparável ao frenesi de elevação de abóbadas e flechas das catedrais da Idade Média. Em Nova York, Henry Siegel inaugura em 1896 o Siegel-Cooper's, cuja ossatura — seis andares de pedra com estrutura de aço — era encimada por uma torre de sessenta metros de altura, construída pelos arquitetos De Lemos e Cordes.

Assim concebidas, as lojas de departamentos se tornam símbolos da arquitetura moderna e são admiradas como tais. O Bon Marché, que, segundo a fórmula de Michael B. Miller, o público vê quase como a "oitava maravilha do mundo",[12] pretende ser, no espírito de seu fundador, capaz de rivalizar com os maiores e mais renomados êxitos arquitetônicos. Numa agenda destinada à publicidade, distribuída pela casa a seus clientes, o edifício é apresentado, entre os monumentos da região parisiense, como o que simboliza Paris, junto com a basílica de Saint-Denis, o castelo de Saint-Germain-en-Laye e o castelo de Versalhes... Reivindicação de obra-prima que decorre de valores puramente estéticos, ainda que estes visem à funcionalidade comercial: uma coisa não exclui a outra. Como nas igrejas barrocas, cuja fachada tinha por vocação explícita atrair os fiéis com suas formas surpreendentes e sedutoras, a espetacularização do exterior das lojas de departamentos persegue o mesmo objetivo, bem concreto: fazer o cliente entrar.

Vitrines mágicas

Outro elemento exterior corresponde ao intuito de sedução e de modernidade que a fachada apresenta: as vitrines.[13] O que a decoração desenha procede claramente, aqui, de uma estética teatral:[14] trata-se de fato de pôr em cena os produtos, num cenário apropriado, transformando-os num espetáculo deslumbrante. Nos primeiros tempos, a fachada da loja costumava ser precedida por um mostrador na calçada. Mas a partir dos anos 1880, esse empilhamento que ainda se prende ao bazar cede lugar às vitrines propriamente ditas, cuja multiplicidade e dimensões tornam definitivamente obsoletas as fachadas cegas do antigo comércio. Trata-se de provocar, mediante jogos de cores e de contrastes, de decorações e de movimentos, a imaginação, de moldar uma paisagem de sonho e de atração passional. Inventa-se portanto uma nova arte, a do vitrinista, que dispõe os produtos de forma elaborada.

Mas vai-se ainda mais longe magnificando o que é exposto mediante uma valorização que toma emprestadas as formas mais luxuosas do espetáculo — revistas, shows, paradas. O aparecimento dos manequins, de início simples suportes sem braços nem cabeça, antes de se tornarem no início dos anos 1900 verdadeiras figuras, permite apresentações que se assemelham a representações. Em 1893, no Bon Marché, uma vitrine de Natal apresenta uma cena de patinação no Bois de Boulogne; em 1909, uma paisagem do polo Norte está lado a lado com uma evocação da vida de Joana d'Arc, enquanto o grande espaço da entrada principal é ocupado por um aeroplano cuja hélice se vê girar. A vitrine se torna um lugar de criação, avaliado segundo critérios estéticos. Em 1898, L. Frank Baum, conhecido pelo seu *O mágico de Oz*, mas apaixonado por merchandising, funda a "National Association of Window Trimmers" — a primeira do gênero —, a fim de promover a decoração comercial ao estatuto de profissão, e no ano seguinte cria *The Show Window*, uma revista mensal inteiramente dedicada à "*decorative art*".

E, de fato, os maiores decoradores elaboram essas célebres "*show windows*", em que se exprimem de maneira privilegiada os estilos de época: em 1912, as doze vitrines da Sibley, Lindsay and Curr, em Rochester, proporcionam uma visão dos produtos numa disposição neoclássica bem geométrica, em meio a um cenário de veludo verde-escuro bordado com uma orla dourada de linhas puras; em 1915, Arthur Fraser desenha para as vitrines da Marshall Field's uma decoração de luxo, em que manequins femininos usam vestidos suntuosos realçados, ao fundo, por uma tapeçaria de motivos florais estilo art nouveau; ao longo dos anos 1920, o mesmo decorador faz triunfar seu "*window pictorialism*" em vitrines nas quais representa interiores em que tudo — móveis, decoração, ladrilhos, objetos — combina com o estilo dos vestidos usados por manequins exclusivamente femininos.

Hoje é difícil imaginar o impacto imaginário e sensitivo que as primeiras vitrines modernas tiveram. Henry James, em *The American Scene*, atesta-o, bem como Dos Passos, que pinta, em seu romance *1919*, o poder dos manequins sobre o desejo masculino.[15] Mais até que os cartazes, os cromos ou os prospectos, os anúncios luminosos ou os desfiles de moda, a arte das vitrines constituiu um formidável instrumento da nova economia do desejo: reduzindo a relação táctil com as coisas mas intensificando a relação visual, elas transformaram os passantes em olhadores compulsivos, promoveram o imaginário da sociedade de consumo nascente, propagaram as visões da "vida bela" por meio de sonhos de um paraíso materialista.

Cenários e mise-en-scène: o grande espetáculo

O interior corresponde ao que o exterior anuncia, amplificando ainda mais o lado fascinante. Toda uma arquitetura da riqueza ostensiva e do espetáculo suntuoso é exibida nele. Uma escadaria monumental ocupa em geral a ribalta, comparável à que Charles Garnier construiu naqueles mesmos anos para a Ópera de Paris. No Bon Marché, a grande escadaria dá acesso, como na Ópera, a uma galeria do alto da qual se pode contemplar, como do balcão nobre, o espetáculo da multidão. Na Stewart's de Nova York, ela é de dois lances; na vasta nave encimada por uma imensa rotunda, ela se eleva num cenário sobrecarregado, com tapeçarias orientais e cenas inspiradas no teatro japonês.

Nos andares superiores há salões, muitas vezes transformados em sala de exposição, cujas dimensões e decoração rivalizam com as galerias de museu. Por toda parte, o jogo das colunas de ferro e das superfícies de vidro distribui a luz como uma iluminação teatral. Esse uso em profusão da luz é, aliás, o que mais fascina: quando Wanamaker vai buscar inspiração em Paris para sua loja de departamentos nova-iorquina, é o que primeiro lhe chama a atenção no Bon Marché: "Superb light, light wells everywhere, plethora of light".[16]

Essa espetacularização do cenário se encontra na profusão ostentatória dos mostradores. Concebido inicialmente como loja de roupas e novidades, o Bon Marché logo se abre para a venda de produtos cada vez mais numerosos e variados: mais de duzentos são arrolados por volta de 1895. Essa multiplicidade também atua como um poderoso fator de atração. Por toda parte, as mercadorias são dispostas conforme motivos decorativos que alternam tapetes orientais, artigos de viagem, brinquedos, objetos de decoração, leques, móveis, frascos de perfume, roupas, numa diversidade que tem algo dos tesouros orientais do bazar — nome que aliás costumava ser dado às primeiras lojas de departamentos.

Essa profusão obedece todavia a regras de apresentação bem precisas, jogando com os efeitos visuais, os contrastes e principalmente a cintilação das cores e das formas, que a iluminação a gás e, a partir dos anos 1900, elétrica tornam possível. Wanamaker registra essa novidade introduzida pelas lâmpadas de tungstênio de quinhentos watts, que substituem os bicos de gás, que por sua vez haviam tomado o lugar das velas. Muitas lojas de departamentos americanas são, por sinal, contemporâneas desse advento da "fada eletricidade": Marshall Field's em Chicago, Filene's em Boston, Macy's em Nova York.

Não contente de ser monumental e teatral, a própria loja de departamentos se tornou espetáculo. Objetivando vitaminar as vendas, verdadeiros espetáculos são organizados para acompanhá-las no interior da loja. Por exemplo, a célebre festa do branco, quando o Bon Marché é inteiramente decorado de branco, inclusive escadas e balcões. Ou os espetáculos organizados para as crianças no Natal: são convidados animadores, atores, cantores; adaptam-se comédias musicais, como o famoso *Mágico de Oz* na versão que seu autor, L. Frank Baum, prepara especialmente para as lojas de departamentos e que se tornam o espetáculo americano mais popular justamente por causa dessa adaptação com fins comerciais, que assimila o mundo da loja de departamentos a um universo feérico. Ou também as manifestações que cadenciam permanentemente o ano comercial: bailes, concertos, aulas de esgrima são organizados nos salões do Bon Marché, sem esquecer as visitas organizadas ao próprio prédio, com guia e explicações, como num museu.

Não é raro, aliás, que os corredores e galerias se transformem em museus. Penduram-se neles obras de artistas importantes, como *Cristo no Calvário*, de Munkácsy, que Rodman Wanamaker, sem temer o efeito escandaloso previsto por seu pai, o magnata do grande comércio, decide expor nos anos 1920 sob a rotunda da sua loja na Filadélfia. Vai-se mais longe ainda: os artistas mais famosos são chamados para criar obras originais destinadas a transfigurar o contexto comercial. Em Pittsburgh, Boardman Robinson executa para a Kaufmann's dez murais contando a história do comércio na civilização ocidental.

A loja de departamentos se torna ela própria um emblema artístico que ultrapassa seu contexto: a Macy's organiza todo ano para o Dia de Ação de Graças uma imensa parada que percorre as ruas de Nova York; em 1928, o destaque são enormes balões de hélio que tomam a forma de um bestiário fantástico. Em 1925, uma nova galeria reproduzindo uma loja de departamentos é criada no Brooklyn Museum, The Rainbow House, para evocar na forma de uma exposição o sonho capitalista e o mundo comercial. Mesmo procedimento no Palace of Fashion, na Filadélfia, que faz parte da exposição em comemoração da independência americana e onde são expostas, numa arquitetura de estilo assírio e babilônio, têxteis e roupas fornecidas pelas lojas de departamentos mais importantes do país.[17]

Se o Bon Marché oferece concertos, as lojas de departamentos americanas, por sua vez, se impõem ao grande público com seus fantásticos *fashion shows*. A partir de 1900, elas organizam desfiles e extraordinários espetáculos de moda para dar a conhecer e desejar as últimas novidades de Paris. Modelos apresentam vestidos de Poiret, Worth, Paquin, com jogos de iluminação, acompanhamento musical, efeitos teatrais, cenários temáticos. Em 1911, um dos temas é "Mônaco", encenado com cassinos, mesas de roleta, falsos jardins mediterrâneos construídos no teatro da Gimbel de Manhattan. A Wanamaker encena em 1908 a "fashion Fête de Paris", num ambiente dourado e vermelho sugerindo a corte de Napoleão e Josefina. Nessa ocasião, a loja é inteirinha decorada com as cores da elegância parisiense. No momento em que triunfa o orientalismo, o interior das lojas de departamentos é decorado como mesquitas, templos, oásis no espírito islâmico, indiano ou japonês. Várias lojas de departamentos realizam desfiles de moda inspirados em *The Garden of Allah*, o best-seller de Robert Hichens que denuncia as convenções da vida "civilizada" e faz o elogio dos desejos, impulsos e paixões.[18] Apresentando a moda num luxo de espetáculos e decorações mais ou menos exóticos, as lojas de departamentos contribuíram para propagar no corpo social a sensibilidade estética, o culto das novidades, os prazeres da moda, da elegância e do luxo.

Se os processos de modernização-burocratização-padronização são de fato acompanhados pelo desencantamento do mundo e pela perda de aura das obras, cumpre observar que isso não acontece com a loja de departamentos. Esta com toda certeza se impôs como uma grande empresa comercial racionalizada, com seus regulamentos administrativos estritos, sua hierarquia, sua divisão burocrática das tarefas, seus novos métodos de venda destinados a escoar produtos industriais fabricados em grande série. Ela revolucionou o universo da distribuição com dispositivos de modernização e de racionalização: entrada livre, rotação rápida dos estoques, preços baixos e fixos, extensão da gama de artigos, compra de grandes quantidades e venda com pequena margem de lucro. Mas, ao mesmo tempo, os dispositivos estéticos espetaculares utilizados criaram um universo de fascinação que transporta "a imaginação para os países ensolarados das *Mil e uma noites*".[19] O capitalismo artista, em seu momento primitivo, é aquele que conseguiu conjugar comercialização de massa e arte decorativa, grande consumo e atmosfera aurática, racionalização mercantil e lógica feérica.

Os criadores das lojas de departamentos compreenderam que, nas novas condições da vida moderna, o espaço comercial devia proporcionar algo mais que os valores de uso e a realidade tangível dos objetos; era preciso envolver as mercadorias numa atmosfera específica capaz de transfigurá-las em objetos feéricos, em objetos-fetiche. Fetichismo da mercadoria que se efetuou graças à aura estético-mágica do local comercial moderno.

As catedrais do consumo

O objetivo dessas novidades artistas é suscitar sensações e emoções, criar um clima de incitação, seduzir para melhor vender e atrair a clientela. Aliás, pode-se notar que a estratégia comercial que consiste em utilizar o poder emocional do sentimento estético a fim de pô-lo a serviço de outra coisa que a fruição artística não é nova: a política de reconquista das almas empreendida nos séculos XVI e XVII pela Igreja para atrair os fiéis tentados pelo desvio da Reforma, preconizando para tanto a utilização de todos os recursos da arte, é uma das ilustrações mais célebres disso. A Contrarreforma encontra sua melhor ponta de lança no Barroco, arte que privilegia a expressão hiperbólica para dar a ver um espetáculo fascinante, dotado de uma força de atração incomparável. É a mesma estratégia de sedução estética que, dois séculos mais tarde, o capitalismo elabora, quando imagina novos locais comerciais para escoar sua produção em massa. Zola, pintor perspicaz do sistema, salienta essa similitude: o Paraíso das Damas se torna, na sua pena, uma catedral, o que corresponde a um parentesco que não é apenas metafórico: "A grande loja de novidades tende a substituir a igreja", diz ele.

Na era do capitalismo triunfante, é de fato uma espécie de nova "religião" que se instala, da qual a loja de departamentos é o templo: "Isso se torna", prossegue o romancista, "uma religião do corpo, da beleza, do coquetismo e da moda. [As mulheres] vão a ela passar horas, como iam à igreja". A conquista da clientela feminina é, na verdade, a pedra angular de uma política comercial elaborada com esse fim: "Era a mulher que os magazines disputavam pela concorrência, a mulher que eles capturavam na contínua armadilha das suas ofertas, depois de estonteá-la diante dos mostradores. Eles haviam despertado na carne dela novos desejos, eram uma tentação imensa a que ela sucumbia fatalmente".[20] Foi assim que a loja de departamentos provocou efeitos bem diversos no comportamento dos consumidores: por um lado, a atitude estética do namoro de vitrines ou das compras como passatempo; por outro, a obsessão, a embriaguez, a compulsão dos clientes atestada então pelo aumento da cleptomania feminina.[21]

Se as estratégias de "manipulação" estética são antigas, o resultado final no entanto é radicalmente moderno. Porque o que as lojas de departamentos realizaram nada mais é do que um processo de "democratização do luxo" e, mais amplamente, um processo de "democratização do desejo" entre a média burguesia. Naturalmente, essa dinâmica se tornou possível graças a uma política de preços que transformou bens outrora reservados à elite social em artigos de consumo de massa, e também pelos dispositivos propriamente estéticos do capitalismo artista compondo um ambiente de desejo. Envolta numa atmosfera de sonho, impondo-se como um palácio de sensações e impressões mágicas, a loja de departamentos criou a necessidade irrefreável de comprar, estimulou em grande escala o consumo e instituiu este como festa da compra, ritual e prazer, como novo estilo de vida burguês.

Com o processo de estetização generalizada das lojas de departamentos ganhou livre curso algo que supera a simples lógica do merchandising visando à rentabilidade econômica, a saber: a criação de um estilo de vida, de uma nova figura da estetização da existência sob o signo moderno da mercadoria. Longe de se reduzir unicamente à cultura comercial, o capitalismo artista aparece mais amplamente como o agente promotor de uma cultura estética democrática, de um modo de vida estético voltado para os prazeres consumistas, as novidades, as sensações, o conforto, a distração e o luxo.

A loja de departamentos não vendia artigos comerciais apenas; ela difundiu o sonho do consumo, elevou o consumo a arte de viver burguesa. Por sua força material-imaginária, a loja de departamentos se impôs como prescritora em matéria de vestuário, de mobiliário, de lazeres, acelerando a aproximação entre as burguesias dos grandes centros e da província, que afirmavam cada vez mais sua identidade de classe em suas compras. A sociedade de consumo não nasceu mecanicamente por causa de produtos mais numerosos vendidos a preços mais baixos: ela ganhou sua legitimidade e se difundiu socialmente por intermédio de uma cultura artista que, aplicada ao mundo dos bens materiais, empenhou-se em estetizar os espaços de venda metamorfoseados em lugares de maravilhamento capazes de criar novos ritos, novos fetiches, um novo estilo de vida.

Esse estilo de vida se organiza em torno de uma conduta de tipo comercial, sem dúvida — a compra —, mas pertencente a outra coisa, não desvinculada da dimensão estética. Junto com as passagens, que propõem um novo tipo de tráfego, e com os bulevares de Haussmann, onde "há tantas coisas, tantas coisas para ver", as lojas de departamentos contribuíram para criar essas atitudes modernas que são a compra e o namoro de vitrines. O tempo das ruelas estreitas e sem calçada, o dos congestionamentos de Paris descritos por Boileau, cede a vez às avenidas largas, às vitrines, aos mostradores diante dos quais se pode flanar. O *flâneur* de Paris, caro a Walter Benjamin, se maravilha ao mesmo tempo com o luxo, o espetáculo, as novidades; sente a excitação da multidão; enche o vazio cotidiano e o tédio dos dias com a plenitude das sensações. Trata-se de uma verdadeira conduta estética que, se não resulta necessariamente na compra, não deve ser subestimada na atitude consumatória. A intenção possessiva e a ordem do cálculo não são as únicas coisas em jogo: o *Homo consumericus* encontra no espetáculo que as lojas de departamentos lhe oferecem um quê de prazer inútil, cinestésico, emocional. O capitalismo artista não favorece apenas a atitude utilitarista, mas também traz em si a gratuidade da estetização do olhar. O *Beau* Marché, de certo modo...

A partir do segundo terço do século XIX, a lógica de sedução estética se infiltrou assim na esfera da grande distribuição, contribuindo para transformar a ambiência da compra e o modo de consumo da classe média. As estratégias fundamentais do capitalismo artista — o espetacular, a sedução, a renovação rápida — já existem numa fase dominada pela padronização de massa e pela racionalidade funcional. Daí em diante, os estilos estéticos mudaram naturalmente com as modas, mas não o princípio inicial da artealização e da espetacularização dos espaços comerciais. Boucicaut tinha a ambição de fazer do Bon Marché uma espécie de teatro ou de ópera; trata-se agora de reencantar os locais de venda e a própria experiência do consumo. Nesse sentido, a revolução iniciada pelas lojas de departamentos não terminou.

A dinâmica lançada na fase I do capitalismo artista está mais do que nunca em ação, não cessando de se estender a novos espaços de venda e inventar novas configurações estéticas e sensitivas. O que era um fenômeno circunscrito se tornou, salvo algumas exceções, processo generalizado, imperativo da ordem comercial, elemento constitutivo do capitalismo artista triunfante. O que era a obra de alguns empresários de vanguarda se impõe hoje como uma disciplina ensinada, uma panóplia de ferramentas básicas preconizada pelos apóstolos do merchandising visual, do marketing experiencial ou "atmosférico".

O REINADO DA ALTA-COSTURA

Paralelamente às lojas de departamentos, a alta-costura se impõe como outra grande figura fulgurante do capitalismo artista nascente. O mérito disso cabe a Charles Frédéric Worth, que inaugura em Paris, em 1858, a primeira casa dessa linhagem. Em seguida, contam-se vinte casas em 1900, 72 em 1925 e 29 em 1937. Em 1910, a alta-costura se constitui como profissão autônoma, com regras estritas estabelecidas pela Câmara sindical da costura: as casas devem fazer costura sob medida, devem empregar pelo menos vinte assalariados nos ateliês, apresentar duas vezes por ano (coleção primavera-verão e outono-inverno) pelo menos 75 peças vestidas por modelos e oferecer essas mesmas coleções pelo menos 45 vezes por ano à clientela particular. Dotando a moda de suas estruturas propriamente modernas, a alta-costura implantou uma organização duradoura que vai governar o mundo da elegância feminina e pairar sobre ele de maneira mais ou menos invariante por cerca de um século: é a "moda de cem anos".[22]

A virada organizacional levada a cabo por Worth é radical: ao contrário do passado artesanal, o costureiro deixa de ser um simples executante a serviço do gosto de suas clientes. Fazendo de mestre do vestuário, tem a iniciativa e o controle sobre os modelos da moda, que oferece já definidos, antes de executá-los sob medida e vendê-los a preços proibitivos. Havia séculos que o costureiro estava sujeito a alguém que lhe dava ordens: agora, é ele que impõe de maneira absolutista suas ideias, sua estética. Com a alta-costura se impõe a autonomia do criador ante a clientela particular.

O advento do poder total do criador coincide com sua consagração artística. Até então, ele era "anônimo" e só existia à sombra de suas clientes, que se apoderavam de todo o prestígio ligado às aparências: agora, é sagrado "rei das elegâncias", e Worth se proclama "artista de vestidos" e "compositor de toaletes". O prestígio alcançado pela arte no século xix alcançou o criador de moda, que adquire seus títulos de nobreza, tornando-se uma figura particular do artista. Inaugura-se a era do costureiro cultuado nos jornais de moda; ele aparece como personagem de romance; é convidado aos círculos da aristocracia e da grande burguesia. Tornou-se uma "celebridade", em pé de igualdade com os pintores, músicos e políticos.

Desde então, do grande costureiro não se admira mais apenas a mestria, a técnica, mas as qualidades tipicamente artísticas que são a inspiração, a singularidade, a originalidade. Com o grande costureiro se conjugam os valores da sociedade e os valores da arte, êxito comercial e inspiração, moda e vocação. Um costureiro-criador — que, tal qual um artista, ostenta desdém pelo dinheiro e pelo comércio, frequenta poetas e pintores — cria seus modelos inspirando-se em novas correntes da arte moderna: Patou se inspira em Braque e Picasso, Schiaparelli nos surrealistas.

Não só o costureiro é conhecido e celebrado nos círculos mundanos como, a exemplo dos artistas modernos, assina suas produções, criando seus modelos segundo uma lógica soberana. E a grife é protegida por diversas leis, a fim de combater as cópias. Não se trata mais de satisfazer a demanda das altas rodas, mas de criar e renovar incessantemente os estilos. "Meu trabalho", dizia Worth, "não é apenas executar, mas, sobretudo, inventar. A criação é o segredo do meu sucesso. Não quero que as pessoas determinem suas roupas. Se assim fizessem, eu perderia metade do meu comércio".[23] Ministro do gosto, o grande costureiro está menos a serviço das clientes do que a serviço da própria Moda.

Laboratório das novidades elegantes, a alta-costura é uma indústria cuja missão é inovar sem cessar, criar permanentemente novos modelos, novos estilos. Em 1920, uma coleção de um grande costureiro compreendia cerca de trezentos modelos. Nunca a moda teve tantas criações realizadas num ritmo tão vertiginoso e sistemático: no primeiro terço do século XX, as grandes casas parisienses podiam criar algo como 10 mil modelos novos por ano. Nesse mesmo momento, é regulamentado e institucionalizado o ritmo de criação da moda, com coleções apresentadas duas ou quatro vezes por ano numa data fixa, em Paris. Captando todos os olhares e todos os desejos femininos, as criações parisienses se impõem a todas as mulheres elegantes do mundo. Assim, a moda se difundiu internacionalmente a partir de um centro único que ditava a norma do chique: Paris. No século XX, o capitalismo artista construiu a primeira etapa da mundialização da elegância.

Depois da era tradicional e artesanal da moda, impôs-se com a alta-costura sua era artística, de que testemunham o prestígio social do costureiro, as coleções repletas de novos modelos, as revoluções estilísticas, mas também um sistema inédito de promoção e de comercialização de seus modelos que vai fascinar o público moderno e alimentar as crônicas das mídias. Se as lojas de departamentos teatralizaram as vitrines, a alta-costura criou os desfiles de moda, as passarelas, as modelos exibindo sua beleza irreal e longilínea. Com o capitalismo artista a moda não se separa mais da espetacularização, da mise-en-scène feérica das criações comerciais.[24] A alta-costura, que deu à moda suas características propriamente modernas, aparece como a organização mais prestigiosa, mais faustosa do capitalismo artista.

Uma instituição metade artística, metade industrial

Organização artista, a alta-costura é ao mesmo tempo uma indústria moderna, ainda que de dimensão modesta: em 1873, Worth emprega 1200 operárias. Essa indústria de luxo dá trabalho, em 1920, para cerca de 10 mil operárias no centro de Paris e constitui o principal núcleo da indústria de confecção da capital. Em 1920, Chanel dirige uma casa de 2 mil operárias, 4 mil em 1939; nesse mesmo ano, Madeleine Vionnet está à frente de uma empresa de 1200 operárias.

As grandes casas não criam peças únicas, como os artistas, mas modelos que são reproduzidos em algumas centenas, às vezes milhares de exemplares (sob medida) para a clientela particular, e vendidos também às confecções estrangeiras com o direito de reproduzi-los em série em seus respectivos países. Nesse sentido, a alta-costura pode ser considerada a primeira indústria moderna de protótipos do capitalismo artista.

Portanto, embora exista de fato um dispositivo modelo/série, este vai contra a corrente da lógica industrial em pleno desenvolvimento. Diferentemente das grandes fábricas modernas mecanizadas, os ateliês de alta-costura são de dimensão humana; as tarefas se enriquecem em vez de serem parceladas e apela-se para costureiras com verdadeiro know-how artesanal;[25] o trabalho é feito à mão com materiais ricos, às vezes obras de artistas:[26] Poiret encomenda estampas a Dufy; Cocteau concebe modelos de bordados para Schiaparelli. A alta-costura é uma instituição original que conjuga arte e artesanato, vanguardismo e tradição dos ofícios, poder demiúrgico do criador e magia das aparências, modernidade criativa e cultura "aristocrática". Na economia fordiana em marcha, ela criou dispositivos antinômicos a esta, baseados na multiplicação dos modelos estéticos e das opções mercantis, na renovação acelerada das criações e nos dispositivos de sedução. Com a alta-costura, o capitalismo artista experimentou em pequena escala os princípios da sociedade de sedução que é hoje a nossa.

Apesar de ser uma indústria, e como tal submetida ao imperativo da rentabilidade, a alta-costura foi construída em torno de um princípio "aristocrático" distinguido pela recusa da supremacia do comercial e do "inteiramente econômico".[27] No âmbito dessa instituição metade artística, metade industrial, a lógica mercantil foi contida, enquadrada que estava por um éthos artista-aristocrático.[28] Ainda que, naturalmente, as considerações mercantis existam, elas não são onipotentes: durante um século, não houve "guerras do luxo", não houve políticas de fusão, de aquisição e de cessão de marcas, não houve grandes grupos financeiros internacionais, mas casas independentes, não houve todas as estratégias possíveis de desenvolvimento do sistema de distribuição. Não houve comunicação "de choque", não houve inflação de lançamentos de novos produtos. A cultura artista da qualidade e do belo freou o "cada vez mais" da lógica comercial e financeira.

Nem por isso a ambição empresarial e a dimensão mercantil estão ausentes: os desfiles de moda, as fotos na imprensa, o lançamento de perfumes de grife, os concursos de elegância que associam alta-costura e marcas prestigiosas de automóveis[29] são provas de procedimentos que não há como não chamar de comerciais e de marketing. Em 1858, a esposa de Worth passou a vestir suas criações para aguçar o desejo de compra das clientes. Paul Poiret afetava desprezo pela publicidade, o que não o impediu de firmar contratos com as empresas e as lojas de departamentos americanas; ele diversificou suas atividades associando, em 1911, sua grife — foi o primeiro a fazê-lo — a perfumes e cosméticos. Nos anos 1920, um estúdio fotográfico já estava instalado na casa Patou, para controlar as campanhas de promoção das coleções. O fato é que, durante a fase i, os polos econômicos e não econômicos funcionam em relativo equilíbrio.

É só na fase ii que o sistema começa a se transformar. Já nos anos 1950, Dior consegue constituir um império: é o primeiro, notadamente, a implantar um sistema de licenças destinado a fazer sucesso, pois a alta-costura não conseguia mais sobreviver somente do rendimento dos perfumes e dos royalties pagos pelos produtos derivados. Terminada essa dinâmica, uma reviravolta de lógicas se produziu, independentemente da persistência das estruturas "elementares" da alta-costura: embora o imperativo estético de criação não esteja caduco, na fase iii do capitalismo artista a ordem financeira se impõe cada vez mais como o centro de gravidade, a ordem primeira e estruturante. Hoje a criação não basta mais, e as grandes casas investem cada vez mais no marketing, na comunicação e nas redes de distribuição em todo o globo. As estratégias financeiras e os objetivos comerciais se tornaram a coluna vertebral do sistema. Eles é que tomaram o poder: "As marcas nascem na liberdade, mas sempre acabam na indústria", afirma Didier Grumbach.[30] Fazendo eco, Valentino resume o estado do novo regime da moda declarando: "Nele o negócio substitui cada vez mais a criatividade".[31]

PRODUÇÃO EM MASSA E GOSTOS ESTÉTICOS: DE FORD A SLOAN

Qualquer que seja a importância das lojas de departamentos e da alta-costura, é patente que a lógica do capitalismo artista está, naquela época, longe de ocupar uma posição-chave no mundo econômico. De fato, no universo da produção em massa a dimensão criativa aparece como um objetivo secundário, às vezes inexistente.

Se a loja de departamentos faz do local de venda um espetáculo feérico, o mesmo não ocorre com o sistema de produção em massa, que se distingue, inversamente, pelo déficit estético e a mediocridade de seus produtos. A indústria da confecção oferece uma primeira ilustração disso. A confecção industrial, que realiza roupas em grande escala, toma pleno impulso na segunda metade do século XIX e se dirige tanto para a classe operária como para a pequena burguesia. Não tem fantasia, não tem inovação nem renovação acelerada, não tem material de qualidade; a confecção apresenta apenas um simulacro de moda e se opõe assim diametralmente à alta-costura, que constitui o polo luxuoso, fulgurante e criativo da moda, enquanto a confecção representa seu polo popular, sem arte nem prestígio. Enquanto a alta-costura cria protótipos e roupas sob medida em número reduzido, a confecção fabrica produtos em série, baratos, e imita, como pode e com atraso, os modelos da moda. A confecção industrial torna a moda acessível às massas, mas ignora a criação original, a qualidade dos tecidos, o apuro do corte e do acabamento: ela atua como a cópia degradada dos modelos prestigiosos.

Na etapa I do capitalismo artista domina, portanto, a nítida e incisiva oposição entre criação e série, modelo e cópia, qualidade e quantidade, arte e indústria, moda e fabricação em massa. Essa dicotomia corresponde a uma organização social marcada por uma forte compartimentação das culturas de classes e das condições materiais destas. O que explica que a criação artista permaneça restrita, durante toda essa fase, a limites relativamente estreitos da vida econômica e social.

O modelo e a cópia

O que vale para a confecção vale para o conjunto da produção em massa. Os executivos empenhados na aventura industrial não se arriscam a criar formas novas, contentando-se com reproduzir os estilos anteriores. A revolução moderna da produção abre campo para a pacotilha e a cópia ruim; a quantidade é obtida em detrimento da originalidade e da qualidade estética. De toda parte se elevam protestos contra a feiura que acompanha a indústria moderna[32] e suas produções em grande série. Uma mentalidade anticapitalista logo acusa o novo sistema de ser o coveiro da beleza.[33] A ideia de um "horror econômico" se instala e terá um futuro promissor.

As primeiras produções do capitalismo industrial não introduzem ruptura de estilo em relação ao da produção artesanal. Não querendo contrariar a clientela, os fabricantes tomam o cuidado de não romper com os modelos precedentes: a produção industrial em série se dedica, num primeiro tempo, a fabricar cópias dos produtos feitos à mão pelo artesão. É sintomático, sob esse aspecto, que a produção em série de móveis, objetos, acessórios, que vai transformar radicalmente os interiores, comece por conservar e amplificar o que poderíamos chamar de "estilo burguês", difundindo o modelo deste, que tem a simpatia das pessoas abastadas e simboliza a imagem do êxito. Procura-se portanto, de início, copiar as formas desse estilo para o uso do maior número possível de pessoas, partindo do princípio de que, como observa Siegfried Giedion, esses artigos, para dar a impressão de autenticidade, "deviam ter a aparência de objetos feitos à mão".[34] A cópia industrial dos objetos de artesanato, a mecanização do ornamento aplicado a materiais que não são necessariamente nobres dão nascimento a uma produção caracterizada pela degradação do sentido dos materiais e a sensaborização do gosto.

Os vasos, a louça, os papéis de parede são ornados com personagens, paisagens, motivos marcados por uma complicação afetada e um excesso decorativo; o mobiliário fica uniformemente pesado e maciço, realçado por ornamentações pomposas; os objetos de decoração, os tapetes, os bibelôs, fabricados em série, invadem interiores cada vez mais entulhados. O bufê Henrique II e seu estilo fazem estragos. Decoração excessiva, espalhafato, falso luxo, orgia de ornamentação, empolação de todo tipo: as primeiras produções da indústria capitalista veem o triunfo do kitsch, erigido em ataviamento pomposo e rebuscado.

No entanto, a busca, afirmada desde a origem, de uma criatividade propriamente industrial alimentou, a partir do século XIX, diferentes setores da produção moderna. O mobiliário do século XIX é um belo exemplo disso. Enquanto a produção corrente oferece as formas pesadas de móveis sem graça, multiplicam-se as pesquisas para inventar um mobiliário distanciado, precisamente, da tradição das formas pomposas, para utilizar de modo específico a máquina fazendo-a realizar produtos inventivos e originais, que tenham forma própria. Giedion nota com razão que "agora são os engenheiros que concebem os móveis, e não mais os tapeceiros que os desenham".[35] Esses engenheiros vão criar um mobiliário "não artístico", é claro, longe dos estilos em voga e da tradição da imitação, mas capaz, em contrapartida, de responder a novas necessidades de conforto.

A era da mobília patenteada recobre toda a segunda metade do século: não somente ela cria estilo, mas traduz uma nova maneira de ser, permitindo, graças a soluções técnicas criadoras de formas revolucionárias, posturas e comportamentos na vida cotidiana até então desconhecidos. Uma nova maneira de sentar, descontraída e à vontade, ou de se deitar num relaxamento possibilitado por essas novas invenções que são as espreguiçadeiras, as cadeiras de balanço, as banquetas de trem, as cadeiras de cabeleireiro, transforma a arte de viver cotidiana. Do mesmo modo, o advento dos móveis transformáveis possibilita a mobilidade numa vida cada vez mais ativa e os assentos convertíveis e os beliches dobráveis dos vagões-leito dotam de um conforto inimaginável os meios de transporte que acompanham e simbolizam o desenvolvimento industrial e comercial.

Série industrial e capricho estético

O fato é que, geralmente, mesmo nas produções industriais que escapam do chamativo, encontramos a lógica imitativa e a pobreza de estilo: a indústria automobilística, que, com a lógica fordiana, se inscreve firmemente nos antípodas do capitalismo artista, proporciona uma ilustração exemplar disso.

Os primeiros carros, fabricados quase um a um, são de uma produção quase artesanal. Objetos de luxo, dão grande ênfase, para revestir os elementos puramente mecânicos, a acessórios e guarnições que traduzem a riqueza e o status pelos materiais nobres e trabalhados — couro dos bancos, brilho dos cobres, madeiras de lei no painel. Reservados a uma elite social, exalando um perfume quase de aventura, exaltando o novo espírito inglês do esporte, traduzem uma arte de viver moderna, que se prolongará por muito tempo por meio da figura, cara a Paul Morand, do "homem apressado", que vive a cem por hora. Um espírito artista envolve o que vai ser o objeto-farol da civilização industrial. Capacete de couro, óculos de corrida, blusão de piloto: o *Homo automobilis* exala, desde o início, a própria imagem de uma estética da vida.

Sobrevém Henry Ford, que nos Estados Unidos vira de pernas para o ar essa lógica "aristocrática" e estética. Não se trata mais de construir um pequeno número de carros vendidos a preço alto, mas de produzir em grande quantidade um carro para as massas, a preços cada vez mais baixos. O famoso modelo T, que ele lança em 1908, abandona tudo o que fazia do automóvel um produto de luxo: o sistema Ford se baseia na recusa de levar em conta os diversos gostos dos consumidores e os "caprichos do cliente".[36] A lei, aqui, é a da padronização em massa, da redução dos custos e das margens. Não é mais o apreciador esclarecido que escolhe seu modelo de acordo com seus gostos particulares, é um mesmo modelo preto que é imposto uniformemente a todos seguindo uma estratégia centrada na diminuição dos preços. São considerados somente os parâmetros "objetivos" da confiabilidade e do preço. É tudo, menos um sistema artista, aquele que embasa a primeira revolução da indústria automotiva.

Os resultados, que consagram o êxito dessa estratégia de produção em massa, não se fazem esperar: em 1916, o Ford representa mais de um terço das vendas de veículos de turismo nos Estados Unidos, onde, em 1920, já se conta um carro para cada três famílias. Em 1908, ao ser lançado, o Ford T custa 850 dólares, sendo vendidas nesse ano 5 986 unidades. Em 1916, o preço de venda é de apenas 360 dólares, sendo vendidos 577 036 exemplares. Quando a produção é suspensa, em 1927, haviam sido vendidos ao todo mais de 15 milhões de automóveis.

As razões desse fabuloso sucesso são conhecidas, e o construtor as lembra em suas *Memórias*: a qualidade dos materiais, a simplicidade de funcionamento, a potência suficiente, a confiabilidade absoluta, a leveza, a maneabilidade, o baixo consumo. Nenhuma menção, nessa série de fatores, ao menor parâmetro estético. E se o carro tem de ser simples é porque isso assegura seu preço de custo: "Quanto menos complexo é um artigo, mais fácil é fabricá-lo; quanto mais barato na venda, mais se pode vendê-lo".[37] No modelo Ford, tudo obedece a uma lógica funcional, técnica e econômica, nada é supérfluo ou lúdico, nada corresponde a uma busca propriamente estética: uma indústria antiartista.

No entanto, a fase I não ignorou de modo algum, nesse mesmo setor, a problemática estética. À visão puramente utilitária, que se traduz pela concepção de um modelo único, bom para todo mundo e que não se preocupa nem um pouco com os gostos individuais (Ford havia decididamente feito a opção "de não fazer constar de seus planos o comprador individual" e se gabava de ter "padronizado o consumidor"), o outro gigante que nasce da indústria automotiva americana, a General Motors, replica com um dispositivo inverso. A estratégia adotada por seu fundador, William Crapo Durant, desde a constituição da empresa em 1908, leva-o a comprar outras fábricas de automóveis, bastante diversificadas, para dispor do mais amplo leque tecnológico possível. A firma se torna assim proprietária de nomes prestigiosos, como Chrysler, Oldsmobile, Pontiac, Buick, Cadillac, o que nos anos de mutação do pós-Primeira Guerra Mundial vai se revelar um trunfo considerável, enquanto o modelo único do Ford T começa a se esgotar ante uma demanda renovada.

Sob a direção de Alfred Sloan, a General Motors introduz uma dupla novidade revolucionária: um modelo de carro para cada tipo de preço (conforme a fórmula "a cada um o seu carro, segundo seus meios e suas necessidades") e, a partir de 1923, a mudança anual de modelo e de estilo. Com a caducidade dos modelos antigos, sistematicamente substituídos por novos, o sistema da moda se infiltra na indústria automobilística. Concebida para estimular as vendas e responder às aspirações diversificadas de uma clientela cada vez mais exigente, a ideia é oferecer, com a mesma marca identificada por certo número de características distintivas e constantes, uma variedade de estilos capaz de seduzir compradores de classe social, fortuna, cultura, gostos diferentes. A disposição interna e a aparência externa dos modelos incessantemente renovados vão se tornar o cerne da política de produtos da firma. Dessa maneira, o *sloanismo* criou o primeiro modelo industrial a conseguir combinar com sucesso produção em grandes séries, economia de escala e lógica de moda. Daí se impôs a necessidade de um departamento de estilo, sensível às modas, às tendências, às formas: a empresa criará em 1938 um serviço "Arte e Cor". Ao contrário da Ford, que queria dirigir de forma paternalista a demanda, a GM se coloca à escuta desta e integra em sua oferta "os caprichos do comprador", com variantes estéticas e diversas opções em matéria de cor e estilo. A renovação estética perpétua e a obsolescência programada da aparência dos carros se tornaram fatores-chave para pôr obstáculo à saturação do mercado e reativar continuamente o consumo das famílias. Nasce assim uma história que se tornará lenda: a do "carrão americano", que consagra a conversão da indústria automobilística à ordem da moda e do capitalismo artista.

DESIGN, PRIMEIRO ATO: FUNCIONALISMO E MERCADO

Arte, artesanato e indústria

O mundo industrial, totalmente entregue à sua nova potência, se desviou amplamente, como vimos, da criação artística: ele se contenta com imitar o artesanato, utilizando materiais substitutos que permitem a produção em série a custo mais baixo. No entanto, essa lógica vai logo suscitar uma ampla reflexão crítica.

No decorrer da segunda metade do século XIX, em face dos prejuízos estéticos provocados pelo reinado da máquina moderna, duas grandes correntes de pensamento se enfrentam.

A primeira, impulsionada por Ruskin, se propõe rejeitar o maquinismo voltando a um trabalho artesanal cujo modelo se encontra na Idade Média. Denunciando o progresso moderno, a feiura e a mentira dos produtos manufaturados, Ruskin considera que o maquinismo industrial arrasta a sociedade para o seu declínio: há conflito irredutível entre arte e indústria, beleza e maquinismo, qualidade e produção mecânica. Para escapar dos efeitos desastrosos do mundo maquinista, nada é mais importante do que revalorizar o trabalho manual e os métodos artesanais de antes da modernidade. William Morris e o movimento Arts & Crafts também defendem a ideia de uma volta à dignidade do trabalho artesanal e da obra bem-feita. Desejando reconciliar a arte e a vida cotidiana, Morris denuncia o dogma da hierarquia das artes, rejeita a oposição entre a "Grande Arte" e as "artes menores", proclama a igual dignidade de todas as artes, procura elevar o artesão ao nível de artista, convida os artistas a se interessarem pelos domínios do artesanato.

Foi na renovação das artes decorativas, na fusão da arte e do artesanato que se buscou a solução para os estragos estéticos da mecanização moderna. Rejeitando uma arte destinada a uma minoria, Morris considera que "nenhuma obra de arte é obra de arte se não for útil". Nessa perspectiva, as artes aplicadas são carregadas de uma dimensão utópica: construir um mundo novo para o povo, fazer a arte entrar na vida de todos, realizar um ambiente cotidiano de qualidade em tudo e para todos. Esse programa será reivindicado pelo movimento Arts & Crafts assim como pelo Art Nouveau. Com os prejuízos da civilização maquinista surgiu a utopia de uma sociedade estética democrática.

A segunda corrente é inaugurada por Henry Cole, que reúne a partir de 1850 um grupo de pensadores e de artistas reformadores cuja ideia não é nem rejeitar a mecanização nem voltar a métodos artesanais, como preconizam Ruskin, William Morris e os inspiradores do Arts & Crafts, mas, ao contrário, promover a aliança da arte com a indústria, "demonstrar a existência de um laço estreito entre as belas-artes e a indústria". Contra os excessos da mecanização, trata-se de inventar uma linguagem que seja adequada à Revolução Industrial e que não reproduza os antigos modos de concepção artística em vigor no artesanato. Essa concepção é marcada pela convicção de que é inútil e impossível voltar atrás e de que a técnica industrial está em condições de fabricar produtos originais de qualidade que poderão ser difundidos na vida cotidiana. Afirma-se uma perspectiva que vê na mecanização uma oportunidade para o desenvolvimento de uma verdadeira originalidade criadora. Cole inventa para tanto o conceito de "manufatura de arte": "Entendam com isso", diz ele, "a aliança das belas-artes ou da beleza com a produção mecânica".[38] Essa corrente, que serviu de apoio às concepções funcionalistas, já traz em germe o que será chamado de estética industrial ou design e que consagrará, nos anos 1920, a Bauhaus (1919-33).

Essa escola, nascida da fusão da Academia de Belas-Artes e da escola de artes aplicadas de Weimar, ocupa um lugar fundamental na história do design. Walter Gropius, que dirige o estabelecimento, concebe o projeto de superar as fronteiras entre as disciplinas, abolir a distinção entre arte e artesanato, belas-artes e artes úteis. Gropius pensa em fundir novamente a arquitetura, a pintura e a escultura numa "catedral do futuro" que abrangeria tudo numa só unidade. A escola se dá como missão redescobrir a unidade perdida das artes plásticas, vencer o fosso existente entre a arte e a indústria, elevar o artesanato ao nível das belas-artes, formar criadores capazes de trabalhar na indústria, lançando as bases de uma arte que seria parte integrante da sociedade. A Bauhaus nasceu no prolongamento dos princípios de William Morris e do movimento Arts & Crafts: tornar caduca a clivagem entre as belas-artes e a produção artesanal, pois a arte devia corresponder às necessidades da sociedade. No entanto, nada resta da nostalgia de um passado remoto: rejeitando qualquer referência a este, os numerosos artistas e arquitetos que participam da Bauhaus propõem uma linguagem universal das formas e do objeto, uma estética racional, destradicionalizada, que deve estar a serviço da indústria.

A partir de 1922, a Bauhaus se afasta do seu objetivo inicial de síntese das artes ou de unificação da arte e do artesanato. Efetua-se uma reviravolta que visa aproximar a arte e a máquina, inventar protótipos reprodutíveis em série, trabalhar para a indústria em vez de realizar objetos de luxo. A ambição é promover uma "estética mecânica", produzir modelos experimentais em que arte e técnica colaborem mutuamente para mudar o cenário da vida cotidiana: construções e edifícios, claro, mas também decoração, tipografia, têxtil, louça, luminárias, mobiliário. Nesse espírito são realizadas a Haus Am Horn (1923) e diversas cozinhas, equipadas de maneira funcional e simples, notadamente as de Breuer (1923) e Gropius (1926).

A escola preconiza um enfoque racionalista da criação que tenha o cuidado de reconciliar valor plástico, utilidade funcional e fabricação industrial. Assim, um certo número de modelos de mobiliário metálico concebidos notadamente por Mies van der Rohe, bem como luminárias criadas por Marianne Brandt e Hin Bredendiek, foi fabricado industrialmente. Não obstante, ainda que os protótipos da Bauhaus pareçam sair de uma linha de montagem, poucos resultaram numa produção industrial: entre 1919 e 1933, somente uma vintena de industriais se mostraram interessados numa produção desses projetos. Os materiais e a fabricação desses produtos eram caros: a imensa maioria da população não pôde ter acesso a eles, a despeito da afirmação de um ideal social ambicioso.

A escola se fez apóstola de um enfoque funcionalista cujos princípios foram formulados nos anos 1890. Louis H. Sullivan enuncia sua célebre fórmula *"form follows function"* em 1896, e no ano seguinte Van de Velde proclama: "Tudo o que não tem a ver com a função e com a utilidade deve ser banido". E o ensaio de Adolf Loos, *Ornamento e crime*, aparece na Áustria em 1908. A concepção funcional da forma se afirma contra as gratuidades estéticas, contra o decorativo então todo-poderoso, contra o desvio dos objetos do que faz sua verdadeira destinação: a geometria, a simplicidade racional, o despojamento ortogonal, a verdade do objeto, o respeito ao material são suas regras de ouro. O funcionalismo rejeita todas as formas de narração simbólica e de ornamentação, todas as deformações mentirosas que impedem que os objetos alcancem sua função de uso. Donde a exaltação de uma beleza definida pela sobriedade e a economia dos meios, pela expressão exata de uma função, pela adaptação das formas ao emprego, pela conformidade de uma coisa a seu fim. Beleza racional, beleza universal, beleza técnica são uma só coisa.

Mas o projeto funcionalista não é redutível a um trabalho estilístico, por mais despojado que seja: trata-se antes de mais nada de descobrir as funções da vida e a solução ótima para concretizá-las, responder às novas exigências da produção industrial, fabricar ao mais baixo preço de forma racional, encontrar as soluções mais econômicas para construir em massa e para os mais desfavorecidos. Criticando as pesquisas puramente formalistas, a escola busca a adequação da concepção dos produtos aos imperativos industriais de modo a satisfazer as verdadeiras necessidades do homem. No número 4 da revista *Bauhaus*, Hannes Meyer, que sucede a Gropius à frente da Bauhaus, escreve em 1923: "Tudo neste mundo é produto da fórmula 'função x economia'. Por isso nada é obra de arte: toda arte é composição e, por conseguinte, antifuncional. Toda vida é função e, por conseguinte, não artística". Antes de ser um projeto estético, o funcionalismo é comandado por uma ambição demiúrgica (fazer tábua rasa do passado e da tradição, remodelar integralmente o ambiente cotidiano de acordo com uma perspectiva racional), ética (probidade, higiene, eliminação do desperdício e dos engodos ornamentais, beleza simples e prática, verdade,[39]) social e democrática (melhorar a vida da maioria).

A concepção funcionalista se construiu na oposição frontal aos artifícios da ornamentação, da moda, da sedução. A ironia é que o capitalismo conseguiu, posteriormente, fazer o próprio funcionalismo entrar na órbita do que ele inicialmente demonizava. De fato, desenvolveu-se um funcionalismo sedutor dos consumidores. Na verdade, ele desempenhou muito menos um papel moral (as "verdadeiras" necessidades) do que um papel econômico a serviço do estímulo dos mercados, da exacerbação das necessidades e da rentabilidade das empresas. Com o capitalismo artista, o design industrial se tornou um elemento da sociedade e da economia de sedução.

A estética industrial a serviço do mercado

Ao contrário de William Morris, um incondicional da regeneração do artesanato e do trabalho manual, diversas correntes na Alemanha consideram que arte e produção em massa padronizada podem ser compatíveis. Em 1907, é criada a Deutscher Werkbund, em que se agrupam industriais e designers a fim de desenvolver a qualidade estética da produção industrial e promover o design alemão. Em 1910, a Werkbund contava mais de setecentos membros, metade dos quais industriais, e a outra metade artistas. A associação preconiza uma estética funcionalista, o estilo internacional, com produtos industriais de baixo custo mas de qualidade estética. O arquiteto Hermann Muthesius, na origem do grupo com Van de Velde, sustenta que as realizações da Werkbund devem ser conformes às normas da padronização, pois apenas esta permite uma produção em massa e pode "introduzir de novo um gosto seguro universalmente válido". Foi nesse espírito de estética industrial racional que foram realizados, notadamente, os interiores de trens e bondes, talheres, linóleos, móveis em série.

No escritório da Werkbund, o arquiteto Peter Behrens senta-se ao lado de Walther Rathenau, presidente da AEG (chamado de "o empresário artista"): eles selarão a primeira integração verdadeira entre design e indústria. Costuma-se reconhecer nessa colaboração entre Behrens e a AEG — a gigante da indústria elétrica alemã —, que durou de 1907 a 1914, a certidão de nascimento da associação estrutural do design com a produção moderna, Behrens sendo nomeado para o cargo de "conselheiro artístico" do presidente e encarregado, como tal, de zelar tanto pelo design dos produtos como pela imagem gráfica, o logotipo e a arquitetura das construções da firma. Isso para que todos os produtos da AEG ostentassem uma mesma estética moderna apurada, uma mesma imagem de marca imediatamente reconhecível: todo produto colocado no mercado devia antes receber a aprovação de Behrens. É esse o primeiro exemplo de "design global", já funcionando como vetor de publicidade e ferramenta de marketing a serviço da marca. Todavia, na fase I do capitalismo artista esse fenômeno era excepcional.

Deve-se notar, no entanto, que foi por outro caminho que se difundiu a prática do design nos Estados Unidos. Na Europa, os designers eram essencialmente arquitetos que realizavam trabalhos no domínio da arquitetura e das artes aplicadas (em particular, o mobiliário). Baseando-se em teorias radicais, não trabalha-ram para a indústria tanto quanto realizaram peças experimentais. Não é assim nos Estados Unidos, onde começam a aparecer consultores de design de grandes empresas e lojas de departamentos. O surgimento desses designers pioneiros, oriundos do teatro, da ilustração, da publicidade, coincide com o boom desta última nos Estados Unidos nos anos 1920. Menos rigoristas do que seus homólogos europeus, eles têm mais apreço pelo aspecto exterior dos objetos do que pelas estruturas funcionais destes: o design é utilizado como vetor de estilismo para modernizar a aparência dos produtos, seduzir os consumidores, aumentar as vendas. Sem ideologia revolucionária, sem manifestos radicais, esses designers se propõem como objetivo remodelar, depurar, desenhar a aparência das máquinas (trens, tratores, fotocopiadoras, caixas registradoras) e dos novos objetos do cotidiano (automóveis, lavadoras, geladeiras, telefones, máquinas fotográficas, embalagem) a fim de torná-los mais atraentes, mais elegantes, mais harmoniosos e estilizados.[40]

Após a crise de 1929, os industriais tomam consciência da importância da estética no sucesso comercial dos produtos de grande consumo. Surgem as primeiras grandes agências de estética industrial, que vendem seus serviços às empresas numa época em que a aparência dos produtos fabricados em grande escala tinha uma importância bastante secundária, comparativamente ao preço de custo. No contexto de crise, originário de 1929, elas se esforçam para persuadir os fabricantes a recorrer a seus serviços para estimular seus negócios, argumentando que a estética é um fator de venda.[41] Henry Dreyfuss colabora com a Bell, a Macy's, a Sears; Walter Dorwin Teague trabalha para a Ford, a Texaco, a Eastman Kodak. Raymond Loewy redesenha produtos para Studebaker, Coca-Cola, Lucky Strike. Em 1935 é comercializado o refrigerador Coldspot (para a Sears Roebuck), concebido por ele:

em alguns anos as vendas passam de 15 mil a 275 mil exemplares.[42] Em 1949, ele é capa da *Time*, que proclama: "O designer Raymond Loewy aerodinamiza a curva das vendas".

Esses designers e vários outros se empenham em oferecer produtos de linhas fluidas, lisas ou sinuosas, inspiradas nas formas aerodinâmicas dos últimos avanços tecnológicos (avião, trem, navio). É o *Streamline style*, que procura traduzir nos objetos o sopro da velocidade e da potência tecnológica e em que o emprego de materiais inéditos — aço inoxidável, alumínio polido, baquelite, materiais de síntese — dá forma a objetos com linhas aerodinâmicas e futuristas que dissimulam as engrenagens e outros elementos necessários à sua utilização. No decorrer dos anos 1930, o estilo *Streamline* reconfigura os automóveis, as locomotivas, os ônibus, antes de chegar aos móveis, rádios, ventiladores, ferros de passar, secadores de cabelo, apontadores de lápis e até caixões de defunto!

Procurando antes remodelar o aspecto dos objetos cotidianos do que melhorar o desempenho técnico desses, o *Streamlile style* se livra do rigorismo e do ascetismo do funcionalismo racionalista europeu. E eis o design que se casa com a lógica da sedução rejeitada pelo funcionalismo e que, em vez de proporcionar aos objetos sua "verdade" funcional, oferece uma visão estética e espetacular destes, uma imagem, um estilo que se torna uma moda: a da velocidade, da supermáquina, aplicada indiferentemente a todas as coisas e sem outra finalidade que a de seduzir os consumidores e exprimir a elegância das linhas aerodinâmicas. A forma não decorre mais estritamente da função, ela se exibe como uma imagem hollywoodiana de fluidez e de potência moderna comandada por uma preocupação de marketing. Nela o design aparece como *styling*; cosmética do objeto a serviço das vendas, ele se reconciliou com os imperativos da moda, do comércio e da publicidade: esses designers "estende[m] a publicidade ao próprio produto".[43]

O *Streamlyne style* não institui apenas uma estética-moda do design, mas exprime uma visão otimista da máquina, o novo dinamismo do modo de vida americano, a entrada da sociedade americana na era do consumo de massa ou, mais exatamente, o imaginário da civilização consumista em vias de se constituir. Com sua estética que traduz valores de otimismo, eficácia, facilidade, progresso, o "estilo navio a vapor" traz uma nova arte de viver, um novo imaginário do consumo, sinônimo de atividade moderna, dinâmica, antitradicionalista. O objeto de consumo assim redesenhado não é mais apenas um sinal distintivo de classe, ele glorifica a tecnologia prometendo um mundo melhor para todos: ele se dirige antes à classe média do que aos círculos fechados da elite social. Servindo aos interesses do *business* mediante uma estetização em massa, o design contribuiu para forjar a mitologia do conforto, a utopia do consumo moderno sustentada pelo capitalismo artista.

A SEGUNDA ERA DO DESIGN

Como atesta, com as condições específicas de desenvolvimento que lhes são próprias, a evolução da história do cinema e da música gravada, da publicidade e do design, um novo grande ciclo histórico do capitalismo artista se instaura no decorrer das três décadas que seguem o fim da Segunda Guerra Mundial. Essa fase II corresponde ao momento em que se desenvolve o que foi chamado de "sociedade de consumo de massa", a qual vê uma forte e rápida ascensão do poder aquisitivo das famílias, a difusão dos bens de consumo durável em quase todos os grupos sociais, a democratização do conforto e do lazer, o crescimento da renda discricionária das massas, a possibilidade de consagrar uma parte das despesas para comprar o que agrada e não apenas aquilo de que se tem imperiosa necessidade.

A obtenção por parte das famílias de bens de consumo durável e a melhoria das condições de vida se tornam a grande questão da vida, os critérios por excelência do progresso. Entre 1950 e 1980, os eletrodomésticos, o carro, o rádio de pilha, a vitrola, a televisão e todas essas "coisas" de que Georges Perec fez a matéria-prima do seu romance emblemático da sociedade de consumo transformam radicalmente a vida cotidiana, os estilos de existência, a relação com os valores e com a política. Uma nova era da economia de consumo se abre, assinalando o boom do capitalismo artista: o período dos Trinta Gloriosos Anos, que vê a produção se multiplicar por 4,5, também é a era do grande salto adiante do capitalismo artista, ainda que este não seja geral e que certos setores, notadamente o da grande distribuição, cheguem até a apresentar uma regressão sob esse aspecto.

Assentada numa vigorosa elevação do nível de produtividade do trabalho, a "sociedade da abundância" se constrói generalizando o modelo tayloriano-fordiano de organização da produção. Os princípios que regem as grandes empresas industriais são a divisão intensiva das tarefas, a fabricação em grandes séries de produtos padronizados, a repetitividade, o aumento dos volumes de produção, a exploração das economias de escala. A esfera industrial se moderniza em alta velocidade, se reestrutura de acordo com os mecanismos de racionalização característica do sistema fordiano. Toda essa fase é dominada por uma organização produtivista e tecnicista, por uma lógica econômica mais quantitativa do que qualitativa. Por isso mesmo, o design está longe de se desenvolver e ser reconhecido igualmente em toda essa esfera: nas décadas de 1950-60, ele ainda aparece como puro estilismo, uma atividade inútil, a tal ponto se impõe o primado da engenharia de produção. Para dar só um exemplo, se a França assiste à realização de magníficas criações revolucionárias em diversos setores (Citroën DS 19, estilo Courrèges, o supersônico Concorde), o design demora a se firmar: em 1987, o país ainda não tem mais do que trezentos designers industriais.

Os Trinta Gloriosos Anos do design

O que não impede um notável desenvolvimento da "arte industrial", primeiro nos Estados Unidos e na Europa, depois no Japão. No decorrer da fase II, a estética industrial adquire uma superfície social assim como uma importância estratégica para as empresas, sem comparação com o passado. A influência do design cresce acentuadamente, enquanto os engenheiros de produção veem sua posição anterior de onipotência se esvair. A exigência de melhorar continuamente a ergonomia dos produtos e seu aspecto externo progride a passos largos. Certas empresas pioneiras, como a Olivetti, empenham-se em fazer do design um dos vetores-chave da sua estratégia de marketing. O design se difunde na concepção dos produtos e da comunicação, passa a fazer parte dos costumes do novo capitalismo artista, aparecendo como um instrumento fundamental de inovação e de sucesso comercial.

Ao mesmo tempo, o mundo do design se dota de estruturas e de instituições profissionais que contribuem para a sua valorização estatutária. Em 1944 é fundada em Nova York a United Society of Industrial Design, primeira organização profissional do ramo. Em Londres, no mesmo ano, é criado o Council of Industrial Design para promover o design britânico e contribuir para a política de reconstrução do país. O governo alemão funda em 1951 o Rat für Formgebung (Instituto da Concepção), enquanto a Hochschule für Gestaltung de Ulm se torna a instituição de referência do design, na continuidade da Bauhaus (Max Bill, seu primeiro diretor, é ex-aluno dela). Na França, Jacques Viennot funda, em 1951, o Institut d'Esthétique Industrielle, cuja finalidade é incitar os industriais a fazer progredir a qualidade estética de seus produtos no sentido da "beleza racional". O International Council of Societies of Industrial Design é constituído em 1957. Em todos os países se multiplicam as agências, os congressos, as revistas, as exposições, os prêmios concedidos às melhores realizações do design.

Inúmeras empresas apelam a escritórios independentes ou a grandes agências (Olivetti), enquanto outras firmas (Philips, Ikea) se dotam de um departamento de design próprio. Na Alemanha, a Braun e a Lufthansa se empenham em aplicar o estilo funcionalista preconizado pela Escola de design de Ulm (1946-68), herdeira da Bauhaus; a Braun contrata professores de design da Escola de Ulm para trabalhar em protótipos de produtos eletrodomésticos. Numa perspectiva de design global, grupos como Olivetti, IBM, Philips, Braun, Bang & Olufsen conferem ao design a tarefa de criar uma identidade visual da empresa, uma imagem de marca homogênea e coerente. De uma participação esporádica do design nas atividades da empresa, passa-se em diversos grandes grupos a uma integração sistemática, com os designers colaborando, ao longo do processo de desenvolvimento dos produtos, com os engenheiros e os responsáveis pelo marketing. Na fase I, os designers, tidos como puros estilistas, só intervinham no fim do processo de desenvolvimento para dar um ar estético aos produtos concebidos pelos engenheiros; na fase II, começa uma nova etapa em que os designers, na Olivetti ou na Deere, por exemplo, intervêm na elaboração dos produtos desde o início, com o estabelecimento das especificações.[44] É a época da revalorização e do fortalecimento do papel do design industrial nas empresas, processo que vai se amplificar na fase seguinte.

A expansão social do design também foi possibilitada pela criação de novos circuitos de edição e de difusão: na França, Huchers Minvielle, Roche Bobois, Roset, Airborne. Em 1968, o Prisunic inaugura a venda por catálogo de móveis de criadores. Na

Grã-Bretanha, a Habitat lança o conceito de "estilo de vida integral". Nos Estados Unidos, a Knoll difunde e produz mobiliário contemporâneo em série, com peças de Mies van der Rohe, Eero Saarinen, Harry Bertoia. Na Itália, a Cassina edita para os grandes mercados de exportação as obras de Gio Ponti e Mario Bellini. Novas revistas, como a *Domus*, têm um papel importante na difusão da estética design. Ingvar Kamprad funda a Ikea, concebendo supermercados do móvel: os produtos, fabricados em grande escala, são vendidos em kit. Nos anos 1950, o design escandinavo já faz grande sucesso comercial internacional. Vinte anos mais tarde, em 1973, a Ikea entra no mercado mundial.

À consagração universal do design funcionalista responde a diversificação dos designs marcados por características nacionais identificáveis, bem como por diferentes abordagens da profissão. Toda uma corrente, celebrizada por Raymond Loewy, dá prioridade à dimensão artista-intuitiva do design. Mas depois da guerra, desenvolve-se outra corrente, que se esforça para convencer as empresas da eficácia do design, mais próximo do trabalho do engenheiro do que do artista. Já na Bauhaus, Hannes Meyer tinha se cercado de matemáticos e de sociólogos; e em Ulm, assim como nas várias escolas que se inspiraram nela, são introduzidos no programa cursos de psicologia, de antropologia, de estatística. O designer devia ser capaz de pôr em prática a ciência da ergonomia e da antropometria e aplicar os conhecimentos do marketing, da sociologia e da economia. Nessa mesma linha, Max Bill podia declarar: "O design funcional considera o aspecto visual, a saber, a beleza de um objeto, como elemento não prioritário da sua função". Durante essa fase, uma empresa italiana como a Olivetti considera, ao contrário, os designers como artistas, enquanto a Philips valoriza o procedimento científico, racional, coletivo. Segundo Knut Yran, que dirige o departamento de design do grupo Philips, "o design é uma profissão técnica que tem uma função de marketing", "um designer deve realizar as intenções da empresa antes das suas".[45] Em todo caso, embora seja amplamente admitido que o design não se confunde com um trabalho de puro estilismo, algo de artístico lhe é no entanto consubstancial, a tal ponto é capital o trabalho sobre a forma dos produtos.

Cabe precisar que essa nova era está longe de ter sido completamente cativada pelas formas modernas: uma sondagem dos anos 1950 feita com consumidores alemães revelava que apenas uma pequena minoria deles estava disposta a adotar o design funcional no mobiliário. Não obstante, o recurso aos designers nas grandes empresas se generaliza, a aparência externa dos objetos industriais adquire maior importância, o princípio de renovação rápida do estilo dos produtos conquista um número crescente de setores: cada vez mais, os produtos industriais realizados em grande série são objeto de um trabalho de estilo destinado a assegurar seu sucesso comercial. Embora de natureza fordiana, a ordem produtiva integra as lógicas de criação estética, de design e, mais tarde, de fantasia. Daí resultaram inegáveis êxitos estéticos, novas belezas utilitárias, novas formas elegantes, às vezes objetos cult: a Vespa, o Citroën DS19, a máquina de escrever Lettera 25 da Olivetti, as tesouras Fiskars, a cadeira Tulipa de Eero Saarinen são ilustrações exemplares disso. Há que observar: o mercado e o impulso dos imperativos do marketing de fato contribuíram para inovar nas formas e estilizar o universo dos bens de consumo, ainda que com resultados bastante desiguais conforme o público-alvo. Arte industrial, o design se impõe como uma das artes do cotidiano.

Apesar de o design geométrico e orgânico dominar até o início dos anos 1960, muitos produtos dos setores de móveis, luminárias, tecidos de decoração não têm nada de funcionalista. Com suas ornamentações cromadas, suas luzes piscantes, suas cores berrantes, as jukeboxes, os fliperamas e assemelhados se inscrevem no kitsch. O mesmo ocorre com os óculos de sol em forma de lábios ou de notas musicais. A época assiste à proliferação das embalagens chamativas, ao triunfo do rosa *girly* nas cozinhas, quartos de dormir e eletrodomésticos, todo um conjunto de objetos e de cores cujo valor, mais decorativo do que funcional, simboliza a prosperidade e a euforia do consumo. Mais tarde, o estilo pop, que abandona o rigor do "*good* design", traz uma lufada de frescor e de fantasia lúdica às formas industriais. Na fase II, o processo de diversificação das estéticas já está em ação: uma dinâmica que se radicalizará na fase seguinte.

Assim, a fase II é a que difundiu socialmente o design, não apenas por meio do mobiliário moderno de série (módulos, cadeiras de plástico, sofás de espuma, luminárias), mas também do automóvel, da televisão, dos aparelhos elétricos, de todos os objetos do cotidiano. Graças ao design, a aparência externa dos produtos — o carro, em particular — adquiriu uma importância crescente nas motivações de compra. O design se torna um objeto de consumo de massa ao mesmo tempo que um objeto de moda incessantemente renovado. Não foram os artistas do Art Nouveau que conseguiram concretizar o sonho da "arte em tudo" e para todos, mas o próprio capitalismo de consumo, ao integrar a dimensão design no sistema produtivo de massa.

"O complô da moda"

A época que começa nos anos 1950 não só generalizou a lógica fordiana, como fez o universo industrial do consumo entrar na órbita da renovação anual dos modelos e da obsolescência integrada. O que a General Motors, no setor automotivo, foi a primeira a inaugurar — mudança sistemática de estilo, da linha e das cores, multiplicação dos gadgets e outros acessórios chamativos — se intensificou e conquistou setores cada vez mais numerosos: cosméticos, calçados, roupa infantil, louça, artigos domésticos, hi-fi. A racionalização da esfera produtiva casou-se assim com a estratégia do efêmero erigida em doutrina industrial em razão da necessidade de reativar o tempo todo o mercado. Se para pôr em prática essa estratégia um dos caminhos possíveis é limitar voluntariamente a qualidade, logo, a duração dos produtos, outro caminho consiste em mudar bem depressa o estilo, o aspecto externo dos produtos, tomando como modelo a moda vestimentária: "Todas as indústrias se esforçam para copiar os métodos dos grandes costureiros. É a chave do comércio moderno", declara Louis Cheskin nos Estados Unidos, no início dos anos 1960. É o que Vance Packard chama, com uma fórmula eloquente, de "o complô da moda", mostrando que esta se estendeu a todas as esferas da economia de consumo.[46] Surge um novo ciclo, um ciclo híbrido que combina a lógica fordiana com a lógica-moda do capitalismo artista.

Nesse sistema de mudanças permanentes de estilo e de busca da novidade a qualquer preço, o design tem um papel-chave. É, em particular, o caso dos Estados Unidos, onde o *good* design", com sua estética racional e funcionalista, costuma ceder lugar às formas proliferantes, extravagantes até, com sua estética hiperbólica, cuja ilustração quase icônica é o "carrão americano", tal como o estilista Harley J. Earl o concebe para a General Motors: grade dianteira aerodinâmica, para-lamas em forma de asas de avião, para-choques em forma de obus, abundância de cromados, superfícies polidas e luzidias. Um estilo luxuriante que aliás encontramos, fora da indústria automobilística, até nos equipamentos domésticos: aspiradores aerodinâmicos, refrigeradores dotados de peças e adornos metálicos, aparelhos de televisão sem arestas, rádios com botões pretos e brancos inspirados na aeronáutica, lavadoras com comandos parecendo um painel de carro. O sistema-moda do capitalismo artista é dominado então pelos modelos estéticos americanos, sinônimos de progresso, de modernidade, de espírito consumista, que os outros países desenvolvidos se esforçam para imitar. Segundo Earl, o design deve ser um vetor de venda, tem a tarefa de "glorificar a vida de consumidor de todos".

Nos anos 1950, a lógica decorativa (o ornamento, o supérfluo, o atraente, a moda), que Adolf Loos e a escola funcionalista proscreviam, é reintroduzida na "arte automobilística" a fim de responder aos imperativos mercantis do capitalismo artista, que aparecia aqui como promotor de um estilo teatral comercial. Sucede ao *less is more* proclamado por Mies van der Rohe um neo-design ostentatório centrado nos acessórios, nas lógicas de sedução, de moda e de marketing. Reatando, em particular no setor automobilístico, com o excesso de ornamentos cromados, calotas, para-lamas e outros elementos chamativos, o design se impõe como uma operação de teatralização dos produtos a serviço da promoção das vendas e da publicidade das marcas.

Muito embora o design não possa ser reduzido a esse papel decorativo, não há dúvida de que ele foi uma das peças do advento dessa economia-moda generalizada, dessa civilização do descartável cada vez mais acentuada pelo fato da utilização de materiais pouco dispendiosos (papelão, plástico). Com a fase II começa a era do gadget e do seu desperdício sistemático. Atestam-no o estilo dos carros carregados de cromados, dotados de para-choques inúteis e de painéis repletos de mostradores. Mas também a proliferação dos acondicionamentos de produtos, das embalagens alimentícias destinadas aos supermercados, das sacolas plásticas, dos lenços de papel, dos pratos e copos descartáveis. Em 1953, o barão Bich inventa a caneta descartável a que se seguirá, em 1975, o aparelho de barbear Bic, depois o isqueiro e talheres descartáveis. Editada em grande série em 1964, a cadeira de papel de Peter Murdoch, a *Polka-Dot Chair*, para ser montada em casa e vendida a preço baixo, era concebida para durar entre três e seis meses. O estatuto efêmero e a obsolescência calculada se aplicam então a um número crescente de produtos destinados a atingir todas as classes econômicas e sociais.

Por meio dessa política de obsolescência dirigida se afirma um capitalismo artista que desafia a raridade e se apresenta sob o signo desenvolto da profusão democrática e da dilapidação das riquezas. Ainda que, depois do primeiro choque do petróleo, as críticas contra o consumo e o design irresponsáveis se multipliquem, a fase II continuou a ser dominada pelo otimismo, a moda, a despreocupação com o futuro. A economia-moda do consumo e a cultura contestatária convergiram para instituir a nova prioridade do eixo do presente, uma cultura hedonista do instante sem consideração pelo futuro. A fase II constitui a fase feliz, despreocupada, juvenil do capitalismo artista. A fase III porá fim a isso.

Essa dinâmica também é favorecida pelo sucesso da cultura pop que reivindica os valores jovens, a fruição, a mobilidade, a leveza, as formas expressivas. Nos anos 1960, o design traduz isso diretamente: móveis de papelão, cúpula de abajur de papel, cadeiras desmontáveis, camas transformáveis, vestidos descartáveis de papel, móveis de plástico transparente e inflável (a poltrona Blow data de 1967), objetos pouco caros. Longe das cores e das formas austeras, chegou o tempo da cor viva, do verniz e do plástico, dos neons agressivos, das listas e bolas, do móvel e do descontraído, do informal e do aleatório, em particular no mobiliário. Uma estética inspirada nas HQS, na ficção científica, na publicidade, motiva os designers que, ávidos de liberdade e de anticonformismo, rejeitam o funcionalismo puritano em favor de um ludismo jovem: uma verdadeira cultura pop se instaura, com seus ídolos, seus ícones, seus locais cult — a Factory de Warhol em Nova York, a loja Mr. Freedom de Londres —, seus designers-farol — Cesare Joe Colombo, Gae Aulenti, Olivier Mourgue, Peter Murdoch, Verner

Panton —, seus objetos cult — a cadeira Sacco, as poltronas Djinn, a cadeira S de poliuretano, o banquinho Tam-Tam. Por intermédio de valores antiburgueses, toda uma parte do design reatou com o que a Bauhaus e o racionalismo do "*good* design" queriam eliminar: o arbitrário, o decorativo, o lúdico (o cabideiro Cactus, de Drocco e Mello), a fantasia (o sofá Bocca em forma de lábios), o sensualismo (a poltrona Donna, de Gaetano Pesce). E isso para o máximo proveito do sistema da moda e do capitalismo artista, incapaz de prosperar sem renovação rápida, sem fantasia criativa, sem inovação estilística.

O capitalismo-moda dessa fase foi objeto de inúmeras críticas. Vance Packard o denuncia como desperdício de recursos naturais e máquina de desenvolver o sobreconsumo, o aspecto material da existência, o egocentrismo; Galbraith, como condicionamento da demanda; os situacionistas como "sociedade do espetáculo", império da alienação e da passividade. Num livro famoso, Victor Papanek estigmatiza a perversão do design que cria valores falsos e objetos fúteis, que incentiva a consumir sempre mais, a descartar e, portanto, a arruinar o planeta Terra.[47] Proliferando no decorrer dos anos 1960-70, todos esses golpes dirigidos contra o consumo desenfreado estimulado pelo design acaso esgotam o sentido dessa fase II? É evidente que não. Porque esta, por meio do consumo, da moda, dos estímulos publicitários, acarretou uma mutação cultural global: ela mudou a orientação temporal das nossas sociedades ao mesmo tempo que seu modo de socialização e de individualização. De uma cultura orientada para o futuro, típica da primeira modernidade, passamos a uma sociedade presentista comandada por novas normas de fruição, de lazeres, de satisfações imediatas. A economia-moda[48] minou as prescrições sacrificiais e disciplinares em proveito do hedonismo consumatório, da sedução das mensagens, do humor, do conforto privado; deslegitimou as imposições autoritárias e levou, nesse mesmo movimento, à autonomização dos indivíduos face às instituições coletivas e enquadramentos rigoristas.

Assim, ela está na origem de uma "segunda revolução individualista",[49] e isso não só por via da difusão dos valores hedonistas, mas também pelos novos objetos de consumo que transformam os hábitos de vida da maioria. Todo um conjunto de novos objetos — televisão, rádio portátil, toca-discos, automóvel, eletrodomésticos — penetra em quase todos os meios com poderosos efeitos de individualização das práticas, das aspirações e até dos costumes. Para além da massificação da vida cotidiana e dos enfrentamentos simbólicos de classe, os objetos emblemáticos do capitalismo criativo, carregados de valores hedonistas, de sonhos de emancipação e de progresso, acarretaram uma ascensão da individualização das práticas de consumo, dos lazeres e dos modos de vida em geral.

O design participa desse processo. Ele não pode ser reduzido à sua função de marcador e de classificação social, não exprime apenas desejos de elevação ou de diferenciação social na arena das competições estatutárias de classe. Claro, o mobiliário vanguardista dos grandes editores de design e as grifes dos novos criadores de moda não se difundiram além do círculo das camadas médias superiores. Mas contribuíram para promover a "sociedade do desejo", estetizar o cotidiano, difundir o sonho americano de vida, os valores de modernidade e de lazer, de juventude e liberdade, de fruição e consumo que estão na origem do novo individualismo. Claro, com sua dimensão ascética e racionalista, rigorista e universalista, o design funcionalista pode parecer antinômico em relação ao desenvolvimento social do princípio de individualidade. No entanto, não é assim. Porque, do mesmo modo que o individualismo moderno, o design se construiu fundamentalmente na rejeição da tradição e dos particularismos nacionais. Reivindicando uma espécie de tábua rasa do passado, o design funcionalista é um hino radical ao presente social, à modernidade pura.[50] Sem exterior e sem passado, o objeto design aparece como um sistema autônomo de elementos formais, uma combinatória soberana que não deve nada ao exterior.

Com isso, o design ilustra o ideal de emancipação moderno, o mesmo que constitui a cultura individualista. Qualquer que seja seu aspecto puritano, o objeto funcionalista acena para a liberdade moderna, proporciona o espetáculo triunfante da criação alforriando-se das imposições tradicionalistas: uma emancipação construtivista e estilística que precedeu a dos costumes. Tudo convida a pensar que o design, pela sua própria estrutura formal e juntamente com os novos objetos de consumo, favoreceu assim, de uma maneira ou de outra, o ímpeto de individualização que assinala a fase II.

Estilistas e criadores

A revolução da fase II diz respeito igualmente ao ramo industrial do vestuário. Nos anos do pós-guerra, instala-se o "prêt-à-porter", que consegue romper com o anonimato característico da confecção industrial dando ao vestuário um "plus" criativo, um valor agregado estético. Os industriais agora apelam para estilistas encarregados de conceber produtos têxteis que integrem a exigência de elegância, de fantasia, de beleza. No início dos anos 1950, as lojas de departamentos oferecem uma moda refinada e elegante às mulheres de todas as idades. Para tanto, as Galeries Lafayette, o Printemps, o Prisunic introduzem em seus serviços conselheiras e coordenadoras de moda visando uma oferta de bom gosto. Surgem também os primeiros escritórios de consultoria e estilo independentes que, intervindo em todos os níveis da cadeia têxtil, redigem duas vezes por ano cadernos de tendência no domínio das cores, das matérias, das formas. As empresas do prêt-à-porter assinam seus modelos, tal como a alta-costura, fazem desfiles de moda e contratam campanhas de publicidade.

A fase II do capitalismo artista democratizou o sistema da moda, promoveu o "chique barato", o look moda do vestuário industrial de massa, a profissão de estilista, ao mesmo tempo que os "criadores de moda". Em 1962, contam-se na França 2 mil estilistas de moda[51] que trabalham para promover "o bonito ao preço do feio" (Denise Fayolle) aliando racionalidade industrial e criatividade, produtividade e qualidade estética. Com o prêt-à-porter para o grande público e o novo prêt-à-porter dos "criadores", o sistema bipolar que funcionava com base na oposição radical entre alta-costura e confecção industrial se fratura: a alta-costura não é mais o centro único da moda, a fabricação em grande série se associa com o imperativo de estilo, os polos criativos se diversificam. A era do estilo moda acessível à maioria começa. Enquanto o estilo desce à rua, as marcas para o grande público alcançam ampla notoriedade: Benetton, Cacharel, Lee Cooper, Levi's, Rodier, Tricosa. Com a consagração do prêt-à-porter, deu-se um quase desaparecimento do sob medida[52] e uma melhoria da qualidade moda da roupa fabricada industrialmente: esses processos contribuíram para a democratização da moda e para a expansão do domínio estético na vida cotidiana.

As criações dos grandes costureiros não desaparecem, mas a partir dos anos 1960 uma categoria de prêt-à-porter — a dos "criadores de moda" — compartilha, depois domina esse magistério da criação que até então somente as primeiras podiam reivindicar. E isso lançando coleções que ilustram novos valores: o lúdico, o sexy, o lazer, a juventude, o esporte. A moda se tornou plural: não é mais o estético rico e "classudo" que dá o tom, mas estilos variados de ar mais descontraído, mais livre e "descolado", voltado para uma clientela mais jovem. Na França, a fase II vê se imporem desse modo ondas sucessivas de gerações de criadores e de casas de moda portadoras de um espírito diferente: Cacharel, Hechter, Dorothée Bis, depois Sonia Rykiel, Chantal Thomass, Thierry Mugler, Montana, Alaïa... Na Itália, Armani; nos Estados Unidos, Ralph Lauren. Nesse contexto, as novas marcas dos criadores se fazem conhecer, adquirindo uma notoriedade que, no espírito do público, muitas vezes é confundida com a das prestigiosas grifes de luxo.[53] A fase II é a do recuo da alta-costura e da consagração dos estilos mais acessíveis e jovens.

O leve, o descontraído e o juvenil

Funcionando como economia-moda, o capitalismo criativo da fase II não só democratizou o acesso aos bens de consumo duráveis, mas difundiu novas estéticas assim como o "estilo para todos". De fato, com suas formas geométricas ou orgânicas, o design funcionalista foi um vetor essencial da estilização do mundo moderno, uma estilização despojada, pura e lisa, que se estendeu ao universo do grande consumo. Os eletrodomésticos, os aparelhos de som de alta fidelidade, os aparelhos de rádio e de televisão, as máquinas de escrever se impõem como objetos puros e sóbrios, despidos de todo detalhe supérfluo, de toda fantasia. Rejeitando a teatralidade dos objetos, o design industrial compôs um universo de estilo democrático, uma estética depurada de toda ênfase, de todo referencial tradicional. Por via da promoção do estilo internacional, o processo de modernização dos objetos do cotidiano passou a uma velocidade superior.

Modernização estética do universo dos objetos que também se manifesta na irrupção do processo de miniaturização dos volumes e do aligeiramento das formas. A invenção dos transistores e microprocessadores possibilitou produzir um número cada vez maior de objetos de tamanho pequeno, eliminar o máximo possível o volume das coisas, tornar os objetos mais leves, mais manejáveis, mais compactos. Rádio, aparelho de som, televisão e também filmadora, calculadora eletrônica ilustram de modo exemplar esse processo de miniaturização que dá origem aos formatos de bolso. A Sony lança em 1957 o rádio de bolso, em 1963 a microtelevisão e em 1979 o primeiro walkman, que podia ser vestido com cores vivas e jovens.

A busca da leveza dos produtos se dá igualmente no setor do mobiliário. Os armários, cômodas e aparadores, pesados e volumosos, cedem lugar aos móveis de plástico, aos equipamentos moduláveis, às cadeiras empilháveis de fibra de vidro (Verner Panton), às poltronas de pés tubulares finos. O mobiliário-sistema, as estantes componíveis, os conjuntos por elementos se desenvolvem, possibilitando a adaptação e a flexibilidade no domínio da disposição dos móveis. A Race produziu a Flexible Chair, montável em alguns minutos, e o mobiliário Maxima (1965), constituído de 25 elementos-padrão para trezentas possibilidades de montagem.[54] Graças às virtudes dos novos materiais (fibra de vidro, plásticos), o design procura suprimir espessuras e volumes — cadeira Superleggera de Gio Ponti, cadeira Sof Sof de Enzo Mari — tendo em vista um mobiliário fluido e móvel. Nos anos 1960, aparecem os sofás infláveis, os móveis biomórficos de plástico, as cadeiras moles e divertidas, as poltronas sensualistas de espuma, as almofadas moduláveis, as cores vivas ou transparentes que, rompendo com a frieza funcionalista, dão ao mobiliário uma aparência não convencional, jovem, versátil.

Essa estética jovem e leve também pode ser observada na moda, como atestam o biquíni e o monoquíni, a minissaia e os collants, as golas rulê e os jeans, os macaquinhos e os bermudões, as camisetas, as saarianas e parcas. São inovações frívolas que exprimem a irrupção das aspirações à autonomia individual assim como a rejeição das normas coercitivas, antinômicas aos novos valores individualistas e hedonistas inerentes ao consumismo.

Elas expressam ao mesmo tempo o triunfo da cultura juvenil e inconformista, a promoção do sexy, a revalorização do corpo numa cultura em busca de um erotismo mais direto, mais livre, menos teatralizado.

Com essa nova era de moda aberta e plural, é todo o sistema de valores subjacente à moda "clássica" que vem abaixo: o look jovem suplanta o estilo "rico", o descontraído rouba a cena do aspecto "classudo", a sedução pessoal, da exibição de superioridade social. Em toda parte, o rígido, o fixo, o "certinho" é desvalorizado em proveito do multiuso, da moda "segunda pele", da liberdade de movimento. Por meio da decoração feérica das lojas de departamentos e da alta-costura, o capitalismo artista inaugural se construiu numa teatralidade ostentatória, no luxo dos símbolos, tendo em vista seduzir as classes média e alta obcecadas pelo status. Bem diferente é a fase II, que, precisamente, se empenhou em fazer recuar o teatro das formas afetadas e a sublimação das aparências em nome dos valores liberacionistas trazidos pela nova faixa etária: ela aligeirou e juvenilizou a moda do mesmo modo que os objetos e os símbolos do cotidiano. Um passo suplementar na construção do estilo democrático foi dado.

DAS LOJAS DE DEPARTAMENTOS AOS SHOPPING CENTERS

No entanto, o avanço do processo de estetização não se impôs uniformemente. Se no decorrer da fase II do capitalismo artista o design e as lógicas da moda penetraram cada vez mais no mundo dos objetos, em compensação a grande distribuição levou a um recuo dos dispositivos estéticos dos circuitos de venda. Os anos 1950-60 trouxeram o modelo-tipo com o supermercado e o hipermercado. A intenção estética que inervou a estratégia das lojas de departamentos por um século se eclipsa manifestamente a partir dos anos 1950, quando se instala a sociedade de consumo de massa propriamente dita. As condições mudam: o desenvolvimento da produção em massa que caracteriza os Trinta Gloriosos Anos requer uma distribuição em massa reestruturada pelos mecanismos estritos de racionalização aplicados na indústria fordiana. Da loja de departamentos, que continua sendo o estabelecimento-farol do comércio de grande distribuição até os anos 1950, passa-se então a esses novos locais de venda que são o supermercado e, em seguida, o hipermercado. Durante toda essa fase, os arquitetos, urbanistas e paisagistas pesaram muito pouco na elaboração dos novos circuitos de distribuição em massa.

A estética pobre das grandes superfícies comerciais

Ao contrário das lojas de departamentos, essas novas superfícies de venda são dominadas unicamente pelas lógicas quantitativas e produtivistas. Para ampliar o mercado dos produtos fabricados em grande série, difundir socialmente o modelo consumista, trata-se de vender barato, cada vez mais barato, comprimindo ao máximo os custos: o imperativo que se impõe é racionalizar em grande escala o universo da distribuição. Não há intenção artista: tudo é orientado para a redução do custo da distribuição. Nesse contexto, as marcas, para vender mais que a concorrência, não enfatizam mais os critérios qualitativos de seu ambiente, mas os baixos preços praticados.

A organização fordiana da grande distribuição jogou contra a estetização dos universos comerciais. Sua arquitetura e sua disposição interna são inteiramente pensadas em termos de funcionalidade, e o layout dos pontos de venda é mínimo, de uma linearidade e neutralidade perfeitas. Com isso, a estética perde o que a racionalização ganha: vastas construções horizontais sem vitrines na fachada, letras gigantescas nos letreiros, imensas superfícies internas que oferecem aos consumidores opções, livre acesso e livre serviço, luzes sem jogos nem contrastes, fileiras de caixas que registram indiferentemente todas as compras, imensos estacionamentos dispostos ao redor, ausência de áreas verdes: nenhuma intenção artística preside à construção dessas grandes superfícies comerciais periféricas.

O modelo não é mais o teatro ou a ópera resplandecentes, destinados a seduzir a classe média em busca de distinção, mas a "fábrica de vendas" voltada para o máximo de consumidores, obcecados por equipamentos modernos, que querem mais por menos preço. Na época da organização fordiana da grande distribuição, o amontoamento de produtos, a localização calculada nas gôndolas, a exibição do preço e das promoções, a publicidade, tudo converge para criar "lojas de desconto", exclusivamente voltadas para o preço. Não é mais a arte de seduzir por emoções oriundas de uma sensibilidade estética que atua, mas a fria aplicação dos princípios de racionalidade funcional e econômica. Daí resultam "galpões", "caixas de sapatos" de arquitetura pobre, tediosa, estereotipada, que serão qualificadas de não arquitetura e de poluição paisagística.

Note-se, todavia, que a arquitetura monótona e agressiva das grandes superfícies comerciais não foi sistematicamente destinada ao opróbrio, porque esses volumes apareciam como símbolos positivos de modernidade, bem como instrumentos de democratização do acesso aos bens usuais. A grande maioria dos consumidores não aceitou esses paralelepípedos inestéticos "por falta de algo melhor": na verdade, aderiu a eles como emblemas de modernização. Foi assim que o primeiro Carrefour, em Sainte-Geneviève-des-Bois, tornou-se inicialmente um local de passeio dominical tanto quanto o aeroporto de Orly.[55]

A poesia das passagens

No entanto, nesses mesmos anos se estabelecem outros lugares de venda que atestam que a vontade de atrair a clientela não atua somente com base na lógica dos preços baixos e da profusão de produtos. A ideia de agrupar várias lojas e atividades num mesmo local concebido para o lazer, a compra-prazer, as compras por impulso, preside à criação dos shopping centers, que retomam, com maior ou menor ênfase, a dimensão "decorativa" como estratégia comercial quando a grande distribuição parecia ter voltado, com suas grandes superfícies desprovidas de alma, ao grau zero da dimensão estética.

A ideia de agrupamento não é nova. Ela tem seu primeiro momento de glória, tanto em Londres como em Paris, com as famosas passagens cobertas, ponto da poesia urbana e da *flânerie*, que surgem nos anos 1820-30. O sucesso das passagens resulta, em boa parte, do fato de que a iluminação a gás possibilita uma nova vivência da cidade, de que constituem a vitrine luminosa e mágica, em contraste com as ruas escuras e suas velhas lojas tradicionais. Como observa com razão Christine Rheys, "luxo, riqueza, iluminação, mostradores, espelhos: a multidão se dava a si mesma em espetáculo. Contemporâneas da *flânerie* e do dandismo, concepções tão sociais quanto culturais, elas encarnavam também o advento do comércio elevado ao nível de arte".[56] É nessas luxuosas galerias envidraçadas onde "a arte se põe a serviço do comerciante" que o *flâneur*, admirando as vitrines de novidades, pode se entregar ao culto moderno da mercadoria, aos sonhos de consumo, às "fantasmagorias do mercado": as passagens, forma primitiva do shopping center, "brilhavam na Paris do Império como grutas habitadas por fadas".[57]

A invenção do shopping center

A problemática do shopping center inteiramente hermético e climatizado, concebida pela primeira vez pelo arquiteto Victor Gruen, é influenciada pelas passagens europeias, cobertas e reservadas aos pedestres.[58] De fato, Gruen trata de realizar um espaço que preencha uma função de sociabilidade semelhante à dos centros de cidade, com suas ruas comerciais, em territórios que não os têm. Desde o início, o shopping center quer se impor como um espaço consumista, hedonista e recreativo, um lugar de vida social em que as pessoas podem flanar e relaxar.[59]

É em 1956 que se abre o Southdale Center, primeiro centro comercial inteiramente fechado, equipado com escadas rolantes e corredores para pedestres em dois níveis. O objetivo é construir um entorno comercial totalmente fechado, livre das difíceis condições climáticas que reinam em Minneapolis e que são desfavoráveis aô comércio. Graças à climatização,[60] os consumidores esquecem o mundo exterior, com suas intempéries, seus barulhos, sua agressividade, e podem passar mais tempo em seu interior, evoluindo num ambiente de consumitividade total, quase perfeita, sem exterioridade. Para transformar o centro comercial em mundo maravilhoso do consumo, fonte de compra-prazer, é criado um átrio repleto de plantas tropicais e cenários paradisíacos; também encontramos aí obras de arte, fontes, iluminações decorativas. O modelo está dado. Ele se desenvolve no mundo inteiro.

Espaço kitsch, compras uniformes

Primeiro shopping center inaugurado na França, em 1969, Parly 2 reúne 150 marcas variadas de vestuário, decoração, lazer. Volta-se deliberadamente para a clientela abonada da zona oeste parisiense, que pretende atrair com uma arquitetura e uma decoração modernista ornamentada com repuxos, quiosques e árvores minerais. Dois imperativos comandam sua organização, escreve Baudrillard: "o dinamismo comercial e o senso estético", as galerias apresentando todas as antigas atividades separadas num conjunto "misturado, amalgamado, climatizado, homogeneizado no mesmo travelling de uma compra perpétua, tudo isso enfim assexuado no mesmo ambiente hermafrodita da moda!".[61] É logo seguido por vários outros: todos traduzem uma vontade de busca decorativa, criam corredores espaçosos, áreas de descanso, zonas de jogo, salas de cinema, bibliotecas. A qualidade da disposição interna está ligada à seleção das marcas. Quanto mais estas são prestigiosas, mais o shopping center mira uma certa exuberância decorativa.

E quanto mais numerosas as marcas, maior a superfície do shopping: dos 139 mil metros quadrados do The Bergen Mall em 1957, em Nova Jersey, passa-se aos 386 mil metros quadrados do SM City North em 1985, nas Filipinas. E a arquitetura, assim como a decoração, está em uníssono com esse gigantismo. As colunas, os materiais brilhantes, o mármore, o estuque, as estátuas, os espaços florais, as cascatas, as superfícies de exposição, mas também as áreas para relaxar, as mesas externas das lanchonetes, os bancos para descansar, os corredores em que se pode bater perna: procura-se proporcionar o prazer da cidade fora das cidades. O consumo de massa quase desumanizado, próprio dos hipermercados, procura de certo modo se reumanizar, se luxurizar por meio de um ambiente estetizado e ludicizado.

Todavia, o shopping center, ligado desde a origem aos grandes terrenos baldios das periferias em que são implantados, conserva a característica artificial de uma construção surgida do nada, sem a consistência da urbanidade que possuem as lojas de departamentos implantadas no coração da cidade e as passagens que utilizam os caminhos secretos desta. Nele, o paradigma estético se desenvolve de modo um tanto diferente. Enquanto a loja de departamentos pertence ao que poderíamos chamar de uma estética de teatro, à italiana, proporcionando uma profundidade, um espaço, uma altura, uma centralidade que a escadaria monumental e a cúpula central representam bem, o mall, também concebido para ser um local de espetáculo, oferece uma apresentação mais do âmbito do cinema. Sua disposição toda no comprimento faz que o que ele dá a ver se desenrole como em cinemascope, numa vasta tela lateral, sem profundidade, em que os espaços comerciais se sucedem num longo travelling diante dos olhos do espectador como sequências de um filme. Estamos aqui numa lógica da superfície, da uniformidade, que produz a impressão de um universo flutuante, de uma espécie de ausência de gravidade: o que se vê não é irreal, mas tampouco é a realidade de uma loja. O espaço onde se evolui tem algo de virtual: a cidade está longe, externa, a realidade também, com seu trânsito, seus barulhos, seus cheiros. Tudo aqui, ao contrário, é como que filtrado, asseptizado. A climatização, a iluminação artificial, as escadas rolantes, o solo liso, a música ambiente, tudo dá a impressão de que se evolui num espaço representado, que poderia ser o de um spot publicitário ou de um filme: "O mall é uma espécie de televisão em três dimensões", analisa William Kowinski;[62] e Jeremy Rifkin nele identifica uma estética de estúdio: "As incorporadoras e os arquitetos emprestam massivamente da estética de Hollywood".[63]

A atitude estética que as lojas de departamentos e as passagens induziam, a atitude da *flânerie*, permanece no mall, mas não tem mais o mesmo sentido: agora ela é a das compras como ocupação própria para fazer passar o tempo para as massas consumistas. Encontramos nos malls do mundo todo as mesmas grifes, e não há nada mais parecido a um mall que outro mall, experimentamos neles o mesmo tipo de sensações que nos aeroportos, que aliás se parecem cada vez mais com shopping centers, com o mesmo desfile das mesmas marcas onipresentes. Se a loja de departamentos repousava no fetichismo da mercadoria, o shopping center por sua vez repousa no fetichismo das marcas. Daí o sentimento de déjà-vu que se instala, a despeito dos esforços feitos pelos arquitetos para variar a disposição dos locais: o tédio nasce, aqui, da uniformidade...

Outro elemento modela a sensação estética própria do shopping: com ele nos encontramos numa estética do pastiche. São reproduzidos nele, com perfeição, fontes, repuxos, praças à italiana, aldeias. Em Scottsdale, Arizona, o mall de La Borgata se apresenta como uma versão miniaturizada de San Gimignano, erguendo-se em sua *piazza centrale* um edifício de tijolos cuja forma reproduz a das torres da cidade toscana. O mall à americana encontra aliás sua expressão superlativa em Las Vegas, cidade artificial, imensa galeria de compras estendida ao longo de um *Strip* central, com seus cenários de estuque e mármore, seus neons e seus repuxos, suas arquiteturas delirantes e espetaculares, onde se passa das pirâmides egípcias aos canais de Veneza ou à Torre Eiffel. O cerne do dispositivo não oculta seu aspecto comercial: tudo é organizado em torno do dólar, que reina incontestе no verde do feltro dos cassinos e no tilintar dos caça-níqueis. Ali você está num imenso shopping center voltado para a diversão e, ao mesmo tempo, saboreia o triunfo delicioso e ofuscante da era do falso.

O tempo suspenso

Aliás, podemos detectar, na experiência que a visita a um shopping center proporciona, algo que provém de uma atitude turística: as pessoas vão lá para se divertir e descobrir novidades sem risco. O lugar é concebido para isso: oferecer um espetáculo, um desfile lúdico, destinado a ocupar o tempo. Há certamente uma dimensão mais chique e distinta na experiência da visita a uma loja de departamentos: a loja de departamentos tem o brilho do teatro, o espetáculo do luxo, a magia de uma festa consumista menos popular. Sua estética é eufórica, proporcionando o maravilhamento, a febre, o estonteamento, todas as sensações descritas com tanta justeza por Zola. A do shopping center é mais fria, anônima, impessoal, oferecendo à guisa de decoração apenas uma forma de simulacro. Esse cenário aberto a todos, socialmente indeterminado, proporciona uma experiência particular do tempo que lhe é própria: um tempo acrônico, sem relógio (em geral, não há relógio nos malls), um tempo suspenso, em que se mata o tempo, como num aeroporto, antes de voltar ao tempo real, o do embarque no avião ou o da saída para a avenida em que se é tragado pela multidão e os barulhos da cidade. O shopping center é como uma bolha, como um hiperespaço que se conjuga com um não tempo, para criar um universo sedoso e flutuante. Algo que, depois da febre da loja de departamentos, poderia representar uma etapa intermediária, como uma ausência de gravidade, em direção ao estágio posterior, aquele que a fase presente e vindoura do capitalismo hipermoderno oferece: o comércio virtual, na web, onde os sites digitais é que são estetizados e onde a perambulação e o namoro das vitrines cedem a vez à "navegação" eletrônica.

CINEMA E MÚSICA: O NASCIMENTO DAS ARTES DE CONSUMO DE MASSA

A indústria do cinema

Entre os diversos dispositivos voltados para o consumo estético-emocional que a era industrial instaura, o cinema aparece como outra figura exemplar. De todas as formas de expressão artística, é a única que exprime sua natureza propriamente estética num sistema de produção industrial e de distribuição comercial: sua história não é outra que a história do sistema econômico em que surge. De fato, seu nascimento coincide com o advento da era industrial. Arte técnica, ele procede por invenções tecnológicas e patentes, que estruturas industriais, financeiras e comerciais possibilitam explorar. Charles Pathé e Léon Gaumont, ao mesmo tempo operadores, comerciantes, industriais, desenvolvem suas empresas não apenas difundindo os filmes que produzem, mas vendendo os aparelhos que os projetam no mundo todo. Na véspera da guerra de 1914, a Pathé equipa 90% das salas na Bélgica, 60% na Rússia, 50 % na Alemanha, e exporta seus filmes para os Estados Unidos, muito embora, aí, o cinema logo constitua uma indústria, a fim de alimentar um mercado particularmente vasto. Contam-se então várias centenas de salas na França e mais de 10 mil do lado de lá do Atlântico.

Nos Estados Unidos, resolvida a guerra das patentes, com a vitória do procedimento Edison sobre o dos irmãos Lumière, empresários de visão em busca de um novo território econômico fundam companhias destinadas a ganhar uma extensão fulgurante: Zukor cria a Paramount; Fox, a Fox Film; Laemmle, a Universal. E a instalação na Califórnia — onde a Vitagraph se fixa em Santa Monica em 1911, antes de um povoado indígena, Hollywood, acolher a Paramount em 1913, depois a Fox em 1917 — vai permitir o desenvolvimento de várias companhias e estúdios, alguns dos quais logo se impõem como *majors*. Em 1920, cerca de 750 longas-metragens são produzidos no país, a grande maioria em Hollywood. Seis sociedades produzem, só elas, a metade desses filmes. Agrupamentos, conformes à lógica capitalista, fortalecem ainda mais algumas delas: é o caso da Metro-Goldwyn-Mayer, que nasce da fusão da Goldwyn com a Metro em 1924, ou da Fox, que fusiona com a Twentieth Century Films em 1935.

Essas estruturas industriais e comerciais instaladas na Hollywood dos anos 1920-30 vão continuar sendo praticamente as mesmas até o advento, nos anos 1970, da que será chamada "a nova Hollywood", e ainda mais até as novas reconfigurações e reestruturações financeiras que assinalaram nas décadas seguintes o hipercinema, tal como a fase III do capitalismo artista o desenha hoje. Na realidade, o desenvolvimento do cinema se dá de maneira regular ao longo das duas primeiras fases, sendo as mudanças que provocam uma inflexão em sua história essencialmente de ordem técnica: a passagem ao cinema falado nos anos 1930, a generalização da cor a partir de 1935-40, a invenção do Cinemascope no início dos anos 1950.

O sistema de produção-distribuição que, dando continuidade ao sistema edificado no decorrer do período do cinema mudo, se traduz pelo poder dos grandes estúdios hollywoodianos continua sendo amplamente dominante. É o momento em que as "Big Five" — Metro-Goldwyn-Mayer, Paramount, Twentieth Century Fox, Warner Bros. e RKO — impõem sua lei deixando às outras companhias — as "Little Three", Universal, Columbia e United Artists, além das numerosas sociedades independentes — apenas uma produção marginal. As *majors* submetem a criação a um sistema de fabricação em série, que nos anos 1930 lhes possibilita lançar em média um filme por dia. Entre 1930 e 1950, Hollywood produz entre quatrocentos e quinhentos filmes por ano, o que é certamente um recuo em relação aos novecentos ou mil filmes anuais produzidos na época do cinema mudo. Mas os tempos mudaram com o advento do cinema falado, que coincide com a crise de 1929. Em 1929, Wall Street havia investido 200 milhões de dólares nos filmes de Hollywood: em 1933, o investimento cai para 120 milhões.

Para reagir, as grandes companhias desenvolvem a produção de filmes ditos "B", de orçamento reduzido e filmagem rápida. E inauguram a fórmula de comercialização do *block-booking*, impondo a seus clientes, em particular estrangeiros, uma espécie de cesta, em que um grande filme é acompanhado por vários filmes B, que fazem obrigatoriamente parte do lote. Do mesmo modo, para lutar contra a questão da língua, que não existia na época do cinema mudo, e para fazer face às veleidades dos cinemas nacionais que se insinuam nessa brecha, os estúdios começam a realizar versões em língua estrangeira dos filmes originais produzidos em Hollywood, com a mesma mise-en-scène e nos mesmos cenários, simplesmente mudando o elenco, antes que a técnica da dublagem viesse facilitar novamente as exportações.

As consequências da crise financeira levaram, principalmente, a que as grandes companhias se vissem na necessidade de apelar para a alta finança, notadamente para as grandes potências de Wall Street: Rockefeller, Morgan, DuPont de Nemours, General Motors…, que se tornam integrantes do império hollywoodiano. A produção passa cada vez mais para o controle dos financistas, que acentuam o poder das *majors*: em meados dos anos 1930, as "Big Five" totalizam 88% do faturamento (65% dos quais realizados pelos três estúdios dominantes: Paramount, Warner e MGM). Com 4 mil salas, elas dominam a exibição, monopolizando com as "Little Three" 95% da distribuição. As oito companhias se agruparam na Motion Picture Producers of America, amplamente controlada por Wall Street. Esse poder é tão avassalador que a Suprema Corte o ataca, acusando-o de infração às leis antimonopólio. É aberto um processo antitruste contra a Paramount, que resulta em 1948 no pedido feito às cinco *majors* para renunciarem a seus circuitos de exibição.

Logo depois da Segunda Guerra Mundial, a fase II traduz um abalo do sistema, que em alguns anos vai ter de se adaptar a novas condições assinaladas pela chegada, nos anos 1950, da televisão, que logo se revela um concorrente temível para o cinema. Em Hollywood, a produção começa correlativamente a cair, passando de trezentos a quatrocentos filmes, no início dos anos 1950, a 156 em 1960, seu nível mais baixo. O número de espectadores também acompanhou a queda: se eram 325 milhões por mês em 1945 (ano recorde), não são mais que 200 milhões em 1955, 120 milhões em 1960, 80 milhões em 1965.

No mesmo momento, na virada dos anos 1950-60, uma nova geração de cineastas vem contestar em várias partes do mundo o próprio sistema: Free Cinema na Inglaterra, Cinema Novo no Brasil, cinema contestatório na Europa Oriental, Nouvelle Vague na França, esta, particularmente emblemática da vontade de criar fora dos padrões de produção, para inventar um cinema mais livre, fundado em estruturas menos pesadas e dando prioridade ao "autor" e a seu trabalho de criação, e não à lógica econômica do produtor. Uma modernidade modernista e emancipadora[64] vem redesenhar progressivamente o edifício. E a chegada dos "neo-hollywoodianos" dos anos 1970 vai traduzir essas mudanças na própria paisagem hollywoodiana.

Mesmo assim, e ao longo de toda essa fase II, o cinema continua em essência sendo o que é desde os anos 1930: uma arte de massa, realizada por grandes cinemas nacionais — francês, alemão, italiano, inglês, russo, indiano —, mas dominada pela produção americana, a qual é concebida industrialmente para fazer o mundo inteiro sonhar. E embora experimente algumas dificuldades para enfrentar as novas condições, a máquina hollywoodiana sabe encontrar saídas: o Cinemascope, o 70 mm e seu grande formato ou ainda a *runaway production*, que leva a deslocar as produções e as filmagens para os grandes estúdios estrangeiros, em particular europeus.[65]

A sétima arte

Indústria, o cinema logo é sentido como uma arte, e como tal praticado.[66] Na época em que a nova invenção é mostrada de início em barracas de mafuás e cervejarias populares, onde é considerada um espetáculo popular igual à lanterna mágica ou ao número de circo, não demora para que muitos intelectuais, artistas, gente ligada à cultura vejam no cinema uma invenção fundamental, capaz de ser no século que se inicia o que a imprensa havia sido na Renascença. Em 1907, inicia-se um movimento que chama os grandes nomes do teatro e da literatura para desenvolver o potencial artístico de que o cinematógrafo é portador. Nasce assim a "Film d'Art", dos irmãos Lafitte, produtora em que se encontram gente como Victorien Sardou, Camille Saint-Saëns, Jules Lemaître, Sarah Bernhardt, escritores, músicos, grandes atores de teatro. Foi ela que produziu e realizou em 1908 o primeiro filme francês que se apresentava abertamente como "artístico", *O assassinato do duque de Guise*. O mesmo movimento voltado para a arte arrebata a Itália, onde as primeiras produtoras criadas em Turim e em Roma lançam seus *Macbeth, Garibaldi, Don Carlos, Otelo, Galileu, Nero*, e onde nasce o culto da "diva", prefiguração da estrela. Em Hollywood, David Wark Griffith leva a uma indústria ainda trôpega a amplitude artística de grandes filmes épicos: *Nascimento de uma nação* (1915) e *Intolerância* (1916) dizem que o cinema pode abordar grandes temas e suscitar emoções estéticas com uma linguagem nova que lhe é própria, tal como as outras artes fizeram ao longo dos séculos.

Essa afirmação do cinema como "sétima arte", conforme o qualifica o crítico italiano Ricciotto Canudo nos anos 1910, a própria história não vai deixar de confirmar no decorrer do século. Com efeito, o fato de o cinema se dirigir a um vasto público não impede em absoluto que ele mostre ambições estéticas: do futurismo ao expressionismo, do realismo ao surrealismo, das vanguardas às formas oriundas da contracultura, não há uma só grande corrente artística que não tenha encontrado sua tradução em filmes. Impondo-se como a principal diversão popular nos anos 1930, o cinema manifesta permanentemente intuitos artísticos que crescem à medida que ele vai criando sua história, que criadores poderosos — Chaplin, Renoir, Welles, Godard — contribuem para enriquecer sua linguagem, que uma efervescência criativa, particularmente sensível nos anos 1950-70, vê emergir universos tão diversificados e ricos quanto os de Antonioni, Losey, Buñuel, Truffaut, Visconti, Fassbinder…

Sua força narrativa, sua maneira de se apropriar dos mitos para lhes dar uma expressão em fase com a época,[67] e essa magia que ele faz surgir e que Céline soube traduzir, quando o protagonista de *Viagem ao fim da noite* a descobre, maravilhado, numa sala da Broadway:[68] o cinema, é evidente, se impôs como arte ao mesmo título que as demais. E se quiséssemos erigir o panteão dos artistas do século xx, como não incluir nele Eisenstein, Lang, Bergman, Fellini, Kurosawa, Kubrick e tantos outros cineastas maiores, criadores de formas e portadores do imaginário?

A dimensão estética da sétima arte tem no entanto a particularidade de não se reduzir a um cinema de autores, criadores elitistas cuja obra seria reservada a um público restrito, único capaz de alcançá-la intelectual e culturalmente. O cinema se apresenta de saída como uma arte de massas, destinada a se dirigir às multidões: uma arte para todos, em que todos podem encontrar a felicidade da evasão. E está sem dúvida aí a especificidade dessa nova arte: oferecer a um público cada vez mais amplo, de todas as idades, países, classes sociais, um conjunto de filmes que, ao lado das obras-primas incontestes, necessariamente limitadas, e da massa indiscriminada da produção em série, com fins abertamente comerciais, apresenta uma qualidade artística razoável. Em algumas décadas se constitui uma filmoteca imaginária capaz de rivalizar com o templo secular da cultura literária que é a biblioteca. O homem de bem do século xx forma sua cultura e sua sensibilidade não apenas em contato com as obras magnas dos cineastas maiores, mas também com a frequência incansável a esses filmes "médios" que contam a vida, o amor, a morte, a guerra, a felicidade, que fazem chorar com Frank Borzage, dançar com Busby Berkeley, tremer com Michael Curtiz, encantar-se com Vincente Minelli, arrepiar-se com Georges Franju, indignar-se com André Cayatte, rir com Totò: todos esses filmes incontáveis, os mais bem-sucedidos dos quais figuram à sombra das obras-

-primas enquanto a grande massa pertence à "segunda fileira" da estante, como se diz dos livros, fileira nada desprezível em termos de arte e que, como os livros que nela se encontram e que formam, na realidade, a imensa maioria da produção literária de qualidade, constitui o próprio fundo de uma cultura. Tanto a popularidade como a difusão da sétima arte vêm, na verdade, ao longo do século, contribuir para desenvolver o olhar estético das massas, igual ou mais do que a literatura.

Padrão e singularidade

Esse verdadeiro espírito de uma arte que se dirige a todos aparece com a vontade que mostram os produtores e diretores de oferecer filmes facilmente identificáveis por um público que ainda não sabe direito o que é esse novo meio de expressão. Daí a ideia de recorrer às formas canônicas que regem a narrativa literária e a ação teatral: os gêneros. De saída, o cinema se vincula aos grandes modelos narrativos e às grandes formas dramatúrgicas: a epopeia, a narrativa histórica, o vaudevile. O cinema americano, em particular, dá aos gêneros uma importância primordial, que possibilita ao grande público reconhecer e identificar facilmente o que lhe é proposto. A codificação dos gêneros intervém desde os anos 1920 e determina as estratégias de produção: a comédia sentimental, o melodrama, o filme de guerra, o filme de terror, o filme histórico, o filme de época, o filme de gângsteres e o gênero que transforma em lenda a própria história do país: o western. Os gêneros se enriquecem ainda mais com o cinema falado, depois com a cor, mas também com o contexto social e político: aparecem assim, antes e depois da Segunda Guerra Mundial, a comédia musical, o policial, o filme de aventuras... Os estúdios contratam diretores capazes de passar de um gênero a outro, como Howard Hanks ou Raoul Walsh, ou especializam alguns de acordo com seu talento particular, como John Ford no western ou Cecil B. DeMille no filme histórico espetacular. A própria história das *majors* está amplamente ligada à notoriedade que cada uma adquire neste ou naquele gênero de que ela faz uma especialidade: assim, a MGM e suas grandes comédias musicais ou os filmes policiais da RKO.

Para pôr em prática esse cinema estruturado por gêneros codificados, Hollywood atrai um grande número de escritores europeus e americanos, que têm de trabalhar em limites rigorosos de tempo e ceder por contrato seus direitos autorais. No âmbito do *studio system* que se desenvolve entre as duas guerras, se exerce uma intensa especialização das tarefas, bem como uma fabricação em série dos filmes, que tem uma analogia estrutural com a organização tayloriana industrial, típica das fases I e II. O tempo de escrita dos filmes, assim como o de sua realização (algumas semanas), é estabelecido de antemão; os autores permanecem anônimos; a escrita do filme se efetua no âmbito de uma divisão estrita do trabalho entre roteiristas, dialoguistas, adaptadores; o filme deve durar cerca de uma hora e meia; a narrativa deve ser simples e imediatamente compreensível por todos; os personagens são fortemente estereotipados; uma vez terminados, os filmes são testados em sessões de pré-estreia, a fim de avaliar a reação do público e retrabalhar a montagem. Desse ponto de vista, o cinema se impõe como uma arte comercial que, baseada num trabalho, por assim dizer, em linha de montagem, fabrica filmes em série: entre 1934 e 1941, cada grande estúdio produz a cada ano uma centena de filmes.

No entanto, esse processo de padronização industrial encontrou logo de saída seus limites na medida em que nunca deixou de se unir a uma lógica de inovação e de criação de produtos personalizados ou singulares. Ao contrário do que afirmam Adorno e a Escola de Frankfurt, o cinema não pode ser reduzido apenas à realidade do *business* que fornece "em toda parte bens padronizados", em que todos "os detalhes são intercambiáveis" e em que "o resultado é a reprodução constante de cópias fiéis".[69] Ao contrário dos objetos seriais fabricados pela indústria manufatureira, os roteiros dos filmes são sempre únicos; são protótipos, produtos incomparáveis. Cada filme aparece como um misto de padrão e originalidade, convenção e singularidade, estereótipo e novidade, com o que se afirma a dimensão artista do capitalismo cultural. Criando tais produtos híbridos, o capitalismo artista inventou a indústria moderna do *entertainment*, que funciona na verdade como a moda, com seus modelos que mudam o tempo todo, apresentando pequenas ou grandes diferenças. O modelo do cinema não é a fábrica, mas a moda moderna. Claro, pode-se dizer que, com o cinema, a cultura tornou-se industrial, mas essa indústria, por meio da multiplicidade e da renovação permanente de seus protótipos, foi pós-fordiana avant la lettre. Assim, a produção cultural no capitalismo artista nunca foi, de fato, análoga à dos produtos manufaturados.[70] E no tempo do capitalismo artista hipermoderno é a produção material que se organiza cada vez mais como a produção cultural de que o cinema foi a forma prototípica.

Star-system

À tipologia dos gêneros se soma outra lógica que contribuiu para construir a arte comercial do cinema: o star-system. A estrela é uma invenção de estúdio, inteiramente concebida e fabricada por essa "fábrica de sonhos"[71] que é Hollywood. De fato, é por volta de 1910 que se estabelece o star-system. Até então, os filmes eram projetados sem menção ao nome dos intérpretes e dos diretores, pois os produtores temiam que as estrelas se valessem da sua popularidade para exigir cachês mirabolantes. Mas bem depressa a indústria do cinema viu na celebridade dos atores a chave indispensável para o sucesso comercial dos filmes. "Construímos a indústria moderna do cinema com base no star-system", declara Adolph Zukor, fundador da Paramount. Todo um trabalho estético e publicitário é sistematicamente empreendido pelos estúdios para produzir e lançar estrelas, que constituem um investimento capaz de proporcionar imensos lucros. O sistema chega ao apogeu nos anos 1930 e 1940, no momento em que as estrelas, ligadas por contrato de longo prazo aos estúdios, são consideradas propriedade comercial destes: em 1939, a *Fortune* falava em 26 estrelas da MGM, no momento em que cada estúdio fazia brilhar suas estrelas mantidas sob contrato. Nesse contexto, salvo exceção, as estrelas não têm o direito de filmar para outros estúdios, nem o de escolher os filmes em que atuariam.

A estrela se impõe como um "produto" estético total: todo um exército de especialistas — cabeleireiros, maquiadores, roupeiros, esteticistas, nutricionistas, fotógrafos, iluminadores — é convocado para transformar a aparência física da estrela em imagem sublime. Criações artificiais, as estrelas femininas clássicas sempre estão elegantemente vestidas, penteadas e maquiadas de forma estudada, oferecem uma imagem de perfeição ideal da feminilidade associada ao glamour, ao sexy, ao luxo, à opulência. Como diz Dyer, "a imagem geral da estrela pode ser vista como uma versão do sonho americano, organizado em torno dos temas do consumo, do sucesso e da banalidade".[72] Inventam-lhe um nome, se o dela não convém; inventam-lhe também uma vida privada e uma existência romanesca capazes de fazer sonhar; tiram até sua voz, dublando-a, como no caso de Rita Hayworth, cuja voz a Columbia acha "sugestiva demais".

Mas a construção propriamente dita da estrela se dá a partir do momento em que essa figura vai além do papel que ela faz no filme. É então que se estabelece uma estratégia de comunicação, sustentada por uma imprensa especializada em plena expansão[73] e pelos bilhetes das "comadres de Hollywood", Louella Parsons, Hedda Hopper, que transmitem confidências, fofocas, rumores, furos de reportagem, fazendo do *gossip* o que era a arte da conversa na época dos salões. A estrela é essa figura moderna cuja popularidade é inseparável da "imagem extracinematográfica"[74] criada e veiculada por jornalistas especializados e pelas mídias de massa. Ídolo da tela, verdadeiro ícone, a estrela aparece como uma realidade entre figura pública e figura privada, entre imagem fílmica e imagem pessoal.

A criação da estrela não deixa de ter relação com a era industrial fordista e com o marketing de massa. Primeiramente, cada estrela é construída como uma "marca", facilmente reconhecível por características invariantes, e ilustra um tipo imediatamente identificável, um arquétipo que faz sonhar tanto os homens como as mulheres. Triunfa assim a figura da *vamp* com Mae West, da jovem ingênua com Mary Pickford, do aventureiro elegante com Douglas Fairbanks, do vagabundo com Carlitos, do *latin lover* com Rodolfo Valentino, da melindrosa com Louise Brooks. A estrela é um modelo singular que, em filmes diferentes, se manifesta idêntica a si mesma como um mesmo "produto". Depois, o star-system seguiu o caminho propriamente "industrial" da série, isto é, da cópia dos grandes modelos. Não demora para que, em Hollywood, os grandes estúdios se empenhem em lançar produtos de substituição das estrelas de sucesso a fim de preencher o vazio que seria o eventual declínio destas. E nos anos 1950 esse processo de reprodução se realiza em numerosos exemplares. Assim, Marilyn Monroe deu origem a toda essa série de "cópias" de que são ilustração Mamie Van Doren, Diana Dors, Sheree North, Anita Ekberg, Jayne Mansfield.[75]

Não obstante, a criação das estrelas se fez acompanhar por tamanho fervor que vários autores puderam falar, a esse respeito, de uma nova forma de religiosidade ou de um sucedâneo da religião.[76] Na verdade, o cinema não criou uma forma modernizada de religião, mas um culto de novo tipo: o culto transestético das celebridades.[77] Por um lado, é de fato impossível separar a idolatria às estrelas da sua beleza deslumbrante, uma beleza que fascina e pode favorecer o amor, as condutas de admiração e de veneração: como escreve Edgar Morin, "a beleza muitas vezes é uma característica, não secundária, mas essencial da estrela [...]. A beleza é uma das fontes da estrelidade".[78] Mas, por outro lado, o interesse pelas estrelas é de tipo extraestético, na medida em que se volta para a sua vida pessoal e íntima. O fã sem dúvida se interessa menos pelos filmes em que atua a estrela que ele idolatra do que por tudo o que está fora destes: os gostos pessoais, a vida familiar, os casos amorosos... A atração da beleza, do glamour, da vida pessoal das atrizes, tudo isso se mistura para compor o "culto" moderno das estrelas. É nesse sentido que se deve falar, antes mesmo da época hipermoderna, de um amor transestético pela estrela.

A estrela como obra de arte

A estrela, produção industrial? Evitemos ir longe demais nesse caminho que oculta o que devemos chamar de dimensão *artística* da estrela. Foi dito algumas vezes que as estrelas — tanto como os produtos do capitalismo, centrado na produção e no consumo de massa — eram figuras padronizadas, que cada época criava atrizes que se pareciam pela forma do rosto, do nariz, do cabelo, das pernas. Nos anos 1950, numerosas estrelas exibem longas pernas e seios opulentos: Jayne Mansfield pôde ser qualificada de caricatura da "loura burra", uma espécie de "Marilyn Monroe de hipermercado". Mas, notemos, a imitação não é sinônimo de antiarte: a literatura, a música, as artes plásticas atestam isso, pois nelas a imitação dos modelos pode reger o trabalho artístico. E o fato é que as estrelas se impuseram sobretudo como modelos, protótipos, singularidades: cada qual tem seu brilho próprio, traduzindo a cada vez uma personalidade própria para deslumbrar e conquistar o público. É por isso que a figura da estrela é, sim, uma criação artística, única, quase baudelairiana. Não uma cópia, uma reprodução — o que o poeta detestava, precisamente, na fotografia —, mas uma obra artificialista, bem como uma criação de padrão de beleza. Longe de se parecer com produtos fabris desprovidos de estilo (Adorno), são criações singulares, de extrema estilização. No que se revela a natureza híbrida do star-system e do cinema em geral: econômico e estético, comercial e artista, ele se desenvolve conforme a dupla lógica da padronização e da singularização.

Se a estrela é inteiramente modelada, também é verdade que ela modela o comportamento dos homens e das mulheres. Do mesmo modo que os heróis românticos do teatro e do romance provocaram entusiasmos e revoltas juvenis, suscitaram comportamentos, forneceram modelos de amor e de ação, a estrela também gerou atitudes miméticas relacionadas à moda, aos cabelos, à maquiagem, às maneiras de flertar, de se comportar. A estrela se impõe como modelo cultural e estético: se ela estetizou o imaginário, também estetizou as maneiras de ser e de se comportar, de se ver e de ser visto. Verifica-se novamente a tese de Oscar Wilde: "A vida imita a arte muito mais que a arte imita a vida". Só que essa arte viva foi o capitalismo que tornou possível e que a desenvolveu.

Com a estrela, o cinema engendra inegavelmente um "produto" destinado a ser consumido, mas o que cria é sonho, fascinação, desejo, beleza, emoção. Através da estrela, é o corpo humano que ele sublima, transfigura, "sobrenaturaliza" (Baudelaire): uma criação de arte, uma estilização sem limite, uma artificialização absoluta do ser humano tanto quanto a modelo e o dândi.[79] A estrela e a modelo são as Galateias do capitalismo artista: juntas são a obra de um trabalho de artealização total. Mas se a beleza da modelo é uma beleza de "morta-viva", de estátua[80] ("Sou bela, ó mortais, como um sonho de pedra"), de ser anônimo, desencarnado, privado até mesmo do olhar pessoal ou expressivo, a da estrela é "superpersonalizada"[81] e hipererotizada. Uma obra de arte, com um olhar profundo, uma sensibilidade expressiva, uma alma. Mas em ambos os casos o capitalismo artista está na origem de uma criação de beleza por excesso, uma estetização hiperbólica da aparência humana.

Todo o processo que produz a estrela tem em vista, na verdade, criar uma beleza, distinguindo-a das outras figuras estelares mas também dos mortais, para lhe dar uma forma de imortalidade. Em sua forma mais acabada, aquela assumida pelas grandes estrelas do cinema mudo e dos anos 1930, ela suscita uma adulação que se transforma em quase adoração. Elevadas à categoria de ídolos, elas veem sua imagem se difratar infinitamente, como a de Rita Hayworth capturada nos múltiplos reflexos de um labirinto de espelhos e implorando — frase simbólica, que lhe garante a imortalidade — "I don't want to die", no último plano de *A dama de Xangai*, ou como Louise Brooks morrendo no fim de *Miss Europa*, enquanto, eterna, sua imagem de sombra e de luz continua a viver na tela. Com o que, mais uma vez, a estrela revela seu parentesco com a obra de arte "imperecível". Não uma representação pictural, nem uma escultura, mas, ainda assim, uma obra de arte que continua a viver no coração dos homens muito depois do desaparecimento do seu invólucro terrestre. O sonho, com Greta Garbo, era de celuloide inflamável: ainda assim, ele continua vivo. Não Norma Jean Baker, a mulher de carne e osso que a idade teria inevitavelmente alcançado para reduzi-la à velhice comum, mas Marilyn, o ser de luz modelado por criadores de mitos, fazendo para sempre seu vestido branco esvoaçar sobre um respiradouro de metrô.

Astúcia da razão: o capitalismo artista que não para de fabricar em grande escala espuma midiática, divertimento passageiro, imagens e espetáculos feitos para não durar, criou no entanto, com a estrela, a permanência, uma beleza que não morre, que possui, para retomar a expressão de Hannah Arendt, "uma imortalidade potencial". Uma nova iconicidade tomou seu lugar no desfile legendário das figuras míticas: uma autêntica obra de arte.

A música na era da indústria de massa

Muito comparável com o desenvolvimento do cinema e aliás ligada a ele por laços ao mesmo tempo industriais e artísticos, a música gravada, outra forma de arte industrial, muda radicalmente a situação do mundo musical. Até então limitada ao instante da sua interpretação, a obra, graças à gravação, se vê subitamente fixada num suporte que possibilita sua escuta contínua, repetitiva, praticamente sem fim. Ela se abre, com isso, a um público imensamente mais vasto do que as pessoas presentes ao concerto, privado ou público, que eram seus únicos ouvintes.

Como no caso do cinema, uma invenção técnica está na origem desta revolução radical, que alcança aqui uma arte imemorial, e esta descobre de repente possibilidades insuspeitadas. Quando concebe seu fonógrafo, nos anos 1878-80, Edison prevê como principal utilização do seu aparelho a gravação e a reprodução da voz humana, a fim de conservá-la na forma de arquivos sonoros. Mas os industriais que se apoderam da invenção logo se dão conta de que aquilo não bastava para garantir seu futuro comercial. A ideia de utilizá-la para gravar a música se impõe rapidamente, tanto que a concepção de um aparelho mais leve, que substitui os primeiros aparelhos de uso público, transforma o fonógrafo em equipamento doméstico, abrindo assim um imenso mercado.

Dos Estados Unidos a nova indústria se espalha por todo o mundo, notadamente na França, onde empreendedores como Charles Pathé logo pressentem todas as potencialidades de exploração. Constituem-se grandes firmas que exploram os dois sistemas de escuta coexistentes então, o cilindro e o disco de 78 rpm, antes que este imponha seu padrão no curso dos anos 1910. O início do século xx assiste assim à dominação de cinco grandes firmas: Edison, Columbia e Victor nos Estados Unidos, Pathé na França, e o grupo anglo-alemão Gramophone Berliner. Na véspera da guerra de 1914, elas vendem 50 milhões de cilindros ou discos, e isso no mundo inteiro, através de uma rede de sucursais que penetra inclusive nos países mais distantes, completada por firmas independentes, como a Nichibel e a Tochiku, no Japão.

Indústria verdadeiramente planetária, a música gravada constitui, pela primeira vez na história da humanidade, uma gigantesca sonoteca, cuja amplitude os catálogos das grandes firmas atestam: em 1912, a Pathé oferece 20 mil títulos. Isso não só favorece as obras do repertório e a diversidade das músicas (erudita, ópera, jazz, variedades, folclore), mas, de acordo com um sistema comparável ao do cinema, propicia o lançamento de verdadeiras estrelas, que asseguram a notoriedade da marca: em 1904, a Victor assina contrato com o tenor italiano Enrico Caruso, que gravará quase quatrocentos discos até sua morte, em 1921, e se tornará a primeira estrela mundial da história do disco.

O aperfeiçoamento das técnicas, em particular a passagem, em 1924, à gravação elétrica, fazem a música penetrar num número crescente de lares, inclusive operários.[82] Em 1929, são vendidos 150 milhões de discos nos Estados Unidos, 30 milhões na Inglaterra e na Alemanha, 10 milhões na França, mas também no Japão, Brasil, Argentina, Finlândia (1 milhão em 1929). Depois do marasmo dos anos 1930, a situação se restabelece: em 1940, a produção americana, que caíra para 15 milhões de discos vendidos em 1932, sobe para 127 milhões.

As três décadas que se seguem ao fim da Segunda Guerra Mundial marcam uma mudança na produção, difusão e apropriação das obras musicais. Caracterizando-se por uma prosperidade sem precedentes para a indústria do disco, elas constituem o que Ludovic Tournès chama de "Trinta Gloriosos Anos do microssulco".[83] Correspondem muito exatamente ao que chamamos de fase II do capitalismo artista, a que vê se desenvolver, no domínio da música gravada, um novo suporte: o microssulco que, em 33 ou 45 rpm, vai encontrar no novo público constituído pelos jovens um terreno de implantação particularmente fértil. Até o fim dos anos 1970, a indústria mundial do disco experimenta um crescimento excepcional, de 10 a 20% por ano. Nos Estados Unidos, das 250 milhões de unidades produzidas em 1946, passa-se a mais de 600 milhões em 1973. Em 1975, o mercado mundial é estimado em 1,5 bilhão de microssulcos vendidos. Surgem novas firmas importantes (Philips, Barclay, Vogue), acompanhadas por centenas de pequenos selos que servem de laboratório para os jovens artistas ou para as músicas diferentes. Com os Trinta Gloriosos, a música se tornou verdadeiramente um produto de consumo de massa.

Ao mesmo tempo, enquanto uma larga proporção de jovens possui um eletrofone e pode ouvir nos rádios de pilha, que se generalizam, a música de sua escolha, a escuta coletiva ou familiar recua em benefício de uma apropriação individual da música. A partir dos anos 1950 e sobretudo 1960 generalizou-se o "indivíduo ouvinte":[84] com a formidável expansão do mercado do disco, com o rádio de pilha e o toca-discos, com os programas de rádio visando o público jovem, a fase II do capitalismo artista tornou possível o aumento do tempo de música disponível bem como uma individualização das práticas de consumo musical. Trata-se de uma individualização que não se reduz a uma privatização solipsista, a tal ponto a música se torna um vetor central da cultura e da identidade dos jovens. A indústria musical favoreceu ao mesmo tempo uma dinâmica de individualização e novas formas de identificação e de socialização juvenis.

Mas, nesse contexto, o modo de percepção da música também muda. Com a multiplicação da oferta musical e sua democratização, desenvolveu-se uma experiência de tipo distraído, ligeiro, indiferente: a música gravada tende a provocar o que Walter Benjamin chama de "recepção na distração", na diversão e na escuta flutuante. Ocorre aqui como no cinema: a experiência aurática de autenticidade cede lugar a um novo regime de experiência estética destradicionalizada, móvel e passageira, alinhando-se com o consumo comum. Mais tarde Marcuse falará de "dessublimação controlada" das obras de arte.[85]

Dessacralização, banalização, perda da aura? No entanto esses processos não são os únicos em jogo, a tal ponto a música é acompanhada por novas formas de culto, de paixão, de efervescências coletivas. O capitalismo artista, por meio das técnicas de reprodução musical, intensificou os gostos musicais e desenvolveu a sensibilidade musical de um número crescente de pessoas, engendrou verdadeiras idolatrias, beirando às vezes a histeria, entre os jovens. Na sociedade da racionalidade tecnológica, do desencantamento da arte e da música comercial, continua-se a ouvir "religiosamente" os novos ídolos. Armado de suas técnicas de reprodução (cinema, discos), o capitalismo, mais do que provocar o declínio da aura das obras, suscitou novos ídolos, novas ambiências e figuras mágicas.

Contrariamente à tese sustentada por Benjamin, a multiplicação ao infinito das reproduções técnicas do som e da imagem não faz desaparecer a aura própria do original, mas aumenta o valor de autenticidade deste, criando excepcionais efeitos de presença, uma nova densidade do mundo da música e da imagem, uma sensação inédita de intimidade com as estrelas. Não há idolatria dos artistas sem os instrumentos materiais de reprodução e de difusão do som e da imagem: a gravação da música e a repetição do seu consumo é que proporcionaram as condições materiais do advento dos ídolos do show business. Como frisa Nathalie Heinich, as estrelas "não são reproduzidas porque são estrelas, mas são estrelas porque são reproduzidas".[86]

Mas esse amor moderno pelos astros e estrelas da canção não resulta apenas das inovações tecnológicas na reprodutibilidade e na difusão da música: ele está ligado a um imenso trabalho de gerenciamento da imagem e de operações de promoção orquestradas pelos profissionais do show business. O caso de Elvis Presley é paradigmático a esse respeito: com a criação de um fã-clube de 200 mil membros, a fabricação de produtos derivados, a utilização da sua imagem na publicidade, suas apresentações na TV, seus grandes concertos, seus pôsteres, fotos e filmes, Elvis Presley foi construído pelo "coronel" Parker como uma imagem de marca comercial, como uma "obra-prima de gerenciamento, incessantemente repensado, retrabalhado, retocado como uma escultura, uma peça de mármore nunca acabada e que seu autor remodel[ava] continuamente de acordo com as modas artísticas e os gostos da hora".[87] Foi essa imagem fabricada pelo marketing que tornou possível a relação passional dos fãs com seu ídolo.

Nesse contexto, a geração do *baby-boom* se tornou uma clientela-alvo predominante: seu poder aquisitivo estimado, na França, era de 5 bilhões de francos em 1966. Seus gostos alteram diretamente a produção. Os fenômenos do rock americano, do pop inglês, mas também dos novos ritmos vindos do Caribe, do Brasil, da Índia, que se cruzam com o jazz, assinalam o advento de uma *world music*, ao mesmo tempo que geram estrelas planetárias, verdadeiros ídolos da juventude: Elvis Presley, os Beatles, os Rolling Stones, Bob Marley.

Uma nova linguagem, preparada por esses novos criadores que são os engenheiros de som e os diretores artísticos dos estúdios, e transmitida por intérpretes que o rádio, a televisão, as revistas promovem continuamente, se torna uma língua quase universal: o mundo virou um disco. Fenômeno que não engana: a morte de John Lennon em 1980 é sentida como um luto planetário. Ela traduz simbolicamente o fim dessa fase marcada por uma expansão contínua e por uma efervescência musical rica em toda sorte de criação. A fase III, que se abre em 1982 com o aparecimento do CD e prossegue com a crise desencadeada pelo desenvolvimento do compartilhamento de arquivos na internet, vai assistir a reviravoltas de grande amplitude. Mas estas vão acentuar e extremar a amplitude adquirida pela música na cultura coletiva, atestando, tanto quanto o cinema, a contribuição artística e cultural fundamental de uma produção industrial gerada pelo capitalismo.

DO RECLAME À PUBLICIDADE

Outro setor, ligado à emergência das primeiras formas do capitalismo de consumo, abre um novo espaço, essencial, para o imaginário estético do universo do mercado: a publicidade. Em algumas décadas, a publicidade, por intermédio do cartaz, passou do domínio de objeto utilitário ao de objeto de coleção de qualidade artística. Inspirando-se nas grandes correntes artísticas (art nouveau, futurismo, cubismo, construtivismo) e adaptando-as às novas exigências da comunicação comercial, o reclame inventou a "arte publicitária".

A primeira era da publicidade moderna

Com o advento dos grandes mercados nacionais e dos produtos padronizados fabricados em série multiplicaram-se as marcas de dimensão nacional que se empenhavam em construir e desenvolver sua notoriedade. O meio mais eficaz de que dispõem para consegui-lo é o reclame e, em particular, o cartaz. Ora, ao contrário da produção, que se abre muito lentamente para o design, o elemento estético logo se mostra um meio fundamental para valorizar produtos e marcas. Da segunda metade do século XIX à Primeira Guerra Mundial, a produção industrial encontra no cartaz sua vitrine comercial e, para tanto, convoca os maiores artistas. Na esteira de Jules Chéret, o verdadeiro inventor dessa nova arte, que gaba os méritos do sabonete Cosmydor, da bicicleta Cleveland, das lojas de departamentos do Louvre, Manet, Bonnard, Vallotton, Toulouse-Lautrec, mais tarde Mucha e o Art Nouveau, depois Steinlen, Willette, Forain, os grandes mestres do cartaz concorrem para dar título de nobreza artística a um suporte com vocação exclusivamente comercial. O capitalismo não criou apenas a pacotilha e produtos insípidos, ele contribuiu para a criação de visuais dotados de qualidades artísticas tão evidentes que continuamos a admirá-los mais de cem anos depois.

Por meio do cartaz, desenvolve-se uma nova estética que, ao contrário do estilo sobrecarregado da produção industrial nascente, exalta a pureza da linha e a simplicidade do traço. Desse ponto de vista, publicidade moderna e design funcionalista participam de um mesmo movimento de depuração, de despojamento estético. No que é apenas a primeira fase do capitalismo artista, e para nos atermos ao que diz respeito ao cartaz, o grafismo que se desenvolve elimina, após 1900, o supérfluo, o excessivo, e todas as circunvoluções formais que prejudicam a visibilidade e o reconhecimento imediatos. Em ruptura com a exuberância bizantina de um Mucha, no início do século XX Cappiello inventa o cartaz verdadeiramente moderno, em que desenvolve o primado da linha a fim de responder aos dois imperativos da eficácia comercial: a legibilidade e a memorização da marca. Mais preocupado com a legibilidade imediata do que com detalhes decorativos, ele escolhe fundos de uma só cor, busca a expressão gráfica, joga com o contraste entre personagem claro (ou escuro) e fundo escuro (ou claro), reduz a mensagem ao essencial numa tipografia simples e arejada e destaca, antes de mais nada, a marca, que torna familiar associando-a, pela repetição sistemática, a um personagem (o pierrô cuspindo fogo do algodão termogêneo) ou a um animal (a zebra do Cinzano).

Esse grafismo que visa à simplificação, muitas vezes reduzido a linhas e esboços,[88] vai dar ao cartaz um lugar de destaque na história das artes decorativas, ao mesmo tempo que impõe as imagens da civilização industrial: as linhas de fuga dos trilhos do *Estrela do Norte*, as estações termais e as curiosidades turísticas, as lojas de departamentos e o cinema, os cigarros e as agências de viagem, e a proa do *Normandie*, que Cassandre projeta em primeiro plano e em câmera baixa, fendendo as águas do Atlântico. Mas também logotipos, símbolos gráficos que, idênticos décadas a fio, criam personagens familiares a todos, imagens de marcas estilizadas e maciçamente memorizadas: o entregador do vinho Nicolas, Bibendum, o boneco dos pneus Michelin, o senegalês do achocolatado Banania, o bebê radiante do sabonete Cadum, a vaca que ri do queijo homônimo, a caribenha do rum Negrita.

Na esteira dos princípios de Cappiello, os grafistas subverteram a comunicação comercial ao mesmo tempo que o espetáculo da rua: Blaise Cendrars qualifica Cassandre de "encenador da rua". Nasceu uma arte publicitária cuja linguagem deve ser eficaz, em constante mudança, falando com todos, espécie de "telegrama dirigido aos olhos" (Paul Colin). No entreguerras, Charles Loupot formula seu espírito: "É preciso surpreender continuamente o olho preguiçoso com um grafismo simples e perfeito". Donde cada vez menos textos, linhas que atraem o olhar e o grafismo da marca que impõe, mais que o produto, a imagem do produto. Mesmo que essa imagem seja mais bela que o próprio produto.

De fato, é um paradoxo, e não dos menores, que, enquanto a fabricação em série continua a ofertar produtos sem graça, em que triunfam modas e estilos sobrecarregados — exotismo, orientalismo, conchas rococó ou volutas Henrique ii —, a representação que a publicidade deles oferece dá uma impressão totalmente oposta: é o caso da inspiração cubista que preside ao cartaz de Loupot, todo em linhas angulosas e em grafismo geométrico, apresentando os móveis da Galeries Barbès, que não têm a mesma sobriedade estilística.

O cartaz deu à publicidade seus títulos de nobreza artística. Mas, paralelamente ao jogo das imagens, ela fez uso de palavras, músicas, ritmos cantados. Assim como o visual se simplificou, as mensagens no entreguerras também adquiriram a forma de slogans concisos que, destinados a se inscrever nas memórias, visavam a um público de massa indiferenciado: "Y'a bon Banania", "Qui dit Radio dit Radiola". A que se somaram slogans cantados num tom alegre, propagandas-refrão, amplamente difundidas nas ondas do rádio. Rimas, quiasmas, hipérboles, metáforas, jogos de linguagem ("Dubo, Dubon, Dubonnet"), aliterações ("André, le chausseur sachant chausser"), repetições rítmicas ("Dop, Dop, Dop,/ Dop, Dop, Dop,/ Tout le monde adopte Dop"), eufonias, eurritmias: o reclame se vale da "função poética da linguagem",[89] suas leis são as mesmas que estruturam a poesia.[90] Instrumento comercial destinado a vender, a publicidade mecanicista que repousa em artifícios mnemotécnicos também é uma figura da arte de massa que utiliza de maneira simples os recursos da linguagem, da poesia, da música, da imagem, uma arte de massa que, tomando o caminho da graça, dos versinhos, do trocadilho, do jogo estético com a linguagem, da alegria bonachona, não necessita de nenhum pré-requisito cultural.

A partir dos anos 1920, a publicidade se torna cada vez mais visível e impressiva, despojada mas também gigantesca: os cartazes são afixados nas paliçadas dos imóveis, nos transportes coletivos, nos postes, nos mictórios de rua, nas árvores. Os anúncios luminosos impressionam os olhos e cadenciam a noite das avenidas urbanas. O tamanho dos painéis aumenta: muitos cartazes se apresentam num formato de três metros por quatro, certas telas pintadas chegam aos 650 metros quadrados. Em 1925, a Torre Eiffel é iluminada com o nome de Citroën, cada letra do construtor de automóveis chegando a trinta metros de altura. A publicidade na fase I do capitalismo se impõe como uma nova forma estética da paisagem urbana, um espetáculo de choque, um dos elementos de decoração e de animação da cidade moderna.

Já se quis ligar o nascimento da retórica das marcas e do reclame ao "déficit de imaginário" das sociedades modernas, assim como à perda da aura dos objetos fabricados em série.[91] A espetacularização da mercadoria é interpretada então como compensação à fraqueza dos mitos modernos[92] e como maneira de "restabelecer a aura" dos objetos destruída pela sociedade maquínica. Tal interpretação não nos parece justa. Primeiro, a modernidade contemporânea da industrialização é tudo menos pobre em imaginário social: muito pelo contrário, é uma época de altas águas mitológicas, como testemunham as grandes utopias sociais, a ideologia do progresso, as ideologias do comunismo, da Revolução, da nação. Além disso, a publicidade não se desenvolveu de modo algum com o propósito de reconstituir a aura pretensamente perdida dos objetos utilitários: lembremos que, vendidos a granel outrora, esses produtos eram dotados de um imaginário dos mais reduzidos. Por sinal, inclusive as marcas de produtos não seriais (filmes, musicais, locais turísticos, navios) fizeram publicidade.

Na verdade, o reclame não veio compensar nenhuma perda, nem preencher nenhuma lacuna imaginária: ele começou a artealizar, a poetizar os bens de consumo de massa. Longe de deitar raízes num déficit cultural qualquer, a retórica publicitária é muito mais o efeito de uma oferta comercial que, graças à indústria, mostrou-se capaz de oferecer produtos em enorme quantidade e a um público de massa. Sem dúvida os slogans não se caracterizavam por uma grande riqueza de conteúdo, mas puderam ser compensados por imagens bonitas, criativas, poéticas. Desse ponto de vista, o desenvolvimento da publicidade moderna não traduz em absoluto um empobrecimento do imaginário, mas o advento de mercadorias mais impregnadas de dimensões simbólicas, de significados imaginários multiplicados; ela é menos um sinal de déficit de sentidos do que início da ludicização e da estetização do discurso comercial.

Uma poesia da rua

Mostrando-se, assim, como uma figura essencial da vida cotidiana moderna, a publicidade não deixa de suscitar o interesse dos espíritos mais aguçados, que logo percebem seu caráter estético. O reclame é exaltado pelo futurismo, que faz dele, ao lado da máquina e da velocidade, o emblema do mundo novo. E os poetas da modernidade lhe dão o valor de estandarte em face do mundo antigo, de que se mostram cansados: "Tu lês os prospectos os catálogos os cartazes que cantam alto/ Eis a poesia esta manhã...", escreve Apollinaire ("Zona", Álcoois, 1912); e Cendrars formula isso de forma explícita: "A publicidade é a flor da vida contemporânea, ela se aproxima da poesia" (*Aujourd'hui*, 1927). Uma poética da cidade nova se alimenta desde então do espetáculo da multidão atraída pelas vitrines, pelos anúncios luminosos que transformam a noite sem brilho dos antigos lampiões em espetáculo fulgurante, o qual Céline descobre no coração de Nova York, ao ir ver "fremirem na palma de [sua] mão [seus] dólares à luz dos anúncios de Times Square, essa pracinha surpreendente em que a publicidade jorra acima da multidão ocupada em escolher um cinema".[93] O cinema, justamente, repercute essa poesia na atmosfera de sombra e luz que os filmes dão ao cenário urbano:[94] eis que é chegado o tempo das "luzes da cidade".

Os debates que suscita essa poesia do contemporâneo, particularmente ligada à publicidade, dizem muito sobre sua aposta estética. Valéry a condena sem apelação: "A publicidade, um dos maiores males deste tempo, insulta nossos olhares, falsifica todos os epítetos, estraga as paisagens, corrompe toda qualidade e toda crítica, explora a árvore, a pedra, o monumento e confunde, nas páginas que as máquinas vomitam, o assassino, a vítima, o herói, o centenário do dia e a criança mártir", escreve ele.[95] Fernand Léger, ao contrário, zombando dos espíritos tíbios que a rejeitam, se rejubila porque, graças a ela, "a arte moderna vai à rua": "Este cartaz amarelo ou vermelho", diz ele, "berrando nesta tímida passagem é a mais bela das razões picturais que há; ele derruba todo conceito sentimental e literário e anuncia o advento do contraste plástico".[96] E os surrealistas encontram nas associações fortuitas que traz o espetáculo das vitrines ou dos cartazes publicitários o território do que Aragon chama de "uma mitologia moderna".[97] Mais que a questão moral da manipulação, é o ângulo estético que alimenta em uns a condenação da publicidade, dos painéis, dos letreiros agressivos das lojas, acusados de desfigurar a paisagem urbana, em outros, ao contrário, a adesão entusiasta ao que consideram uma magia de luzes, um espetáculo inventivo e incessantemente renovado, capaz de provocar emoções artísticas inéditas.

Um novo espírito publicitário

Com o desenvolvimento da fase II do capitalismo de consumo inventa-se um novo estilo em matéria publicitária. A partir dos anos 1960 as agências de publicidade começam a se engajar em campanhas marcadas pelo espírito de criatividade e de anticonformismo. Tornam-se princípios-chave a originalidade, a inovação, o imprevisto (o homem com uma venda negra no olho das camisas Hathaway, o "homem grávido" da campanha dos contraceptivos, o rebanho de carneiros que recompõe o logo da marca Woolmark), às vezes a impertinência e a provocação (*"Bouvez et pissez"* [Beba e mije] da Vittel, *"L'anti tape-cul"* [O antissacolejo] do Citroën G.S.) ou o contrapé (*"Think small"* [Pense pequeno] para o Fusca, em oposição aos sonhos de grandiosidade e potência veiculados pelos carros americanos). Multiplicam-se as campanhas que recorrem à paródia, ao humor (*"Aide-toi, Contrex t'aidera"* [Ajuda-te que a Contrex te ajudará]; *"You don't have to be Jewish to love Levy's"* [Você não precisa ser judeu para amar a Levi's]), ao pastiche (Don Patillo, o padre que aprecia as massas Panzani), à ironia, ao segundo grau: os charutos Hamlet lançam spots malucos e inesperados, o camelo do Camel se exibe com um cigarro na boca.

Jogo com Eros também. Depois das *pin-ups* dos anos 1940 e 1950, o erotismo aparece de maneira cada vez mais sugestiva: os anúncios são mais apimentados do que nunca com imagens e poses eróticas, lábios entreabertos, corpus nus, alusões aos gestos e prazeres sexuais.[98] Eros é apresentado não só como sinal de gozo, mas também de emancipação e de antiburguesismo. Essa sexualização da publicidade e do corpo feminino traduz maior agressividade da comunicação do capitalismo artista, ao mesmo tempo que uma cultura marcada pela flexibilização das convenções e normas morais.

No estágio I do capitalismo artista, o reclame apelava para a memória e para o jogo dos reflexos, por meio do automatismo do slogan e dos artifícios mnemotécnicos. A fase II, por sua vez, começa a produzir no decorrer dos anos 1960-70 propagandas que repousam em outros mecanismos: a argumentação, a sugestão, o humor, a identificação, a implicação, a conivência. Surge um novo espírito publicitário que preconiza a ideia criativa contra a repetição mecanicista do reclame, a participação afetiva do consumidor, não mais a recepção passiva de slogans que se impõem de fora para dentro. De um lado, se desenvolvem campanhas que fornecem argumentos racionais e razões para crer nas mensagens: "Quando você é o segundo, você se esforça para fazer mais" (Avis). De outro, propagandas evocativas ou emocionais criam uma ambiência, uma cumplicidade, uma identificação, um imaginário mitológico em torno do produto: o caubói do Marlboro, arquétipo do homem viril; a mulher emancipada da Dim; o garotinho da Lotus; as campanhas dos Renault R20, R18, R9, com suas imagens sugestivas, sem discurso nem argumentação. Sucedem aos reclames behavioristas os registros da reflexão, da emoção, da cumplicidade, do humor, da provocação, do mito, do sonho.[99] O ciclo da criatividade publicitária iniciou uma nova carreira, que se empenha em acrescentar uma mais-valia de ironia e de liberdade, de sonho e de imaginação às marcas. Consagração simbólica dessa dimensão imaginativa da publicidade: em 1979, a Régie Française de Publicité reúne um júri de profissionais que atribui "Minerves d'Or" aos melhores spots televisivos. E no festival do filme publicitário de Cannes, um Grand Prix recompensa o melhor filme do ano.

Tais mudanças não podem ser separadas do desenvolvimento de uma produção padronizada em que os produtos se parecem e, em consequência, da exigência crescente de personalizá-los, de diferenciá-los pelo imaginário, pela ideia original, pelo divertimento. Por outro lado, essa multiplicação dos mecanismos publicitários está associada ao desenvolvimento das políticas de segmentação do mercado, à atenção a categorias específicas de consumidores, à nova importância dada em particular aos jovens, tornados na fase II uma classe de consumidores que, dotada de um poder aquisitivo crescente, afirma uma nova identidade em ruptura com a dos "provectos". Os registros da provocação, do erotismo, do anticonformismo vieram em resposta ao perfil do consumidor que acompanha o desenvolvimento da cultura juvenil e da contracultura.

Enfim, em termos mais gerais, a nova cena publicitária é inseparável da ampla difusão da nova cultura individualista (hedonismo, contracultura, neofeminismo, liberdade sexual, autonomia dos sujeitos) que trabalhou para privilegiar a originalidade, o divertimento, o humor, mas também as atmosferas emocionais que dão aos espectadores a sensação de não serem comandados de fora, de serem capazes de decifrar os códigos, de compreender sugestões e piscar de olhos, de serem livres e adultos. Menos "lições" dadas, mais convites à viagem e ao sentir: esse movimento é sustentado pelo surto da individualização dos comportamentos e da cultura. Se o reclame correspondia ao momento do individualismo autoritário-disciplinar-rigorista, a publicidade dita criativa está em fase com a "segunda revolução individualista" hedonista, psicológica e subjetivista, assentada no boom da economia-moda.

Essas reviravoltas impulsionadas pela fase II, que estão na origem do processo de consagração cultural e artística da publicidade, é que vão marcar o início da fase III. O museu da publicidade abre suas portas na França em 1978, e o Centro Nacional dos Arquivos Publicitários, em 1980. Programas regulares (*Culture Pub*) da televisão apresentam os últimos achados publicitários e as sagas das grandes marcas. Em 1985, o Museu de Arte Moderna de Nova York organiza uma retrospectiva dos filmes publicitários franceses. O museu Cantini de Marselha consagra, em 1988, uma exposição a Jean-Paul Goude, que passa assim do estatuto de criativo ao de criador. É o tempo do reconhecimento da dimensão artística publicitária: Jacques Séguéla fala de "*star strategy*" e Étienne Chatiliez, ele próprio formado na publicidade antes de se tornar diretor de filmes de ficção, declara: "A publicidade é o domínio mais criativo, mais ousado. Ligue a TV. Em três segundos você sabe onde está. [...] A publicidade? Reino da elipse, da fusão semântica. A pesquisa em estado puro".[100] Essa dinâmica de legitimação, que tira a publicidade de seu estrito gueto comercial, consumou-se sem dúvida tendo como pano de fundo a reabilitação da empresa, mas só veio à luz porque foi preparada pelas transformações da retórica e da estética publicitárias dos anos 1970.

3. Um mundo design

A fase ii do capitalismo artista termina em fins dos anos 1970. Se sustentamos a ideia de uma terceira fase estabelecendo-se a partir dos anos 1980, isso se deve à conjunção de todo um grupo de fenômenos tecnológicos, políticos, econômicos e estéticos.

É no decorrer dos anos 1980-90 que os microcomputadores começam a se difundir, pondo ao alcance de um público mais amplo a potência dos grandes sistemas informáticos. Multiplicam-se os softwares que permitem transpor uma ideia de objeto em modelo virtual em três dimensões mostradas no monitor, modificar facilmente suas características, prever suas reações antes mesmo da sua fabricação industrial. Advento da simulação virtual, acompanhada por uma automatização flexível. Com o desenvolvimento dos sistemas informatizados, da concepção e da fabricação assistidas por computador, da robótica, é uma terceira Revolução Industrial que vem à luz e que subverte radicalmente os métodos de concepção e de produção dos objetos industriais, mas também das indústrias culturais. A essa terceira Revolução Industrial corresponde a terceira era do capitalismo artista.

Em outro plano, bem diferente, os anos 1980 e as décadas seguintes são dominados pelas políticas ultraliberais de privatização, de desregulamentação econômico-financeira, de desenvolvimento do livre-comércio, bem como por uma reviravolta geopolítica fundamental (a queda do muro de Berlim e do Império Soviético). Esses fenômenos, que são acompanhados pelas deslocalizações das atividades produtivas, conduziram à planetarização da economia de mercado. Desse ponto de vista, a fase III designa a emergência de um capitalismo hipermercantil pela primeira vez globalizado, no qual o trabalho de estilização da economia não é mais monopolizado pelo Ocidente. Atualmente, cada vez mais nações fazem seu ingresso na arena das indústrias do consumo e do entretenimento. Design, luxo, moda, arte, cinema, séries de TV, música pop, videogames, espetáculos esportivos: são produções que visam cada vez mais um mercado mundial, são territórios hoje disputados por numerosos países, entre os quais os novos gigantes da economia mundial estão na primeira fileira.

Claro, os Estados Unidos ainda dominam amplamente os mercados do *entertainment* midiático: sozinhos realizam 50% das exportações mundiais. Não obstante, na época do capitalismo hipermoderno afirma-se uma nova geopolítica da arte comercial de massa em que novos atores não ocidentais pegam por sua vez o bonde do capitalismo artista e buscam construir marcas mundiais e indústrias criativas de dimensão internacional. Iniciou-se uma nova batalha mundial cujo centro é a cultura de massa mundializada, quer se trate dos produtos materiais, quer do *entertainment*.

Ao que se acrescenta o fato de que fenômenos que existiam precedentemente (a marca, o marketing, a comunicação, a moda, a renovação dos produtos) adquirem uma amplitude e uma significação novas nas esferas da vida econômica voltadas para o consumo. A intensificação da concorrência e as novas expectativas dos consumidores levaram ao advento de uma economia pós-fordiana marcada pelo imperativo de inovação e hiperdiversificação dos produtos. Paralelamente à unificação mundial dos mercados e ao desenvolvimento das marcas presentes em todo o globo, se dá uma diversificação sem precedentes da oferta, e isso em todos os domínios: objetos, lojas, estilos, música, cinema, séries de TV.

É nesse contexto que desaparecem os antigos limites que podiam frear, em certos setores, a escalada da lógica mercantil, o que beneficia uma hipereconomia generalizada que abarca a arte, os museus, o luxo, a moda, os bens culturais. Mas é uma lógica excrescente que tem de integrar cada vez mais a dimensão ética do respeito ao meio ambiente, e esse parâmetro é novo. Depois da era da criatividade inconsequente, típica da fase II, se impõe ou se imporá a da criatividade ecorresponsável.

Enfim, os anos 1980 veem a cultura vanguardista sofrer as críticas das correntes ditas "pós-modernas", que pretendem revisitar livremente a história e as estéticas do passado, em vez de erradicá-las. O decorativo e o subjetivismo expressivo não são mais excomungados: em toda parte, na decoração, na arquitetura, no design, na moda, na cozinha, na arte, na música, se afirmam as reutilizações dos códigos do passado, assim como a mistura dos gêneros. Resulta daí um novo universo eclético e descoordenado, que vê conviverem o kitsch e o high-tech, o retrô e as linhas futuristas, o irônico e o polido, as formas emocionais e o anonimato funcional. Recuo do "total look" e ascensão de uma cultura de hibridização mesclando territórios e estéticas antinômicas: o capitalismo artista terminal se apresenta sob o signo do transestético e da desregulamentação generalizada, como mostra a evolução do design, pelo qual começamos o exame desta nova face do capitalismo criativo.

DESIGN E ECONOMIA DA VARIEDADE

A fase II se construiu casando as lógicas contrárias do fordismo técnico e do sistema da moda. Mas, nesse complexo, o primeiro dispositivo tinha prioridade sobre o segundo, de tal modo a produção de séries repetitivas dominava as políticas de diversificação e de diferenciação das gamas de produtos. A massificação homogênea prevalecia sobre a variedade e a inovação. A fase III subverte essa organização: questionando os princípios fordianos da produção, ela se constitui como uma economia da variedade, da personalização dos produtos, das séries curtas, da criação e da renovação hiperacelerada. Na era da concepção e da fabricação assistidas por computador, desenvolve-se uma dinâmica de individualização dos produtos a partir de módulos-padrão pré-fabricados. Hoje é possível fabricar produtos sob medida a um custo não muito distante daquele dos produtos padronizados. Estamos na era em que a diversificação tomou a dianteira da repetição, a inovação, da produção, o imaterial, do material.[1] Em suas campanhas publicitárias, a Renault, outrora símbolo da sociedade industrial, se apresenta hoje como "conceptora" de automóveis.

A fase III aparece no momento em que a produção fordiana de massa não corresponde mais às exigências de consumidores amplamente equipados com bens duráveis, nem tampouco aos novos imperativos de comunicação e de comercialização dos produtos. Para enfrentar a intensificação da concorrência, sustar o recuo do consumo ligado à saturação dos mercados domésticos, responder melhor às necessidades de diferenças dos compradores, se generalizam esses novos modos de estímulo da demanda que são a segmentação dos mercados, a proliferação das referências, a declinação de variantes de produtos a partir de componentes idênticos, a aceleração dos ritmos de lançamento dos novos produtos. É a época da segmentação extrema dos mercados (clientes e produtos), visando faixas etárias e categorias sociais cada vez mais subdivididas, oferecendo produtos cada vez mais direcionados, explorando micromarcas e necessidades cada vez mais diferenciadas. Com a hipersegmentação dos mercados e o poder multiplicado do marketing, a lógica-moda, que tomou impulso na fase II, dá mais um passo adiante.

O que governa a marcha do capitalismo de hiperconsumo é a renovação perpétua da oferta, a proliferação da variedade,[2] a exacerbação da diferenciação marginal dos produtos. Os construtores de automóveis ampliam sem cessar a gama das opções e das variantes, multiplicam as novidades, as gamas, versões e opções. Segundo a Mercer Management Consulting, os construtores aumentaram de 30% a 70% a quantidade de silhuetas por modelo entre 1990 e 2004: no decorrer desse período, a PSA passou de vinte a 29 silhuetas por série. Em 2008, a Ikea oferecia 9500 referências de móveis e acessórios para a casa. Certos editores de papéis de parede podem anunciar coleções de 5 mil a 10 mil referências. Cada vez mais opções e novidades aceleradas, variações e declinações de produtos: isso traduz o advento de um design cada vez mais sob a influência do mercado, o peso que a esfera comercial tem na criação industrial, um capitalismo estético em que triunfa um mercado de demanda movimentado pelo cliente, em lugar do mercado da oferta, que dominava anteriormente, em que os produtores ofereciam seus produtos a consumidores que tinham poucas opções.

É nesse contexto que o ritmo acelerado da inovação se infiltra por toda parte, se intensifica, sobe aos extremos. Nos anos 1990, a Seiko oferecia cada mês sessenta novos modelos de relógio, e a Sony às vezes até 5 mil novos produtos por ano. Agora a Samsung cria cinquenta modelos de telefone portátil por ano. Mais de 60% da oferta de brinquedos é renovada a cada ano. Os gigantes do prêt-à-porter renovam seus modelos a cada duas semanas. A Swatch lança duas coleções de relógios por ano jogando com o emprego das cores, das plásticas e do design gráfico. A Ikea renova um terço de seus modelos no ritmo de quatro coleções por ano, ou seja, cerca de 3 mil referências: trata-se cada vez mais, para a marca, de lançar coleções de decoração e de mobiliário breves como na moda. Trata-se de uma forma de dessacralizar a relação com a mobília, de apresentar coleções de alta rotatividade fazendo o mobiliário alcançar o estatuto de verdadeiro bem de consumo.

Na era da "produção em massa sob medida", a indústria automotiva oferece pela internet a seus clientes a possibilidade de definir e personalizar seu carro, escolhendo, de acordo com o gosto de cada um, a motorização, a cor, as opções. Na Nike, o cliente pode escolher o material, as cores, os cadarços e até a mensagem escrita no dorso do calçado. A marca Repetto oferece a possibilidade de personalizar suas sapatilhas escolhendo entre 250 tonalidades de couro e inúmeras cores de bordas e cadarços. Sapatos, bolsas, óculos, selos, garrafas de vinho: uma quantidade crescente de produtos entra na era da padronização de massa, da estética à la carte comandada pelos gostos pessoais do consumidor. Atualmente, a estética é coisa importante demais para ser deixada exclusivamente nas mãos dos profissionais.

Não há um só objeto, um só acessório que não seja pensado, concebido, imaginado de acordo com as leis da "criação-estilo" e da moda. A busca da novidade e do look ganhou todos os setores de atividade: os equipamentos da cozinha ou do banheiro são apresentados em catálogos que valorizam as tendências, as linhas, os materiais na moda; os de jardim expõem os novos modelos de vasos, de móveis, plantas e canteiros, como num showroom. Os relógios e os óculos se tornam acessórios e enfeites, com cores e formas que mudam a cada coleção. Certas marcas de tênis comercializam coleções de calçados que retomam motivos de artistas: Damien Hirst (Converse), Jean-Michel Basquiat (Reebok). Até nas farmácias as escovas de dente são vendidas com formas originais, um ar gráfico, misturas de cores compondo uma ambiência pop e tendência. Além disso, as marcas de moda aumentam sua influência no universo da decoração: depois de Zara e Armani, Kenzo e Chantal Thomass lançam suas coleções de móveis.

O que até então era reservado aos produtos "pesados" — carros, móveis — agora é o quinhão comum. Barbeadores, calçados, canetas, papelaria, celulares, capacetes de ciclista, aspiradores, capachos, lareiras, torres de alta-tensão, caçambas de detritos, sinalização rodoviária, equipamentos coletivos, escovas de dente desenhadas por Starck, garrafa de Ricard concebida por Garouste e Bonetti, mobiliário urbano confiado a Norman Foster, Martin Szekely e Patrick Jouin: mais nada escapa do imperativo do estilo e da renovação incessante. Assim a fase III aparece ao mesmo tempo como a exacerbação do "complô da moda" da fase II e como a subversão da sua lógica organizativa fordiana. O cursor do sistema se deslocou: o que era limitado se tornou "híper", abrindo um novo horizonte para a aventura artista do capitalismo.

O design concebido como elemento determinante da ficha de identidade do produto e da marca participa mais do que nunca da lógica da moda e das estratégias de marketing. Hoje, é o próprio design que, por suas tendências, contribui para fazer a moda e que, às vezes, é a moda buscada pelos "*coolhunters*". Não há ruptura, nesse ponto, com o que as correntes do Streamline e do pop haviam inaugurado; ao contrário, há exacerbação e generalização, consubstanciais à época hiperconsumista. Fenômeno de moda, o design se impõe cada dia mais em mercados hipersegmentados, como instrumento de marketing, vetor de imagem, ferramenta estratégica para valorizar a marca. Intensifica-se o imperativo de estimular as vendas pelo look dos objetos,[3] seduzir os consumidores "indiferentes" e segmentados, criar uma identidade de marca, quando não um "universo de vida", diferenciar-se no mercado jogando a carta da originalidade, da fantasia, do prazer das formas e das cores. É numa perspectiva de consumo exacerbado que se desenvolve o design hipermoderno.

As marcas entenderam bem isso e colam seu nome, seu universo, seu logo ao design. O design pelo qual a marca se identifica está em toda parte: na forma do produto, mas também no grafismo, na embalagem, no merchandising, no display, no som, no cheiro e no tato dos produtos, na disposição e na iluminação das lojas, na concepção dos sites da web. Não há mais marca sem design: é por ele que ela se identifica, por ele que ela se distingue de seus concorrentes. Ele se tornou o pré-requisito do desempenho comercial de todo novo lançamento. Numa época em que os produtos estão cada vez mais em igualdade técnica, é preciso encontrar o meio de se destacar, de atrair o olhar pelo "algo mais" que permite diferenciá-los. O sucesso da Apple se deve em grande parte a essa distinção assegurada pelo design, no qual a firma sempre apostou prioritariamente: os computadores propriamente ditos e seus softwares são, com pouca diferença, iguais aos PCs; no entanto, a companhia soube conceber um mundo Apple[4] em que o computador, por suas linhas, seu sistema de navegação, seu grafismo, define um estilo de vida e induz o pertencimento a um grupo que compartilha seus valores: os industriais, os banqueiros, o pessoal de vendas são PC; os editores, os publicitários, os intelectuais, os jovens, a gente descolada são Apple.

EM TODOS OS CONTINENTES

Se cabe propor a ideia de uma nova fase do capitalismo artista, tal não se deve apenas ao advento de uma economia pós-fordiana, mas também ao processo de mundialização das economias criativas. Durante as duas primeiras fases, o design industrial, assim como as indústrias culturais, tomou impulso essencialmente nas economias ocidentais desenvolvidas. Esse ciclo está superado. Um novo episódio começou: é todo o planeta que, mesmo de maneira ainda bastante desigual, está envolvido com o capitalismo criativo. Desde o fim dos anos 1970, o Japão se impõe no universo do design. O walkman cassete da Sony, lançado em 1979, alcança sucesso mundial; enquanto a Honda se torna na década de 1980 o principal construtor mundial de veículos de duas rodas, a marca Yashica lança uma câmera que parece um brinquedo. Os criadores de moda oferecem hoje suas linhas de roupa no mundo inteiro, como atesta a explosão das *fashion weeks*. O Brasil se tornou um verdadeiro ator na cena do design e da moda. Nas economias emergentes multiplicam-se as agências de publicidade, os estúdios de design e de arquitetura, as escolas de moda e de design, as revistas de decoração: no correr dos anos 1990, o número de revistas de *interior design* passou, na Turquia, de uma a cinquenta. Seul foi eleita, em 2010, capital mundial do design. A primeira escola chinesa de design abre as portas nos anos 1980; hoje há mais de quatrocentas, e centenas de milhares de estudantes estão inscritos no primeiro ano. Atualmente, a China envia seus estudantes às melhores escolas de design do mundo inteiro ou assina parcerias com estas para acolhê-los em seu território. O Brasil conta com 150 escolas de moda e mais de uma centena de design. Em Seul há 11 mil estudantes da área. As escolas indianas, como o National Institute of Design ou o DSK, em Pune, mais especializado no design de animação, alcançaram reputação internacional.

As bienais internacionais de design acolhem em nossos dias várias dezenas de países repartidos pelos cinco continentes. E conta-se algo como quarenta Design Weeks no mundo. Todo ano, concursos internacionais recompensam os produtos mais inovadores, provenientes de um grande número de países. O concurso internacional de design Jump the Gap registrou, em 2004, 3 mil candidaturas vindas de 92 países. Em 2011, mais de 1100 participantes, originários de 43 países, concorreram no célebre International Forum Design. Não se está mais na época em que design rimava com Ocidente.

Na fase II, o design entrou numa dinâmica de internacionalização. Nos Estados Unidos, duas editoras, Knoll e Hermann Miller, contratam os serviços de designers estrangeiros; na Itália, a editora Cassina reedita obras do americano Frank Lloyd Wright, do holandês Rietveld, de Le Corbusier. Mas, embora nos limites do Ocidente, o design se apresentava sob o signo de estilos nacionais reconhecíveis. Não é mais assim. A fase III coincide com o apagamento das características nacionais do design (design italiano, alemão, americano, escandinavo), que assinalaram o momento anterior. Em nossos dias é cada vez menos pertinente falar de design nacional: o estilo Ikea é tão pouco sueco quanto o da Zara, espanhol. Primeiro, os produtos de uma firma podem ser concebidos e fabricados em diversos países. O grupo coreano Samsung instalou um estúdio de pesquisa em design e tendência em Londres; a Renault estabeleceu plataformas de design em Bucareste, São Paulo e Bombaim. As equipes de design integradas às grandes empresas apresentam cada vez mais uma fisionomia multinacional: o departamento de design da Nokia compreende trezentas pessoas de mais de trinta nacionalidades. Essa mesma dinâmica intercultural está amplamente presente no setor do design automobilístico. Enfim, as empresas podem confiar seu trabalho de design a escritórios estrangeiros: a indiana Tata Motors confiou o design da Nano a um escritório italiano, o Institute of Development in Automotive Engineering, e o Tata Prima foi concebido pelo estúdio Pininfarina. A mesma Tata Motors adquiriu participações no capital dos escritórios italianos Pininfarina e Trilix Srl. O design deixou de ser um negócio especificamente ocidental. O governo indiano lançou um programa nacional, a National Design Policy, destinado a favorecer o "Made in India". A LG Electronics montou na Itália, China, Estados Unidos, Japão, centros de pesquisa em design que trabalham em colaboração com os centros de gestão do design baseados na Coreia: 540 designers de doze países diferentes trabalham para a companhia. A Haier, gigante chinesa dos eletrodomésticos, possui centros de design na Itália, Países Baixos, Alemanha.

Por ora, o design chinês não goza, é bem verdade, de um prestígio muito elevado nem de uma imagem de alta criatividade. Os especialistas declaram que, nesse plano, a China é o que era o Japão 35 anos atrás. Mas certas marcas já conseguiram se impor em escala internacional. A marca chinesa de produtos de beleza Herborist conseguiu penetrar na França e prossegue sua implantação na Europa. A Shangai Tang abriu lojas em Paris, Madri, Nova York, Londres. Em 2004, os refrigeradores Haier ganharam o prêmio iF Design entre mais de 2 mil outros produtos de 35 países; em 2005, o mesmo prêmio foi obtido pelos climatizadores reversíveis. É uma nova geografia do design e uma nova geoestratégia do capitalismo artista que está se construindo no globo.

Na era do capitalismo globalizado, os designers ou arquitetos renomados vendem seus serviços em todo o planeta. Philippe Starck realizou o Teatron na Cidade do México, o restaurante Le Lan em Beijing, o clube Volar em Hong Kong, o hotel Faena em Buenos Aires. Todas as economias emergentes se abrem para as mais inovadoras criações arquitetônicas: em Beijing, a torre da CCTV foi desenhada por Rem Koolhaas, e o terminal 3 do aeroporto pelo escritório do britânico Norman Foster. A Ópera de Beijing saiu dos projetos do francês Paul Andreu, e Jean Nouvel construiu tanto em Tóquio (o Dentsu Building) e Minneapolis (o Guthrie Theater) como no Qatar (a torre Doha). As torres Jinmao e o World Financial Center de Shanghai foram concebidos respectivamente pelos escritórios americanos Skidmore, Owings & Merrill e Khon Pedersen Fox. Mas se o estádio olímpico de Beijing — o "Ninho de Pássaro" — é fruto do trabalho do escritório suíço Herzog & de Meuron, o arquiteto que o concebeu, Ai Wei Wei, é chinês. Nas economias emergentes, os designers desenham identidades visuais, logos, linhas de aviões, mobiliário e telefone, acessórios de decoração, automóveis: depois das coreanas Kia, Daewoo e Hyundai, é a montadora indiana Tata Motors que entrou na competição mundial e que já anuncia o lançamento de uma versão mais luxuosa do seu célebre modelo Nano, com um interior mais "design".

Dizer que não há mais estilos nacionais reconhecíveis na Europa não significa desaparecimento de todas as formas de diferença, imposição do mesmo estilo internacional em todo o planeta, em todo lugar e circunstância. Assim, vemos, por exemplo, o sucesso do Feng Shui, da decoração "japonizante" ou asiática no caso dos papéis de parede, jardins, artes da mesa. É o que comprovam os fabricantes de parquês, de divisórias, de banheiros da Europa que oferecem agora em suas coleções ambientes japoneses com divisórias de correr, linhas depuradas e minimalistas. Nas grandes metrópoles multiplicam-se os restaurantes exóticos com sua decoração típica, paquistanesa, japonesa, indiana, chinesa, cubana: mais da metade dos restaurantes recenseados em Paris é consagrada às cozinhas do mundo.

Ao mesmo tempo, se é inegável que as mesmas grandes marcas podem ser compradas nos quatro cantos do planeta, por outro lado nosso tempo assiste a um importante processo de cruzamento e de hibridização dos estilos e das marcas. Hotéis, casas, conjuntos habitacionais misturam arquitetura contemporânea e estilo local, conforto ultramoderno e construções vernaculares. Determinado designer cruza ou justapõe códigos japoneses e códigos africanos oferecendo uma coleção de quimonos cortados em estampados de algodão africano. Estilistas orientais fusionam Oriente e Ocidente, herança do passado e liberdade criativa do presente. A Hermès se associou a Jiang Qiong Er para lançar a marca de luxo Shang Xia, que revisita a tradição artesanal chinesa na linha da grife francesa. A marca de alta joalheria Queelin tem por ambição "to bring chinese aesthetics and culture to the world". A Shanghai Tang desenvolve um novo conceito de luxo, misturando o espírito dos anos 1920-30 ou o design contemporâneo com elementos inspirados na China clássica.

A fase III coincide com o fim da hegemonia ocidental sobre as aparências, a reafirmação das origens culturais mais diversas, o desenvolvimento dos estilos nacionais e étnicos cruzados com as linhas do design moderno. Nos anos 1980, os criadores japoneses (Miyake, Yamamoto, Kawakubo) se impõem na cena internacional da moda oferecendo cortes inspirados no Japão tradicional mas totalmente revisitados e desconstruídos num espírito vanguardista. Atualmente, muitos jovens criadores e novas marcas reinterpretam os modelos herdados do passado nacional, insuflando-lhes uma nova vida "moderna" nos mercados de exportação. Essa dinâmica é observada em todos os continentes: agora, são os brasileiros (Alexandre Herchcovitch, Isabela Capeto, Anunciação, Coopa Roca), os chineses (Shirley Cheung Laam), os turcos (Chalayan, Rifat Ozbek), os gregos (Sophia Kokosalaki), os russos (Denis Simachev, Alena Akhmadullina), os indianos (Ritu Kumar, Satya Paul), os paquistaneses (Deepak Perwani), os coreanos (Lie Sang Bong), os sul-africanos (Sun Goddess) que, ambicionando redescobrir a elegância das origens, reconciliam passado "autêntico" e modernidade das formas.[5] Uma nova etapa da mundialização está em curso: após um ciclo secular que viu Paris ditar a mesma estética para todo o planeta feminino, chegou o estágio descentralizado e multicultural das elegâncias. A fase III funciona de acordo com duas lógicas: a primeira é a das grandes marcas que difundem um design internacional despojado de características particularistas; a segunda vê se multiplicar um design baseado na interação do global e do local, do moderno e do étnico, do vanguardismo ocidental e das culturas do mundo.

ARTE, DESIGN E STAR-SYSTEM

A nova etapa do capitalismo artista ainda se destaca pelo novo papel que a comunicação desempenha no universo do design. Sem dúvida o fenômeno não é absolutamente novo. Raymond Loewy, para citar um nome, já havia sido posto nas alturas pela imprensa americana de grande circulação no início da fase II. Mas esse tipo de operação midiática era raro e limitado, já que a ênfase recaía nos méritos do designer capaz de vitaminar as vendas comerciais. Não é mais assim.

A partir dos anos 1980, não só a imprensa de grande circulação dá espaço com frequência cada vez maior à atualidade do design, como se produz um verdadeiro processo de estrelificação de um pequeno número de designers. Na imprensa não especializada, multiplicam-se as entrevistas e perfis de certos designers. Philippe Starck se torna uma celebridade internacional assinando projetos de nightclubs parisienses, o Café Costes, endereços descolados, o apartamento do presidente da República François Mitterrand: ele se impõe como a estrela do design francês. A *Time Magazine* incluiu Marc Newson entre as cem pessoas mais influentes do planeta: ele é considerado "melhor designer do ano" pelo júri do Miami Design District. Os irmãos Campana são consagrados como "astros brasileiros da recuperação de materiais". Os editores lançam coleções de monografias e de autobiografias de designers que os elevam quase às nuvens: o livro sobre Starck publicado pela Taschen é composto de 93 retratos fotográficos do próprio designer. O que está em curso nada mais é que a extensão da lógica do star-system ao mundo do design, da decoração, da arquitetura. Quando triunfa o poder midiático-publicitário, o design se combina com a promoção de superstars internacionais. Por esse trabalho midiático de personalização, o designer aparece como um "criador", à maneira de um artista, e como um ícone, à maneira de uma estrela. Enquanto na fase I o design se afirmou na negação da busca de originalidade artística e na celebração de um design social, na fase III a imagem artista reaparece sob o signo midiático do criador estrelificado.

Essa estrelificação contribui para dividir o universo do design entre um mercado feito de produtos baratos e um mercado claramente mais seletivo. Mas simultaneamente o capitalismo artista não para de desestabilizar as oposições nítidas, associando notadamente as celebridades do design à produção e à distribuição em grande série. Em 1998, Starck concebeu um catálogo para a distribuidora por correspondência La Redoute; nele eram oferecidos mais de duzentos artigos baratos. O coletivo Front Design assinou, para a coleção "PS" da Ikea, uma linha de abajures de mesa, lampadários, cadeiras acessíveis a todos. O star-system está a serviço da imagem dos designers, mas também da imagem das firmas, de sua notoriedade, de seu desenvolvimento comercial: Roche Bobois, quando dos cinquenta anos da marca, pediu para Jean Paul Gaultier conceber uma coleção de móveis contemporâneos que fosse fiel ao estilo do costureiro (faixas azul-marinho, pompons vermelhos, rendas, tatuagem). Viktor & Rolf repaginaram a embalagem do champanhe "Rosé Sauvage" de Piper Heidsiek. Madonna assinou com Dolce & Gabbana uma nova linha de óculos de sol. É também imagem artista e moda que o design industrial de massa ou de luxo vende agora.

A artealização contemporânea dos designers-estrela se expressa também por meio das múltiplas exposições que lhes são consagradas nas galerias, nas feiras de arte internacionais, fundações e museus mais prestigiosos do mundo. O Groninger Museum da Holanda organizou uma retrospectiva de Marc Newson; o MoMA consagrou uma exposição aos irmãos Campana; o Centre Georges Pompidou expôs Ron Arad. Os maiores museus dispõem agora de uma coleção de design. A exposição No Discipline dedicada a Ron Arad é concebida como uma obra de arte, cuja cenografia é assinada por ele mesmo. Certo número de peças de design se inscreve agora, deliberadamente, na esteira de escolas artísticas, o que mantém a indefinição entre design e artes plásticas: a Rover Chair de Ron Arad se afirma sob o signo do ready--made.

Os níveis de preço que certas peças alcançam nos leilões ilustram a entrada do design no mundo do mercado de arte. Cadeiras assinadas por Jean Prouvé, que nos anos 1980 não valiam mais que algumas dezenas de francos, são vendidas hoje por vários milhares de euros; sua poltrona Grand Repos, de couro patinado, criada em 1930, alcançou 471 mil euros num leilão organizado pela Artcurial em Paris. O recorde em leilão de Zaha Hadid se eleva a 372 mil euros; o exemplar da Lockeed Lounge assinada por Marc Newson, que aparece no clipe *Rain* de Madonna, foi vendido em leilão, em 2009, por 1 milhão de euros, o que constitui o recorde absoluto em matéria de preço pago por uma peça de design. Mesmo sem alcançar esses picos, desde os anos 1980 se desenvolvem as peças únicas, as edições limitadas, assinadas e numeradas que, recriando a raridade, situam o design no mesmo terreno da arte e do luxo. O que tem por consequência a alta das cotações, a explosão dos preços que caracterizam o mercado de arte contemporâneo. O design incorporou hoje as características da obra de arte (raridade, distribuição em galerias, trabalho sistemático de comunicação-promoção), tanto que, tal como o mercado de arte, aparece como uma esfera heterogênea entre, de um lado, produtos provenientes da grande série e ofertados em salas por algumas centenas de euros e, de outro, peças raras de algumas centenas de milhares de euros. O design, na fase III, se estende a todos os nichos de mercado: do luxo ao *low cost*.

O TEMPO DOS HÍBRIDOS

Mais amplamente, são incontáveis as galerias de arte e design que se instalam nos bairros descolados das metrópoles e editam catálogos dos designers expostos. É nesse contexto que o design se tornou "tendência",[6] fenômeno de moda, mas também objeto de coleção, ao mesmo título que a pintura e a escultura. A butique Colette expõe em sua vitrine os últimos objetos de decoração, high-tech, gadgets, joias, junto com as roupas mais in e, inclusive, o último grito em matéria de carros elétricos. O salão Maison & Objet e o salão do móvel de Paris jogam a carta de uma transversalidade que associa mobiliário, têxtil e objetos. A época III do capitalismo artista é a da indistinção das categorias, da aproximação entre o design e a arte, como é a da celebração artística da moda, da promoção artística da fotografia e da publicidade. Por toda parte se esfumam as fronteiras e a hierarquia entre as belas-artes e as artes "menores", as artes nobres e a moda: com o capitalismo artista terminal, o mundo das artes entrou na era da desregulamentação generalizada das referências culturais.

A que se deve essa nova paisagem em que os territórios ficam indistintos, em que se esfumam as fronteiras entre arte e design, mas também entre arte e publicidade, arte e moda? Não há dúvida de que está presente aqui o núcleo de sentido primordial da era democrática, o significado social moderno que Tocqueville chama de "igualdade imaginária", a qual tende a dissolver todas as formas de dessemelhança social, todas as diferenças de substância ou de essência. Com o imaginário da igualdade democrática, toda alteridade social radical é acusada de ilegitimidade: em intervalos de tempo variáveis, as figuras sociais que se afirmam por uma heterogeneidade e uma hierarquia "natural" perdem sua legitimidade. Não poderia haver, sob o reinado da igualdade, uma disjunção hierárquica insuperável, de superioridade ou de inferioridade intrínseca, de exclusões e de classificações a priori. Isso vale tanto para a relação social entre os homens como para a relação simbólica entre as artes: em toda parte o imaginário igualitário mina as hierarquias estabelecidas, as distinções sociais de essência.

Assim, o imaginário da igualdade destradicionalizou os dispositivos ancestrais da hierarquia: no que concerne às relações entre os homens, a era democrática reconhece unicamente a igualdade e o princípio meritocrático. De certo modo, o mesmo ocorre com as obras da cultura, que devem ser acompanhadas de classificações fundadas apenas em argumentos racionais. Assim, eclipsam-se inevitavelmente as hierarquias de gênero e de temas, as oposições entre *high* e *low*, artes maiores e artes menores, grande arte e artes decorativas. Claro, as hierarquias na arte permanecem, como atestam as diferenças de reputação, de locais de exposição, de sucesso, de prêmios, de preços, mas essas hierarquias requerem justificativas, uma argumentação particular. Atualmente, toda hierarquização deve ser "provada", de modo que as classificações não são mais de essência, entre os gêneros, mas caso a caso, conforme as obras e seu "mérito". O que provoca inevitavelmente um estado de desorientação nas classificações e de dissenso de fundo sobre as avaliações estéticas, acusadas de serem infundadas, arbitrárias, dependentes da moda, dos jogos de poder, redes e outras influências mais ou menos cínicas.

A igualdade democrática não é a única força atuante. Paralelamente, o capitalismo e sua cultura do cálculo econômico trabalharam no mesmo sentido. De fato, a ordem econômica moderna conhece apenas o cálculo dos interesses, as lógicas contábeis e quantitativas. O sistema do valor de troca ignora toda descontinuidade, toda distinção radical de essência entre ordens hierarquizadas: só cifras de investimentos, cálculo de custos e benefícios, objetivos e rentabilidade. Nada de hierarquia simbólica, mas avaliações quantitativas. Pouco importam aos capitais e aos investidores as hierarquias de gênero e as distinções entre alto e baixo; só contam as lógicas do mais ou menos relacionadas ao desempenho, às oportunidades de mercado, à corrida ao lucro. Junto com a cultura igualitária democrática, a lógica mercantil do capitalismo foi o túmulo das hierarquias estabelecidas na arte.

Enquanto se evaporam as antigas fronteiras, se afirma um novo tipo de design feito de sobreposições, de interpenetrações, de transversalidades. Atualmente, design, escultura, moda, decoração, luxo, tudo pode se misturar e se confundir: o design não tem mais um estatuto claramente diferenciado. Tornou-se um universo indeterminado, aberto, multidimensional, podendo ser ao mesmo tempo objeto utilitário, decoração, moda, arte e até peça de luxo pelo preço proibitivo que às vezes é o seu. Assim é o estágio híbrido, transestético, do design característico do último ciclo do capitalismo artista. Depois do grande movimento vanguardista de *purificação* funcionalista das formas, eis-nos no tempo hiperconsumista da *hibridização* dos territórios e das formas. Em nossos dias, os objetos design flertam com a moda, mesclam funcionalidade e "tendência", conforto e ludismo, presente e passado, tecnologia e poesia, aliam intuição e saber-fazer, misturam os estilos, cruzam o útil com o simbólico, casam materiais naturais e industriais, cores e funções: o canapé SEAT 600 do estúdio Bel & Bel é fabricado a partir da carroceria dianteira do SEAT* clássico, englobando um minibar, alto-falantes, faróis e pisca-piscas.

São incontáveis os objetos que, nos dias de hoje, se apresentam como híbridos. No domínio da moda, Karl Lagerfeld cria uma coleção para a H&M. No do luxo, Cartier lança um relógio com pulseira de plástico; Vuitton pede ao astro do hip-hop Pharrell Williams para compor linhas de óculos e de joalheria. Na galáxia das novas tecnologias, os players de música misturam mobilidade

---

* Montadora espanhola de automóveis. (N. T.)

e escuta musical; os smartphones mesclam telefone, computador, GPS, calculadora, agenda, lanterna, console de jogos, música, câmera, fotos. Os capacetes de moto associam proteção e glamour, tornando-se verdadeiros acessórios de moda. Há bancos que fazem as vezes de jardineira e poltronas que servem de abajures. Com o design de Xavier Moulin e Aldo Cibic, móveis de casa e aparelhos esportivos podem ser intercambiados: as estantes dotadas de grampos permitem fazer escalada, e um sofá, exercícios de ginástica. Até o setor automobilístico não escapa mais dessa lógica: o Smart tem um look de história em quadrinhos, é um carro-brinquedo, ao mesmo tempo prático, lúdico e ecológico. A Peugeot lançou diferentes modelos de carros-conceito, os City Toyz, que misturam esportividade e *fun*. Boom das hibridizações que atestam o enfraquecimento das fronteiras culturais mas sobretudo o poder do comercial no universo do design. Porque na base das novas hibridizações estão antes de mais nada a vontade e a exigência de surpreender o consumidor "indiferente". Para tanto, é necessário explorar cada vez mais o caminho transestético da associação dos universos mais heterogêneos.

Essa dinâmica não é específica do design. Em toda parte se afirmam as estéticas da hibridização, a mixagem das categorias e dos gêneros, das práticas, dos materiais e das culturas. Nas passarelas da moda, tudo se confunde e se interpenetra com a mistura de Oriente e Ocidente, esportivo e sofisticado, folclórico e clássico, baixo e alto, nobre e vulgar, rock e chique, saias de tule e casacos de couro (Jean Paul Gaultier), casaco de fio de ouro e jeans furados, uniformes de combate e roupas fetichistas, referências históricas e *trash* (Vivienne Westwood). As instalações e as performances misturam esculturas, músicas, vídeo, práticas corporais. Proliferam as mestiçagens musicais; a cozinha *fusion* mistura todos os alimentos e todos os sabores. As arquiteturas de Frank Gehry parecem fantásticas esculturas poéticas. Os cruzamentos entre teatro e dança (Pina Bausch), teatro, pintura e cinema (Bob Wilson) se intensificam. Multiplicam-se na TV os programas que misturam os gêneros, que mesclam cultura e divertimento, política e moda, escritores e top models, filósofos e cantores de variedades, seriedade e trivialidade, alta cultura e cultura popular. A era hipermoderna é contemporânea do desenvolvimento das criações cruzadas, atendendo ao desejo de John Cage de "uma interpenetração sem obstrução". Como disse Andrea Branzi, a hibridização é a palavra-chave da nossa segunda modernidade.

MEMÓRIA, DESIGN E VINTAGE

A fase III se impõe também por uma característica decorrente da evolução do próprio objeto industrial, que a partir do fim dos anos 1970 se liberta do domínio do estilo modernista-funcionalista. Em ruptura com o antigo primado da ordem decorativa, o modernismo ortodoxo pretendia ser internacional e anônimo, esvaziado de significados expressivos, sem raízes, sem memória, sem história. A partir dos anos 1980, certo número de designers e de arquitetos questionou essa linguagem do objeto puro, considerada tediosa e moribunda. Na esteira de Robert Venturi, que propõe substituir *"less is more"* por *"less is bore"*, dos escritos de Charles Jencks e também dos grupos Alchimia e Memphis, o decorativo e o eclético são reabilitados, desencadeando o que foi chamado de estética pós-moderna. Os anos 1980-90 assistem ao advento de novos designers, que desejam reencontrar as raízes perdidas, revisitar a memória e os mitos culturais, restituir à História seu lugar. Do passado já não se faz tábua rasa; ei-lo revalorizado e reciclado nas arquiteturas que somam os estilos históricos, nas linhas de objetos, de roupas, de acessórios, de móveis, que jogam com os produtos e criações do passado. Restabelecendo o tempo como dimensão sensível, o produto conta uma história, suscita emoções, reaviva as cores da memória. Paramos de declarar guerra ao antigo próximo e menos próximo: agora ele se infiltra na lógica do presente, tornando-se por sua vez objeto de desejo e de moda.

É nesse contexto que se desenvolvem o revival, o neorretrô, a reciclagem dos modelos antigos, as numerosas reedições de objetos cult. A marca Fermob reinterpreta a velha cadeira do Jardin du Luxembourg (1923) declinada agora em 24 coloridos; e o frasco do Chanel nº 5 (1921) serve de inspiração para uma garrafa de azeite de luxo. As indústrias alimentícias também surfam nessa onda com embalagens que lembram, por exemplo, as geleias de outrora, "feitas em casa" (Bonne Maman). A Chrysler ganha uma nova juventude ao imaginar um modelo compacto que remete às carrocerias dos anos 1940 e, fazendo o novo com o antigo, a Volkswagen redesenha o Fusca, e a Cooper, o Mini. A memória deixa de ser alheia ao design: são reeditadas as cadeiras de Mies van der Rohe e de Le Corbusier, os clássicos do Art Déco, os óculos, os abajures e as mesas de antes da guerra e dos anos 1950. A Anglepoise reedita o primeiro abajur de arquiteto, concebido em 1934, e a Cassina, os tamboretes de Charlotte Perriand; a Alessi, seus serviços de chá, seus utensílios de cozinha e de bar dos anos 1920, 30 e 40.[7] Ezio Manzini fala a esse respeito de "objetos de memória", os quais, "neste mundo de coisas com pouca história e pouca memória", respondem "no plano cultural a essa demanda de duração que os indivíduos persistem [...] em exprimir".[8]

Há mais, no entanto. Em seu cerne, o plebiscito contemporâneo do passado decorre de nossa nova relação com o tempo histórico que, no Ocidente, é marcada pela crise do futuro, o apagamento da fé no progresso e num devir necessariamente melhor. Não há dúvida de que essa erosão do otimismo historicista teve seu papel na "volta" do passado. O advento de uma percepção do futuro esvaziada de novos sonhos abriu caminho para as reminiscências, a nostalgia do passado, para uma cultura em busca de referências, de raízes, de confiança.

Esse fenômeno é igualmente inseparável de uma nova ordem cultural dominada pelo esgotamento das vanguardas e o desenvolvimento de novas formas de consumo de moda e de cultura. A época contemporânea é aquela em que as criações de vanguarda se mostram mais repetitivas do que revolucionárias: a repetição, a monotonia das desconstruções, a competição à toa tomaram o lugar das grandes rupturas e invenções modernistas. Excetuado um pequeno meio, esse tipo de arte associado ao "vale tudo" suscita, com muita frequência, incompreensão, desorientação, irritação, repulsão ou indiferença, em particular porque questiona a própria noção de arte, abolindo as fronteiras que separam a arte da não arte e da banalidade cotidiana. A nova atração pelo passado vem em resposta a essa "morte da arte", com o sentimento de que "pelo menos são obras de arte". O fim da cultura vanguardista foi o trampolim para o retorno do antigo e da moda vintage. Enquanto a ideia de revolução política e artística é esvaziada de substância, a relação com o passado muda de sentido: ele não é mais excomungado, é para ser redescoberto, revalorizado, revisitado. Morte da cultura vanguardista e sedução do ontem formam um sistema.

Simultaneamente, produziu-se uma reviravolta fundamental na relação social e individual com o consumo e a moda. Sob o impulso da escalada da oferta mercantil e das exigências de autonomia individual, a diretividade tradicional dos modelos deu lugar a uma moda plural e à escolha, assim como a um consumo libertado das culturas de classe. Enquanto, com a fase III, a oposição *na moda/fora de moda* é menos estruturante, o consumo se afirma menos como um fenômeno orquestrado por obrigações de representação social do que como busca de emoções e de prazeres renovados. Hoje as modas têm um poder menor de imposição, e as inclinações pessoais, com seu ecletismo, sua heterogeneidade, sua dissonância, podem se expressar mais livremente. O culto do vintage é uma das traduções desse ímpeto de autonomia e de um neoconsumidor que quer fazer suas compras em toda parte, que mistura os estilos e as aquisições, que quer poder escolher o que lhe convém, o que gosta, em todos os horizontes e em todos os espaços de tempo, tanto no presente como no passado. Paradoxalmente, a cultura presentista do consumo é que favoreceu a reabilitação hipermoderna do passado.

Toda essa corrente corresponde assim à espiral da individualização, na medida em que os objetos carregados de memória introduzem distanciamento, diferença e até "novidade" em relação à moda e aos estilos contemporâneos. A ressurgência do antigo cria o novo. Com isso, eles permitem criar ambientes, cenários mais singulares, menos padronizados. Se esse fenômeno é, por um lado, "pós-moderno", pois repousa na revalorização do passado, por outro é "híper", porque faz o funcionamento da economia da variedade e da escolha dar um passo à frente. Podemos escolher o contemporâneo e o passado: o leque de escolhas do hiperconsumidor aumentou ainda mais. Hoje o passado do design é uma estratégia do presente.

Ao mesmo tempo, o vintage permite proporcionar o doce prazer da nostalgia, sentir os arrepios da lembrança, a felicidade de mergulhar de volta nos "bons tempos", de reviver mitos e lendas. Assim, o consumo dito nostálgico aparece como uma das figuras do consumo emocional ou experiencial típico da fase III. Em nossos dias, do consumo esperamos prazeres e experiências emotivas de que a nostalgia faz parte. Nesse sentido, o marketing da memória é menos o sinal de um esgotamento da criação design do que a exploração mercantil das expectativas de prazer, de experiências e de emoções renovadas do hiperconsumidor individualista. O design dos produtos "com memória" vem em resposta menos a uma necessidade de ancoragem no passado coletivo que ao desejo de reviver instantes pessoais, sentir afetos, se experimentar a si mesmo por meio de lembranças seletivas e pessoais.

Tanto mais que essa maneira de se apossar do passado tomando dele a distância divertida da citação está em plena concordância com a era hedonista do hiperconsumo, mais emocional do que estatutária. O design austero, ortodoxo, não corresponde mais a uma cultura que exalta os valores de fruição. A fase III corrigiu essa contradição entre cultura hedonista e estilo funcionalista severo. Daí resulta um design que pretende suscitar o prazer do consumidor e de que o júbilo de segundo grau é uma das dimensões. O design que joga com os estilos e as épocas é a garantia, para o consumidor, de um objeto que lhe traz, antes de mais nada, emoções e prazer, é a imersão fruitiva e distanciada no universo dos signos contemporâneos.

UM DESIGN EMOCIONAL

Paralelamente ao retorno da dimensão histórica, o que é celebrado é nada menos que a própria ordem da subjetividade — a do designer e do consumidor — com seus sonhos, sua afetividade, seus prazeres, seu imaginário, em outras palavras, tudo o que o funcionalismo estrito tinha querido suspender em nome de uma racionalidade estética estrita e doutrinária: é a reabilitação do *Homo sentiens*. Assim, vemos reafirmar-se o barroco e a extravagância (irmãos Campana), a fantasia (Andrea Branzi), as formas expressivas, o humor (a chaleira com apito de Michael Graves para a Alessi), as facécias decorativas (a poltrona de Proust de Mendini), o "neoprimitivo" (Andrea Branzi), o "bárbaro" (Garouste e Bonetti), o kitsch (o canapé Ali Babá de Oscar Tusquets). Mas também, contra o *diktat* do monocromático e da unidade modernista, a mistura de cores e materiais: depois da estética purista e minimalista dos modernos, o expressionismo, a mestiçagem, a heterogeneidade hipermodernas.

Toda uma categoria de design se separa assim do seu antigo posicionamento, bastante próximo da engenharia, e proclama seu novo estatuto narrativo. O design não procura mais traduzir unicamente a função objetiva e neutra dos objetos, mas, por meio destes, um universo de sentidos que nos fala e nos emociona. Os objetos criados podem, portanto, ser inspirados por mil temáticas: a vegetação, os contos de fadas, a morte, as narrativas míticas, os estilos históricos clássicos, o humor, o exotismo. "Meu trabalho não está muito distante do de um romancista ou de um cineasta. Conto histórias, não com imagens ou palavras, mas com móveis, objetos" (Christophe Pillet).

Revalorizando a ornamentação, o simbolismo sugestivo, a ironia, o design hipermoderno propõe formas de qualidades sensíveis, centradas no imaginário do conceptor e nas emoções do consumidor. Não mais um design universal comandado pela lógica funcional do objeto, mas estilos voltados para as ressonâncias imaginárias e poéticas, distrativas e sensitivas que podem despertar no consumidor: "Não se compra uma cadeira, mas o cheiro do café com leite, com a mamãe de brinde", declara Philippe Starck sobre sua cadeira de cozinha Miss Trip. Com a fase III se desenvolve um design afetivo que se aproxima do consumidor e do seu sentimento, de seus gostos variados, de suas fantasias, de seu imaginário. Sucedeu ao design dirigista, anônimo e funcionalista das origens um *design emocional e consumista* que se abre para a diversidade das estéticas e que reúne o imaginário do conceptor, o poder de evocação sentimental dos objetos, a dimensão do prazer sensorial do consumidor: como escreve Harmut Esslinger, "*form follows emotion*" suplantou "*form follows function*".[9]

O design emocional ou sensível se traduz igualmente através do sucesso das formas ovoides, das linhas suaves, da utilização de materiais leves e sensuais que suscitam um universo materno, caloroso, acolhedor. Automóvel, luminárias, poltronas, sofás, objetos decorativos: todo um design reata com as formas sinuosas, as cores quentes, a fantasia em oposição ao funcionalismo frio, tão caro à Bauhaus. Se o design da primeira modernidade era construtivista, austero e asséptico, o da segunda modernidade se afirma amistoso, feminino, sensível, em resposta à necessidade de melhor-estar pessoal, de ambiente tranquilizador, de funcionalidade convivial. O importante não é mais romper triunfalmente com um mundo antigo execrado, através de uma racionalidade ortogonal, unidirecional e dominadora, mas dar a sentir, estimular os imaginários, as sensações visuais e táteis.

Até a maneira de expor o design nos salões e galerias, butiques e lojas de departamentos ilustra a ascensão da lógica hedonista-sensível-emocional. Nos Designer's Days de Paris, as criações aparecem de forma festiva e poética graças a jogos de espelho, ambiências teatrais, percursos multissensoriais, diferentes cenografias que permitem mostrar as criações sob um aspecto sensível, caloroso, lúdico. Os estandes e as exposições realizados por Bořek Šípek se apresentam como verdadeiras performances, happenings, mise-en-scènes particularmente espetaculares: em 1992, o Salão do Móvel é transformado em arena de gladiadores. Em 1984, uma exposição de Achille Castiglioni se inspira no mundo do circo.[10] O design que se construiu na guerra contra os excessos do "decorativo" se reconciliou de maneira espetacular com seu inimigo de cem anos numa ótica sensível, emocionalista.

O novo enfoque do design não se nutre apenas das críticas estéticas dirigidas contra o tédio do estilo internacional e da consagração social da cultura hedonista. Sua difusão é inseparável da ascensão do marketing e dos imperativos de comunicação das marcas que veem na emoção, no sensitivo, no prazer, no lúdico meios de desbanalizar os produtos, assim como formidáveis instrumentos de sedução e de estímulo das compras. É por isso que se trata cada vez mais, tanto nos locais de venda como no que concerne aos objetos, de mobilizar imaginário, personalizar, criar emoção. Porque uma grande parte das decisões de compra hoje se baseia em elementos emocionais, devendo o design comunicar, contar uma história para seduzir, fazer sonhar, dar prazer. Design sensível e sociedade-marketing andam de mãos dadas, marcando o novo visual do capitalismo artista que, em toda parte, para melhor vender e se adaptar ao consumidor emocional e hedonista, procura fazer "vibrar", oferecer o prazer das associações imaginárias.

O DESIGN EM TODOS OS SENTIDOS

Ao mesmo tempo, a prática do design não para de se especializar e de conquistar novas esferas. Ao lado dos domínios clássicos do design de produto e gráfico, multiplicam-se as agências que se dizem especialistas em design de ambiente, design paisagístico, design de ambiência luminosa, design multimídia, *motion design*, *game design*, *web design*, design sensorial. Até então, o design centrava-se principalmente no visual; estamos agora no momento em que ele explora as dimensões sensíveis dos objetos por meio do design olfativo, do design sonoro, do design tátil e até do design gustativo. Na fase III, o design se estende aos cinco sentidos a fim de permitir novas experiências de consumo, favorecer uma experiência sensitiva e emocional, trazer diferenciação às marcas e às grifes. Trata-se de assegurar uma função sem deixar de elevar as qualidades percebidas ou o contato sensível do produto. O objetivo é ao mesmo tempo melhorar o conforto das sensações percebidas pelo consumidor, criar uma assinatura sensorial do produto, reforçar a impressão de qualidade da marca.

Especialistas em design sensorial já trabalham nos grandes grupos da indústria automobilística, aeronáutica, cosmética, agroalimentar, sobre os ruídos, as cores, o peso, a textura, a temperatura, a flexibilidade, a luminosidade dos produtos. Mede-se a percepção da aceleração dos carros, o barulho das portas ao fechar, as preferências de cheiro no habitáculo; testa-se também o "clique" dos tubos de batom e das caixas de maquiagem. Desde o ano 2000, a Airbus faz pesquisas sobre as qualidades sensoriais dos materiais (harmonia das cores, textura dos tecidos) que compõem a cabine, a fim de reforçar as sensações de bem-estar vivenciado e de segurança dos passageiros. Reunindo a questão das sensações sentidas e da subjetividade do consumidor, o design passa de um enfoque maquínico e tecnocentrado a uma problemática holística e antropocentrada.[11] O ideal do design não é mais a racionalidade funcional ou objetiva, mas a experiência sensorial, a amenidade dos objetos e do ambiente, a melhoria do bem-estar e das qualidades percebidas.

Por um lado, essas novas atividades representam uma ruptura em relação às clássicas problemáticas racionalistas e mecânicas dos produtos: de fato, não se trata mais de conceber um objeto racional e funcional em si, mas de despertar os sentidos, suscitar experiências e emoções. Por outro, esse "design vivo" não faz mais que estender o domínio da racionalidade estética a todas as coisas, a todas as experiências: é toda a nossa prática de consumo que é atualmente analisada, calculada, medida, avaliada, testada em função de uma vontade de eficácia, de rentabilidade, de performance sensorial dos produtos, de maximização dos resultados. O design polissensorial nada mais é, nesse sentido, que uma estratégia suplementar, na empresa moderna, de controle e estetização operacional do mundo. Depois do cálculo racional dos signos e das formas, a engenharia dos sentidos, o gerenciamento das emoções. Para além da orientação emocional do design e da descontinuidade que este ostenta em relação ao passado, ainda é a razão instrumental e performática que triunfa e avança sobre novos campos, a saber, a avaliação sensorial dos produtos, sua qualidade percebida. A esse respeito, isso é menos uma ruptura com o projeto de racionalização da Bauhaus do que seu resultado final. O que se apresenta como instrumento do reencantamento estético da experiência aparece sobretudo como um dispositivo que exacerba a obra de racionalização do mundo.

O DESIGN, EXPRESSÃO E VETOR DE INDIVIDUALIZAÇÃO

O design moderno foi construído com base na crítica da sociedade industrial, do capitalismo e de seus efeitos devastadores. Investindo-se de uma missão social ambiciosa, o design extraiu sua energia da vontade utópica de construir um mundo melhor, de reconciliar o artista e o artesão, a arte e a indústria, a arte e a vida, com a fé no poder dos objetos de melhorar o mundo e as condições de vida de todos. No decorrer do ciclo ii, essa retórica crítica inegavelmente se perpetuou: ocorre que esses ideais coletivos foram amplamente subordinados a valores adversos de natureza individualista, mercantil e consumista. Não foi a serviço da transformação revolucionária que o design atuou, mas das empresas e do bem-estar privado dos indivíduos.

Paralelamente à publicidade, às vitrines, ao crédito, às mídias, o design estimulou os sonhos de consumo, o hedonismo de massa, os prazeres imediatos: o fetichismo dos objetos e as fruições individuais sufocaram o desejo de revolução social. Individualização do mundo social fortemente ativada, tanto nas consciências como nos comportamentos, pelo novo mundo dos objetos-farol do consumo e de suas transformações incessantes. Automóvel, televisão, rádio de pilha, aparelho de som são produtos dessa fase que privatizaram as existências, exacerbaram os desejos de bem-estar, individualizaram e estetizaram as práticas de consumo. Por meio da renovação perpétua dos produtos e dos signos, o design *destradicionalizou* e desenvolveu o olhar estético do consumidor: ele contribuiu para o advento do consumidor hipermoderno, obcecado por novidades e bem-estar, seduzido pelas modas e a aparência dos objetos. O design moderno é tanto um instrumento de marketing como um agente de transformação dos modos de vida, da relação dos indivíduos com o consumo, o tempo e a estética cotidiana.

A fase III, a partir dos anos 1980, acentuou consideravelmente essa dinâmica individualista. Surge todo um conjunto de novos objetos: objetos de comunicação (celular, microcomputador, smartphone, tablet), objetos musicais (players, iPod), objetos esportivos (skate, patins, prancha de windsurfe, asa-delta, snowboard). Esses objetos móveis e nômades que equipam os indivíduos, e não mais os lares, possibilitam usos personalizados, dessincronizados, deslinearizados do espaço e do tempo. Também tornaram possível novos usos do tempo livre e uma transformação da prática dos esportes por meio de novas figuras gestuais, de prazeres ligados à vertigem e aos *boardsports*, uma estetização das práticas, uma busca de estilo e de emoções.

A indústria da movelaria se inscreve nessa dinâmica de individualização dos comportamentos e das estéticas. Com gigantes como a Ikea, presente em 25 países, o design deu um salto democrático notável,[12] o mobiliário contemporâneo tornou-se um produto barato e, além disso, renovado sem cessar. Milhares de referências relativas à sala, ao quarto, à cozinha dão novas ideias, permitem que as famílias decorem a seu gosto o interior doméstico, personalizem e mudem a decoração de sua casa.

Claro, o design não concretizou seu sonho inaugural de revolução social, mas contribuiu para transformar os prazeres, os gostos e os modos de vida no rumo de uma individualização hiperbólica. É uma visão demasiado simplificadora reduzir o design a um vetor distintivo mobilizado nos enfrentamentos simbólicos de classe: muito mais profundamente, deve-se reconhecer nele uma força criadora de novas práticas individuais e sociais, de novas estéticas do corpo, de novas sensações e percepções, de novas aspirações relativas ao entorno doméstico.

Ao mesmo tempo, o design se esforça para traduzir nos objetos as novas aspirações individualistas à independência e ao bem-estar. No metrô parisiense, o assento-concha individual de Joseph-André Motte substitui bancos e banquetas. Nos trens, os compartimentos de oito lugares são substituídos por assentos voltados no mesmo sentido. Os novos carrinhos são concebidos para que a criança olhe para a frente, não mais para a mãe, pela preocupação de promover o mais precocemente possível o despertar e a autonomia do pequeno ser. No domínio das indústrias alimentícias, o design de embalagem lança miniporções, sachês e pacotes individuais em fase com o aumento do número de pessoas que vivem sozinhas e com a individualização dos comportamentos alimentares nas famílias. Os produtos de praia e relaxamento, os navios, as camas ergonômicas se multiplicam respondendo aos desejos crescentes de melhor-estar individual. No setor automobilístico, o "Hypnos" da Citroën é equipado com um sistema de cromoterapia que faz variar as cores do habitáculo enquanto uma fragrância à escolha acompanha cada mudança de cor; com o "Zoé", a Renault oferece, em 2012, uma climatização hidratante, um difusor de aromas ativos dinamizantes ou calmantes, uma ambiência luminosa à escolha. Na fase III, o design não expressa mais uma racionalidade tecnicista de engenheiro e não se apresenta mais como uma criação soberana comandada unicamente por considerações funcionais e pela exigência de mudar a realidade social. Ele procura concretizar em produtos as novas buscas sensitivas de bem-estar, as expectativas ligadas à escalada da individualização e dos modos de vida à la carte. E, no mesmo passo, não cessa de acentuar todos esses traços.

PLURALISMO E ECLETISMO

O design da fase III não está em correspondência apenas com a cultura hedonista e emocional do hiperconsumo, mas também com o avanço dos valores individualistas e o advento da nova economia da variedade típica do capitalismo pós-fordiano. Com a oposição exclusiva do estilo geométrico e do estilo orgânico, o funcionalismo que dominava a fase precedente demarcava fortemente as inovações estilísticas e a expressão das estéticas pessoais. Legitimando o recurso ao decorativo e inspirando-se em todos os imaginários, todos os estilos de todas as épocas e de todos os continentes, o design se emancipou de um marco "disciplinar" e dirigista hoje incompatível com a escalada da individualização. A oposição rigorista da arte de vanguarda e do kitsch comercial, tal como Clement Greenberg a expunha,[13] não está mais em concordância com o novo patamar de individualização à espreita de surpresas, de feeling, de opções multiplicadas. Nessas condições, todas as opções se tornam legítimas, abrindo caminho para uma vasta pluralização e subjetivização dos estilos, para uma estética da diversidade e da expressão pessoal. Enquanto o funcionalismo mais depurado pode conviver com o barroco e o kitsch, o consumidor evolui num universo que é o do supermercado dos estilos. Devido à inflação das tendências, à variedade excessiva, à abertura do leque das opções estéticas e da liberdade criadora, o neodesign se mostra antes hipermoderno que pós-moderno.[14]

Assim é a era hipermoderna do design, que se caracteriza pelo estilhaçamento e pela convivência de todos os estilos, de todas as tendências, de todas as escolas. Não há mais proibições, limites, exclusividades. O *"low design"*, adepto de uma economia de meios e de formas, coexiste com as audácias mais delirantes e as manipulações mais lúdicas. De um lado, as formas "essenciais" de Martin Szekely, o design despojado de Alfredo Häberli, a simplicidade das criações de Jasper Morrison; de outro, os objetos do cotidiano revisitados pelo humor dos Radi Designers ou pelas máquinas, que desafiam tempo e espaço, do australiano Marc Newson, como seu Kelvin 40, exposto em 2004 na Fondation Cartier, avião biposto de asas de carbono e fuselagem de alumínio. Philippe Starck pode desenhar uma cadeira-mesa (Lola Mundo) que mistura funções, materiais, estilos diferentes. Também realiza tanto espécies de arquétipos atemporais do abajur de cabeceira (Miss Sissi), da cadeira de cozinha, dos talheres, como objetos teatrais e excêntricos.[15]

E quem quiser traçar um quadro do design das três últimas décadas[16] deverá multiplicar as rubricas e distinguir uma multidão de correntes, encarnadas a cada vez por alguns designers-farol, que aliás podem ilustrar várias tendências ao mesmo tempo: design decorativo (Starck, Gagnère, Perkal, Pakhalé), design expressivo (Arad, Hadid, Lane), design minimalista geométrico (Flindt, Morrison, Van Severen), design biomórfico (Newson, Arad, Mulder), design neopop (Seymour, Dixon, Pillet), design conceitual (Bey, Remy, Somers, Wanders), design neo dadá/surrealista (Starck, Baas, Mir, De Rudder), design neodecorativo (Bey, Starck, Wanders, Laviani). Não há mais escola dominante: a hora é de proliferação, de desregulamentação, de mestiçagem dos estilos e dos gostos. Hoje, o estilo não é mais tanto o de uma época, que mescla todos os estilos, quanto o dos próprios designers.

O DESIGN SUSTENTÁVEL

Outro fenômeno de fundo assinala a ruptura constitutiva da fase III do capitalismo artista: trata-se do imperativo ecológico surgido nos anos 1970-80 na esteira das crises do petróleo e das denúncias dos "estragos" do progresso, mas que se tornou, a partir dos anos 2000, o grande nó do mundo contemporâneo. Em face dessa questão, o design não está de forma alguma apartado, visto que é acusado de contribuir para o desperdício generalizado que engendra uma "civilização da lata de lixo". No momento em que o mundo tomou consciência do esgotamento dos recursos naturais e dos enormes riscos representados pela poluição industrial, a defesa do planeta se torna um novo catecismo que se choca frontalmente com a lógica artista do capitalismo, tal como ela se manifestou até agora. Nesse novo contexto surgem novos problemas desconhecidos no decorrer das duas fases precedentes: não se trata mais apenas de estetizar a produção mercantil e de unificar arte e indústria, beleza e utilidade; trata-se de inventar uma nova síntese entre indústria e ecologia, economia de mercado e desenvolvimento sustentável. O design já tem nisso uma importância notável.[17]

Assim, a época vê se desenvolver um "design sustentável" que tem por tarefa criar um novo mundo industrial. Carros limpos, materiais naturais, eco-objetos, produtos sustentáveis e recicláveis: estamos na era do biodesign, do *sustainable design*, que já não levanta tão somente a questão da concepção dos objetos em termos de estética e de funcionalidade, mas também em termos de impacto sobre o meio ambiente. Não se trata mais de apenas desenvolver artes industriais de qualidade destinadas às grandes massas, mas de conceber produtos portadores de valores que os transcendem: respeito pela biosfera, imperativo do coletivo, eco-cidadania responsável.

Evidentemente, a questão dos materiais utilizados é central. Se o ferro e o vidro, produzidos nas fábricas dos grandes países industrializados, haviam marcado o nascimento do capitalismo industrial, chegou o tempo de novos materiais, provenientes de toda a terra e abrindo possibilidades tão múltiplas quanto inéditas para a imaginação dos conceptores preocupados com o desenvolvimento sustentável:[18] placas e painéis decorativos constituídos de casca de castanha-do-pará; abajur Spring Rain do japonês Nosigner, realizado com *vermicelli* de arroz; louça Ekobo de bambu laqueado; palha comprimida para uma linha de recipientes da Alessi; estrutura de fibras de papel para a cadeira Paperstone do Eco Supply Center, e até papel machê para o caixão da Arka Ecopod, respondendo ao pé da letra à ideia de que, continente ou conteúdo, tudo é perecível.

O cruzamento desses diversos materiais e da alta tecnologia gera pesquisas também centradas nas economias de energia que assim se consegue realizar e no caráter ecorresponsável da sua utilização: lâmpadas de diodo eletroluminescentes destinadas a substituir as tradicionais lâmpadas incandescentes; tecidos "inteligentes" reguladores de temperatura e condutores de luz; embalagens "ativas" provenientes de fontes renováveis. Insensivelmente, o ambiente da vida cotidiana é remodelado pela aplicação dessas tecnologias avançadas.

Há de se convir: com a ascensão do referencial ecológico é uma nova era do capitalismo artista que está em curso. Por um lado, é a hora da inflação das novidades, da exacerbação do caráter efêmero dos produtos, do curto-prazismo da economia; por outro, não param de crescer fortes contestações relativas ao produtivismo destruidor da biosfera e de um design considerado irresponsável quanto ao futuro do nosso planeta. Terminou a época eufórica, gloriosa e otimista: confrontado aos desafios do meio ambiente, o capitalismo estético toma caminhos compatíveis com a preocupação ética em relação ao futuro. Ele não se pretende mais apenas artista, mas virtuoso, consciente de suas responsabilidades para com as gerações futuras. Já não existem grandes empresas, seja nos mercados de massa, seja nos de luxo, no transporte ou na moda, que não declarem seu apego à proteção da natureza e seu engajamento na luta contras as ameaças que pesam sobre o meio ambiente. Fiel à sua essência transestética, o capitalismo de hoje busca novas alianças entre futilidade consumista e responsabilidade planetária. Quanto mais o capitalismo aprofunda sua lógica artista, mais ele se reivindica e se reivindicará cidadão, ético e "verde".

4. O império do espetáculo e do divertimento

Se todo um continente do capitalismo artista implica a produção e a distribuição de bens materiais, outro continente, imenso e de uma importância crescente, concerne ao domínio da cultura, dos espetáculos e do lazer: trata-se das "indústrias culturais", como a Escola de Frankfurt as chamava ou, como costumam ser designadas hoje, as indústrias criativas, em outras palavras, essas indústrias que se situam na encruzilhada das artes, da cultura, da tecnologia e do *business*.

Não trataremos aqui do exame crítico do conceito de indústria criativa,[1] mas da maneira como alguns de seus setores transformam o mundo das imagens, do divertimento e da vida cotidiana. Com o desenvolvimento do capitalismo artista, as fronteiras tradicionais que separavam cultura e economia, arte e indústria se esfumaram: a cultura torna-se uma indústria mundial, e a indústria se mistura com o cultural. A economia está cada vez mais na cultura, e esta na economia: à economização crescente da cultura corresponde a culturalização da mercadoria. Não são mais as artes, apenas, tradicionais ou novas, que constituem a cultura, mas todo o nosso ambiente comercial de imagens e de lazeres, de espetáculos e de comunicação. É uma hipercultura midiática--mercantil, que se constrói não apenas com as indústrias do cinema, da música ou da televisão, mas também com a publicidade, a moda, a arquitetura, o turismo. Uma cultura que tem como característica implantar-se sob o signo hiperbólico da sedução, do espetáculo, da diversão de massa.

A ERA DO HIPERESPETÁCULO

Programas de TV, arquitetura museal, spots publicitários, moda, esporte, parques de lazer: não há mais domínio que escape das lógicas, levadas ao extremo, do espetáculo e do divertimento, da teatralização e do show business. A publicidade alardeia estilo e criatividade. Os desfiles de moda se apresentam como verdadeiros shows ou performances artísticas, as fotos de moda criam universos insólitos e os parques de lazer, universos feéricos que proporcionam uma realidade tangível às ficções e lendas. A indústria do cinema multiplica as produções e superproduções com efeitos especiais. As séries de televisão não param de se aproximar dos filmes de cinema de grande espetáculo,[2] de inventar roteiros sobre novos temas, de imaginar personagens mais complexos e improváveis. O pornô e seus exageros se banalizam. O reality show cria uma forma híbrida, em que a ficção remodela a realidade e em que a realidade se encontra espetacularizada numa ficção que adquire a aparência da realidade. Até o esporte, transmitido em milhões de telas mundo afora, se torna, pela maneira como é posto em imagens e dramatizado, megaespectáculo de dimensão planetária.

Em toda parte, o capitalismo de consumo se faz empreendedor artístico, empresário de uma inovação cultural destinada à distração das grandes massas. Arte, animação, lazer, ambiência, marketing, tudo se mistura e se interpenetra permanentemente, dando à própria noção de cultura e de arte uma extensão e uma definição novas: não mais o território patrimonial da alta cultura clássica, mas uma hipercultura de objetivo mercantil baseada nos recursos do espetáculo e do divertimento generalizados. O capitalismo artista é o sistema que conseguiu criar um regime de arte inédito, um império estético que cresce a cada dia: o do espetáculo e do *entertainment* que se apresenta como arte de massa e que se faz veículo de um consumo transestético distrativo.

Falou-se muito que a "sociedade do espetáculo" havia sido superada num mundo dominado pelas redes interativas e pelo virtual, pelos referenciais da autenticidade e da transparência.[3] Esse diagnóstico é manifestamente inexato. De fato, nunca a dimensão espetacular teve tanto relevo em tantos domínios da oferta mercantil, cultural e estética. Há de se convir: a lógica espetacular continua governando todo um conjunto de produções mercantis. Com a diferença de que as palavras que fornecem a sua chave não são mais as que Debord apreciava — alienação, passividade, separação, falsificação, empobrecimento, despojamento —, mas excesso, hipérbole, criatividade, diversidade, mistura de gêneros, segundo grau, reflexividade. O capitalismo criativo transestético fez nascer a sociedade do *hiperespetáculo*,[4] que é ao mesmo tempo a do *entertainment* sem fronteiras.

O conceito de sociedade do hiperespetáculo pode ser apreendido a partir de oito eixos fundamentais constitutivos da nova sociedade.

Primeiro, a sociedade do espetáculo analisada pelos situacionistas coincidia com o nascimento e o crescimento da televisão, quando ela era marcada por uma relativa penúria espetacular: até os anos 1980, só havia na França três canais de tv. A sociedade do hiperespetáculo designa, por sua vez, a sociedade da tela generalizada, em que um número crescente de redes, de canais, de plataformas se faz acompanhar por uma profusão de imagens (informações, filmes, séries, publicidade, variedades, vídeos...) que podem ser vistas em diferentes telas de todas as dimensões, em qualquer lugar e a qualquer momento. Enquanto triunfa a tela global, multiforme e multimídia, se impõe a era da abundância espetacular. Em 1974, a televisão oferecia 7400 horas de programas, mas já 35 mil em 1993. Quando só havia um canal, ele difundia uma centena de filmes por ano; hoje, com a multiplicação dos canais e o aumento do tempo no ar de cada um deles, aos telespectadores são oferecidos entre 5 mil e 12 mil filmes por ano. E são milhares de episódios de centenas de séries de TV que as diversas plataformas em linha oferecem. Com a internet e o vídeo sob demanda, com os leitores de DVD, com o cabo, a TV digital e a multiplicação dos canais especializados, entramos na era da superabundância midiática, do hiperespetáculo onipresente e proliferante.

Com a chegada da "*smart* TV", a televisão, que era o objeto passivo por excelência da sociedade do espetáculo, se torna um centro multimídia de lazer interativo capaz de proporcionar uma multidão de serviços. Na era da convergência entre a televisão e a web, o telespectador se impõe como um hipertelespectador, interativo e conectado permanentemente, tendo acesso aos programas já difundidos nos canais de TV, às redes sociais, aos filmes sob demanda, aos videogames, fotos e vídeos familiares, jornais, cursos de atualização... Uma TV hiperespetacular que abre um mundo ilimitado de imagens e de programas.

Segundo, a explosão das telas e da oferta cultural não se dá sem profundas mudanças dos modos de consumo. A um consumo maciçamente padronizado, estruturado em torno do *prime time*, sucedeu um consumo descoordenado, desregulamentado, dessincronizado, em que cada um visualiza o que quer, à la carte.

O acesso aos programas de divertimento libertou-se bastante das antigas limitações de espaço, de programação e de tempo: podemos ver tudo em qualquer lugar, a qualquer hora do dia e da noite, ao vivo ou gravado. A prática "ritualizada" ou coletiva de cinema ou de televisão cedeu lugar a um consumo individualista, desunificado, self-service. A era do hiperespetáculo não é apenas aquela do espetáculo onipresente, mas também a do espetáculo sob demanda, em que o consumidor se torna um programador autônomo e personalizado. Porque assistimos aos filmes e à TV à la carte, como quisermos, onde quisermos, o hiperespetáculo produz cada vez menos o "estar junto": ele significa o eclipse da dimensão cerimonial ou "litúrgica" que o espetáculo dos tempos heroicos da sociedade de consumo ainda comportava.

Terceiro, de acordo com Debord, "a separação é o alfa e o ômega do espetáculo".[5] Mas, precisamente, o capitalismo artista não cessa de misturar, de entremear os domínios econômicos e culturais, de cruzar as esferas do comércio, da moda, do star-system, da arte, do divertimento, do show business. A uma ordem de "separação generalizada" sucede uma de transversalidade, de desdiferenciação, de hibridização, que por isso mesmo se faz acompanhar de inúmeros efeitos hiperespetaculares que são como que "mutações". A hipermodernidade espetacular é de essência transestética.

Quarto, o público cada vez mais se quer e se pensa ator, adota atitudes destinadas às mídias que o filmam. Hoje, os indivíduos se pensam em termos de imagens, e eles próprios se põem em cena nas redes sociais ou diante das câmeras. Os campeões esportivos não são mais apenas filmados em estádios: eles mudam sua maneira de ser em função da câmera que os filma. Os candidatos aos reality shows têm cada vez menos atitudes "naturais": apesar de orientados para fazer audiência, mesmo assim são atores animados por estratégias para vencer os adversários, ganhar dinheiro, tornar-se uma "celebridade". O que põe um pouco em questão a problemática clássica desenvolvida pela Escola de Frankfurt e Debord, segundo a qual a onipotência midiática faz dos indivíduos seres passivos, despossuídos e manipulados.[6] Na verdade, na era do capitalismo artista hipermoderno, há sem sombra de dúvida uma *instrumentalização* pelos indivíduos do mundo espetacular da tela. Estamos no hiperespetáculo quando, em vez de "suportar" passivamente os programas midiáticos, os indivíduos fabricam e difundem em massa imagens, pensam em função da imagem, se expressam e dirigem um olhar reflexivo para o mundo das imagens, agem e se mostram em função da imagem de si que querem ver projetada.

Quinto, o universo do espetáculo era analisado como sendo o da ilusão, do engano, do "pseudoacontecimento",[7] empenhando-se em representar, em oferecer em imagem e em espetáculo o que os homens não vivem em seu cotidiano: o espetáculo coincide com "a representação ilusória do não vivido".[8] Com a sociedade do hiperespetáculo, se estabelece outra lógica, que se dedica, precisamente, a gerar permanentemente uma vivência: por meio do *fun shopping*, dos filmes em 3D, das viagens e dos fins de semana insólitos, dos hotéis exclusivos, dos concertos-monstro, dos parques de lazer, das arquiteturas-espetáculo, o capitalismo artista cria estímulos em cadeia a fim de proporcionar sensações decuplicadas, extraordinárias, hiperbólicas, e ambiciona fazer os consumidores viverem experiências sensoriais e imaginárias, "aventuras" sensitivas e emocionais. Não mais a "sobrevida aumentada",[9] mas a *realidade aumentada*, hipersensacionalista, que hoje oferecem o virtual e o 3D, e isso até mesmo nas lojas. Assim, o hiperespetáculo é uma das peças principais da nova "economia da experiência".[10]

Sexto, há hiperespetáculo na medida em que o capitalismo artista é a origem de uma avalanche de imagens (filmes, séries, publicidade, revistas), de gigantescas estruturas mercantis e culturais (shopping centers, *flagship stores*, resorts, megacomplexos de lazer) que, mobilizando orçamentos astronômicos, têm como tarefa fazer imagem, criar o surpreendente, provocar emoções e estímulos imediatos. A fim de captar o desejo dos consumidores e de se impor nos mercados, as empresas jogam a carta da fuga para diante, da corrida ao gigantismo (torres, malls, hipermercados, estádios, shows, salas de concerto, navios de cruzeiro...), mise-en-scènes espetaculares, *blockbusters*, efeitos especiais, cenografias kitsch, provocação: é uma lógica hipertrófica de recordes sucessivos, de "cada vez mais" que constitui o hiperespetáculo.

Nesse sistema em que os signos remetem apenas a eles mesmos, sem outra finalidade senão o impacto espetacular, midiático e mercantil, somos testemunhas de uma orgia de artifícios, de brilhos e efeitos publicitários, de eventos supermidiatizados e emocionais, de extravagâncias e de imagens extremas. Todo dia, todo mundo é assaltado por imagens *trash* e obscenas, programas impactantes, assuntos chamativos nos programas de tv. A sociedade do hiperespetáculo vê uma enxurrada de filmes pornôs, de programas *people*, de faits divers comoventes ou medonhos, de talk shows mais ou menos picantes e "transgressivos". A informação televisiva é construída cada vez mais num registro de tipo compassivo centrado nas vítimas de todo tipo, capaz de ter um impacto emocional imediato sobre o público. A comunicação dos líderes políticos é organizada visando mostrar que eles são sensíveis ao "humano", ao sofrimento dos cidadãos ordinários. O importante é encontrar frases de efeito, construir acontecimentos capazes de mobilizar as mídias e "fazer imagem". O mundo vindouro se anuncia como um amontoado de espetáculos funcionando na base do sensacionalismo, da intimização e da emocionalização das telas, da informação e da política. Hiperespetacular é a sociedade em que o show brilha com todas as suas luzes, em que proliferam os programas e as imagens que forçam cada vez mais os limites, em que as narrativas e os elementos visuais são concentrados nos afetos: uma lógica hiperlativa, global e integrada que se impõe como peça constitutiva da sociedade transestética.

Sétimo, a sociedade do espetáculo era centrada nas estrelas míticas do cinema e da canção; a do hiperespetáculo é contemporânea de uma espécie de estrelização generalizada que se aplica a todas as atividades. Os políticos, o papa, os homens de negócio, as princesas, os artistas e designers, a gente da moda, os apresentadores de televisão, os romancistas, os filósofos, os esportistas, os chefs de cozinha: hoje, nada mais escapa do star-system. Atualmente, todos os domínios da cultura funcionam com base na estrelização, com seus ícones mais ou menos mundializados, suas paradas de sucesso, seus best-sellers, seus prêmios e suas listas dos melhores, seus recordes de venda. A era do hiperespetáculo é a da universalização da economia do vedetismo, dos mercados do nome e do renome.[11]

Oitavo, decerto não faltam, mesmo no passado mais remoto, manifestações de "grandes" espetáculos, cerimônias e festividades grandiosas e deslumbrantes. O castelo, a Igreja, a cidade sempre foram espaços em que se realizavam grandes mise-en-scènes. Mas estas eram organizadas segundo altos referenciais de sentido, religioso ou político, pois tinham a função de honrar aos deuses ou engrandecer a imagem dos monarcas e das famílias nobres. Bem diferente é o hiperespetáculo, o qual tem por único referencial o divertimento "turístico", o sonho, o prazer imediato dos consumidores. Na sociedade do hiperespetáculo, a excrescência dos meios não constrói mais uma sociedade do religioso ou da hierarquia ostentatória, mas uma sociedade mercantil de regozijo de massa. Não há mais sentido forte nem missão transcendente: apenas uma finalidade econômica que leva cada vez mais longe a busca de efeitos para seduzir e divertir um número crescente de consumidores. A sociedade do hiperespetáculo sela a união do econômico, do divertimento e da sedução: ela é a sociedade que trata todos os temas na forma de divertimento, que transforma todas as coisas — a cultura, a informação, a política — em espetáculo de show business, visando a prazeres e emoções a serem incessantemente renovados.[12] O capitalismo artista contemporâneo se anuncia sob o signo do triunfo do *entertainment* generalizado: a magia encantada que ele cria e difunde nem por isso deixa de ser a expressão do desencantamento do mundo.

O ESPETÁCULO EXCESSIVO

Na era do capitalismo artista, hiperespetáculo, consumo e divertimento formam sistema. O divertimento não é mais um domínio marginal e separado, ele se tornou um setor econômico fundamental, uma indústria transestética que cresce a cada dia,[13] colonizando cada vez mais imagens, produtos e atividades. Hoje, o universo do divertimento se estende bem além do cinema, da televisão e da música; ele engloba os objetos, os jogos, a informação, a comunicação, as cidades, os espaços comerciais, os museus, o patrimônio e até mesmo as comemorações nacionais. O divertimento não se opõe mais à economia nem à vida cotidiana: no reinado do capitalismo criativo, ele se infiltra em todos os espaços da vida e se fusiona com o mercado. Estamos na era do divertimento integrado e generalizado, marcado pela hibridização da mercadoria, da emoção e da distração de massa.

O capitalismo transestético se lança cada dia um pouco mais em operações que multiplicam as ambiências de lazer, os espaços, objetos e atividades de entretenimento. Gadgets, leitores, tocadores digitais, malls, multiplexes, parques de lazer, cruzeiros, circuitos turísticos: hoje é impossível fazer o inventário dos "produtos" de divertimento, a tal ponto eles proliferam infinitamente. Os meios de transporte coletivos e individuais são equipados de tecnologias que possibilitam fazer que as viagens se tornem momentos de distração. E as ruas, as lojas e as revistas são estilizadas tendo em vista uma ambiência de prazer. A sociedade transestética aparece como uma cadeia ininterrupta de espetáculos e de produtos sob os auspícios do *fun*, do lúdico, do relaxamento mercantilizado. O divertimento se tornou a retórica do consumismo, seu estilo, seu espírito dominante: ele é a aura de que se envolve o mundo do consumo estetizado. Ambiência generalizada de lazer que, difundindo uma atmosfera de ligeireza e de felicidade, constrói a imagem de uma espécie de sonho acordado permanente, de paraíso do consumo.

Gigantismo

A sociedade do hiperespetáculo é a do *fun*, mas também da hipertrofia, do excesso, do gigantismo, dos recordes de todo tipo. É o que atestam as torres, cuja altura desafia o céu e que desafiam umas às outras (aos 828 metros da Burj Khalifa em Dubai, a Arábia Saudita projeta responder com os 1600 metros da Kingdom Tower); edifícios que alcançam proporções inauditas (Chengdu, na China, iniciou as obras do "Global Center", cujo 1,7 milhão de metros quadrados, na forma de um paralelepípedo de cem metros de altura, com quinhentos metros de frente por quatrocentos de fundo, abrigará escritórios, complexo universitário, lojas, hotéis cinco estrelas, cinema, rinque de patinação, praia artificial…); parques de lazer imensos[14] e locais culturais de dimensões titanescas (350 mil metros quadrados para a Cidade das Artes e Ciências de Valência, Espanha); arquiteturas que se exibem como um filme de grande espetáculo ou como uma atração gigante; navios de cruzeiro que ampliam sem parar os limites (361 metros de comprimento, podendo receber 6300 passageiros, em 2010, com o *Allure of the Seas*, que supera amplamente os 345 metros e os 3 mil passageiros do *Queen Mary 2*, lançado ao mar em 2004); extravagâncias turísticas que fazem surgir pistas de esqui no deserto e ilhas artificiais em forma de palmeira gigante; cidades--conceito (Dubai) que parecem nascer do "encontro de Albert Speer e Walt Disney no litoral da Arábia".[15] Para onde quer que olhemos, são cada vez mais espetáculos hiperbólicos, shows, dispositivos delirantes, quando não megalomaníacos.

Os complexos comerciais tentaculares que florescem desde os anos 1980 ilustram a mesma dinâmica. O West Edmonton Mall, que se estende por quase cinquenta hectares, compreende, além das suas oitocentas lojas, vinte salas de cinema e uma centena de restaurantes, um parque de atrações coberto, de 40 mil metros quadrados, um conjunto hoteleiro de quatrocentos quartos, um percurso de golfe miniatura assim como a maior piscina de ondas do mundo: 40% da sua superfície é consagrada ao divertimento. Esse mall, como tantos outros,[16] concretiza o que a literatura especializada chama de "marketing experiencial", que visa transformar os locais de compra e venda em espaços de sonho, de lazer, de prazer. O *megamall* não é emblemático do capitalismo artista unicamente por seus arranjos decorativos que o assimilam a um "teatro de vendas", mas também porque pretende ser um local de sensações "extraordinárias" e de experiências de lazer a serviço do consumo.[17] Estamos na época dos complexos de comércio e lazer integrados, dos megacentros multifuncionais que proporcionam o ambiente eufórico de uma felicidade completa e perpétua.

O universo hoteleiro também é arrastado pela escalada do espetáculo e do gigantismo. Os complexos hoteleiros Disney se compõem de arquiteturas que integram imensos objetos (walkman, cubo mágico, pinos de boliche...) ou personagens de filmes de animação com cores vivas e berrantes: hotéis de impacto visual imediato e de grande mise-en-scène pop que, tomando sua estética emprestada do universo do cinema, dos cartoons, da publicidade, criam um espaço-tempo imaginário e desrealizado. Erguem-se ao mesmo tempo imensos resorts de várias centenas de hectares construídos como aldeias, com lagoas artificiais, spas, golfe, cassino, butiques, praias, piscinas e restaurantes. Na era hipermoderna, a estrutura turística entrou no regime híper da imagem e do divertimento.

O gigantismo tende inclusive a se tornar a norma das esculturas e instalações da arte contemporânea. Michael Heizer movimentou cerca de 240 toneladas de rochedo numa extensão de 450 metros. Uma peça de Robert Morris que foi exposta no Whitney Museum mede 29 x 3,65 x 2,15 metros. Anish Kapoor subjuga o espectador com obras que medem várias dezenas de metros e pesam centenas de toneladas. A escultura de Richard Serra intitulada *7* e instalada em Doha mede 24 metros de altura. Forma mínima, tamanho "máximo": a arte contemporânea, ao mesmo título que os shopping centers, os hotéis e os parques de lazer, faz parte da mesma lógica espetacular do híper. O hiperespetáculo e seus excessos atuam agora em todas as esferas, tanto na *high* como na *low culture*.

Choque visual

Assistimos desde os anos 1980-90 a uma explosão de edifícios arquiteturais que, longe das construções funcionalistas, procedem de uma estética da imagem e do choque visual. Do Guggenheim de Bilbao (Frank Gehry) ao Seoul National University Museum of Art (Rem Koolhaas), do World Financial Center de Shanghai (Kohn Pedersen Fox) à Cidade das Artes e das Ciências de Valência (Santiago Calatrava), do Denver Art Museum (Daniel Libeskind) ao Centro Pompidou de Metz (Shigeru Ban), da Ópera de Beijing (Paul Andreu) ao Marina Bay Sands Hotel (Moshe Safdie): por todo o mundo grandes arquiteturas florescem numa competição de imagens de efeitos atordoantes. Choque visual que transforma a própria construção em objeto da curiosidade: o interesse se concentra em suas formas, no que ela exibe, muito mais do que em sua função. O exemplo extremo disso é dado com os novos museus construídos nos últimos vinte anos. São eles que as pessoas vão ver, muito mais que as coleções que eles abrigam e de que, muitas vezes, nada se sabe.

Evidentemente não é a primeira vez que são erguidos edifícios de dimensão colossal e teatral. Os castelos e as igrejas barrocos particularmente, com sua fachada teatral, seus afrescos, seu fausto aparatoso, sua ornamentação exagerada, constituíam grandes arquiteturas-espetáculo. Mas, ao contrário destas, as construções hipermodernas são marcadas por referenciais fracos, desprovidos de grandeza e de transcendência: não mais a celebração do divino e do reinado triunfal do monarca, mas a busca pura da originalidade e da singularidade, a afirmação de uma imagem de marca na concorrência entre as cidades. À hipertrofia da forma ou do volume responde o minimalismo do conteúdo e das mensagens veiculadas: excrescência da imagem, retração do sentido. Se considerarmos os grandes projetos da era Mitterrand (Arco de La Défense, Pirâmide do Louvre, Ópera da Bastilha, a Grande Biblioteca), chama nossa atenção o uso de formas puras, lisas e geométricas, "que se alimentam apenas de si mesmas e se esgotam no instante, sem intenção de inspirar uma emoção ou uma inquietude que habitaria o espectador por um bom tempo".[18] Ou seja, impõe-se uma estética abstrata que consiste em fazer imagem e causar choque, uma estética midiática do instante imediato sem prolongamento emocional, adaptada aos desejos de fruição direta e rápida do neoconsumidor.

Não se trata mais de maravilhar e subjugar o público por meio da expressão da grandeza das finalidades, trata-se de impressionar à maneira de um ícone publicitário, de criar uma espécie de logo ou de anúncio luminoso de luxo capaz de animar a cidade e os turistas sedentos de imagens de divertimento. Desde os anos 1970-80 — o Centro Pompidou é inaugurado em 1977 — não se constroem mais museus cujo modelo é o templo grego ou a *villa* do Renascimento e cuja função é conferir uma elevação espiritual às obras, expressar a quase divindade das Belas-Artes. Não mais templos que visem criar uma aura, mas museus de formas espetaculares que celebram antes o universo do lazer e do divertimento do que a "sacralidade" da arte à moda antiga. A arquitetura da iniciação espiritual é substituída por uma arquitetura voltada para um consumo turístico de acontecimentos distrativos. Mesmo quando certos edifícios adotam com inegável sucesso a dimensão poética e imaginária, como o caso do museu Guggenheim de Frank Gehry, o conjunto não escapa ao registro lúdico-espetacular. É quando a forma arquitetônica é ideada tendo em vista o efeito espetacular, e somente ele, que ela se torna hiperespetáculo.

Provocação

O hiperespetáculo adquiriu igualmente uma relevância bem particular através de estratégias de transgressão praticadas pelo mundo publicitário. Num mercado que se caracteriza pela ausência de grandes diferenças entre os produtos, as marcas se esmeram em encontrar sem cessar novos meios de singularização, técnicas de comunicação inéditas a fim de não passar despercebidas, rejuvenescer sua imagem, parecer criativas e "subversivas". Um dos caminhos para chegar a isso é a provocação, a implicação emocional do destinatário pela mise-en-scène de temáticas "sensíveis". Distinguir-se da concorrência, fazer falar de si: objetivos que levaram a publicidade a superar os tabus, a "incomodar", a jogar com os extremos adotando o registro do hiperespetacular.

O pornô-chique é a ilustração mais difundida disso. Mas, desde os anos 1980-90, o jogo com os tabus dá um passo à frente com Oliviero Toscani orquestrando campanhas fundadas na provocação e levantando questões de sociedade. Instala-se um tipo de publicidade que, despojada do registro da sedução, joga a carta do impacto emocional e do sensacionalismo. Uma problemática de recusa do espetáculo da sedução que não fez mais que dar lugar a um espetacular elevado ao quadrado: o da dramatização das ideias e dos debates de sociedade que confunde as fronteiras entre informação e crítica social, arte e marketing. De fato, a problemática do sentido serviu apenas para propulsar uma escalada na lógica espetacular em que se mesclam arte, publicidade, reportagem, ideal humanitário. Pelo iconoclasmo e o hiperespetáculo do *shockvertising* que arvoram, as propagandas da Benetton dessa época ilustram uma das faces do capitalismo artista, que teve êxito em incorporar a dimensão crítica, rebelde, iconoclasta própria da arte moderna.[19]

Escalada da violência

Hiperespetáculo que atestam também as imagens do cinema contemporâneo. Violência e sexo, no cinema, obedecem hoje ao mesmo destino extremo. Tal como este se apresenta numa espiral de excesso *hard*, aquela se exibe de forma hiperbólica. Estamos na era de uma fuga para adiante sistemática, de um cinema do excesso, que procura ir cada vez mais longe: *Velozes e furiosos* leva a *Velozes e furiosos 2*, depois *3*, *4*, *5*, caracterizando-se cada novo episódio por um acréscimo em relação ao precedente. Cada vez mais pornô, violência, catástrofes, horror, sensações fortes: o hipercinema é o da imagem-excesso.

Não que o cinema não tenha descoberto a violência bem cedo. Mas *Sementes da violência*, dos anos 1950, não tem mais grande coisa a ver com a exacerbação de hoje. De fato, por muito tempo a violência foi tratada como um tema que se integrava num conjunto mais significante: adolescentes em revolta, gângsteres e máfia, conflitos sociais, selva urbana. Não é mais assim, na época em que a violência é filmada por si mesma, à maneira, por exemplo, de Coppola, que, em *Apocalipse Now* (1979), faz da guerra do Vietnã uma espécie de ópera, um hiperespetáculo coreográfico ao som das Valquírias wagnerianas. Difunde-se todo um cinema que se caracteriza pela excrescência da violência, por sua espiral sensacionalista, por sua dimensão extrema, insuportável: *A paixão de Cristo* de Mel Gibson, *Doce vingança* de Steven R. Monroe, *The Necro Files 2* de Ron Carlo ou a série *Saw* exacerbam de um filme a outro o refinamento dos piores suplícios. Na sociedade do hiperespetáculo, a violência não é mais tanto um tema quanto uma espécie de estilo e de "estética" pura do filme. Ela atua como um espetáculo que vale por si mesmo, faz parte não tanto da narrativa quanto da própria essência do filme.

Celebridades

As grandes mise-en-scènes, o humor, a paródia constituem os grandes vetores do hiperespetáculo publicitário. Mas há outro que funciona com base na personificação ou na personalização "real" do imaginário, por meio das celebridades midiáticas. Do mesmo modo que certas marcas buscam a colaboração dos artistas, a publicidade mobiliza os artistas do espetáculo por excelência que são as estrelas e, mais amplamente, os ícones da celebridade que o capitalismo estético às vezes transforma em artistas: Zidane é apresentado como "artista, maestro da bola". Para criar uma forte visibilidade, aumentar a notoriedade, "tocar" diferentes categorias de idade, multiplicam-se as propagandas que constroem seu espetáculo a partir de um processo de hibridização da marca, do emocional e do star-system.

A aliança entre as marcas e as celebridades não é um fenômeno recente: nos anos 1930, o sabonete Lux constrói suas campanhas publicitárias em torno das estrelas: "Nove entre dez estrelas do cinema usam Lux". E a partir dos anos 1950 e 1960, são inúmeras as celebridades que, nos Estados Unidos, se tornam embaixadoras das marcas: para citar um só exemplo, Elvis Presley emprestou sua imagem à Volvo, à Bud Dry Beer, à Domino's Pizza... Tudo indica no entanto que uma nova etapa foi vencida, a tal ponto o fenômeno se avultou: observadores estimam que cerca de um terço das propagandas da TV faz intervir hoje uma pessoa célebre. E são incontáveis as campanhas que recorrem a porta-vozes célebres. Conforme os momentos, os investimentos em *celebrity marketing* podem variar, mas a tendência à escalada de estrelas é manifesta, ainda que a eficácia do processo seja questionada.

Não consumimos mais apenas produtos, filmes, locais turísticos, música, mas também o espetáculo das celebridades como maneira de encantar, de singularizar-personalizar-afetivizar o mundo tecnomercantil impessoal. Quanto menos as culturas de classe estruturam os comportamentos, menos os produtos se mostram capazes de, por si sós, estimular o consumo: nesse contexto, é necessária a imagem espetacular, a sedução, figuras capazes de "humanizar" o universo mercantil. O hiperconsumo está em busca de novidades contínuas, mas deseja igualmente o reconhecível, pontos de ancoragem, laços sentimentais. Se a starmania não pode ser separada dos desejos de evasão e de sonho, ela deve também ser vinculada à necessidade de encontrar figuras conhecidas e amadas num mundo de mudança perpétua e acelerada. As novas egérias têm por função trazer sonho, encanto e personalização para um universo de anonimato tecnológico. O espetáculo das celebridades é o que vem preencher o vazio que acompanha a individualização extrema das nossas sociedades, a balcanização das referências coletivas e a impessoalidade do mundo técnico. É pouco provável que as novas correntes que valorizam, contra o hiperconsumo, o modesto, o discreto, a simplicidade, possam questionar fundamentalmente o prazer que acompanha as imagens conhecidas, amadas, espetaculares do star-system.

Espetáculo no espetáculo

Última em data das manifestações do hipercinema: a vaga de filmes biográficos, os *biopics*. Se esse gênero existe desde o início do cinema, também é verdade que ele ingressou numa nova era assinalada em particular por duas características típicas da época híper. Primeiro, a fuga para adiante, a escalada do número: mais de noventa *biopics* estavam em pré-produção apenas no ano de 2012. Depois, filmes que se inspiram cada vez mais na história recente a ponto de levar à tela a existência de indivíduos ainda vivos. Não mais só Cleópatra ou Napoleão, mas existências modernas e contemporâneas: Margaret Thatcher, Nelson Mandela, Nicolas Sarkozy, Mark Zuckerberg, Mesrine. E não mais figuras heroicas da grande História, mas estrelas, celebridades do music hall, da moda, do pop, do esporte: Marilyn, Piaf, Mohammed Ali, Claude François, Gainsbourg, Chanel e, em breve, Janis Joplin, Michael Jordan... Fascinada com seus próprios ídolos, a sociedade do espetáculo criou as celebridades modernas; a sociedade do hiperespetáculo, por sua vez, as recicla continuamente, as roteiriza duplamente, oferece-as em consumo ao quadrado no modo nostálgico. Representando-se permanentemente, contemplando-se em abismo, ela faz um espetáculo do próprio espetáculo.

E portanto faz um espetáculo do próprio cinema. O cinema não para de contar sua própria história. Aqui também não há novidade: *Cantando na chuva*, em 1952, já contava o fim do cinema mudo e o início do cinema falado em forma de comédia musical. Mas o fenômeno se acelera, se multiplica, se radicaliza: com o mesmo tema, *O artista* reconstrói peça por peça um filme mudo e faz deste um espetáculo radicalmente novo; *Hugo Cabret* parte em busca de Georges Méliès num filme que ressuscita o pioneiro artesanal dos efeitos especiais valendo-se de efeitos digitais e imagens em 3D. O segundo grau, a releitura, a referência citacional — o cinema-distância[20] — aparecem como um componente hoje essencial, uma *mise en abyme* que acrescenta um estrato suplementar ao espetáculo, que faz do próprio espetáculo o tema do espetáculo.

E essa *mise en abyme* dos espetáculos também se traduz pela utilização que um faz do outro, num círculo do qual se explora todas as expressões artísticas possíveis, desenvolvendo-se a cada vez seu aspecto espetacular: a atração de um parque de lazer — os piratas da Disneyland — se transforma em *blockbuster* hollywoodiano, que gera suas próprias sequências — *Piratas do Caribe 1, 2, 3* —; a história em quadrinhos, o romance gráfico, o mangá, o videogame — *Tintim, Persépolis, Dragonball, Lara Croft* — fazem nascer os filmes que os projetam da página ou do console à imensidão da tela panorâmica; o filme de animação — *O rei leão* — se transforma em espetáculo vivo e se torna comédia musical, antes de voltar à tela dos cinemas, animado em profundidade pela 3D; as canções de um grupo, Abba, dão origem a uma comédia musical, *Mamma Mia*, que dá origem a um filme. O espetáculo gera o espetáculo, que alimenta o espetáculo. *The show*, mais que nunca, *must go on*.

O sensacional e o abjeto

A arte contemporânea também se inscreve nessa dinâmica de competição espetacular por meio do que Paul Ardenne chama de "estéticas do limite ultrapassado".[21] No vasto empreendimento de ruptura e desconstrução que é o da arte contemporânea desde os anos 1960, no qual as fronteiras e os princípios da própria arte é que são sistematicamente postos à prova e desestruturados, a escalada espetacular vem se expressar da maneira mais extrema nessas figuras que são o escandaloso e o sensacional.

Assim, Serge III Oldenbourg arriscou a vida fazendo roleta-russa em cena (*Solo pour la mort*) num concerto do Fluxus; e Chris Burden, em outra performance, fez lhe darem um tiro no braço com uma carabina calibre 22 Long Riffle (*Shoot*) a fim de "conhecer a sensação extrema do instante". A lógica do hiperespetáculo superou os limites da representação: ela se estendeu até a própria experiência extrema do risco e de seu próprio corpo.

Hiperespetáculo que os novos jogos da arte, com o abjeto e o repulsivo, também ilustram. Em 1993, o Whitney Museum de Nova York organiza uma exposição com o título explícito de *Abject Art: Repulsion and Desire in American Art*. Em 1997, Charles Saatchi organiza na Royal Academy of Arts de Londres uma exposição intitulada *Sensation* que lança como uma marca os Young British Artists e suas obras provocadoras: moscas que comem uma cabeça de boi encerrada numa grande caixa de vidro (Damien Hirst), manequins de crianças com nariz em forma de sexo em ereção e boca em forma de ânus (Jake e Dinos Chapman), Virgem Maria realizada com excrementos de elefante (Chris Ofili). Desde então, a competição nesse gênero não cessou: a utilização do sexo, da urina, dos excrementos, dos cadáveres, da carne, do sangue leva a provocação cada vez mais longe.

Isso fascina, choca, cria debate ou escândalo: é esse, de fato, o objetivo que se busca, e é assim a máquina infernal da fuga para adiante hipermoderna, que arrasta a arte contemporânea para o "cada vez mais" do hiperespetáculo, que se torna um veículo de diferenciação "publicitária" dos artistas. Com obras de mensagem simples, trata-se de produzir um efeito de choque imediato, fazer imagem e construir uma imagem artista facilmente midiatizável. Por meio do "escandaloso", a obra hiperespetacular, eficaz e direta, tende a se parecer com uma operação de comunicação publicitária a serviço de uma marca, a própria marca do artista. Quanto mais atuantes a escalada dos efeitos e a estética do choque e do extremo, mais a arte se impõe como uma esfera dominada pelos mecanismos de promoção e marketing.

A arte moderna se afirmou como uma arte distanciada, intransigente, "intelectualizada", opondo-se ao kitsch, à sedução das imagens, ao teatro da representação. A arte contemporânea, por sua vez, se pretende "experiencial",[22] proporcionando sensações fortes, um choque visual pelo espetáculo do desmedido, do excessivo, do sórdido, do imundo, da violência hiperbólica.[23] Não mais "mudar a vida", mas criar o jamais-visto, o espetacular, o inesperado. Não se trata de fazer sonhar nem de emocionar, mas de provocar reações "primárias": ficar estarrecido, impressionado, enojado, chocado. Para além de tudo o que opõe a arte de consumo de massa à arte contemporânea, deve-se ver nesta uma arte em fase com o neoconsumidor que procura "sair para o mundo", experimentar sem cessar novos temperos, sentir a "embriaguez" de escapar da banalidade dos dias. Não mais se formar, educar seu gosto e se elevar, mas ser excitado pelo espetáculo do jamais-visto. O importante não é mais o sentido, mas a experiência "divertidora" do "diferente": só ver, sentir naquele instante e passar para outra coisa. Ainda que denuncie a cultura do divertimento, a arte contemporânea constitui uma das suas figuras paradoxais. Com o hiperespetáculo toma vulto o regime propriamente consumativo da arte contemporânea.

Os paradoxos não param aí. Não percamos de vista que, qualquer que seja o desafio lançado pela arte contemporânea "desestetizada",[24] o processo de estetização generalizada do mundo prossegue, notadamente ao reestetizar até a dimensão do repugnante. Mesmo tomando como tema o abjeto e rejeitando qualquer alcance estético, fica-se na dimensão estética, por ser a obra apresentada num lugar eminentemente estético, museu ou exposição. E a "retirada" estética reivindicada pelos artistas contemporâneos não deixa de ser um gesto artístico, qualquer que seja o conteúdo da obra. Desse ponto de vista, é muito fácil salientar a oposição radical entre o novo regime de arte "a-estética" e o mundo exterior à arte, dominado, este, pelo império do estético: de fato, em toda parte progride o avanço triunfal do processo de estetização ou, mais exatamente, de transestetização do mundo.

EXTENSÕES DO HIPERESPETÁCULO

São esses portanto os mecanismos que geram a sociedade do hiperespetáculo. A força deles é tamanha que essa dinâmica de espetacularização ganhou todo um conjunto de domínios e de atividades em que a própria noção de espetáculo era, até então, secundária em relação a outras finalidades. Desenvolve-se assim um mundo em que o hiperespetáculo não somente se torna dominante, mas anexa setores da vida social cada vez mais amplos.

A realidade "show"

Se as séries de TV fazem hoje concorrência aos filmes de cinema, elas próprias enfrentam a concorrência de novos tipos de programas que desde 2001 encontram um sucesso fulgurante em escala planetária: trata-se dos reality shows cujo arquétipo, o *Big Brother* (na França, *Loft Story*), foi vendido em várias dezenas de países.

Muitos podem se espantar por ver esse gênero televisivo ser tratado numa seção consagrada ao hiperespetáculo, visto que geralmente é assimilado a uma produção barata, com mise-en-scène minimalista, sem ambição artística e sem atores remunerados. O híper, no entanto, encontra nele uma posição notável, notadamente no que alguns denunciaram como uma disputa pela mediocridade e a vulgaridade entre programas que vão cada vez mais longe, e mais baixo, na exploração obscena do privado e da nulidade. O que rapidamente deu às tradicionais críticas de rebaixamento cultural e moral feitas à televisão uma virulência ainda maior: invadindo os territórios do cotidiano e do íntimo, o reality show se via definitivamente catalogado como manipulador, voyeurista e exibicionista.

Mas o reality show também suscitou considerações nitidamente mais favoráveis. Assim, em 2001, os *Cahiers du Cinéma* classificaram *Loft Story* entre os dez melhores filmes do ano. Entusiasmado, o cineasta Jean-Jacques Beineix expressou sua admiração pela qualidade artística desse programa. E um fino analista como François Jost não hesitou em reconhecê-lo como um prolongamento das vanguardas artísticas que, em sua vontade revolucionária de destruir a definição clássica da arte, se empenharam em dignificar a banalidade do cotidiano. "Se considerarmos a arte do século xx como uma tentativa de transfiguração do banal em obra, como nos convida a fazer o filósofo americano Arthur Danto, não é absurdo nos perguntarmos se o reality show não faz parte, a seu modo, dessa arte de aproveitar os restos que é a arte contemporânea."[25]

A tv-lixo será então filha de Duchamp, Léger,[26] Warhol? Será ela um avatar tardio das desconstruções modernistas? Se se identificar o reality show com a sagração do banal e do infraordinário, essa filiação é inegavelmente bem fundamentada. Mas ele é apenas isso? É até principalmente isso? Podemos duvidar.

Assim, os participantes, apesar de serem pessoas comuns, são mesmo assim selecionados em sessões de casting, em que se trata precisamente de distribuir os papéis: os doze solteiros escolhidos para o primeiro *Loft Story*, em 2001, tinham saído de um casting realizado a partir de 38 mil candidatos. O programa, que aparentemente filma o desenrolar da vida, na verdade corresponde a uma roteirização desta, pondo ênfase nos tempos fortes, em especial nos resumos cuidadosamente montados que dramatizam certos momentos-chave das 24 horas filmadas sem descontinuidade. O próprio fato de encerrar os solteiros num lugar fechado ou pôr casais na promiscuidade de uma bem designada "ilha da tentação" cria uma situação totalmente artificial, ficcionalizando de saída a realidade, por meio de um dispositivo cênico que entremeia o verdadeiro e o falso e joga com a ilusão de um mediante as técnicas do outro.[27] O real não afastou de forma alguma a ficção: o próprio real se ficcionaliza, embora incorporando pessoas comuns.[28]

E não é a banalidade do real que é mostrada, mas um real que se tornou espetáculo, parecendo um filme, com suas lágrimas e seus risos, seus dramas e seu final feliz, e filmado como tal, com closes, flashbacks, montagem precisa, fundo musical. Nesses programas não é o banal que fascina, mas as reações individuais, os amores, as paixões e as rivalidades: fenômenos subjetivos que, apesar de vividos por indivíduos quaisquer, nunca são totalmente do domínio do banal. É a subjetividade, o emocional, o excesso das situações e das reações que cativam os telespectadores, não o espetáculo da insignificância e da platitude.

Quanto ao candidato, de início anônimo, à medida que as luzes o fazem sair da sombra, ele se vê propriamente estrelizado, inclusive quando a volta à realidade toma o lugar do reality show: Loana, que virou celebridade na França, escreve um livro, lança uma marca, vive amores tumultuosos na capa das revistas e mergulha na decadência midiatizada: depois de *Nasce uma estrela*, *A trágica farsa*; mas o espetáculo e o show business continuam.

O espetáculo do reality show joga permanentemente com o recurso da surpresa e da emoção. Ao contrário da pop art sem afeto, arte fria e reivindicada como tal — "Quero ser uma máquina", dizia Warhol —, o recurso desses programas é o emocional. O casting sutil dos candidatos, o desenrolar dramatizado do programa, o suspense da competição, a exclusão seca dos perdedores, o triunfo superdimensionado do vencedor: tudo é feito para cativar, apaixonar e até provocar o espectador. Os recursos são simples, o divertimento é acessível a todos, o cenário e os efeitos são propositalmente kitsch. Estamos longe das formas de arte canônicas, das obras vanguardistas: trata-se de comover, de suscitar identificações e projeções à maneira do cinema. Estamos como no cinema: o reality show persegue a ambição da sétima arte, de oferecer um espetáculo emocional que deixe o público em suspense e o toque diretamente.

Está sem dúvida nisso o essencial. O elemento gerador do reality show deve ser buscado menos nas audácias intelectuais das vanguardas do que no "grande espetáculo" e na ficção cinematográfica. Ainda que se trate de "pessoas de verdade", com suas conversas comuns, o espetáculo não para de piscar o olho para os filmes do cinema. Com o reality show, a televisão transforma em filme a representação de papéis encarnados por pessoas comuns. Ela recria o extraordinário e impulsiona o sonho, fazendo o real se parecer com um filme de Hollywood. Mais que uma *pop story*, é uma nova espécie de *Hollywood story* que é exibida na tv. *Koh Lanta** tem algo de *Indiana Jones*: não há estrela, mas uma história de aventureiro em paisagens exóticas. E *Star Academy* termina como um filme, com um happy end ao fim de diversos suspenses. Como observa Gabriel Segré, o momento final de *Loft Story* lembra a subida das escadas do Festival de Cannes, com "o público mantido atrás de barreiras, os flashes dos fotógrafos, os gritos e o fervor, as saudações da 'estrela' à multidão, a proteção e o controle proporcionados pelos organizadores".[29]

---

* Versão francesa da série *Survivor*. (N. T.)

É difícil, sob esse aspecto, concordar com a ideia de que o reality show seria como a "última obra de Warhol":[30] há que reconhecer antes de mais nada o prolongamento televisivo de Hollywood, do seu poder espetacular, da sua fábrica de ficções e de sonhos. Paradoxalmente, o reality show não escapa verdadeiramente do universo do cinema: ele quer fazer um espetáculo com o banal, cinema com o que não é cinema e com heróis que não são estrelas. Há nesse grau extremo da televisão-espetáculo muito mais uma extensão do domínio da arte de massa que é o cinema do que continuidade da arte desencantada vanguardista.

Exposições-espetáculo

Não existem mais cidades grandes e médias que se imaginem sem um museu capaz de contribuir para a sua divulgação e seu desenvolvimento turístico. E, de fato, resulta que o museu funciona cada vez mais como uma empresa administrada como tal, uma organização às voltas com o mercado e a que são integrados lojas de produtos derivados, livrarias de arte, auditórios, cafés e restaurantes. A arte neles exposta está no centro de um conjunto voltado para o *entertainment*, ao qual se vai para se distrair e fazer compras.[31]

A mesma lógica espetacular comanda um número crescente de exposições: os museus organizam agora umas espécies de *blockbusters* que, fontes de acontecimentos midiáticos, são destinadas a aumentar as receitas comerciais e o número de visitantes. O fundamento artístico dessas exposições nem sempre salta aos olhos. O Museu de Belas-Artes de Boston apresentou em 2000 uma exposição sobre as guitarras, de 1600 a nossos dias; o Metropolitan Museum of Art de Nova York consagrou uma exposição a Jacqueline Kennedy. Multiplicam-se as "exposições-espetáculo", que se caracterizam pelas mise-en-scènes espetaculares, dioramas ilusionistas, reconstituições, capacetes infravermelhos, imensas telas de cinema. Na era do capitalismo criativo, até os museus integraram em seu funcionamento as lógicas do espetacular, do sensacional, do cinema, dos parques temáticos.

A cenografia das exposições tende a prevalecer sobre as obras apresentadas: é o que atestam exposições recentes, como Boêmios, no Grand-Palais, com suas mesas de bar, seus carpetes manchados pelos sapatos, seu ateliê de artista com o tubo da estufa, toda uma "Boemilândia" que funciona como divertimento, simulacro de época, atração lúdica; ou também O Impressionismo e a Moda, no Musée d'Orsay, com falsa relva, cantos de pássaros, loja de modista, fileiras de cadeiras vermelhas e douradas para reproduzir uma passarela de moda. As duas exposições têm aliás o mesmo cenógrafo, Robert Carsen, especialista em ópera. Trata-se de criar um espetáculo tão pregnante que capta mais a atenção do que as próprias obras, em visitas que, acrescentando espetáculo ao espetáculo, propõem propriamente um hiperespetáculo. A expressão simbólica da arte e sua aura não bastam mais: é preciso elaborar uma "ambiência" de sedução, um ambiente distrativo, um espetáculo completo, teatralizado em excesso. Estamos no momento da hibridização do sistema museal e do sistema empreendedorial, mas também da arte e do consumo, do patrimônio e do show, da educação e da distração: o capitalismo transestético fez surgir o setor híbrido do *edutainment*, em que se confundem as fronteiras tradicionais entre cultura erudita e distração, arte e lazer, educação e turismo.[32]

A própria museografia, por meio da montagem e da apresentação das exposições, passou a dar um lugar preponderante ao espetáculo, apelando muitas vezes com esse fim para arquitetos, designers, cenógrafos prestigiosos capazes de atrair o público com seu nome tanto quanto com as obras dos grandes mestres da arte que são encarregados de apresentar. No Rijksmuseum de Amsterdam, é Jean-Michel Wilmotte que, depois de reestruturar o próprio museu em 2004, se encarrega em 2006 da cenografia da exposição Rembrandt-Caravaggio. O que se expõe, decerto, são os dois pintores célebres, mas é também a visão artista do cenógrafo que, de certo modo, os põe em cena.

Um grau superior na competição espetacular é alcançado com as novas estratégias de reunião de universos artísticos cujos estilos se encontram nos antípodas um do outro: o fato de combiná-los acrescenta espetáculo ao espetáculo e cria, por esse confronto mesmo, um hiperespetáculo inédito. É o que se vê quando o castelo de Versalhes, com sua decoração suntuosa, suas galerias majestosas, seus tetos pintados, seu mobiliário faustoso, sua iconografia mitológica, é escolhido para receber as fantasias pop kitsch de Jeff Koons, os bibelôs-mangá de Murakami ou as esculturas proliferantes de Joana Vasconcelos: o castelo mais espetacular da monarquia, templo de uma arte de corte triunfante, obra-prima barroca classicizada à francesa pelo gênio luís-catorziano, se torna o espaço de um jogo de espelhos iconoclasta com universos ultracontemporâneos, vindos de outras partes e portadores de um imaginário a séculos-luz daquele do Rei Sol. É a estética do choque que triunfa, e as polêmicas que isso não para de suscitar vão no sentido desejado: elas mesmas participam da amplificação do espetáculo.

O exemplo versalhês traduz muito bem a ponta extrema de um sistema a que mais nada parece dever escapar. O lugar é, de fato, ele próprio uma peça-mestra do patrimônio nacional, isto é, portador de valores que exprimem o gênio de um povo e a transmissão de um bem identitário: tudo menos um lugar qualquer que se presta ao divertimento de caráter lúdico-midiático. No entanto tudo acontece como se o *fun* ou o amalucado houvesse conseguido, por intermédio da fantasia surrealista do "encontro fortuito numa mesa de dissecação de uma máquina de costura e um guarda-chuva" (Lautréamont), se tornar política oficial e institucional dos museus. A lógica do hiperespetáculo adquiriu tal importância, tal força, que hoje impõe sua estratégia não apenas ao campo comercial, mas também ao campo patrimonial, num estabelecimento público posto sob tutela ministerial. É o mafuá que invade o grande teatro simbólico da realeza!

O esporte como grande espetáculo

Há outro domínio que a televisão contribuiu para transformar em hiperespetáculo: o esporte. O que mudou a situação foi a própria maneira como, através da televisão, o esporte se tornou não apenas espetáculo esportivo, o que ele sempre foi para seus apreciadores que assistiam a um encontro esportivo, mas grande espetáculo pura e simplesmente, parte do show midiático, do *storytelling* e do *entertainment*, e dirigido a todo mundo, não mais apenas aos apaixonados pelo esporte, sem distinção de idade, de sexo, de país, de meio social.

Desde o início da televisão, a vontade de espetacularizar o evento esportivo era patente, mas permaneceu fortemente limitada pela pobreza dos meios técnicos e por uma escrita televisiva ainda balbuciante. O mesmo não se dá hoje. A transmissão de antes cedeu lugar a uma verdadeira narrativa imagética e verbal, visando explorar a fundo todo o potencial espetacular. É instaurado todo um prólogo dramático que organiza os debates antes do jogo, oferece sequências filmadas sobre os adversários, multiplica as entrevistas, toma ao vivo o pulso dos torcedores, reconstitui o histórico dos grandes feitos esportivos relacionados ao encontro que vai ter lugar. Na competição, não é mais uma só câmera frontal a registrar, como na época dos balbucios televisivos, mas toda uma bateria de câmeras, possibilitando uma visão de longe, de perto, de cima e até de dentro (como ocorre, por exemplo, com as câmeras embarcadas no cockpit dos pilotos da Fórmula 1 ou no capacete dos esquiadores). Todo tempo morto é suprimido pelo recurso a imagens que permitem rever a ação em câmera lenta, em close, repetida de forma encadeada. Cada feito marcante de um jogador é acompanhado por inserções fornecendo dados sobre seu desempenho, seus acertos, seus erros, sua influência no jogo. São longamente filmados as comemorações, os gritos, as manifestações de alegria e de triunfo de uns, o abatimento e as lágrimas dos outros: é instaurada uma nova estética da transmissão, baseada nas lógicas exacerbadas da narração e da dramatização.

Hoje, as Olimpíadas ou a Copa do Mundo de futebol não são mais concebidas sem cerimônias de abertura e de encerramento, em que a apresentação dos atletas se insere num espetáculo que iguala em meios e ostentação os grandes espetáculos hollywoodianos. Aliás, essas cerimônias são confiadas a cenógrafos, diretores, coreógrafos, como Philippe Decouflé nas Olimpíadas de Inverno de Albertville em 1992, depois na Copa do Mundo de rúgbi em 2007; ele ofereceu um espetáculo que se pretendia total, misturando dança, malabarismo, piruetas, jogos de luzes, exuberância de figurinos, efeitos cromáticos. Nas Olimpíadas de Beijing em 2008, o governo convidou um diretor-farol do cinema chinês, Zhang Yimou, que encenou uma imensa saga histórico-coreográfica, mobilizando mais de seiscentos técnicos e milhares de figurantes durante três horas de um espetáculo grandioso, com fachos de luz e efeitos pirotécnicos. O orçamento, verdadeiramente hollywoodiano, foi à (des)medida do espetáculo: 100 milhões de dólares.

Um espetáculo assim alcança, quando não supera, os maiores sucessos de Hollywood, ao mesmo tempo que assinala de certo modo o triunfo do espírito cinematográfico. Hoje, o show esportivo funciona, como o cinema, com base na espetacularização das imagens e na estrelização de seus campeões. Constrói-se a imagem destes conforme os meios utilizados em Hollywood desde as origens: fotos em que aparecem maquiados, vestidos, iluminados, ou quem sabe despidos, pelos melhores especialistas; ligações com marcas prestigiosas cuja promoção realizam em propagandas que se apoiam em sua plástica e os transformam em objetos de desejo; criação de suas próprias marcas; obras e filmes que lhes são consagrados. Megashow, o esporte toma emprestados da sétima arte suas técnicas de estrelização, sua estética-choque e emocional, seu saber-fazer de roteirização e dramatização.

O hipershow das passarelas

Também a moda sempre manteve relações privilegiadas com o espetacular. Mise-en-scène de si e dos outros, remodelagem ostentatória do corpo, cena exuberante de luxo, teatro da vida mundana, a moda é inseparável do excesso vestimentário, da poetização da aparência do corpo, de um exagero de artificialidades, de extravagâncias e de excentricidades. Mas se a moda é consubstancialmente espetacular, a do capitalismo artista hipermoderno o é ao quadrado, a tal ponto ela se converteu ao regime do espetáculo extremado, do hiperespetáculo.

Primeiro por seus meios de midiatização: modelos e, principalmente, desfiles. Estes últimos sempre foram espetáculos, mas eram organizados tendo em vista uma função comercial direta: vender aos clientes e aos compradores profissionais. Nesse contexto, o espetáculo era secundário em relação ao imperativo de valorizar as criações da estação. Esse esquema começa a apresentar fissuras nos anos 1960-70, quando os desfiles se fazem em lugares inesperados e procuram criar a surpresa, com música e encenação fantasista. Uma lógica que vai chegar aos extremos nos anos 1980: a partir de então, a lógica tradicional se inverte, impondo-se o desfile como uma finalidade em si, um espetáculo que vale por si mesmo. De apresentação comercial de uma coleção que era, o desfile se afirma como meio de fazer falar de si nas mídias, comunicar o universo de um criador, construir uma imagem espetacular da grife.

Passamos ao tempo dos shows criativos, que não são mais organizados para os compradores, mas para a imprensa e a repercussão midiática.[33] Os desfiles de moda entraram plenamente no reinado midiático-*arty* que caracteriza o boom do luxo e da moda-marketing. Daí os desfiles que, construindo-se sob o signo de temáticas variáveis, são marcados pelo excesso, a desmedida, por dramaturgias e roteiros em que podem se exibir obesos, anões e gigantes (Galliano), "mendigos", corpos deformados (Comme des Garçons), modelos nuas de véu (Hussein Chalayan) ou com roupas rasgadas e pernas artificiais (Alexander McQueen). O desfile Chanel do inverno de 2010-11 se desenrolou sob a cúpula de vidro do Grand Palais, contando com um monumental leão dourado de doze metros de altura, vinte de comprimento e pesando sete toneladas.

No estágio atual do capitalismo artista, o desfile de moda aparece como um hiperespetáculo,[34] uma superprodução, uma obra em si, que mobiliza diretor artístico, encenador, acessorista, decorador, arquiteto sonoro. Livre do imperativo de vender os modelos apresentados, o desfile é concebido como uma performance artística, uma ópera, uma história que se conta, um conceito que se teatraliza:[35] um misto de marketing e de arte, de divertimento e de quadro vivo, de show business e de instalação, de moda e de obra de arte cinética. "Concebemos nossos desfiles como instalações de arte contemporânea ou coreografias. Nos desfiles, os artistas somos nós", declaram Viktor & Rolf (Viktor Horsting e Rolf Snoeren).

O videoclipe, ou a hiperestimulação visual

O frenesi lúdico e espetacular se encontra igualmente no universo do show business, com o videoclipe que, antes da crise do disco, se apresentava como o caminho obrigatório para o lançamento dos álbuns, o instrumento privilegiado de promoção das músicas de variedade. Essa expansão do videoclipe ilustra a ascensão da lógica do marketing na indústria do disco, na era do capitalismo de hiperconsumo.

Não basta mais, aqui, como no passado, filmar uma estrela cantando: a música deve dar lugar a uma criação visual marcada pelo espírito de moda, de estetismo e de ludismo integral. Daí criações visuais feitas de cenários improváveis e misturas de estilo, de coreografias e excentricidades destinadas a difundir uma espécie de "imagem de marca" cujo alvo é o público jovem em busca de sensações, de looks e de originalidade. Assim como a moda ou a publicidade não se contentam mais com apresentar em primeiro grau seus produtos, também a publicidade musical se empenha em impor um estilo criativo "tendência". A imagem em movimento não tem mais como única função proporcionar visibilidade a um cantor, ela tem de ser original em si, a fim de construir uma imagem de personalidade, uma figura de moda singular: hoje, não se gosta mais apenas da voz de um cantor, mas da sua maneira de ser e de aparecer, do seu look, do seu universo estético global.

Com o videoclipe, triunfam a heterogeneidade estética generalizada, os jogos do deslocado e do disparate liberados do imperativo da coerência no encadeamento dos planos. Todas as categorias de imagem, todos os estilos convivem sem ordem nem hierarquia, as imagens se sucedem sem organização linear e sem ligação evidente com a letra da canção, as montagens são fragmentadas, as mise-en-scènes rivalizam em frenesi sem pé nem cabeça, "desconexo" e irônico, explorando as fragmentações, as multiplicações e justaposições de figuras bem como a velocidade extrema do desenrolar das imagens: para um clipe de três minutos, contam-se cerca de cinquenta planos, ou seja, três a quatro segundos por plano. Nesse sentido, o estilo clipe aparece como uma expressão breve mas exemplar da imagem-moda, da imagem-excesso, da imagem-velocidade. Um clipe é um filme-moda cujo objeto não é a moda, mas que toma emprestada a estética desta, é o superficial da moda inscrevendo-se no espaço-tempo da música. Bombardeio sonoro e visual, mosaico de imagens-flashes, desconstrução da ordem clássica: o produto comercial musical importou os princípios vanguardistas da arte moderna. Uma mesma cultura *híper* marca o cinema, o desfile de moda, o clipe.

FIM DA COMPETIÇÃO ESPETACULAR?

Entre os pensadores do social, a categoria espetáculo não tem boa receptividade, sendo assimilada ao falso, à mistificação, à insignificância. Mas hoje essas críticas se fazem acompanhar pelos discursos que anunciam o fim próximo do tempo de exagero espetacular, condenado por uma época que procura a economia, a moderação, a proteção do meio ambiente. Tanto no domínio da arquitetura como no da publicidade, não faltam vozes prognosticando o inevitável sepultamento do hiperespetáculo.

A importância adquirida pelos edifícios espetaculares é tamanha, e a competição entre essas vozes tão grande, que suscitam debate, com alguns preconizando, em face dessa "arquitetura de realizações inéditas e de moda",[36] a volta a formas mais modestas que estariam mais em sintonia com os desafios sociais e ambientais de um período de crise.[37] Diretores de museu, arquitetos anunciam agora o fim da época das arquiteturas grandiloquentes, cada vez mais tecnológicas e narcísicas: "Para mim, o espetacular obedece a um modelo do passado. Bilbao é seu ponto alto, e a fundação Louis Vuitton em Paris será uma réplica dele, como se fala de uma réplica de terremoto", declara Christian Bernard, diretor do Museu de Arte Contemporânea de Genebra.[38] Mas podemos nos mostrar céticos quanto a tal prognóstico.

Se a crise econômica e as exigências ecológicas levam a criar arquiteturas mais modestas, outros fatores de fundo — competição entre cidades e museus, economia do turismo, cultura generalizada do star-system — deveriam continuar a privilegiar ainda por muito tempo os totens de tipo extraordinário. É duvidoso que a necessidade de reduzir a pegada ecológica consiga fazer recuar a necessidade de imagens, de "atrações arquitetônicas", de comunicação e de celebridade midiática. É todo o mundo da concorrência liberal generalizada e do mercado do turismo cultural que favorece a competição em cenografias de cortar o fôlego, nos efeitos-surpresa, nas imagens superlativas. Com a supressão das regulamentações nacionais, cada cidade está agora empenhada num sistema de competição nacional e internacional e confrontada com a exigência de administrar sua "imagem de marca", de se entregar à corrida aos equipamentos de prestígio a fim de aumentar sua atratividade, atrair turistas, empresas e seus executivos. Esse "marketing territorial" estimula fortemente as *arquiteturas-design*, as formas gigantes que impressionam o público, os projetos high-tech ostentatórios e midiáticos. O star-system não desaparece, ele se generaliza, estendendo-se a todos os domínios da criação. E a mundialização das marcas, a uniformidade das arquiteturas de habitação, a competição a que se entregam os países emergentes para traduzir sua nova potência produzindo arquiteturas capazes de rivalizar, se não superar, os modelos ocidentais, requerem mais do que nunca emblemas fortes, sinais de diferenciação ostensivos, capazes de reforçar a identidade das cidades e dos locais culturais. É pouco provável, nessas condições, que estejamos na véspera do declínio da arquitetura *flashy* e de suas estrelas, da obsessão pela hipervisibilidade estético-lúdica.

Réquiem para a publicidade-espetáculo?

O mesmo tipo de debate é encontrado na reflexão dos publicitários e dos profissionais do marketing que rejeitam os excessos do espetacular dos anos 1980, ilustrados notadamente pelas campanhas de "*star strategy*", caras a Jacques Séguéla, em que se podia ver um Citroën GTI decolar de um porta-aviões ou Grace Jones cuspir num Citroën CX. Numerosas vozes se elevam contra as derivas de uma comunicação chamativa que, tornando-se seu próprio fim, massageia o narcisismo dos publicitários mas prejudica, a longo prazo, a solidez e a credibilidade das marcas.[39] E numa época marcada pela consciência ecológica e as exigências de proximidade, a era da publicidade-espetáculo, dizem, está superada: até seus mais antigos e ardentes zeladores decretam agora seu óbito. Esse diagnóstico se impõe com evidência? Também neste caso, não é jogar fora o bebê com a água do banho?

Embora desde os anos 1990 se afirme regularmente a exigência de reduzir a hipertrofia do espetacular em benefício de uma comunicação recentrada na proximidade, no conteúdo e no sentido, cabe observar que isso não compromete de modo algum a espiral do show. Por quê? Por muito tempo o objetivo da publicidade foi realçar os méritos objetivos e psicológicos dos produtos. Rejeitando esse primado do objeto, afirmou-se uma nova publicidade que visa distrair, surpreender, seduzir, fazer sonhar, comover, criar uma mitologia: a publicidade se pretende inovadora à maneira da arte, descolada como a moda, divertida como uma festa, onírica como o cinema. Apartada do registro de valorização do produto, a publicidade tende assim a se tornar um espetáculo e um divertimento em si. Nesse contexto, a retórica publicitária atua num grande número de novos registros: as modas do momento, o pastiche, a autoderrisão, o humor deslocado, o segundo grau, o indireto, o kitsch,[40] estilos e tonalidades que constroem o que os anglo-saxões chamam de *advertainment*. A sedução, a ironia, o espetáculo tomaram o lugar das estratégias procterianas da "demonstração" e da repetição behaviorista. Todas essas problemáticas e exigências prosseguem, não perderam nada do seu vigor, mesmo se somos chamados a superar o império do vazio e do fútil.

A verdade é que não faltam publicidades contemporâneas, das marcas de automóvel (o robô que dança ou patina no gelo do Citroën C4) aos televisores (Sony filmou duzentos coelhos nas ruas de Nova York, um deles de dez metros de altura em pleno coração de Manhattan) e às marcas de luxo (Chanel, Dior), que aparecem como impressionantes superproduções hollywoodianas. Quando a Pepsi encomendou um filme histórico com Britney Spears, Beyoncé e Pink, o que fez, se não publicidade-espetáculo? Numa época marcada pela concorrência extrema das marcas, o hiperespetáculo é uma das maneiras de construir diferença e notoriedade. Engana-se quem diz que seu reinado ficou para trás. Basta observar os orçamentos dos spots, que nunca alcançaram somas tão fabulosas, tanto para a realização como para o casting.

Tal lógica se prolonga com a "comunicação acontecimental", que tem como objetivo a criação de acontecimentos cujo caráter singular, excepcional, espetacular permite chamar a atenção e marcar os espíritos. A Tropicana instalou no céu um imenso balão de onze metros de altura que, projetando luz, dava a impressão de que era dia numa aldeola do Ártico canadense imersa na noite 24 horas por dia. Para uma publicidade dos televisores Bravia, a Sony soltou nada menos de 250 mil bolas de todas as cores, que saíram quicando pelas ruas de San Francisco. É o tempo do hiperespetáculo, do show acontecimental em que se misturam o real, o *street marketing*, o videoclipe e até o artístico. Estamos no tempo do hiperespetacular publicitário, que quer "reencantar" o mundo misturando o acontecimental de rua e a performance, o ambiente cotidiano e a criação artística.

Até a comunicação interna das empresas passou a apelar para essa dimensão de encantamento coletivo e congregador que o hiperespetáculo traz. Hoje, muitos congressos, destinados aos executivos ou ao próprio pessoal da empresa, são organizados como verdadeiros shows: músicos tocando ao vivo, som ensurdecedor, jogos de luz, telas gigantes onde são projetados clipes publicitários que promovem a estratégia e os modelos da marca, fogos de artifício, diversas atrações, tudo isso muitas vezes em lugares prestigiosos, eles próprios portadores de espetáculo: parques, castelos, centros de arte contemporânea.

Não chegamos em absoluto ao fim dessa escalada do espetáculo. Sem cessar, novas estratégias superlativas são postas em funcionamento. Agora, a abertura das lojas dá lugar a projeções em prédios inteiros transformados em tela, na qual se sucedem, numa espécie de fogos de artifício feéricos e musicais, efeitos especiais, jogos de luz, animações, formas aéreas, aparições mágicas: um luxuoso espetáculo de "*mapping* 3D", que marcas como H&M, Samsung, Ralph Lauren, Saks utilizam para sua comunicação, chegando a ponto de transformar em tela mágica as fachadas de pedra de suas lojas.

Mesmo durante as obras de limpeza da fachada das lojas e dos museus, a comunicação atinge seu apogeu e declina em grande estilo: tudo se tornou ocasião para superexpor as marcas. São incontáveis as que transformam os antigos tapumes sem graça em painéis-espetáculo de tamanho gigantesco, em cenários de várias centenas de metros quadrados. Na sociedade de hiperespetáculo, tudo é motivo para a ocultação do "real", a mise-en-scène, o lifting estético, a fim de alcançar uma hipersensibilidade promocional. Até os museus mais prestigiosos se prestam ao hiperespetáculo publicitário: Kate Moss louvou um perfume de Yves Saint Laurent num encerado de 270 metros quadrados que cobria a fachada do Musée d'Orsay.

O belo futuro do hiperespetáculo comunicacional

Claro, sempre houve, mesmo na época do reclame, uma dimensão espetacular na publicidade. Mas o espetacular era subordinado ao princípio da ênfase na superioridade do produto: era organizado tendo em vista tal fim. Esse esquema se inverteu, a dimensão espetacular passou a se impor cada vez mais como princípio primeiro, para não dizer exclusivo. É nesse sentido que a publicidade contemporânea, em suas tendências avançadas, adotou um funcionamento de tipo propriamente estético. Não tanto porque o visual é cada vez mais objeto de um trabalho estético de qualidade, mas porque a nova publicidade se dirige às emoções e aos afetos. Se se deve falar de uma ordem estética da publicidade hipermoderna, é primeiro na medida em que o destinatário visado é o *Homo ludens* em busca de divertimento e de emoções estéticas. Depois, na medida em que o objetivo buscado é criar conexões emocionais, um vínculo de conivência e de cumplicidade com os consumidores: uma "lovemark",[41] uma marca descolada, uma marca cult.

O objetivo não é mais dirigir mensagens unidirecionais a um consumidor assimilado a um objeto passivo, mas interpelar o público, fazê-lo compartilhar um sistema de valores, criar uma proximidade emocional ou um laço de cumplicidade. Hoje, a publicidade joga consigo mesma, como joga com a marca e com um consumidor que conhece os códigos da publicidade, da moda e das mídias. Trata-se de uma evolução no sentido do *advertainment*, comandada pelo imperativo de criar atenção e simpatia, de desbanalizar a marca quando todos os produtos se parecem e quando os consumidores hedonistas, educados na cultura midiática, se distraem jogando com ela no segundo grau e exigem mais qualidade criativa e estética. O estágio "diretivo" da publicidade está perdendo fôlego: assistimos ao desabrochar do seu momento irônico e reflexivo, emocional e hiperespetacular.

É nesse contexto que assistimos a uma cinematografização do filme publicitário, que até chega a se apresentar como um verdadeiro filme. Sob muitos aspectos, a publicidade tomou Hollywood como modelo e remodelou suas realizações de acordo com o próprio "espírito-cinema" e com as três operações que o constituem: estrelização, espetacularização, *entertainment*. Atualmente, são essas mesmas lógicas que vemos em ação nas criações publicitárias "tendência".

Evoluindo como o próprio cinema, a publicidade veio a desenvolver uma lógica de competição, que se exprime tanto no tempo como na sintaxe dos spots: dilúvio de imagens, ritmo cada vez mais rápido, montagem densa, efeitos especiais. O culto à forma alcança um grau de sofisticação que muitas vezes gera uma espécie de maneirismo em que a elegância, o refinamento, a pesquisa são lei: virtuosismo dos enquadramentos, buscas gráficas, jogos de iluminação, efeitos cromáticos. Os modos narrativos se diversificam, os procedimentos técnicos se tornam cada vez mais complexos, as imagens de síntese criam um universo virtual: uma lógica da multiplexidade invadiu o universo publicitário, sem nada em comum com o aspecto "elementar" dos primeiros filmes e slogans, e a ironia, a cumplicidade, o humor deslocado presidem à onda de propagandas "deslocadas", que zombam de si mesmas e dão ao público a sensação de que ele não se deixa enganar pelo que lhe oferecem em espetáculo.

Dinâmica da hiperpublicidade a ser relacionada ao ímpeto dos valores hedonistas e lúdicos próprio da sociedade consumista. De fato, o segundo grau publicitário proporciona o prazer do jogo com o déjà-vu, o prazer da novidade, da distância irônica, do "achado" *fun*. E também o de falar e rir sobre isso com os outros. Tal publicidade-espetáculo se desenvolveu em fase com o desenvolvimento de um público que, maciçamente socializado pela cultura das mídias e do consumo, pratica o *zapping* acelerado diante do sempre igual e de tudo o que o entedia. Dimensões de fundo, essas, que tornam pouco provável o declínio dos vínculos entre a comunicação mercantil e o hiperespetáculo.

UM MUNDO KITSCH

Outro fenômeno em que também atua a lógica da competição e do excesso contribui para a expansão da sociedade do hiperespetáculo: o impressionante avanço estético do kitsch. Desde meados do século xix, uma das acusações estéticas mais severas de que foi objeto o capitalismo diz respeito ao fato de que suas criações são marcadas com o selo do inautêntico, da pieguice do estilo, do desnaturado, do estereótipo, da cópia, do mau gosto, em suma, do kitsch. "O kitsch é o mal no sistema de valores da arte", dizia Hermann Broch, acrescentando que ele está "ainda longe de haver terminado sua corrida vitoriosa".[42] No mesmo espírito, Greenberg frisava que o kitsch, isto é, a arte comercial destinada ao divertimento de massa, "está se tornando a cultura universal".[43] Quanto a isso, não há como não lhe dar razão, a tal ponto o kitsch conhece, há algumas décadas, um formidável impulso, um sucesso cada dia crescente. Ele era depreciado, considerado como o cúmulo do mau gosto, mas se tornou, há pouco, "tendência", estilo valorizado, celebrado nas mídias, nas galerias de arte e até nos museus. Estamos no momento em que o kitsch se infiltrou em todas as facetas da criação e da decoração, do espetáculo e do lazer de massa. Na mesma hora em que proliferam os objetos high-tech, somos testemunhas da kitschização das mentalidades, dos comportamentos e dos signos do cotidiano: a civilização do digital é também uma civilização kitsch.

Kitsch, o mundo é kitsch

Em quase todos os domínios, o kitsch ganha terreno, impõe sua estética sobrecarregada e eclética, ao mesmo tempo que se beneficia de uma ampla corrente de reabilitação.[44] Ele invade e redesenha o mobiliário, os videogames, os brinquedos (boneca Barbie), a moda, a cozinha, as decorações e iluminações do Natal, a arquitetura pós-moderna, o cinema (Almodóvar, Sofia Coppola, Baz Luhrmann), o teatro, os programas de variedades, os casamentos da nobreza, os videoclipes, a publicidade, as salas dos cassinos, os parques de lazer. Vários criadores de moda misturam estilos e épocas (Galliano, Jean Paul Gaultier); a exuberância das cores está de volta com Christian Lacroix ou a marca Desigual. Os tênis fosforescentes multicores, as camisetas com motivos "engraçados" e de grafismo "ice cream" proliferam em todas as esquinas. Podemos ver motonetas cor-de-rosa, capacetes de moto e pranchas de windsurfe com motivos ultrakitsch. Philippe Starck projetou tamboretes Gnomo em PVC policromo. As capas e as figuras-mangá exibem seu design berrante e acentuado. Nem o sexo escapa mais do kitsch, com os filmes pornôs "amadores" que, imitando laboriosamente os "harders" profissionais, dão ao gênero uma dimensão de série B desengonçada, vagamente ridícula.

No universo dos acessórios, assiste-se a uma enxurrada de artigos barrocos, brilhantes, ostentatórios. Os logos são expostos orgulhosamente nas bolsas, bonés e malas de viagem; as joias, os relógios e os iPhones de strass fazem sucesso, assim como os cronômetros gigantes, os colares de elos pesados, as pulseiras compridas, os escarpins dourados e de vinil, os tênis cintilantes, os sapatos roxos. Assim é o "bling-bling", expressão que entrou na moda e foi lançada nos anos 1980 no mundo do rap americano. Um *bling-bling* que também é ilustrado nos relógios e brincos com brilhantes, nos pingentes de ouro e diamantes e até nos aparelhos dentários incrustados de pedras preciosas ou diamantes falsos. Em 2007, o museu do diamante de Antuérpia organizou, precisamente no espírito do chamativo, uma exposição intitulada As Joias da Coroa do Hip-hop. Se toda uma tendência estética se orienta pela discrição e a eufemização do estilo, existe outra que é marcada pelo culto dos "paetês", pelo gosto por tudo o que brilha, pelo *show off*, nova figura do excesso kitsch.

Outra manifestação desse kitsch galopante: em todas as grandes cidades florescem os restaurantes italianos, chineses, tex-mex, indianos, e sua decoração-clichê ultrakitsch; a *fusion food*, que mistura os pratos e sabores do mundo inteiro, está na moda. Os shopping centers exibem à vontade sua decoração berrante, suas falsas praças e falsos repuxos borbotoantes de cores e luzes. Há blogs kitsch, uma festa dos fora de moda, cerimônias do Gérard que coroam os piores filmes e atores, soirées e guias turísticos do kitsch. Dão-se festas em que os participantes se fantasiam de Casimir ou se vestem de Claudette. O kitsch, na era moderna, era estigmatizado como uma corrupção da arte e do gosto; com a hipermodernidade, ele se torna uma estética e um estado de espírito legítimos e amplamente difundidos.

Formidável sucesso comercial do kitsch observável também na explosão das lojas de "suvenires" em todos os locais turísticos do planeta, com seu inevitável estoque de bibelôs, objetos de vidro, cartões-postais, produtos derivados e artesanatos diversos. As bolas de neve que abrigam a Torre Eiffel ou a catedral de Lisieux são disputadíssimas. São incontáveis, no centro das cidades, as lojas de pôsteres kitsch, de gadgets de cores melosas, de joias de pacotilha, de trecos mais ou menos inúteis, extravagantes, ridículos.[45] E por toda parte uma avalanche de cartões-postais com seus clichês kitsch para todo gosto: pores do sol edênicos, paisagens idealizadas e sentimentais, beira-mares românticas, cenários coloridos, *pin-ups* radiantes de felicidade. O mínimo que se pode dizer é que o rigorismo modernista e sua condenação do ornamento não conseguiram de modo algum arruinar o gosto kitsch: ele nunca alcançou um público tão vasto.

O próprio mundo da arte participa de corpo inteiro do devir triunfal do kitsch. Os objetos sobrecarregados de ornamentos do século XIX, os assentos em forma de concha são vendidos em leilões por vários milhares de euros. O filme de James Bidgood, *Pink Narcissus*, se tornou cult. Os pintores pompieristas, por muito tempo objeto de depreciação e desprezo, estão majestosamente pendurados no Musée d'Orsay. A escultura de Damien Hirst, *For the Love of God*, composta de um crânio com 8601 diamantes, vendida a 100 milhões de dólares, é a obra mais cara do mercado de arte contemporânea. Com seu *Puppy* coberto de plantas floridas, suas esculturas de Michael Jackson e da Pantera Cor-de-Rosa, Jeff Koons se tornou um dos artistas mais célebres e mais caros da nossa época. Vemos cada vez mais artistas plásticos inspirados pelo kitsch, que eles incensam, denunciam ou parodiam. As exposições de Pierre e Gilles, David LaChapelle, Wim Delvoye, Sylvie Fleury, Martin Honert, Vladimir Dubossarsky e Alexander Vinogradov se multiplicam no mundo: "O kitsch é chique", intitula-se um artigo que *Le Monde* consagra a Francesco Vezzoli.[46] E, na outra ponta da linha da arte, os artistas de rua que trabalham com bomba de aerossol não param de compor cascatas, pores do sol no mar e outras paisagens mais ou menos grandiloquentes de cores brilhantes e laqueadas.

Os espetáculos de show business também assistem ao triunfo da estética kitsch. Nos anos 1970, Diana Ross e Gloria Gaynor se apresentam com roupas e penteados extravagantes. Na década seguinte, Grace Jones se veste de Mad Max. Cyndi Lauper casa seus vestidos fulgurantes com seus cabelos vermelhos, salmão ou multicores. Encerrada numa cápsula, Mylène Farmer evolui num palco em que se movimenta uma aranha gigante de metal, articulada e suspensa. Com Mylène Farmer, Madonna e agora Lady Gaga, os cenários são cada vez mais espetaculares, as roupas cada vez mais despropositadas: sutiã com forma de obus, vestido feito de pedaços de carne crua. Em toda parte, os concertos caem no exagero com cascatas de luzes, bombas de fumaça, repuxos de fogos, telas gigantes, acrobacias aéreas, máquinas voadoras. Céline Dion anima o imenso Caesar Park de Las Vegas com um show francamente hollywoodiano, e Johnny Halliday desembarca no palco de moto, num elevador gigante, e até de helicóptero!

Kitsch, da mesma maneira, os programas de variedades, com seus cenários chantilly, suas luzes ofuscantes, suas cores agressivas, suas plumas e paetês, suas enxurradas de strass e de decibéis. Kitsch, as revistas de music hall e suas sedutoras turnês de strass, plumas e paetês. Kitsch, as comédias musicais que encenam *O corcunda de Notre-Dame* com cançonetas populares, os dez mandamentos como sainetes cantantes e Mozart em pop-rock. Kitsch, os incontáveis espetáculos que subjugam centelhas de milhões de pessoas que neles encontram prazer, emoção, encantamento.

Kitsch, também, os parques de lazer, que não param de se multiplicar. A Europa conta cerca de trezentos parques de atrações e parques temáticos que atraem mais de 150 milhões de visitantes por ano. Um parque Disney foi instalado em Hong Kong e outro será inaugurado em Shanghai em 2015. A Disneyland de Paris, visitada desde sua inauguração em 1992 por mais de 200 milhões de pessoas, tornou-se o primeiro destino turístico europeu. Com seu castelo da Bela Adormecida, seu templo de Indiana Jones, sua Ilha do Tesouro, seu albergue da Cinderela, seu desfile em que se cruzam Mickey, Bambi, o Rei Leão, o Príncipe Encantado, Zorro, Peter Pan, caubóis e índios, dragões e carruagens em forma de abóbora, a Disneyland é a apoteose do espetáculo e do divertimento kitsch. Nesse jardim encantado de cores melosas, em que convivem os heróis e as figuras de conto de fadas mais díspares, os estilos arquitetônicos e os personagens de todas as origens e de todas as épocas se misturam de maneira ingênua, compondo uma ambiência feérica e aquele sincretismo tão típico do kitsch. É a mistura e a incoerência estilística, a promiscuidade heteróclita, a profusão decorativa e sentimentalista que se expõem no maravilhamento do kitsch contemporâneo.[47]

O kitsch, na era moderna, se afirmava como uma estética com fins ornamentais para as classes médias e populares. Não é mais assim em nossos dias, o kitsch hipermoderno visa antes solicitar os sentidos, criar uma experiência sinestésica por meio de um real desrealizado, permitindo uma participação intensa. Construir um mundo como a Disneyland é dar vida a uma ficção, uma experiência pela música, as cores, os espetáculos, o encontro físico com os personagens de contos e lendas. Com isso se oferece a experiência fugidia do Paraíso, de um universo sem conflito, sem sofrimento, sem ódio nem trágico. Estamos num neokitsch experiencial que se apresenta como uma realidade irreal, uma falsa verdade, uma transrealidade.

Esse kitsch emocional não é evidentemente uma exclusividade da Disneyland. Ele se exprime num grande número de parques de lazer e de espetáculos de som e luz que reconstituem cidades antigas, reservas de índios, animais desaparecidos, momentos da nossa história (O Parque Asterix, Le Puy du Fou). Outros parques temáticos recriam indoor paisagens fantásticas, climas, florestas tropicais, pistas de esqui no deserto, tempestades de neve, terremotos, ondas e praias tropicais, e até, suprassumo do kitsch, reconstroem a natureza e o campo numas espécies de imensas estufas instaladas... em plena natureza e em pleno campo! Assim se expressa essa era do falso, tão cara a Umberto Eco.[48]

Kitsch, portanto, todos esses cenários, essas máquinas, esses falsos castelos, essas cascatas, esses fogos de artifício, essa falsa natureza, porém não mais, na verdade, do que os cenários de Torelli que faziam voar, em 1650, um cavalo no palco no momento da transformação da Andrômeda de Corneille. Não mais kitsch que os *Prazeres da ilha encantada* montado em Versalhes em maio de 1664: seis dias de cenários barrocos assinados por Carlo Vigarani, balés com figurinos e direção de Saint-Aignan, fogos de artifício estonteantes, máscaras delirantes, animais exóticos, baleias flutuantes, pastores rendados e faunos de calção, *courses de bague** e espetáculos variados para os quais o próprio Molière contribuiu. O tema romanesco escolhido, o da maga Alcina, autoriza todas as ilusões, e a mistura das artes, teatro, ópera, dança, música, pirotecnia, até gastronomia, oferece de fato esse lado bolo de noiva, colcha de retalhos multicolorida, mil-folhas cremoso, que encontramos ao longo da história dos grandes espetáculos, dos dramas românticos às óperas verdianas, dos elefantes de cartão-pedra de *Intolerância* ao mar Vermelho se abrindo dos *Dez mandamentos*. A única diferença é que esse kitsch histórico se levava a sério e oferecia, com sua estética de suntuosidade decorativa e confeiteira, uma resposta às tendências estritas, rigorosas, que afirmavam, até as raias da severidade e do despojamento, a harmonia e o equilíbrio da estética clássica. Hoje, o kitsch se apresenta ao mesmo tempo no primeiro grau, com seu fausto decorativo, sua vita-

---

* Divertimento da nobreza, em que um cavaleiro montando um cavalo a galope devia tirar com sua lança o maior número de argolas penduradas num poste. (N. T.)

lidade colorida, sua liberdade imaginativa, mas também no segundo, com aquela sensação que ele proporciona de brincar com o mau gosto e assumir em plena consciência seu lado exagerado: um kitsch afirmado em alto e bom som, mas nunca totalmente iludido acerca do que é.

Do kitsch aos kitsch(s)

Por que então essa voga do kitsch? Como explicá-la? Nas sociedades hiperconsumistas dominam os valores hedonistas e individualistas: o influxo do kitsch é a expressão direta disso. Até um período recente, o consumo era mais ligado a uma lógica de exibição social e de competição estatutária do que a uma lógica de prazer: os objetos tinham por função significar uma posição social, um nível de riqueza. Postulação social, o consumo se distinguia pela gravidade, a seriedade, a rivalidade simbólica. Por meio da compra de objetos e da decoração, tratava-se não tanto de se divertir quanto de se afirmar socialmente. Com a escalada individualista e hedonista, esse modelo está em regressão. Emancipando-se das normas e da cultura de classe, a ordem do consumo se hedonizou e se intimizou amplamente; hoje, o que se compra é prazer, emoções, relaxamento: trata-se menos de se exibir do que "sair para o mundo". É isso que possibilita o kitsch: objeto sem pretensão, sua única finalidade não é mais do que fazer rir, delirar, sem se levar a sério, sem ambição cultural. A volta do kitsch vem de mãos dadas com o influxo de uma cultura hedonista em que todo prazer deve ser experimentado já, sem "esquentar a cabeça".

Um neokitsch só pelo *fun*, por um prazer sem finalidade cultural. Numa cultura marcada pelo desmoronamento das tradições de classe, pelo esgotamento do ideal vanguardista, pela desregulamentação das hierarquias culturais, a erosão da diferença entre *high* e *low art*, todas as estéticas ganham direito de cidadania, tudo se torna possível e legítimo. De tal modo que os indivíduos exercem cada vez mais suas opções sem sentir vergonha cultural, sem temer o olhar desaprovador e os juízos negativos dos outros.

Vê-se isso claramente com o desenvolvimento da tatuagem, que se tornou um amplo fenômeno no mundo. Eis um kitsch que se exibe mediante uma maneira de brincar com o corpo, pô-lo em cena, não temer exibi-lo sobrecarregado de motivos, de cores, de figuras: um formidável catálogo do heteróclito, do estranho, do delirante, como um ex-voto vivo, uma pele que virou decoração, um kitsch animado. Um kitsch pós-conformista, descolado, expressivo da singularidade de si.

Com a individualização extrema dos estilos de vida, recua a imposição do "*total look*" apoiada pelos conformistas de classe: as latitudes de que dispõem os indivíduos se ampliaram significativamente, assim como sua propensão a fazer do consumo um instrumento de divertimento aberto à piada, ao desafogo, à colcha de retalhos dos estilos mais disparatados. Ao mesmo tempo, num sistema dominado por uma individualização desenfreada, o que escapa do padrão, o que é menos comum é mais dotado de valor, como marca de gosto pessoal. Assim, valorizar em seu meio objetos, tatuagens ou sinais de mau gosto pode representar uma maneira de não ser prisioneiro da norma social, de maior liberdade de gosto e de escolha. Introduzir um anão de jardim dentro de casa se manifesta como um piscar de olhos audacioso que faz figura de desrespeito lúdico, de autonomia subjetiva. O gosto neokitsch não deve ser interpretado como um divertimento ou uma estética de classe: infiltrando-se em todas as camadas sociais, é a expressão da era democrática hiperindividualista, desalinhada e pós-conformista.

Será simples prazer da facilidade, do relaxamento, do consumo imediato? Sem dúvida. Há mais, no entanto: em todo esse creme chantilly e esses docinhos coloridos há algo como um pouco de nostalgia, de prazer da infância, de casulo aconchegante e de júbilo em reencontrar imagens encantadas. Não são apenas as crianças que adoram: os adultos também encontram nisso como que um universo encantado que se prolonga, um Natal de outrora que se perpetua. Donde a estigmatização imediata: regressão infantil e superficialidade imbecilizante. Seria então a maneira como "o capitalismo nos infantiliza",[49] por meio de espetáculos próprios de um sistema que privilegia o simples ante o complexo, o fácil ante o difícil, o rápido ante o demorado, a espuma cremosa ante o núcleo duro?

Trata-se de questão que merece ser examinada com mais vagar. Pois de que imaturidade falamos? Na verdade, o sucesso do kitsch deve ser relacionado à hiperindividualização das condições de vida, que se acompanha de cada vez mais responsabilidades individuais para com a totalidade dos aspectos da existência. Com a dissolução dos controles coletivos, toda a organização da vida repousa cada vez mais em si: cabe a cada um se construir e se inventar permanentemente. Donde um estresse cada vez maior, uma pressão cada vez mais forte, reforçada ainda pela dissolução das referências tradicionais, pelo medo de um futuro incerto, pela complexidade de um mundo que sentimos ser cada vez mais difícil de controlar. Num contexto assim, o universo marshmallow do kitsch traz a descontração do momento guloso; ele alivia como uma válvula de escape; tem a leveza do fútil, o sabor do prazer, o gosto da doçura ante o peso e o amargor do cotidiano. Ele apela, para tanto, a formas estéticas: a do conto de fadas e do desenho naïf, da mistura de cores e do tecnicolor, dos efeitos do barroco e das proliferações do rococó. Ele se degusta no primeiro grau, num abandono voluptuoso e maravilhado que nos faz descansar do peso da nossa liberdade subjetiva.

Mas também há uma forma bem diversa de prazer: a do segundo grau, da distância divertida que existe ao cantar uma música de Dalida diante de uma tela de karaokê, ao calçar Maria Antonieta de Converse numa Versalhes "muito" à Sofia Coppola, dizendo-se no fundo de si esta fórmula de um dândi do século XIX: "Meu Deus! Como sou esperto ao me permitir ser assim tão tolo!". É nisso que se baseiam propagandas como as da Diesel, da Volkswagen, da Free Telecom, que adotam um tom deslocado, brincando deliberadamente com os estereótipos e os clichês, o fora de moda e o mau gosto, as ambiências mais antiquadas possíveis. É nesse princípio que se baseiam os filmes deslocados, as sequências paródicas, as citações descontextualizadas. O mau gosto superexposto se tornou cool e a brincadeira com o que é antiquado, furiosamente tendência. O gosto pelo mau gosto, o derrisório, o vulgar se tornou chique. Também se desenvolve uma forma reivindicada de kitsch, que Susan Sontag chamava de *camp*, expressão que significa algo como "ultrajante, inconveniente ou de tão mau gosto que chega a ser divertido". Com o hiperindividualismo, quanto mais teatral, exagerado, inadequado, mais deleitável e motivo de riso ("tão ruim que é bom"): um kitsch intencional, uma atitude estética cujo ideal não é o belo, mas o artifício e o segundo grau.

Nesse sentido, não se pode mais, como Broch, assimilar pura e simplesmente o kitsch a uma estética e uma atitude de vida "neurótica" dominada pela hipocrisia, o sentimentalismo, as convenções, o belo efeito mentiroso. É um *Homo aestheticus* de novo tipo que desabrocha. Não mais uma neurose romântica, mas um jogo irônico com as imagens e os clichês; não mais o estetismo grandiloquente e acadêmico, mas o distanciamento cool; não mais o conformismo das aparências, mas uma liberdade dos prazeres que desfruta da fantasia extravagante por ela mesma; não mais a submissão do gosto a normas e imposições sociais, mas o prazer ao mesmo tempo terno e sorridente de assumir seus desejos quase infantis de mundo maravilhoso, de castelo encantado, de corpo mágico.

Nessas condições, é possível propor um modelo de evolução do kitsch, fundado em três grandes momentos históricos que correspondem, de resto, aos do capitalismo artista.

Abraham Moles distinguia dois tipos de kitsch como "arte da felicidade" e modo de relação com as coisas: um primeiro kitsch ligado ao estilo de vida burguês com seu culto ao acúmulo, à posse, ao conforto, à ênfase decorativa, ao neoantigo: o estilo da loja de departamentos constitui seu modelo. Depois, um segundo kitsch que acompanha a sociedade de consumo, baseado numa mentalidade ou num sistema de valores totalmente diferentes: seu motor não é outro senão a ética consumatória, o prazer de comprar e de renovar sem cessar os objetos, a perempção sistemática das coisas que funcionam como gadgets lúdicos. O estilo do supermercado representa esse neokitsch.[50]

Tudo indica que uma nova era do kitsch se constituiu, acompanhando o capitalismo criativo e a sociedade de hiperconsumo. Depois do kitsch da loja de departamentos e do supermercado — ambos orientados para o objeto —, vemos desenvolver-se um kitsch de divertimento centrado na imagem e no espetáculo (publicidade, clipe, moda, parque de lazer, turismo, show business). Não é mais tanto a relação com as coisas que predomina, quanto uma busca de experiências variadas e distrativas, funcionando o consumo como vetor de animação e de renovação dos momentos vividos. De resto, Abraham Moles já indicava uma das orientações do kitsch dizendo que ele "não é nem o Belo platônico nem o Feio, é o imediato".[51] Não é tampouco uma "arte da felicidade", centrada no conforto, mas antes uma estética do espetáculo e do relaxamento; menos uma forma patológica da arte do que uma arte irônica voltada para a imediatez do prazer.[52]

Certas obras de arte também ilustram essa nova era do kitsch. Kundera escreveu: "O kitsch exclui do seu campo de visão tudo o que a existência humana tem de essencialmente inaceitável".[53] Já não é totalmente correto: existe agora um kitsch que não é unidimensional e não se reduz ao espetáculo do País das Maravilhas ou ao "acordo categórico com o ser".[54] As obras açucaradas e encantadas de Pierre e Gilles não eliminam nem a dimensão da morte nem a da violência e da "estranheza da vida", para retomar as próprias palavras deles. Nas de David LaChapelle, por trás do "mundo perfeito" do furta-cor, do glamour, dos paetês do show business, surge a morte, a miséria individual e social, o derrisório, os sismos, o abandono, a crítica social do Ocidente consumista. O rosa-choque idílico pode aparecer sobre o fundo de caos, de desastre, de devastação. A arte suave, leniente, da felicidade e dos belos sentimentos convive com o espetáculo do horror e do desamparo. O kitsch sorridente e harmonioso se casa com seu contrário: o negativo, o trágico da vida.

E o kitsch que, nas imagens-cromo, estava ligado ao naïf se cruza agora com o humor, a distância, a ironia. Perfeita união do sublime e do derrisório, do sério e do irônico, Joana Vasconcelos faz brilhar a figura estrelar de Marilyn, construindo um luxuoso sapato gigante inteiramente composto de triviais panelas lembrando a condição doméstica da mulher. Do mesmo modo, ela compõe um imenso lustre de uma brancura virginal feito de tampões ginecológicos, bem como um coração vermelho, sinônimo de paixão, com uma aparelhagem de 4 mil colheres e garfos de plástico. A dor e as sombras da vida se diluem numa fantasia divertida e irônica, como ilustra este auge do kitsch que é o universo de Pedro Almodóvar, espécie de colcha de retalhos que desafia os bons gostos, de mistura constante de todos os gêneros — melodrama e comédia, masculino e feminino —, de citações indiretas, de prazeres infantis, de rococó piegas, de cenários multicoloridos, de sentimentalismo e de sexualidade provocante. É um kitsch de terceiro tipo que vem à luz, irônico, problemático, crítico. Daí em diante o kitsch pode ser declinado no plural.

5. O estágio estético do consumo

O capitalismo artista designa o sistema econômico que trabalha para estetizar todos os elementos que compõem e organizam a vida cotidiana: objetos, mídia, cultura, alimentação, aparência individual, e também lojas e shopping centers, hotéis e restaurantes, centros urbanos, margens dos rios, portos e fábricas desativadas. Ele coincide com a generalização das estratégias de sedução estética, com o desenvolvimento da mise-en-scène da cidade e dos entornos comerciais. E enquanto o universo comercial e urbano está cada vez mais estilizado por arquitetos e designers, se manifesta um consumidor estetizado também em seus gostos e seus comportamentos. Desse ponto de vista, é todo o mundo material e humano, imaginário e psicológico do consumo que se converteu à ordem estética. Eis-nos no estágio estético do consumo.

A CIDADE A CONSUMIR

O homem do século XXI é um homem das cidades. E cidades que, no mundo todo, se mostram cada vez mais caóticas, inospitaleiras, "monstruosas". Mas, ao mesmo tempo, a cidade industrial do capitalismo de produção tende a ceder a vez à cidade-lazer, à cidade das compras de que as passagens e lojas de departamentos forneceram, no século XIX, o modelo inaugural. Desde então, a lógica exponencial do espetáculo, do divertimento e do consumo comercial não para de ganhar terreno, dos bares descolados às *flagship stores*, dos restaurantes às *concept stores*, das galerias comerciais às lojas de luxo, das *strips* aos malls, dos centros de lazer aos parques temáticos, das butiques-hotéis aos bairros inteiramente reurbanizados para atrair os consumidores. Mais do que nunca, o mundo hipermoderno é o da estética mercantil e do comércio consumista que invade e reestrutura o espaço urbano e arquitetônico.

Arquiteturas comerciais e paisagens urbanas

No tempo do capitalismo artista do último período, as zonas comerciais adquiriram uma importância e uma superfície social tão novas quanto excepcionais. São elas agora que remodelam os centros[1] e as entradas de cidade, reorganizam as paisagens periurbanas, remanejam a organização das estações ferroviárias, dos aeroportos e dos museus. Hoje, os locais de venda irrigam e ocupam a quase totalidade dos territórios urbanos com suas vitrines, seus logos, seus letreiros luminosos. Prolifera a "cidade franqueada",[2] caracterizada por uma saturação do mundo pelos locais comerciais e criadora de um universo urbano e arquitetônico sob a influência do mercado.[3] Com seus letreiros-farol, um número cada vez maior de ruas de pedestres parecem galerias comerciais, enquanto estas se esforçam para recriar a ambiência da cidade. Em toda parte as franquias comerciais invadem o centro das cidades e as periferias, suas lojas-letreiros exibem sua identidade visual em todo o território. Até as arquiteturas prestigiosas ostentam a marca da cultura publicitária e espetacular. Os arquitetos podem desprezar o espírito do comércio, o que não os impede de utilizar os dispositivos dos locais de compras para conceber museus e aeroportos, universidades e hospitais: "Do desconstrutivismo ao minimalismo, passando pelo pós-modernismo, todas essas correntes de arquiteturas podem ser vistas como locais de compras sem os logos. A mais experimental arquitetura de vanguarda pode, hoje, simplesmente imitar os paradigmas ambíguos e não ditos dos locais de compras: aspecto uniforme, complexidade, indecisão".[4]

Enquanto os locais de compras remodelam a paisagem urbana,[5] as lojas, shopping centers, bares, hotéis e restaurantes são cada dia mais objeto de um trabalho de valorização estética. Concebida como uma mídia, a loja deve transmitir uma mensagem coerente, imediatamente legível, da vitrine à sinalética, da fachada à decoração, do mobiliário à organização do espaço, tudo isso reorganizado permanentemente num ritmo acelerado: "Antes, era necessário refazer uma loja a cada sete anos. Na prática, ela durava dez anos... Hoje, passados quatro anos é preciso pensar em renová-la", declara o arquiteto Constantin Costoulas.[6] Uma aceleração que diz respeito também ao ritmo da instalação de novas vitrines e do mobiliário modular: eis que o universo decorativo das lojas também foi atingido pela temporalidade precipitada da moda. Em quase todos os setores são visadas as dimensões qualitativas e estéticas da distribuição: o capitalismo artista vê se afirmar o papel crescente dos arquitetos de interiores e dos designers — qualificados às vezes de novos "magos do real" — na estratégia das marcas e dos letreiros comerciais. É essa a arquitetura comercial que tem por objetivo incentivar as compras com um trabalho de estilização, de cenografização, de decoração de interiores tendo em vista a concretização de um conceito de loja. Arquitetura comercial que faz parte do formidável desenvolvimento do nosso cosmos transestético.

O comércio não remodela apenas as arquiteturas, ele revitaliza o centro das cidades e velhos bairros populares. Atualmente, as grandes marcas internacionais (McDonald's, Starbucks, Nike, Zara, Virgin, H&M...) são menos o que faz as cidades perecerem do que o que dinamiza os mais diversos bairros. E a gentrificação contemporânea do centro das cidades não significa apenas um processo de reabilitação de habitações e bairros populares, e de "aburguesamento" destes, mas também de novas paisagens urbanas em que florescem bares, restaurantes, galerias de arte, lojas de moda, discotecas, criando novas imagens de bairros, novas práticas, novas populações que vêm consumir numa ambiência atraente e descolada. O comércio se apresenta como uma das alavancas da gentrificação hipermoderna, um dos motores que levaram ao surgimento de novos bairros centrais estetizados, ocupados por categorias muitas vezes qualificadas de "burgueses boêmios", grupos gays, populações mais jovens e mais diplomadas, mais endinheiradas, mais cool. A gentrificação da cidade não pode ser separada da gentrificação comercial transestética.

Mais amplamente, assiste-se a um vasto trabalho de requalificação e de estetização dos centros urbanos, o que é atestado pelo espaço cada vez maior dado à *visual delectation*,[7] ao design dos espaços públicos e do mobiliário urbano, ao fachadismo arquitetônico, à revalorização do patrimônio, à multiplicação dos museus, à edificação de construções de tirar o fôlego, projetadas por arquitetos-estrela. No contexto hipermoderno, em que existe uma forte concorrência entre as cidades para se destacar em atrativos, a dimensão estética se tornou um fator-chave destinado a incentivar o turismo, atrair os investidores, os organizadores de congressos, a nova classe dos "manipuladores de símbolo". A época assiste ao desenvolvimento da mise-en-scène da cidade e do *city marketing*, e as cidades se empenham num trabalho de identidade visual, de imagem e de comunicação para conquistar "fatias de mercado", tal como as marcas comerciais.

O impacto dos espaços comerciais sobre a urbanidade não se detém aí, originando novas centralidades periféricas. A época hipermoderna vê surgir, com os aeroportos, os shopping centers, os multiplexes, os parques de lazer e os outros megacomplexos, uma multidão de centralidades onde se cruzam toda sorte de populações que, atraídas pelos equipamentos de consumo e de lazer, vão fazer suas compras, flanar, se divertir. Desenvolve-se na periurbanidade um policentrismo[8] de que as atividades comerciais são o grande vetor. Enquanto as áreas comerciais periféricas contribuem para a emergência de novas formas de centralidade, estas aparecem como uma justaposição de elementos padronizados, como o hipermercado, o shopping center, os fast-foods, os enormes estacionamentos, as megalojas especializadas em eletrodomésticos, bricolagem ou esporte, as grandes marcas internacionais. São, todos, símbolos da cidade difusa e estilhaçada, do "pós-urbano", os quais, uniformizando as paisagens, se tornaram agora comuns a todo o planeta: em toda parte, no Norte como no Sul, se difunde o urbanismo comercial monótono das novas centralidades da periferia, proporcionando uma vasta sensação de déjà-vu. De um lado, o capitalismo artista cria em grande número pontos de venda inovadores e estéticos; de outro, produz em larga escala a feiura arquitetônica e o nada urbano, arquiteturas comerciais pobres, uniformes, totalmente submetidas às exigências dos distribuidores.

Os prazeres da cidade das compras

A lógica estético-espetacular não só remodelou os centros comerciais, as lojas, os bares, como estende seu domínio atualmente ao próprio espaço da cidade. O imperativo do divertimento consumista transformou radicalmente o estatuto e a função desta, tornando-a uma cidade feita para o prazer, o *entertainment*, o *fun*. A poética da cidade, como a evocava Pierre Sansot,[9] mudou de natureza: a cidade dos anos 1960, a dos cafés, das praças, das pessoas simples e dos pequenos ofícios, em que o sociólogo deixava seu imaginário flanar, desapareceu. Outra cidade surgiu, impregnada de outros valores, cujas premissas Guy Burgel, evocando uma nova "cultura-cidade", identificava desde o início dos anos 1990: "Toda a civilização urbana está envolvida num impulso cultural que a conduz ao consumo e à recreação. [...] Em toda parte no mundo, a cidade festiva está precedendo a cidade ativa".[10]

São numerosos os elementos da vida urbana a proporcionar hoje uma manifestação sensível dessa metamorfose. Testificam isso as transformações que a requalificação do centro das cidades e a repaginação turística dos bairros antigos acarretam. Hoje, a cidade se tornou lugar de atividades "não produtivas", ligadas essencialmente ao imaterial, ao lúdico e ao cultural: a multiplicação dos restaurantes, bares na moda, multiplexes, museus, salas de espetáculo, galerias, *concept stores*, sítios históricos restaurados, mas também espaços comerciais festivos, ilustra ao mesmo tempo a nova ordem transestética e a importância crescente dos lazeres comerciais na vida urbana e na cultura contemporâneas.

Velhos galpões são reativados, acolhendo atividades culturais e mercantis; velhos espaços ligados a atividades desaparecidas são requalificados, mosteiros são transformados em hotéis ou centros culturais; bairros inteiros se renovam, consagrados às compras de prazer, com restaurantes, cafés, lojas de moda, galerias, salas de cinema.

Os urbanistas e arquitetos que concebem esses novos espaços urbanos às vezes aparecem como uma espécie de decoradores de cidade que procuram encená-la, fazer desta um espetáculo em si. E para que a festa seja completa, criam espaços inteiramente dedicados à descontração, "terrenos de jogos urbanos", miniparques de lazer citadinos, como o Navy Pier de Chicago, um píer de um quilômetro reconfigurado em local de lazer com roda-gigante, carrossel, museu infantil, jardim de inverno, sala Imax, danceterias, restaurantes, *food-courts* e diversas grandes lojas. A noção de parque de lazer é às vezes claramente ostentada: em Baltimore, a Disney transforma o antigo mercado de peixes da cidade em Port Discovery, aldeia de desenho animado baseada no modelo Disneyland.

Encontramos aí, aplicada à urbanização, a ideia que o marketing sensorial e o *retailtainment* desenvolveram nos próprios locais de venda: a ideia de um "reencantamento do mundo", que conduz a viver a cidade, espaço meio comercial, meio lúdico, como um parque de diversões, que é consumido com a paixão e o prazer devidos. Teatralizando-se, tematizando-se, espetacularizando-se, a cidade gera experiências, suscita emoções, cria sensações: nela, busca-se uma atmosfera. Ela responde a uma "demanda de ambiência".[11]

Nessa ótica se multiplicam as festas e as animações programadas, tornando-se estas um componente essencial das políticas urbanas. A organização das festas, bem como da música, que faz sair à rua um público de massa, rege hoje os grandes momentos da cidade, reatando muitas vezes com as antigas festas, que se beneficiam com essa revivificação, adaptando-se aos gostos da época: desfiles carnavalescos, vendas de Natal, festas ligadas às especialidades locais, do ravióli ao Beaujolais nouveau, mas também novas festas que traduzem uma evolução dos costumes, uma necessidade de *live*, de grandes aglomerações coletivas. O enorme sucesso obtido em toda parte pelas Noites Brancas, em que a iluminação dos edifícios é acompanhada por espetáculos-surpresa, música, vídeos e instalações, passeios em lugares insólitos, é um exemplo disso, como o é *La Ruée vers l'art*, que abre as portas dos museus a todos os públicos. Hoje a cidade se afirma como um local de atração, de saída, de compras, de cultura: um espaço transestético.

É nesse contexto que vemos florescer as instalações de obras de arte contemporânea ao ar livre. Por toda parte, os bairros renovados, as cidades novas, os campi universitários, os espaços verdes e até os espaços públicos são "ornamentados" por obras encomendadas pelos poderes públicos. Claro, faz séculos e milênios que numerosas obras se erguem nos lugares públicos. Mas o que observamos hoje não tem mais nada a ver com os fenômenos do passado, notadamente com a função política que tinham os monumentos e estátuas nas épocas gloriosas dos príncipes, dos reis e da República. Não se trata mais de criar uma sensação de unidade do corpo político, de sacralizar heróis ou simbolizar a grandeza dos soberanos. Hoje a arte na rua não tem outra finalidade senão estetizar ou festivizar o espaço urbano, humanizar conjuntos frios, personalizar e animar lugares neutros ou desativados, "alegrar a vista em espaços tediosos".[12] As políticas destinadas à educação do cidadão foram substituídas por políticas de sedução estética pura. Certamente, pode-se ligar essa metamorfose ao eclipse dos megadiscursos ideológicos,[13] mas o fenômeno funciona igualmente como compensação em face da ascensão da cidade das compras. Quando tudo na cidade se monetariza, a arte pública aparece como um lazer gratuito, uma beleza não mercantil, um espaço de respiração, um prazer estético que dá ao espectador uma liberdade crítica que contrasta com a passividade que acompanha o divertimento puramente comercial e formatado.

Assim, a estética e o lúdico, o festivo e o consumo hedonista se tornaram vetores de configuração de um novo ambiente urbano. Hoje a própria cidade se empenha em se construir como centro do lazer, do consumo e do divertimento, e isso mediante um trabalho de reabilitação e de estetização da paisagem urbana, mediante operações destinadas a reservar o centro das cidades aos pedestres e recuperar as margens fluviais, por meio de atividades de animação diversas, de jogos de imagens e de luzes destinados a criar um ambiente mais atraente e bonito para uma clientela de turistas e consumidores de lazer.[14]

O gerenciamento patrimonial

Nessas novas políticas de renovação urbana, a salvaguarda do patrimônio construído não parou de ganhar importância desde os anos 1970-80. Não se derrubam mais prédios nem bairros antigos, a que se atribui cada vez mais valor, tanto memorial como estético: são restaurados, são reconfigurados. E as reabilitações têm cada vez mais como alvo edifícios de menor estatuto histórico, assim como sítios patrimoniais mais recentes. Ao lado das igrejas, palácios, castelos, lugares mais comuns são hoje objeto de conservação e de reconversão: velhas instalações industriais, cais de portos, galpões, quartéis recebem nova função, ligada à cultura, ao espetáculo, ao lazer. Em Londres, Herzog e De Meuron fazem de uma antiga usina elétrica a carvão, de que conservam a chaminé como vestígio de origem, a Tate Modern, um dos museus de arte moderna mais prestigiosos do mundo.

Estamos na época da valorização do patrimônio histórico. Esse trabalho de conservação histórica comporta inegavelmente um valor de memória e costuma ser apresentado como um meio de salvaguardar os particularismos étnicos e locais em face da uniformização planetária. Não obstante, essa valorização do passado arquitetônico e urbano, qualquer que seja sua ressonância nostálgica, está imbuída dos próprios princípios da hipermodernidade mercantil, estética e midiática. Com essas políticas de reconversão, o passado conservado muitas vezes aparece como uma concha vazia, um cenário de teatro, uma simples fachada externa esvaziada do valor primordial das construções. Os bairros e edifícios históricos são transformados em locais de animação destinados a estimular o comércio, o consumo estético e turístico. Sob o culto da memória atuam os objetivos econômicos de desenvolvimento urbano, do mesmo modo que as paixões presentistas e individualistas do consumismo experiencial e da qualidade de vida. A verdade é que esse "retorno" do passado é menos pós-moderno do que hipermoderno, a tal ponto que coincide com a expressão das lógicas mercantis do lazer, dos imperativos da comunicação e do turismo.

Enquanto se efetivam as políticas de conservação dos edifícios e bairros antigos, a época atribui uma importância nova, excepcional, aos museus. Muitas cidades são testemunhas de uma explosão do número de museus de todos os gêneros, dos monumentos históricos a visitar, assim como dos visitantes, em particular estrangeiros. E nenhuma cidade, hoje, se concebe sem um ou vários museus capazes de contribuir para o seu prestígio e seu desenvolvimento turístico. O museu, hoje peça-mestra na política de investimento cultural das cidades, se torna polo de atração tanto, se não mais, por si mesmo quanto pelas coleções que abriga: vai-se muito mais ao Guggenheim de Bilbao para admirar o prédio de Frank Gehry do que para ver as obras ali expostas. Tendo se tornado uma figura icônica da reconversão urbana, esse museu realizou a façanha de transformar a própria imagem da cidade. Esse caso fez escola. São incontáveis os políticos municipais que procuram copiar esse modelo para favorecer o desenvolvimento local. E em virtude da atração arquitetônica que todo museu pode vir a ser, numerosas cidades hoje contratam "starquitetos" visando objetivos econômicos e turísticos: é o que se chama de "turismo arquitetônico". O star-system inventado pelo capitalismo artista conquistou agora o domínio dos museus concebidos como fatores de atratividade das cidades na competição internacional, como vetores de qualidade de vida e de revalorização da imagem urbana.

Mas a cidade-museu não é apenas a que abriga um grande número de museus: é aquela em que cada vez mais atividades são voltadas para o consumo turístico das obras do passado, do patrimônio cultural e histórico. O que não se dá sem transformação significativa da cidade, de sua composição, de sua organização. Com a deriva para cidade-museu, as classes populares e médias são repelidas para a periferia em razão do preço dos imóveis, cada vez mais apartamentos são comprados por estrangeiros como um ponto para ficar algumas semanas por ano; o comércio das proximidades é convertido em galerias de arte, lojas de suvenires e restaurantes; as ruas são invadidas pelos turistas. As atividades tradicionais, assim como a *flânerie*, são substituídas por comércios ligados ao tempo de lazer, e percursos turísticos são organizados pelos *tour operators*. Estetização museal da cidade significa, nesse sentido, desintegração total da vida de bairros outrora diversificados e vivos, relegação das camadas populares para o periurbano. Com a museificação da cidade, é um simulacro de cidade que se esboça, onde se apagam os elementos comuns do viver junto urbano.

Pouco a pouco, é todo o coração das cidades históricas que se transforma numa espécie de museu, em puro cenário,[15] em vitrine destinada ao turismo cultural de massa, ao consumo nostálgico do passado. Cada vez mais, o centro das cidades antigas é tratado à maneira de telas pintadas, iluminadas por jogos de projetores, moldadas por urbanistas-cenógrafos, postas em cena de acordo com uma dramaturgia de finalidade turística. Visita-se o centro de Praga, com suas casas pintadas com cores cinematográficas, como se visitaria o estúdio em que foi rodado *Amadeus*. Já não é tanto a realidade autêntica da História que conta, com as escórias necessariamente ligadas à pátina do tempo, quanto uma espécie de reconstituição de aparência mais nítida, mais uniforme, mais perfeita. Para tanto, o patrimônio é repaginado, recebe novas roupagens — e, quando não basta para satisfazer as exigências da aparência, não se hesita em construir um falso antigo. A cidade-museu é uma cidade faxinada, maquiada, santuarizada, oferecida às fruições estéticas das multidões turísticas: ela constitui a apoteose urbana do processo de estetização hipermoderna do mundo.

Na Paris museificada, onde "o comércio dos mortos substitui pouco a pouco as lojas dos vivos", Françoise Cachin via em ação um processo mortífero:[16] uma estetização, mas de uma beleza desvitalizada. Cidade-museu quer então dizer cidade morta? A estética do desaparecimento, cara a Paul Virilio, não teria engendrado o desaparecimento da estética por excesso de finalidades estéticas mercantis?

Assim pensam alguns que, no entanto, descartam rápido demais as consideráveis contribuições que a reconfiguração das cidades engendrou: basta olhar as fotos da Paris não reformada de antes de André Malraux para se dar conta do que a cidade ganhou com uma visão patrimonial que lhe restituiu todo o seu brilho. De fato, pode-se razoavelmente considerar que o embalsamamento museal e a exploração turística são não mais que o excesso, a deriva nefasta de um processo em si positivo, na medida em que não apenas preserva a cidade, mas procura valorizá-la. A museificação da cidade, na medida em que tende a ceder unicamente à lógica turística, tende a evacuar a vida verdadeira, com suas asperezas, a fim de promover uma cidade-clichê. Mas isso é verdade principalmente para algumas cidades emblemáticas, como Veneza, transformadas em etapas obrigatórias nos catálogos de viagens organizadas. Valendo-se justamente dessa experiência, os urbanistas e os paisagistas de hoje procuram precisamente preservar a vida, integrando-a, como parâmetro essencial, às reconfigurações realizadas. Mas sem que o resultado final seja mesmo assim garantido.

O CONSUMIDOR TRANSESTÉTICO

Se a estetização do consumo se aplica aos objetos, às lojas, aos locais urbanos, também diz respeito ao consumidor em seus gostos, suas aspirações, seu modo de vida. Desse ponto de vista, a dinâmica transestética cujo panorama nos empenhamos em esboçar é um processo global que tem por objeto tanto o universo da oferta mercantil como o da demanda.

Nas nações em que domina o capitalismo artista, são partes inteiras do universo consumista que mobilizam um consumidor transestético, a tal ponto se manifestam motivações hedonistas e lúdicas, emocionais e sensitivas, e isso em camadas cada vez mais amplas da sociedade. Paixão pelas viagens e o turismo, amor ao patrimônio e às paisagens, gosto pela decoração da casa, uso generalizado dos produtos de cuidados diários e de maquiagem, obsessão com a magreza, tatuagens e *piercings*, escuta musical em todo lugar e circunstância, karaokê, consumo crescente de filmes, telefilmes e séries de TV, práticas também em alta da foto, do vídeo, da música: fenômenos que são o sinal da formidável expansão social das expectativas e das práticas estéticas, dos desejos de beleza, de música e de espetáculos. Vivemos o tempo da explosão democrática das aspirações, das paixões e dos comportamentos estéticos. Organizando uma economia em que a lógica estética desempenha um papel fundamental, o capitalismo artista avançado produziu ao mesmo tempo um consumidor estético de massa.

Esse consumidor estético é filho do capitalismo artista. E esse filho não parou de crescer no século que passou. Desde o início da sua aventura histórica, o capitalismo artista se construiu estimulando os gostos estéticos das grandes massas, através de lojas de departamentos, cinema, rádio, music-hall, fotos de moda, embalagens, produtos cosméticos. Mas se o consumo estético nas camadas populares progride, o fato é que, para a massa dos indivíduos, o consumo, no essencial, se concentra nos bens de necessidade básicos: até a Segunda Guerra Mundial, os consumidores, em sua imensa maioria, dispunham de muito pouco dinheiro além do que precisavam para fazer face às necessidades da vida.

É durante o que chamamos de fase II do capitalismo moderno que se instaura o processo de estetização em massa do consumo, este alcançando vastíssimas camadas sociais. O forte aumento da renda familiar média, possibilitado pela economia fordiana, contribuiu para fazer surgir um poder aquisitivo discricionário entre as massas. A partir de então, o que antes era da esfera do consumo de luxo (bens duráveis, renovação dos objetos, moda, cosméticos, viagens, lazer, distrações) deixa de ser reservado a uma pequena minoria: a maioria começa a poder participar de um modo de consumo estético outrora limitado a alguns e a poder consagrar uma parte do seu salário para comprar o que lhe agrada, e não apenas aquilo de que necessita. A ruptura é da maior importância e acompanha o desenvolvimento da sociedade de consumo de massa.

Ao mesmo tempo, o capitalismo de consumo se desenvolve sob o signo dos valores hedonistas e distrativos, jovens e eróticos. O capitalismo desqualificou, assim, as morais ascéticas em benefício de uma *fun morality*, de uma economia centrada nas novidades perpétuas do bem-estar, da moda, do lazer, do divertimento. Tornando possível um poder aquisitivo discricionário em camadas sociais cada vez mais vastas, o capitalismo permitiu que estas se livrassem da urgência da necessidade estrita. O supérfluo, o gadget, o distrativo se impõem como categorias fundamentais do novo mundo consumatório. Menos submissa ao reinado da necessidade, toda uma parte do consumo tende a aparecer como um domínio estético voltado para os prazeres e a frivolidade, para as sensações e a diversão. Pela primeira vez, as massas têm acesso a um tipo de consumo mais lúdico e mais individualizado, a um modo de vida mais estético (moda, gadgets, lazer, jogos, músicas gravadas, televisão, férias) outrora privilégio das elites sociais. A última fase faz essa lógica consumista-estética que era entravada pela persistência das culturas de classe dar mais um passo. Mas não sem que novas atitudes, valores e aspirações venham colorir de maneira inédita o *Homo aestheticus* dos tempos do hiperconsumo.

A expansão social do consumo estetizado

Com a fase III, ainda que em marcha lenta, o crescimento da renda familiar continuou: na França o poder aquisitivo dobra entre 1973 e 2009. Esse "enriquecimento" aumenta ainda mais a margem de manobra dos consumidores no que concerne às opções e decisões deles: não é de espantar que, nesse contexto, os fatores afetivos, imaginários, estéticos do consumo tenham um papel cada dia mais importante. Uma vez satisfeitas as necessidades de base e adquirido o conforto material, o consumo é cada vez mais comandado pela busca de emoções, pela exigência de se proporcionar "pequenos prazeres", pelo desejo de viver experiências agradáveis, de fruir bens de qualidade sensitiva, simbólica e estética: seis franceses em cada dez declaram economizar cada vez mais em suas despesas cotidianas para gastar em lazer;[17] e as despesas ligadas a este não diminuíram a despeito das inquietudes crescentes quanto ao futuro. A larga satisfação das necessidades elementares, a elevação do nível de vida, o hedonismo cultural puseram em marcha um tipo de consumo que privilegia cada vez mais o valor psicológico, simbólico e estético dos bens mercantis, um consumo voltado menos para o ter do que para o prazer, o bem-estar e o florescimento pessoal. A despeito da crise econômica que atravessamos, as decisões dos consumidores continuam a se efetuar em detrimento das necessidades básicas e em benefício da "realização pessoal": atualmente, as despesas ligadas a esta última podem representar cerca de um terço do consumo total das famílias.[18]

Estamos no momento em que o registro funcional do consumo recua em benefício dos valores hedonistas, emocionais e estéticos. O que não impede de forma alguma o sucesso do *hard discount* e do *low cost*, a atração dos produtos orgânicos, o recurso crescente às mercadorias de segunda mão, o declínio do valor ostentatório do carro, maior sensibilidade ao preço e o peso maior da "compra esperta": tudo isso são índices que assinalam a ascensão da aspiração a "consumir melhor". O que não significa nem "consumir menos", nem rejeição categórica das marcas, mas um desejo de consumir de acordo com a melhor relação custo-benefício.[19] Se os consumidores privilegiam o valor funcional da oferta *low cost*, não se trata de modo algum de abandono do registro hedonista do consumo, mas de uma forma de poder continuar a comprar, em outros domínios, o que dá prazer, a ter o deleite do consumo estetizado. Quando o poder aquisitivo é limitado e impede que se compre em toda parte o que se prefere, impõem-se decisões funcionais ou razoáveis, não em nome de um ideal de austeridade, mas ao contrário para ter acesso às outras formas de consumo experiencial ou transestético.

Paralelamente, à medida que os bens de consumo se difundem em todo o corpo social, os objetos tendem a perder seu antigo estatuto de marcador do meio social. Eles são menos buscados visando a consideração social do que as satisfações hedonistas, lúdicas, experienciais, em outras palavras, estéticas no sentido primeiro e etimológico do termo. Eis-nos numa nova era de consumo em que este funciona num registro mais emocional do que competitivo, mais experiencial do que honorífico, mais lúdico do que prestigioso. Menos corrida ao status, mais finalidades sensitivas, distrativas ou emocionais: assim, o capitalismo artista assiste ao triunfo de uma estética do consumo. Como já dizia Toffler, estamos numa era em que o comprador se tornou um "colecionador de experiências",[20] buscando incessantemente novas sensações e emotividades. Primazia das experiências sentidas e vividas: o neoconsumidor se caracteriza por essa relação estética com os produtos mercantis. Largamente libertado da obsessão de exibir uma posição social, o neoconsumidor é aquele que quer "rejuvenescer" sem cessar sua vivência, aquele que combate febrilmente os tempos mortos, que quer incessantemente conhecer, por meio de novidades mercantis, novas emoções, a fim de impedir a fossilização do cotidiano, fruir da impressão de viver uma vida mais intensa, sempre nova.[21]

Se se deve falar de estetização do consumo é também no sentido em que este se torna a cada dia um pouco mais questão de gostos individuais. Em lugar do que era rotina, prescrições tradicionais ou imperativos de classe, afirma-se uma estética consumatória centrada na subjetividade dos gostos e das sensações de prazer. À medida que recuam o "reino da necessidade" e as inibições e habitus de classe, as escolhas dos indivíduos se fazem mais em função de seus gostos pessoais e da emoção estética suscitada pelos produtos (design, estilo, look dos objetos, tendências e modas). Hoje, o hiperconsumidor, que dispõe de uma vasta panóplia de opções e não é mais enquadrado por normas imperativas de classe, compra o que corresponde a seus gostos próprios, o que ele gosta, o que lhe agrada, o que acha bonito ou agradável.[22] Individualização, dissolução das culturas de classe e estetização do consumo andam de braços dados.

Na sociedade industrial, o consumo era estruturado por habitus de classe profundamente diferenciados, assim como pela oposição entre os "gostos de luxo" e os "gostos de necessidade". No que concerne à relação com a casa, as classes populares privilegiavam o correto, o funcional, o que é prático, sólido, de fácil manutenção. No domínio da alimentação e das refeições, prevaleciam a quantidade, o pesado, o gorduroso, o nutritivo, a rejeição às boas maneiras e outras cerimônias burguesas. E no vestuário, roupas "simples", para qualquer ocasião, baratas e duráveis, distantes das "loucuras" da moda. O consumo das classes populares era construído pela exclusão da gratuidade das formas e das "frescuras", no extremo oposto de um estilo de vida fundado no primado do parecer e do refinamento estético.[23] Mas o que acontece com essa dicotomia de normas quando se propagam em toda parte o culto da magreza, a democratização dos cosméticos, a paixão generalizada pelo turismo e pela moda, o gosto pelas marcas de luxo, os aparelhos high-tech, os últimos smartphones e as novas músicas? Os jovens dos bairros desfavorecidos não querem mais sapatos para andar: querem Nike, Puma, Reebok. As análises do mestre da sociologia da distinção não permitem mais, neste ponto, apreender o que está em jogo nas sociedades em que o consumo é dominado, precisamente, pela rejeição dos "gostos de necessidade" e pela exigência de prazeres estéticos de mudar, viajar, jogar, exibir um look, ouvir os últimos hits musicais num player. Se não é mais, evidentemente, de estilização da vida à maneira aristocrática ou burguesa que se trata, não deixa de ser uma dinâmica generalizada de estetização do consumo de um gênero inédito, essa a que assistimos.

Estetização ou empobrecimento do consumidor?

Desde o advento da sociedade de consumo de massa, uma legião de teóricos salienta a degradação, a degeneração da experiência estética dos indivíduos. Os objetos de série se distinguem pelo "déficit de estilo" e pela redução das qualidades sensíveis.[24] Em telas grandes e pequenas, proliferam a violência, o sexo, a vulgaridade, a insignificância das imagens que, longe de serem apreciadas por si mesmas, são consumidas e zapeadas com o único fito de matar o tempo e afastar o tédio.[25] Bombardeados de solicitações, "blasés", os consumidores reagem pela apatia e a insensibilidade, o que conduz os atores do mercado a levar cada vez mais longe a lógica do espetacular e da violência: um processo hiperbólico que tão somente agrava ainda mais a proletarização da sensibilidade contemporânea. Assim, tudo no capitalismo de consumo trabalharia para empobrecer a vida dos sentidos e a qualidade das experiências estéticas.

E o processo não para de se amplificar com as novas tecnologias digitais e com a sociedade da hipervelocidade. Vivemos, diz-se, num mundo que é a negação da vida estética e sensual, pois o digital gera uma existência abstrata, descorporizada, "espectral",[26] uma espécie de pesadelo sem vínculos carnais e sensualistas. Comemos cada vez mais depressa pratos padronizados, regredimos nos modos à mesa, visitamos com pressa os museus, não nos damos tempo para mais nada e passamos mais horas diante das telas do que em encontros reais com os outros: cada vez mais, o reinado das grandes velocidades empobrece os sentidos, arruína o tempo voluptuoso e os prazeres ociosos. Assim, o universo consumista e performático aparece, aos olhos dos seus detratores, como uma máquina de guerra voltada contra a sensorialidade das fruições estéticas.

Contestamos veementemente essa visão catastrófica. A despeito das lamentações costumeiras, a "comida de quinta", o "lixo da TV", as músicas ensurdecedoras, o kitsch turístico, os loteamentos padronizados não são sinais de um naufrágio estético generalizado. Porque não são o todo do nosso universo cultural: há outros fenômenos que conduzem a um diagnóstico nitidamente mais matizado. Assim, a sensibilidade paisagística, o culto ao patrimônio, a valorização dos produtos regionais, a frequentação em massa de museus e exposições, o turismo cultural, o gosto pela decoração dos interiores, a paixão pela música e, agora, pela foto, o sucesso reservado aos livros de arte e aos álbuns de luxo, o interesse pela gastronomia e pelos refinamentos culinários são fenômenos que ilustram a importância crescente dos apetites estéticos nas sociedades hiperconsumistas. Não é ao perecimento em massa da sensibilidade ao belo que assistimos, mas à democratização das aspirações e das experiências estéticas. Todos os anos, as jornadas europeias do patrimônio recebem mais de 10 milhões de visitantes, e as Noites Brancas organizadas num grande número de cidades mobilizam um público considerável;[27] os livros de fotos, como *A terra vista do céu* de Yann Arthus-Bertrand, são vendidos em milhões de exemplares e se tornam best-sellers internacionais; as grandes exposições movimentam multidões e as transmissões televisionadas da temporada do Metropolitan Opera de Nova York enchem as salas dos multiplexes; a música é ouvida todos os dias por dezenas de milhões de pessoas no metrô, andando, em casa; o turismo se tornou uma prática de massa. Contrariamente às teses que sustentam a infantilização do gosto ou a "proletarização do consumidor",[28] a verdade é que o capitalismo artista enriqueceu as expectativas estéticas dos indivíduos, a sensibilidade ao belo, o apetite das novas sensações e experiências.

Nossa época é contemporânea de uma demanda crescente de arte e de beleza, de estilos e de experiências "gratuitas" num número crescente de domínios: moda, decoração de interiores, jardinagem, cinema, música, fotografia, viagens. Quanto mais a tecnociência governa o mundo, mais a oferta comercial é artealizada, mais a demanda é marcada pelos desejos de experimentar as alegrias das "impressões inúteis" que caracterizam a experiência estética. Com a era emocional do consumo aumenta inevitavelmente uma busca incessante de experiências hedonistas e sensíveis, renovadas e "surpreendentes"; em outras palavras, estéticas.

A estetização do consumo se expressa em grande escala pela escuta musical, o cinema, as imagens, o design, a moda, os artigos de luxo. O turismo também. Costuma-se assimilar este a comportamentos estereotipados e de manada, segundo percursos sinalizados. Na verdade, ele é cada vez mais uma experiência estetizada, a tal ponto se parece com "uma grande viagem-espetáculo dentro de um universo de paisagens, monumentos, museus".[29] Viagem distante de qualquer pretensão utilitária, orientada unicamente para os prazeres da descoberta, da beleza, da evasão e das sensações, o turismo é um tipo de consumo estetizado. Com o turismo, os lugares, naturais ou culturais, se transformam em espetáculos e paisagens valorizados com vistas a percepções ou emoções estéticas. Armado da sua máquina fotográfica, o turista está perpetuamente à espreita de imagens, de lugares pitorescos, de visões panorâmicas, de sítios típicos; contempla os novos lugares por si mesmos, unicamente por prazer, com um olhar "gratuito" e "distanciado", um pouco como um espectador no cinema. É o conjunto da sua vivência que se insere num modo hedonista-estético em que se mesclam prazeres da evasão, prazeres contemplativos, prazeres folclóricos, prazeres da novidade. O turista se parece cada vez mais com um hiperconsumidor que busca e acumula percepções e sensações estéticas sempre renovadas. Opor-se-á a essa leitura a incultura do turista, sua vulgaridade, seu descaso e até os papéis sujos que ele abandona negligentemente nos sítios tombados. E também a ausência de refinamento do amante de rap, o voyeurismo do espectador de filmes pornôs, o mau gosto do comprador de suvenires kitsch. Razões estéticas podem com certeza ser empregadas para negar ou desacreditar o perfil estético do consumidor contemporâneo, salientar sua "grosseria" e sua indigência cultural. Apesar de tudo, temos o fato fundamental de que a expectativa e a disponibilidade para com as experiências estéticas distantes de toda e qualquer utilidade se tornaram fenômenos de massa consubstanciais ao consumo. Acrescentemos que, numa época dominada pela dissonância dos gostos intraindividuais, nada impede que os fãs do pornô ou do rap se mostrem curiosos por espetáculos mais refinados e por outras músicas. E o conformismo turístico não impede o aumento de viajantes apaixonados por viagens "diferentes", menos balizadas pelos guias e *tour operators*, menos estereotipadas, mais "autênticas": assim, nossa época é testemunha do advento do "pós-turista" livre e independente em suas apreciações e marcado pela reflexividade estética.[30] Singularmente frágeis se mostram a esse respeito as teses da pauperização estética do consumidor.

Transformando a esfera dos objetos, da comunicação e da cultura, o capitalismo artista moldou um *Homo aestheticus* de um novo gênero, consumista e individualista, lúdico e insaciável, perpetuamente à espreita de novas sensações, mas também de mise-en-scène de si, de design do corpo, de qualidade e de estilo de vida. Na cena do capitalismo artista contemporâneo é uma nova figura paradoxal, hipermoderna do *Homo aestheticus* que se afirma. A busca de uma vida estética era uma paixão elitista, aristocrática e burguesa associada ao luxo; ela se tornou uma paixão consumista e democrática de massa.

Claro, já houve na história certas formas de sociedade estética. A sociedade cortesã, descrita por Norbert Elias,[31] é um exemplo famoso desta, pela importância dada à arte de viver, à polidez, às maneiras, à linguagem, à conversa; pelo gosto desenvolvido pelo espetáculo, o jogo, a festa; pela preocupação com a aparência, a moda, o aparato. Das regras de civilidade editadas por Erasmo para a educação das crianças ao código sutil das conveniências a que está submetido o cortesão,[32] das festas de Vaux-le-Vicomte às de Versalhes, de Madame de Sévigné a Madame de Lambert, das academias aos salões, existiu uma arte de viver de um refinamento extremo nessa época que hoje chamamos clássica e sobre a qual se construiu largamente a cultura de mesmo nome. Mas, nessa sociedade, a ordem estética repousava em lógicas de distinção pelo prestígio e posição social: um "mundinho" elitista, limitado, baseado nas distinções hierárquicas e estatutárias.

Bem diferente é a sociedade transestética contemporânea, modelada pelo poder do mercado, na qual a estetização se impõe como um processo democrático que, anexando todos os aspectos da vida cotidiana de todos os grupos sociais, se manifesta sob o signo da emoção direta e da "desformalização"[33] cultural. Enquanto na sociedade cortesã a cultura estética se baseava em normas sociais estritas — a galanteria, a etiqueta, a moda, a polidez, os bons modos, o fasto — que davam uma importância capital às convenções, à teatralidade, ao aparato, ao parecer social, hoje a estetização repousa na vivência experiencial e nas emoções pessoais. Não mais uma lógica de representação social, mas uma busca de experiências centradas no prazer dos sentidos, nas fruições das novidades, do corpo, das paisagens, da moda, despojadas das formas cerimoniais e dos ritos sociais formalistas.

O AMBIENTE DE VIDA E SUAS AMBIVALÊNCIAS ESTÉTICAS

Nas sociedades marcadas pela generalização do equipamento básico das famílias, pela individualização do modo de vida e pela multiplicação dos protestos contra as devastações do progresso, aparecem novas exigências estéticas, em particular no importante domínio que constitui o ambiente de vida, seja ele público ou privado. É este o tempo em que ganha força o paradigma da qualidade de vida, em outras palavras, de novas prioridades menos tecnocráticas que, em nome da qualidade da vivência e do meio ambiente, devem contribuir para o desenvolvimento de um tipo de bem-estar e de hábitat convivial, estético e ecológico.

Incontáveis são as vozes que se elevam contra as paisagens desfiguradas pela concretagem do litoral; multiplicam-se as associações que denunciam os danos ambientais dos parques eólicos industriais, acusados de destruir a qualidade e a identidade das paisagens. Todos os dias se fortalece o imperativo de preservar encostas e florestas, matas e outras paisagens típicas que constituem a identidade das regiões e são tidas como componente essencial da qualidade de vida. Os indivíduos já não lutam apenas pelo aumento do poder aquisitivo, mas também pela melhoria dos elementos constitutivos de um entorno harmonioso e agradável. Se essas novas exigências comportam uma dimensão ecológica e identitária, também atestam o novo vigor dos desejos de qualidade de vida, de um bem-estar impregnado de valores sensoriais e estéticos. A nova sensibilidade paisagística não é separável das aspirações do *Homo aestheticus*.

Rumo a uma cidade sensível

A relação com a cidade obedece à mesma tendência. A tirada de Alphonse Allais, que propunha pôr as cidades no campo, se realiza, invertida: o campo entra na cidade, submetida à arte paisagística de profissionais que projetam parques e alamedas, arborizam e floreiam praças e ruas, criam zonas verdes nos bairros, reverdecem os centros transformados em zonas reservadas a pedestres ou bicicletas. Surgem jardins nos lugares mais inesperados, como Saint-Nazaire, onde Gilles Clément faz no telhado da base de submarinos um jardim em tríptico,[34] Le Tiers Paysage, em que cada elemento da arquitetura local permite desenvolver um jardim diferente.

Projetos paisagísticos cada vez mais sensíveis à decoração floral, à integração do mobiliário urbano, ao diálogo entre o vegetal e o mineral tendem a reverdecer a cidade, a torná-la mais acolhedora, mais amena. Fala-se hoje em cidade verde, em cidade sustentável, em cidade-paisagem, em cidade fértil, ou até, na esteira do movimento *slow food*, em cidade lenta.[35] Os princípios agora valorizados são os do desenvolvimento sustentável e do urbanismo ecológico, centrados em modos de atividade e de transporte sóbrios, numa arquitetura e disposições internas que correspondam às novas normas de economia de energia, na prioridade dada à qualidade ambiental. Ecocidades ou ecobairros são assim protocolados, submetidos a classificações nacionais ou internacionais, apresentados e analisados em exposições.

O sentido da cidade muda. Longe da cidade funcionalista imaginada por Le Corbusier, da cidade trabalhadora e agitada da industrialização, a cidade procura se tornar "habitável", exorcizar seus sintomas de poluição e de concretagem intensiva, a fim de criar espaços sensíveis, "ambiências" em que o prazer dos sentidos encontre plenamente seu lugar. Contra a cidade uniformizada e desumanizada, dominada pela ideologia da máquina, começa a se afirmar a exigência de uma "arquitetura sensual" e de um "urbanismo sensorial" que, magnificando as sensações, as cores, as sinuosidades, a natureza, as surpresas, se ajustem ao "diapasão dos cinco sentidos humanos".[36] Estamos no momento em que a estética do hiperespetáculo, que visa capturar o olhar e criar imagens hipnóticas, sofre a concorrência de uma "estética ambiental"[37] que, amena e centrada em experiências sensoriais, se empenha em melhorar o bem-estar na cidade.

Essa forma de repensar uma nova cidade não é um dos menores paradoxos do capitalismo, amplamente responsável pelo horror das cidades. Longe da Metrópolis infernal esperada, a era hipermoderna sonha moldar uma Ludópolis que também seja uma Ecópolis, onde seria bom viver.

Miséria da paisagem urbana

No entanto, o sonho não gera somente a cidade radiosa esperada. Se o coração das cidades é o principal beneficiário desses projetos que a estetizam, os bairros periféricos, os subúrbios, as entradas de cidade permanecem largamente dependentes de um urbanismo que, para responder ao afluxo crescente de população e ao desenvolvimento intensivo das zonas comerciais, preocupou-se menos com estilo, forma, ambiente de vida, do que com eficácia. O urbanismo funcionalista dos grandes conjuntos habitacionais, que foi a regra décadas a fio, gerou uma feiura cujos vestígios nem de longe estão apagados. E se hoje se constroem espaços melhores e menos horrorosos do que essas cidades-dormitório e se programas de planejamento urbano suprimem os antigos blocos de prédios por ecobairros mais agradáveis e conviviais, nem a arquitetura nem o urbanismo conseguiram ainda dar uma alma ao que permanece sendo o grande fracasso de um sistema que gerou conjuntos tão inóspitos.

Desse horror urbanístico são uma marca gritante as zonas comerciais, na entrada e na periferia das cidades. Cartazes berrantes, letreiros agressivos, ostentação das marcas, shopping centers sem graça: o espaço urbano é devorado por essa proliferação, contemporânea do frenesi do consumo[38] e característica das entradas das cidades americanas. Da mesma maneira, e respondendo à mesma lógica do consumo aplicada aos lazeres, as cidades balneárias tiveram, nos anos de desenvolvimento do turismo de massa, um desenvolvimento anárquico das construções: litoral concretado, blocos de imóveis à beira-mar, comercialização agressiva. E mesmo quando as construções dão mostra de alguma originalidade, quando não de um luxo sensível, não se tem a sensação de uma experiência estética diante dessas beira-mares que exibem quilômetros contínuos de hotéis cujos saguões são transformados em galerias comerciais: a impressão é menos de feiura que de repetição, de monotonia formatada, deslambida e internacional.

Para escapar do efeito do anonimato, esboça-se uma resposta que tende, de algumas décadas para cá, a substituir as arquiteturas verticais — edifícios, prédios grandes, torres — pelas arquiteturas horizontais — casas individuais, pequenos condomínios. O desenvolvimento considerável dos loteamentos, a partir dos anos

1970, apareceu assim como uma resposta à rejeição aos grandes conjuntos. A própria evolução desses loteamentos, em particular dos que se pretendem de padrão elevado, traduz um desejo de ambiente agradável, perceptível pelas decorações florais e vegetais, pela presença de alamedas arborizadas, pela preocupação com a limpeza coletiva. Alguns possuem piscinas, quadras de tênis, áreas de jogos, abertas exclusivamente para os moradores. O conjunto é projetado com capricho, cada casa com seu gramado bem verde dando para a rua, tudo transpira uma beleza bem organizada, mas sem alma, repetitiva, privada de referências: algo como o sonho americano, reproduzido de forma quase idêntica nessas áreas periurbanas de casas para onde se vai, terminado o trabalho, descansar do estresse da cidade e, também, cada vez mais, para escapar das ameaças e desordens urbanas.

Essa lógica encontra sua expressão perfeita nas "*gated communities*", essas cidades fechadas nascidas nos Estados Unidos[39] que começam a se difundir pelo mundo todo, no Brasil, no Marrocos, na Europa. Cidades limpas, com regulamento interno, proteção, vigilância, em que não entra qualquer um: enclaves de classe seguros, onde se vive entre iguais, distante dos outros, considerados suspeitos ou perigosos. Cidades ideais para aposentados que têm meios para tanto, cidades artificiais, sem crianças, nem animais, nem mendigos, estendendo seu calçamento impecável e suas áreas e equipamentos bem mantidos, quando, às vezes não longe dali, em zonas menos favorecidas, há ruas esburacadas, imóveis degradados, paredes e muros pichados e vãos de escadas ocupados pelos traficantes.

Nesses residenciais protegidos, toda feiura pretende estar excluída; porém é uma beleza deslambida, insossa, dessubstancializada, uma estética do certinho, do conforto, da tranquilidade num espaço privatizado e liofilizado: uma "*privatopia* em andamento".[40] Mas às avessas do que é uma cidade. Acaso não é o último paradoxo do capitalismo em matéria de urbanismo gerar ao mesmo tempo cidades tentaculares que, por seu descomedimento, escapam do controle e despejam seus horrores, mas em que a vida fervilha, e cidades artificiais, que respondem ao desejo de beleza e de prazer, mas congeladas na sua estética de confecção, de que a vida está ausente?

A home *personalizada*

À maneira do espaço urbano, a relação com a casa é transformada pela sensibilidade estética hipermoderna. Estamos no momento em que o conforto doméstico definido exclusivamente pelos critérios funcionais e técnicos já não basta: o que se busca é um conforto embelezador, um conforto vivenciado, que proporcione sensações agradáveis. Não se trata mais apenas de desfrutar o "conforto total", mas de fruir prazeres sensitivos e emocionais, de sentir-se bem ou melhor em casa. É o tempo em que todos os cômodos da casa são objeto de uma busca decorativa "para o prazer", menos conformista do que personalizada. Mobiliário, iluminação, plantas, o que se visa é um espaço de bem-estar sensitivo, de prazeres estéticos e sensoriais, de convivialidade e de personalidade.

Se os grandes conjuntos urbanos se parecem, os interiores revelam, em nossos dias, gostos estéticos subjetivos. O capitalismo artista e a dinâmica de individualização se conjugaram para tornar possível uma maior subjetivização da relação com a casa, uma democratização das tendências à estetização da *home*, procedimentos decorativos mais personalizados, menos padronizados. Cada vez mais, os consumidores gostam de fuçar nos brechós, encontrar gadgets nas lojas de decoração, adquirir objetos singulares que deem uma alma à casa;[41] também frequentam em massa as grandes lojas especializadas em bricolagem, onde encontram ideias para eles próprios realizarem de acordo com seu gosto a decoração de casa, buscando para tanto inspirações nos numerosos livros e revistas especializados. O amor à decoração se tornou uma paixão individualista de massa. Os cuidados com o jardim e o embelezamento da casa se impõem como um hobby socialmente difundido, que mobiliza tempo e dinheiro, um lazer criativo alimentado não só pela necessidade de fazer economia, mas também pelo prazer de conceber e realizar pessoalmente seu ambiente de vida.

Para um número crescente de pessoas não se trata mais de "impressionar" ou "parecer rico", mas de dar um toque e um caráter ao seu local de vida. O importante não é tanto exibir um status superior quanto proporcionar a si próprio algo agradável, dar forma a um ambiente criativo e imaginativo, dar uma aparência singular à própria casa, onde todos querem se sentir bem. Nesse contexto, o valor patrimonial do móvel declina em benefício do valor estético e do prazer de mudar frequentemente de ambiência. Se hoje o papel do mobiliário contemporâneo prevalece sobre o do "estilo", isso se deve notadamente ao gosto crescente pelas ambiências criativas, as novidades e o prazer que há em renovar o ambiente conforme o desejo. O valor estético tomou a dianteira do valor estatutário tradicional: ao conformismo burguês sucede um individualismo decorativo marcado pela afirmação de gostos subjetivos, a pluralidade e o ecletismo estéticos. Dessacralização do móvel, deslegitimação da impessoalidade da decoração, busca de ambiência, arranjo pessoal dos locais de vida, primado do prazer e da singularidade decorativa: é o tempo da psicologização, da afetivização da relação estética com a casa.

OS REFINAMENTOS DA BOCA

A lógica estética do consumo também conquistou as esferas do beber e do comer. São múltiplos os indícios que atestam a nova importância, propriamente estética, dada à cozinha na sociedade hipermoderna. O comedor — e o bebedor, porque um anda mais do que nunca de braços dados com o outro na forma de praticar as artes da boca — não é mais o esfaimado, nem o sedento; também não é mais o comedor tradicional e ritual que foi durante milênios. Comer se torna uma atividade centrada na degustação, na informação, nas opções e gostos individuais: o comedor está incessantemente em busca de novas culinárias, procura itens de qualidade e gosta de saborear pratos originais, decide o que vai comer e come o que tem vontade, e não conforme um modelo rotineiro herdado das tradições locais e religiosas.[42]

Uma desregulamentação também ocorre no consumo do vinho: hoje apenas um em cada quatro franceses bebe cotidianamente vinho; mais de quatro em dez franceses são consumidores ocasionais de vinho, que se tornou uma bebida de deleite, marcador de uma refeição convivial, festiva e de qualidade. Não se bebe mais o tinto anônimo: escolhem-se apelações, *châteaux*, safras, anos particularmente apreciados; constitui-se sua adega de acordo com as informações recolhidas nos inúmeros guias de vinhos. Fim do consumo tradicional, ascensão dos gostos e das opções individuais, culturalização reflexiva dos prazeres da boca: a comida e a bebida fazem plenamente parte da estetização hipermoderna dos modos de vida e do consumo individualizados.

É o que testemunham também o sucesso dos livros e cursos de culinária, a febre das reuniões enológicas, lojas-oficina que se propõem ensinar a preparar in loco pratos que depois são levados para casa, comércios que oferecem grande variedade de chás ou cervejas — com iniciação para completar —, visitas guiadas de domínios vinícolas e degustação comentada. Em 2010, os sites de produção vinícola da França receberam 20 milhões de visitantes, sendo mais de 6 milhões estrangeiros; são mais de 10 mil adegas turísticas, que receberam 12 milhões de visitas; um em cada cinco franceses escolhe seu local de férias por ser vinícola e 29% dos visitantes estrangeiros vêm à França pelo vinho e a gastronomia.[43]

O item culinária ocupa um espaço cada vez maior nos jornais, enquanto as revistas especializadas se multiplicam, bem como os sites que oferecem na internet receitas, conselhos e produtos. A televisão, surfando nessa onda culinária, tem em sua grade uma série de programas de cozinha, e os reality shows que a tomam como tema — *Top Chef, Masterchef* — têm audiência nas alturas. Cada vez mais, o beber e o comer são pensados, exibidos, são postos em cena nas mídias: tornaram-se objetos midiáticos ao mesmo tempo que objetos de interesse sanitário, cultural e de curiosidade estética.

A própria aparência da rua e da cidade traduz essa ascensão da relação estética com o comer. Os comércios da boca se transformaram totalmente: o tempo dos armazéns escuros e das prateleiras lúgubres terminou. A Fauchon, loja de comestíveis finos, adotou um novo look ultracontemporâneo com uma decoração rosa-magenta e produtos apresentados como estrelas. As próprias lojas de departamentos oferecem seções "gourmet" de luxo; as padarias, queijarias, peixarias, rotisserias rivalizam em luzes, decoração, valorização dos produtos; os *bars à vins*, que ficaram na moda como locais de encontro e convivialidade, não têm mais nada a ver com os balcões de zinco dos cafés à moda antiga; as lojas de comestíveis exóticos se multiplicam. Tudo isso são sinais de uma cultura mais estética e qualitativa.

O ideal do comer bem e do saber beber é ilustrado igualmente na maneira como a culinária se tornou um vínculo coletivo, um marcador social, ao mesmo tempo que um domínio capaz de favorecer os gostos individuais e a afirmação de si. A pessoa convida os amigos para uma refeição que ela própria imaginou, propondo pratos inéditos que valorizam a qualidade daquela (ou daquele, porque os homens invadem cada vez mais esse espaço tradicionalmente reservado às mulheres) que os preparou. Escolhe-se como programa privilegiado encontrar-se em restaurantes que oferecem uma ambiência, uma decoração, um cardápio originais. As pessoas se abrem às cozinhas do mundo, e multiplicam as descobertas, indo comer tailandês, mexicano, indiano, japonês. Elas se propõem, como objetivo de suas viagens, circuitos culinários, estadias em albergues-restaurante de charme, que são oferecidos no Natal, na forma de vale-presente, a quem se gosta. Deixando de lado a igreja romana vizinha ou o museu local, elas visitam prioritariamente as adegas dos grandes domínios, conduzidas por guias que explicam a região, as cepas, os procedimentos de vinificação, as condições de envelhecimento. E se oferecem como prazer supremo um restaurante estrelado. Não se trata de uma lógica de distinção social, mas de uma lógica estética de afirmação individual e de degustação de prazeres.

Prazeres largamente estéticos, haja vista o que se tornaram essas mesas: não mais lugares reservados, guardiães de uma tradição burguesa petrificada, tanto na cozinha — do pato ao molho pardo do La Tour d'Argent à caçoleta de filés de linguado do Lasserre — como na decoração opulenta e sobrecarregada de salões afetados, mas estabelecimentos que se abrem a uma nova clientela, mais ampla, transgeracional, sedenta de "experiência" e que se reconhece em decorações design, com luxo sabiamente controlado, concebidas pelas grandes assinaturas da arquitetura de interiores. O cerimonial, embora mantendo sua pose, não tem mais nada a ver com um ritual compassado: as iguarias são descritas, explicadas, assim como os vinhos que o sommelier sugere; e cada prato se apresenta como uma festa visual, uma arquitetura de formas, uma paleta de cores, um concentrado de refinamento: uma emoção estética.

Essa nova relação com a cozinha é emblemática do que é o consumo hipermoderno, tal como a dinâmica da individualização dos gostos e dos comportamentos o modela. Livre de regras impostas pelas tradições seculares, solicitado por todas as cozinhas do mundo, imantado pelo ideal de qualidade de vida, empenhando-se em se tornar um "connaisseur" informado das referências e diversidades apresentadas nos mercados, o comedor tende a se tornar um consumidor estético e reflexivo — em outras palavras, que se apoia em cada vez mais saberes e informações, que não cessa de pensar e de arbitrar entre finalidades diversas antes de sentar-se à mesa.

Processo de estetização bem real mas que nem por isso deixa de ser contrariado por tendências adversas igualmente reais, ilustradas antes de tudo pelo comedor apressado de sanduíches, pizzas, hambúrgueres e kebabs: o tempo médio de um almoço na França passou de uma hora e trinta minutos em 1975 a 31 minutos em nossos dias. Na era hipermoderna a cozinha desfruta de um reconhecimento cultural sem precedente: em 2010, a refeição gastronômica francesa foi inscrita no patrimônio imaterial da humanidade, junto com a ópera de Beijing, a seda japonesa e o flamenco espanhol. A arte no tempo da cultura-mundo. O que não impede o formidável impulso do *snacking*, das sanduicherias, do *street fooding*, da restauração rápida. O homem hipermoderno se encontra na encruzilhada de duas tendências poderosas: ele pode, ao mesmo tempo, comer num fast-food que lhe oferece um pão borrachento com um hambúrguer esponjoso e nutrir uma paixão pela cozinha criativa que ele cultiva como uma arte de viver refinada que lhe permite afirmar sua individualidade estética e tecer vínculos sociais. O homem apressado dos pratos industriais convive com o gourmet esteta do *slow food*. Por um lado, nos aproximamos do ideal do comedor transestético; por outro, nos afastamos.

As contradições não param por aí. O neocomedor denuncia a má alimentação, privilegia a qualidade e o "orgânico", procura equilibrar as refeições, mostra-se obcecado pelas questões de peso, de saúde e de higiene. No entanto, no tempo da inatividade física, do "junk food" e das desordens nutricionais, a obesidade se torna um flagelo mundial: dois adultos americanos em cada três sofrem de sobrepeso, e 32% são considerados obesos.[44] Uma enorme maioria de franceses considera que comer entre as refeições não é uma boa coisa, mas apenas um pouco mais de uma pessoa em cinco se conforma ao princípio estrito de três refeições por dia. A época do comedor estético-reflexivo, que exerce sua autonomia tomando cada vez mais decisões, também é a época que assiste à multiplicação dos impulsos, das bulimias e das incapacidades de se controlar: a do homem que come muito e mal, a da "gastro-anomia".[45]

O EMBELEZAMENTO DE SI

Mais ainda que a relação com a culinária — e não sem paradoxo num tempo em que se exibe um gosto generalizado pelos prazeres da boca e em que, na espiral da má alimentação, aumenta o número de obesos —, a relação com a beleza do corpo e do rosto ilustra o avanço social e individual dos desejos e dos comportamentos estéticos.

Durante milênios, os cuidados cosméticos não ultrapassaram os limites do mundo da elite social. Somente no século xx é que se desenvolveu uma industrialização em massa dos produtos de beleza que possibilitaram a difusão social das práticas de embelezamento. Ao mesmo tempo, o cinema, a imprensa feminina, a publicidade, a moda, a fotografia propagaram em larguíssima escala os cânones modernos da beleza, os conselhos e também os sonhos de beleza em todos os grupos sociais. Removendo os obstáculos tradicionais ao embelezamento de si (classe social, idade, produtos, técnicas utilizadas, imaginário feminino), nossas sociedades abriram um novo capítulo da história da beleza feminina: a etapa hipermoderna da beleza, em que nada mais se opõe à sua otimização, em que a demanda de embelezamento não para de crescer, em que os recursos estéticos constituem um mercado em expansão contínua.

Atualmente, em todas as camadas sociais[46] e em todas as idades[47] se desenvolvem as práticas cosméticas, a luta contra o peso e as rugas, a cirurgia estética, os regimes para emagrecer. O mercado da beleza conhece um avanço considerável, com produtos cosméticos cada vez mais numerosos, uma cirurgia estética que se democratiza, ofertas de talassoterapia que se tornam mais acessíveis, spas e institutos de beleza que se multiplicam.[48] Perfumes em quantidade, produtos de maquiagem em todas as faixas de preço, boom dos itens de cuidados pessoais: é o tempo da superprodução e do superconsumo estético, das infinitas declinações dos recursos destinados a realçar a beleza dos rostos e dos corpos, dos jovens e menos jovens. A beleza se tornou um novo Eldorado do capitalismo, ao mesmo tempo que uma obsessão e uma prática narcísica de massa.

Esse superconsumo estético se vincula manifestamente à nova cultura individualista centrada no hedonismo, no melhor-estar, na personalização de si. As marcas de cosméticos gabam sua eficácia sob o signo do prazer. O ditado "é preciso sofrer para ser bela" já perdeu sua aura de verdade, cedendo lugar à exaltação da qualidade das sensações, da volúpia de cuidar de si mesmo. Trata-se de amar o próprio corpo, de "reatar com sua sensorialidade" adotando os produtos e as técnicas que convêm à sua personalidade. Os cuidados estéticos são apresentados como um prazer, e o bem-estar subjetivo como um meio de embelezamento. Ao mesmo tempo, a profusão dos produtos e das marcas, dos regimes e atividades de manutenção e de forma possibilitam cada vez mais opções, decisões individuais, programas à la carte. A hipermodernidade estética coincide com a proliferação da oferta mercantil, com o supermercado dos produtos e das "receitas" de beleza em concordância com o aumento das exigências de individualidade e de personalização da imagem de si. Cada mulher é chamada a valorizar sua beleza singular, a utilizar os produtos "que são a cara" dela, a adotar o regime ou as atividades correspondentes a seu estilo de vida e à sua morfologia: o modelo da beleza diretiva, imposta de fora para dentro, é suplantado por um ideal plural, expressivo, subjetivizado.[49] A beleza consumida entrou em cheio na era democrático-individualista da superescolha e da personalização.

Ditadura da beleza

Será isso então o sinal do declínio das normas estéticas coletivas e da tradicional "ditadura" da beleza? Longe disso. Na verdade, quanto mais a autonomia dos indivíduos é reivindicada, mais se intensificam as servidões da aparência corporal, as "tiranias" da beleza em todas as idades, a exigência de conformidade ao modelo social do corpo jovem, esbelto e firme. Quanto mais legítimas as exigências hedonistas, mais se afirma um mesmo ideal de beleza, tanto mais os indivíduos requerem intervenções tecnológicas e desempenho em matéria de aparência. Assim, vemos a cirurgia estética ter um desenvolvimento espetacular. Para construir uma imagem de si jovem, musculosa e esbelta, as academias de ginástica se multiplicam, os homens e principalmente as mulheres fazem regime, se tornam consumidores bulímicos de cuidados corporais, de cremes reestruturantes, de produtos light e orgânicos. Um superconsumo de produtos estéticos que tem por contrapartida um culto ao corpo inquieto, obcecado, sempre insatisfeito, marcado pelo desejo anti-idade, antipeso, antirrugas, por um trabalho interminável de vigilância, de prevenção, de correção de si.

E amanhã? Alguns anunciam o recuo ou o desaparecimento próximo desse modelo despótico de beleza, antinômico à valorização da diferença, do pluralismo e da singularidade individual. Enquanto se multiplicam as críticas ao "dever da beleza", a marca Dove realizou campanhas publicitárias que apresentam corpos menos perfeitos, mais arredondados, com o fim de promover uma definição mais ampla da beleza e de realçar a autoestima das mulheres. Alguns costureiros põem para desfilar "mulheres de verdade", menos perfeitas; em 1999, apareceu a "modelo deficiente", Aimee Mullins, num desfile de Alexander McQueen. A mesma Aimee Mullins, que teve as pernas amputadas, se tornou a musa da L'Oréal. Outras propagandas apresentam mulheres de idade mais madura. A revista alemã *Brigitte* resolveu, em 2010, não publicar mais fotos de modelos profissionais e recorrer apenas a modelos amadores, "de sete semanas a 81 anos". Deve-se então falar do colapso dos estereótipos da beleza ideal, do fim do culto da juventude e do voluntarismo estético? Nada menos certo.

Será necessário lembrar que essa exigência de tolerância é relativamente velha? O slogan *"Fat is beautiful"* se afirmou nos anos 1970, mas seu sucesso simbólico não se traduziu nos fatos. Meio século depois, é mais do que nunca a magreza que, de fato, se impõe como ideal estético em todo o globo. A culpa é das mídias? Sim, mas só em parte. A estética da magreza não é um culto totalmente arbitrário impulsionado apenas pelas imagens publicitárias: razões de fundo, ligadas ao individualismo moderno, à cultura do domínio técnico, à valorização do princípio do controle de si, à ideologia da saúde, sustentam a promoção dessa norma estética. No cerne da nossa cultura estética, é a razão prometeica moderna que atua, animada como ela é pela refutação do destino e seu processo de otimização sem fim do inato e do existente. O culto contemporâneo da beleza se realiza sob o signo da não aceitação da fatalidade, da recusa do que é dado que os valores de apropriação técnica do mundo e do corpo trazem consigo. Um dos principais efeitos da cultura moderna é, assim, a desqualificação do espírito de resignação, do deixar fazer e do deixar acontecer, enquanto se encontram legitimados a vontade de controle de si e os desafios lançados ao tempo e ao corpo. É por isso que o corpo estético tende a ser pensado como um objeto que se faz por merecer por um trabalho permanente de si sobre si e que podemos embelezar por diferentes tipos de intervenções técnicas. Zsa Zsa Gabor já dizia isso à sua maneira: "Não há mulheres feias, só mulheres preguiçosas".[50]

São sem dúvida numerosas as vozes que, apelando para o pluralismo estético, protestam contra os caminhos balizados da beleza feminina, traçados pelas mídias. Mas a força delas é escassa, comparada com o demiurgismo moderno que promete uma beleza infinitamente perfectível. Quem pode duvidar de que, amanhã, as mulheres, e também os homens, quererão ainda e sempre parecer mais bonitos e mais jovens do que sua idade? É provável que nada detenha a fuga para a frente ativista: recursos cada vez mais numerosos, cada vez mais high-tech serão utilizados para corrigir as desgraciosidades do corpo, embelezar o rosto, lutar contra o peso e as rugas.[51] Um dia, próximo talvez, estas serão tidas como uma coisa inconveniente, se não obscena.

Hoje já são incontáveis os astros e estrelas do show business que rejuvenesceram o rosto. E os progressos da medicina e da cirurgia estética abrem horizontes múltiplos, talvez ilimitados, para a transformação de nosso corpo de acordo com nossos desejos estéticos. É possível, atualmente, mudar a forma do nariz, implantar cabelos e reduzir as nádegas, as coxas ou a barriga, aumentar os lábios, obter seios maiores ou menores. Ainda que, por ora, os resultados nem sempre sejam conclusivos, o fato é que o corpo inteiro pode ser "designeado", retocado, remodelado, à maneira de uma obra de arte. A cultura da beleza-destino (a beleza como "dom divino" ou dádiva da natureza) foi substituída pelo reinado da beleza voluntarista, por uma cultura ativista e performativa da beleza, expressão estética do princípio moderno de domínio ilimitado do mundo e de livre posse de si.

De resto, a cultura técnica não é a única a sustentar o ativismo estético. Este também é favorecido por nossa cultura individualista-consumista-narcisista, em que agradar a si e aos outros, melhorar-se fisicamente se tornaram atitudes e aspirações legítimas. Em nossos dias, as novas normas do corpo exacerbam as paixões narcisistas de autovigilância, de manutenção de si, de otimização da aparência. E os valores individualistas e consumistas levam a querer o que há de melhor para si, a aceitar menos o inato, a recusar desgraciosidades físicas e as marcas da idade.[52] É em toda parte o ideal do controle de si e da posse de si que triunfa, não obstante o número crescente de pessoas obesas.

Podemos estar certos de que as mulheres de hoje denunciam a ditadura das mídias e os estereótipos do belo sexo, mas é duvidoso que sejam realmente relativistas em matéria de beleza e que adiram futuramente à ideia de pouco-caso com o corpo e de uma beleza igual de todos os corpos e rostos. As mulheres rejeitam a beleza irreal exaltada pelas imagens midiáticas, mas, secretamente, como não sonhar com ela? Tudo leva a pensar que a pressão dos estereótipos e a norma de uma beleza ideal não desaparecerão, ainda que, nas sondagens e na vida cotidiana, as mulheres fustiguem as imagens inacessíveis da beleza. Não se conhece sociedade sem modelo ideal de beleza, sem valorização e desejabilidade do belo. Pode ser que se veja, no futuro, a multiplicação de mídias que exibam mulheres mais reais, de uma beleza menos padronizada: mesmo assim, isso não fará desaparecer a busca perfeccionista da beleza, o desejo de melhorar a aparência, e isso, necessariamente, em relação com os modelos ideais socialmente reconhecidos. As mulheres condenam à execração pública os modelos "publicitários" da beleza, mas ao mesmo tempo o prometeísmo estético não para de seguir seu caminho. O relativismo tolerante está de vento em popa nos discursos contestatórios, mas é um ativismo voluntarista e tecnicista que é mobilizado para tentar não envelhecer mal demais. Não duvidemos: a "ditadura da beleza" e a obsessão pela aparência estão longe de constituir um capítulo encerrado da nossa aventura estética.[53]

Homens e mulheres

A sociedade estética hipermoderna se distingue também pela nova relação que os homens mantêm com a beleza. A partir do século XIX, as práticas masculinas de embelezamento foram sistematicamente desacreditadas: o homem não tem vocação para ser belo, mas para trabalhar, ganhar dinheiro, ser cidadão. Somente nos anos 1960 se enceta uma dinâmica de reabilitação e de celebração da beleza masculina: imprensa e livros começam a dar conselhos estéticos aos homens, apresentando-se a beleza da tribo masculina como um instrumento capaz de favorecer o sucesso e o êxito social.[54] Nessa trilha, o consumo cosmético dos homens vai ter uma progressão significativa: entre 1965 e 1995, a parte dos homens no faturamento total dos produtos cosméticos quase duplicou, passando de 5,7% a 10%. Ao mesmo tempo, o olhar das mulheres sobre os homens mudou notavelmente, elas passando a reconhecer, muito mais do que no passado, que atribuem valor ao sex appeal masculino.

Agora os homens dedicam cada vez mais tempo, atenção e dinheiro à sua aparência:[55] cuidam da pele e fazem regime para ficar magros, alguns apelam para injeções de Botox e fazem lifting; outros lutam contra a calvície recorrendo aos implantes capilares. A cultura gay também contribuiu para dar nova legitimidade à preocupação masculina com a aparência, ao investimento na imagem pessoal, ao ideal da beleza masculina. É nesse contexto que se popularizou a noção de "metrossexual", designando o novo homem na moda, o neodândi que adora cosméticos, que dá grande importância à sua aparência, que adota técnicas de depilação, que toma cuidado com sua alimentação e seu corpo. Uma ruptura cultural tão manifesta que leva muitos observadores a afirmar a ideia de uma dissolução da diferença entre as práticas estéticas dos homens e das mulheres, a sustentar que nossa época é marcada por um movimento de igualização democrática dos gêneros quanto à beleza e à aparência de si.[56]

Porém, uma andorinha só não faz verão. O que testemunhamos não é em absoluto sinônimo de confluência dos gêneros, mas de pluralização e de desregulamentação das práticas estéticas masculinas. Hoje, diferentes atitudes masculinas relacionadas à beleza se tornaram socialmente legítimas, em lugar do estrito recalque masculino da aparência. Não obstante, por mais importante que seja, a dinâmica de reabilitação da beleza masculina não arruinou em nada a dissimetria dos papéis e posições estéticas dos dois sexos. Encetou-se, é verdade, um processo de legitimação dos cuidados pessoais, mas esse processo não significa de modo algum um reconhecimento de mesmo tipo para ambos os sexos. Basta observar como é avaliado um homem que se "maquia" em público no trem ou no avião para se dar conta de quanto estamos longe de uma cultura igualitária da beleza.

Ao mesmo tempo, se é inegável que os homens manifestam mais do que antes preocupação com a aparência, as mulheres redobraram seus esforços: as despesas femininas com produtos de beleza e de cuidados, os regimes para emagrecer, o recurso à cirurgia estética atestam a persistência da cultura inigualitária da beleza marcada pela forte primazia do feminino. A despeito das declarações rituais sobre a explosão do consumo cosmético masculino, este não vai além de 10% do faturamento do setor, não tendo essa porcentagem variado muito desde os anos 1980. A repercussão que têm os concursos de beleza femininos, a preeminência de top models femininas, a prática quase exclusivamente feminina da maquiagem, as páginas de beleza das revistas femininas, a influência dos desfiles de moda, assim como a supervalorização da beleza feminina nos discursos cotidianos e nas imagens midiáticas vão no mesmo sentido: expressam a ratificação da dessemelhança dos papéis estéticos dos dois sexos em benefício do sexo feminino.

O fato de a sociedade manifestar ambições igualitárias não elimina a necessidade de codificar, de significar, de uma maneira ou de outra, as identidades sexuais. Nenhuma sociedade pode escapar da exigência de simbolizar e pôr em cena a diferença dos gêneros. É porque as normas igualitárias entre os sexos progridem que, paradoxalmente, o ideal inigualitário da beleza feminina se prolonga, e isso como instrumento de inscrição social da identidade e da diferença sexuais. À medida que as mulheres podem assumir funções sociais "pesadas", tradicionalmente entregues aos homens, recompõe-se a dissimilaridade dos papéis "leves" ou estéticos. As mulheres querem poder desfrutar dos mesmos direitos dos homens, mas não querem se parecer com eles. Longe de ser uma sobrevivência ou um arcaísmo em vias de desaparecimento, esse processo está em fase com as novas necessidades identitárias, com a necessidade de contrabalançar a desregulamentação hipermoderna dos papéis sexuais. Estamos num momento em que a exigência de igualdade se reconcilia com a ratificação da diferença estética: hoje, as mulheres se empenham na atividade profissional ou política sem que, de modo algum, decline sua tradicional preocupação com a beleza, a moda e a sedução. De fato, a vida ativa se tornou um fator que leva as mulheres a investir na dimensão da aparência. Ao que se soma o poder de estimulação das indústrias da beleza, assim como a progressão das normas narcisistas que legitimam a valorização estética de si. Nessas condições, tudo leva a crer que a dinâmica da supervalorização da beleza feminina vai continuar: o mundo do capitalismo artista e da igualdade democrática não faz desaparecer a preeminência estética do "segundo sexo".[57] A indiferenciação dos gêneros nesse plano é um mito.

Beleza e mundialização

Se o corpo esbelto e firme se mostra, socialmente, como a norma única e hegemônica da beleza, o mesmo não ocorre com os outros aspectos da beleza, marcados por certo pluralismo. É particularmente verdade no que concerne ao rosto, numa época em que são reconhecidas as belezas negras, asiáticas e mestiças no cinema, na publicidade e nas passarelas da moda. Belezas diversas e vernaculares que são, para sermos exatos, belezas "glocalizadas" a tal ponto aparecem como misturas de cosmopolitismo transnacional e beleza "étnica".[58] Os jovens jamaicanos que recorrem à despigmentação voluntária para clarear a pele "não querem ser brancos, querem ser 'brown', morenos, mestiços".[59] Com o capitalismo artista mundializado triunfa o modelo "etnochique", a hibridização estética do padrão moderno e da etnicidade.

Para além dos hinos à diferença, é de fato um mesmo modelo de beleza feminina que a publicidade, a moda, as modelos, as marcas de cosméticos difundem pelo globo inteiro. A norma tradicional da beleza campesina feita de robustez e de volumes cede o lugar a uma sedução sexy e longilínea que exige regime dietético, exercícios físicos, mas também maquiagem, produtos de cuidados diários, cirurgia estética. Inexoravelmente, triunfa um modelo estético internacional que exalta a mulher esbelta, o sex appeal, o glamour exuberante, os cuidados consumistas com o corpo. É esse o modelo de beleza cosmopolita, que requer um consumo incessante, consagrado pelos concursos de beleza nacionais e internacionais cujas imagens são hoje transmitidas pelas mídias em escala planetária.

Na Índia, proliferam os salões de beleza e as clínicas de cirurgia estética, ao mesmo tempo que os produtos cosméticos, os *shakes*, as academias; acompanha a obsessão pela cor da pele um forte consumo de cremes industriais clareadores. A China também presencia uma explosão do consumo de produtos cosméticos, dos cuidados com o corpo (massagens, esmaltação e alongamento das unhas) e da cirurgia estética (em particular desbridar os olhos e encompridar o nariz): lá, existe até um concurso de Miss Cirurgia Estética. Na África se propaga a mania dos produtos que embranquecem a pele, e na Jamaica existe o concurso da mais linda moça que clareia a pele, "*the finest bleacher*". Essa dinâmica tem cada vez menos exceções. Assim, as mulheres iranianas não devem se maquiar, usam véu e roupas largas; em compensação, proliferam as operações estéticas (em particular a rinoplastia), os institutos de beleza e os centros de bronzeamento. Em toda parte, é o mesmo modelo consumista e ativista da beleza (consumo cosmético, exercícios físicos, cirurgia estética) que se difunde no planeta.

Nessas condições, a "glocalização" da beleza não deve levar a perder de vista o domínio crescente e planetário dos padrões estéticos ocidentais, relativos tanto ao rosto (olhos grandes, nariz "caucasiano") quanto ao corpo (esbelteza curvilínea, erotismo das formas). Glorificando um mesmo ideal de beleza, o cinema, as séries de tv, a publicidade conseguiram criar nas mulheres, em toda parte, o desejo de se parecer com os ícones valorizados pelas mass media ocidentais. É quando o Ocidente deixa de ser o centro hegemônico da economia mundial que se impõem, nos quatro cantos da Terra, seus cânones e suas práticas estéticas ilimitadas. E é no momento em que são glorificados os particularismos, as "raízes" culturais, as etnicidades, que triunfa em todo o globo o mesmo padrão individualista-tecnicista-consumista da beleza. Com o capitalismo artista mundializado, uniformização planetária, personalização e celebração das diferenças culturais andam de mãos dadas.

Progresso na beleza?

Nunca as mulheres dispuseram de tantos produtos de beleza e de técnicas de cuidados; nunca puderam frequentar tantos lugares que contribuem para realçar ou conservar a beleza (institutos de beleza, spas, academias de ginástica). Com que resultado? O capitalismo e o sistema tecnocientífico são a origem de um progresso objetivo da beleza física dos indivíduos?

Considerando o tempo longo, é impossível subestimar o que a ciência, a indústria, a medicina, a higiene contribuíram em matéria de melhoria da aparência física. Mais bem nutridos, mais bem cuidados, os seres já não oferecem o espetáculo que era o de pessoas desdentadas, deformadas, doentes, pintadas por Hieronymus Bosch. Nas zonas rurais e, mais tarde, nas oficinas industriais e nas minas, as pessoas eram alquebradas, definhadas, consumidas, velhas prematuramente. Com certeza, os progressos tecnocientíficos não criam "mais" beleza física, mas pelo menos corpos menos devastados pela labuta, a miséria e a doença, e principalmente capazes de conservar mais tempo sua sedução e sua juventude. Se o progresso não proporciona a beleza, em todo caso permite prolongá-la e reduzir o espetáculo das piores hediondezas. Foi o que levou Virginia Postrel a afirmar que os povos das nações industrializadas são os que apresentam a melhor aparência de toda a história humana.[60]

Semelhante otimismo estético pede certo número de reservas. A despeito do recuo das desgraças extremas ligadas às condições de vida miseráveis, cumpre observar que não temos de modo algum a sensação de viver rodeados cada vez mais de belezas. No espetáculo que a rua oferece, a beleza continua sendo mais rara do que seu contrário: encontramos cada vez mais gente, mas não temos a sensação de que as belezas sejam majoritárias. Menos feiuras extremas não é sinônimo de perfeição crescente da beleza. Como sustentar, nesse campo, a tese do progresso do gênero humano no plano estético, considerando-se, em particular, a progressão da obesidade, a qual nos parece incompatível com a beleza? Em nossas sociedades, a beleza física é associada ao corpo esguio, mas há cada vez mais "gordos". As pessoas estão mais bem-vestidas, têm melhor saúde, mas não são mais bonitas. Temos cada vez mais recursos capazes de melhorar a aparência física das pessoas, no entanto a beleza continua a ser um bem raro, sempre muito desigualmente repartido. Não há progresso histórico da beleza, como não há progresso da felicidade.

A mesma conclusão se impõe se considerarmos a maneira como os indivíduos se apreciam. Claro, de acordo com uma pesquisa do Ipsos em 2011, seis em cada dez mulheres declaram se achar bonitas, contra um terço de opiniões contrárias. Entre vinte e 24 anos, 79% das mulheres se consideram bonitas. Ainda são 70% entre 25 e 44 anos a compartilhar esse sentimento. A partir de 45 anos, não mais de 56% se acham bonitas e 49% com mais de sessenta. Será isso o sinal de uma marcha triunfal da beleza? Por certo não, porque quanto mais as mulheres apreciam sua aparência, mais suas imperfeições as obcecam. Esse paradoxo se exprime particularmente nas mulheres jovens: 79% das mulheres de vinte a 24 anos se sentem bonitas, mas 71% são complexadas por causa de uma parte de seu corpo e 60% gostariam de poder mudar algo em sua aparência. Perto de uma em duas mulheres gostaria de mudar alguma coisa em seu físico, se pudesse: uma em cada duas mulheres se acha gorda demais. Mesmo magras, as mulheres ainda se acham demasiado corpulentas: uma em cada três mulheres de peso normal se acha gorda demais e duas em cada três gostariam de emagrecer. A norma da magreza e a inflação das imagens superlativas da beleza levam as mulheres a se cuidar, permitem-lhes continuar sedutoras por mais tempo: esses aspectos têm como reverso da moeda o fato de que a não beleza parece cada vez menos suportável. Quanto mais resplandece o ideal de beleza, mais seu déficit é vivido como um drama pessoal. Quanto mais recursos estéticos existem à nossa disposição, mais se aguça a consciência das nossas "imperfeições".

MODAS E LOOKS

O consumidor hipermoderno é um consumidor estético que se alimenta de músicas, espetáculos, viagens, programas culturais, marcas, modas. Elemento essencial de estetização pessoal, a moda se impregna hoje de novas tendências que valorizam a dimensão hiperindividualista, fundo da sociedade hipermoderna e da vida transestética.

Até um período recente, a moda impunha uma tendência homogênea que seguia princípios e uma temporalidade estritos. Ao mesmo tempo, o vestuário tinha a função de classificar os grupos sociais, expressar a hierarquia social. Não é mais assim: vivemos num tempo de moda policentrada e balcanizada em que os valores de autonomia e a profusão dos estilos possibilitaram a emancipação dos sujeitos em relação às antigas limitações de classe. Todos podem compor seu estilo de aparência à vontade. É um individualismo desregulamentado e opcional que acompanha o sistema contemporâneo da moda. Nesse contexto, não se trata mais de ser reconhecido como membro da classe superior, e sim de expressar sua personalidade singular e seus gostos individuais. Por meio da roupa de moda, homens e mulheres se empenham menos em ser socialmente conformes do que em experimentar emoções estéticas, estar de acordo com a imagem pessoal que têm de si mesmos e querem exibir em público. A relação de si com o outro é sempre fundamental e estruturante, mas a roupa está mais a serviço da promoção da imagem pessoal do que de uma imagem ou posição de classe.

Séculos a fio, para estar na moda era imperativamente necessário adotar o mais depressa possível os últimos modelos, copiar logo a tendência unitária do momento. Não é mais o caso numa época em que a moda é plural, descoordenada, desunificada e incapaz, como tal, de se impor uniformemente aos indivíduos. As mulheres continuam a seguir as tendências, mas usam muito mais o que elas gostam, o que lhes "cai bem", e não a moda pela moda, como sempre foi o caso no passado. O conformismo na moda não morreu, porém recua sob a pressão dos valores de autonomia e de expressão individuais. O consumo contemporâneo de moda se tornou de tipo emocional, psicologizado e estético: a primazia da conformidade social-estética deu lugar ao look opcional ou à la carte, ao estilo "que tem a nossa cara".[61]

A individualização na moda hipermoderna não significa a originalidade do parecer — na verdade muito pouco difundida —, mas escolha da própria aparência de acordo com a imagem pessoal que queremos dar de nós mesmos, expressão estética de si que compomos copiando isto e não aquilo, como quisermos, quando quisermos, de acordo com gostos subjetivos, momentos e humores. Enquanto o regime da moda provém dos imperativos estéticos de classe, constitui-se um novo sistema das aparências que funciona num registro mais subjetivo, mais dissonante, mais afetivo.

Regime subjetivo da moda que nem por isso é menos paradoxal, a tal ponto o acompanha o fascínio crescente com as marcas assim como a multiplicação dos *personnal shoppers*, dos estilistas pessoais, dos consultores de imagem, dos guias e seminários de *relooking*. Quanto menos a moda impõe seus decretos, mais os consumidores ficam perdidos, desnorteados, devido ao excesso de opções e à ausência de tradição de classe, que outrora dotava os indivíduos de referências estéticas. Atualmente, o consumidor de moda e de produtos de beleza é livre para fazer suas escolhas, mas nem sempre sabe como se orientar e conduzir a si mesmo. As dinâmicas da individualização e do capitalismo artista trabalharam de mãos dadas para criar um consumidor tanto mais desorientado quanto mais é autônomo, tanto mais desprovido de princípios estéticos quanto mais é reconhecido como senhor de si mesmo em matéria de aparência.

Culto da juventude, androginia e individualismo

Evitemos assimilar o hiperindividualismo na moda a um frenesi de originalidade e a uma liberdade sem normas: individualismo e conformismo vão sempre juntos. No mundo do trabalho, as vestimentas são determinadas por códigos mais ou menos obrigatórios. Fora da empresa, triunfa uma estética informalizada e descontraída, fluida e esportiva, o casual, que tem como característica ser usado por todos, crianças, adolescentes, pais e avós, e isso em todos os grupos sociais. Em matéria de roupas de lazer, os homens e as mulheres, os jovens e as pessoas de terceira idade usam agora os mesmos jeans, camisetas, blusões, jaquetas, shorts, botas, tênis, as mesmas cores vivas, as mesmas marcas, os mesmos grafismos e inscrições divertidas: Anne Hollander observa que esse espetáculo de adultos vestidos assim evoca a imagem de um pátio de escola.[62] O look jovem ou adolescente tornou-se o referencial dominante das roupas dos adultos: antes era preciso exibir os sinais honoríficos da riqueza, hoje é preciso parecer jovem, eternamente jovem. O conformismo juvenil tomou o lugar do conformismo aristocrático ou burguês. A moda servia para diferenciar as classes, hoje ela visa desdiferenciar as classes etárias celebrando o parecer jovem em todas as idades.

Mas é inegável que o look jovem suplantou o look rico, o que não quer dizer que as diferenças geracionais na moda tenham sido eliminadas. Vistos de cima, os jovens e os adultos se vestem da mesma maneira, com as mesmas roupas esporte, descontraídas, "bacanas". Vistos de perto, não é bem assim. Ainda que as peças de roupas possam ser parecidas, a maneira de combiná-las e de vesti-las revela grandes diferenças ligadas à idade. Assim, são incontáveis as modas especificamente adolescentes e jovens: *piercing*, cabelo rastafári, boné com a aba para trás, tênis desamarrados, jeans rasgados, calças na altura das nádegas, tudo isso tendências próprias dos jovens. Sobre o fundo juvenil geral da aparência, se recompõem diversidades, looks, estéticas que não são parecidas, conforme a idade. Não se trata da indiferenciação das idades, mas da pluralização, da fragmentação da própria cultura jovem.

Esse culto da juventude foi interpretado como uma forma de regressão infantilizante[63] que transforma nosso mundo-moda num berçário, numa "babylândia generalizada". No entanto, sob vários aspectos é um processo inverso que se manifesta. À gravidade das questões da aparência sucederam a distância, o lúdico, a ironia ou a indiferença. Quando a moda não funciona mais de acordo com a diretividade imperativa dos modelos, é possível levá-la "na brincadeira" e com ela se divertir, em vez de se obcecar. Donde o erro de evocar um puerilismo generalizado. Usar uma camiseta decorada com um desenho do Mickey não significa recair na infância, mas brincar com a moda, dizer que ela não significa nada de crucial na vida: é "divertido", e ponto final. A maioria se veste "jovem", mas a relação com a moda se tornou, na realidade, mais adulta, mais "sábia", na medida em que é reconhecida muito mais pelo que ela é: uma brincadeira frívola, uma estética das aparências sem maior importância. Não é a infantilização que sai ganhando, mas, ao contrário, um consumidor mais distanciado, mais reflexivo, mais adulto, capaz de "pôr a moda em seu devido lugar", considerando que a moda é só a moda, e não uma questão envolvendo a vida individual em sociedade.

Assim como não há puerilização da relação com a moda, também não há nenhuma "indiferenciação transexualista" que faria triunfar o estilo andrógino e o look unissex. Claro, é verdade que hoje, em sua indumentária de todos os dias, homens e mulheres podem usar mais ou menos as mesmas calças, shorts, blusões com zíper, moletons, camisetas, tênis, roupa esportiva. Um movimento crescente em direção ao unissex traduz, segundo Anne Hollander, nossa valorização da juventude, da infância e da sua suposta androginia.[64]

No entanto, homens e mulheres estão longe de ter renunciado em toda parte aos modelos de moda próprios do seu sexo e à vontade de exibir a diferença entre eles: muitos tabus ligados à aparência dos sexos não se moveram um milímetro. O "interdito" relativo ao uso de vestidos e saias pelos homens persiste, e na verdade com força, apesar das propostas vanguardistas de um Jean Paul Gaultier. O mesmo se dá com a maquiagem. Os homens não utilizam batom e não depilam as sobrancelhas, mas raspam a cabeça e usam barba de três dias, precisamente para parecerem mais viris. Os trajes de noite, bem como as roupas de praia, são sempre marcados por uma forte diferenciação sexual. Com a ascensão das roupas coladas ao corpo, dos ternos menos rígidos, mais fluidos, capazes de revelar a sensualidade do corpo, há de fato certa feminilização da aparência masculina. Mas esta não elimina de modo algum a ratificação da diferença sexual, uma codificação da aparência propriamente masculina. A sensualização do parecer masculino e a adoção pelas mulheres de certos emblemas típicos do masculino não querem dizer movimento androgínico da moda.

Claro, as mulheres têm uma liberdade de vestuário muito maior, mas que não significa de maneira nenhuma uniformização unissex: o corte das roupas, as cores, os acessórios, os penteados são marcados pelo código social da diferenciação dos sexos, os produtos de maquiagem são quase exclusivamente utilizados pelas mulheres. Os homens querem parecer homens, as mulheres, mulheres: a moda continua sendo no essencial estruturada pela diferenciação social das aparências de gênero. Ainda que tenha caído o interdito moderno que pesava sobre os signos sedutores do masculino, a moda em hipermodernidade não significa nem indeterminação dos códigos nem erradicação das diferenças, mas esfacelamento das referências e ratificação da divisão sexual das aparências. O hiperindividualismo só se manifesta nos limites dos códigos socialmente legítimos da aparência dos dois sexos.

O look e o corpo

A relação hipermoderna com a moda se apresenta sob uma luz contrastada. Por um lado, a época vê se multiplicarem as revistas, os sites e as informações de moda. O interesse pelos looks, as marcas e a moda se exprime em todos os meios sociais e atinge todas as faixas etárias: é nos pátios das escolas que nascem hoje os fashionistas. E os pais querem ver seus filhos vestidos na moda. O medo de passar ao largo da tendência do momento não é mais apenas feminino: os homens jovens também tendem a engrossar a fileira das *fashion victims*. O gosto pela moda não tem mais limite social ou geracional e não para de se estender a novos públicos.

Por outro lado, a moda perdeu a centralidade, a preeminência que tinha nos meios aristocráticos e burgueses. Sabe-se que a parte das despesas de vestuário no orçamento familiar está em baixa há mais de quarenta anos: na França, caiu de 11,6% em 1959 a 6% em 1987 e a 4,7% em 2006. Na Europa dos 25, essa parte passou de 6,8% em 1995 a 5,8% em 2005. Claro, há nítidas diferenças no consumo vestimentário dos diferentes grupos socioprofissionais. Não obstante, ocorreram mudanças importantíssimas, inclusive nas classes superiores e médias: tendencialmente, os gastos são dirigidos mais para o lazer, as viagens, a saúde, o corpo, do que para o vestuário. Tudo se dá como se este não fosse mais um vetor fundamental de afirmação social e individual. Ele não cristaliza mais, tanto quanto outrora, os desejos de estima e reconhecimento social. Numa época em que as mulheres têm cada vez mais uma ambição e uma atividade profissionais, em que têm mais gostos intelectuais, políticos, culturais, esportivos, que se aproximam mais ou menos dos gostos dos homens, o interesse pela moda é com certeza mais geral, porém menos intenso, menos crucial do que nas épocas anteriores, em que o vestuário era um imperativo categórico de classe. Hoje, a vestimenta sofre a concorrência de outros vetores de afirmação individual. É essa uma das razões a explicar a nítida redução das despesas com o vestir: as pessoas buscam antes realizar seus desejos íntimos, manter a forma, não envelhecer, cuidar da alimentação e da linha do que seguir a última tendência.

Fim da "ditadura" da moda? A realidade é bem mais complexa. À medida que os *diktats* do vestir se enfraquecem, se fortalece o poder das normas do corpo estético, magro e jovem. O fato deve ser sublinhado: quanto menos a moda vestimentária é homogênea, mais a magreza se impõe como uma norma consensual que apela para práticas e consumos difíceis (regimes, tratamentos para emagrecer, cirurgia estética). Nunca nossas escolhas em matéria de aparência pessoal foram tão grandes, nunca o corpo esteve tão submetido a uma norma homogênea e injuntiva a todos os momentos da vida. A época da moda contemporânea não é mais a da sofisticação do parecer, mas a das imposições nutricionais, das atividades de "forma" e de manutenção. Num sistema marcado pelo pluralismo das aparências, cada um é em princípio seu estilista: na realidade, somos antes levados a nos tornarmos escultores permanentes de nossa aparência corporal guiados por um só e mesmo modelo estético.

O despotismo da moda apenas mudou de rosto e de território. Ele era centrado no vestuário, hoje anexa o corpo. A moda era caprichosa, ela ordena a regularidade dos cuidados com o corpo. Ela era teatral, torna-se "científica" e performativa. Ela queria a mudança perpétua, nós queremos uma juventude eterna. Ela se fazia acompanhar por rivalidades de status, invejas e pretensões de classe, ela gera a ansiedade do indivíduo narcísico hipermoderno.

Tatuagem e piercing

Mas, nas estratégias da aparência individual, o individualismo se manifesta com muito mais visibilidade hiperbólica nas práticas contemporâneas da tatuagem e do *piercing*. Desde a noite dos tempos, o corpo humano foi tatuado, ornado, escarificado de acordo com práticas mágicas e religiosas que inscreviam o pertencimento social e assinalavam a entrada dos jovens na idade adulta. A tatuagem funcionou igualmente como marca de infâmia que estigmatizava os excluídos da sociedade (criminosos, escravos, forçados, prostitutas) e também como sinal de pertencimento ou de afiliação a uma corporação (marinheiros, soldados), criando o sentimento de um mesmo destino viril e agressivo.[65] Com exceção dos casos em que a tatuagem era um sinal de marginalização voluntária, uma forma de resistência, uma maneira de dispor da própria pele quando toda outra possibilidade de expressão pessoal se mostrava impossível (os prisioneiros, por exemplo), era a ordem comunitária que primava, devendo o indivíduo se submeter a rituais de iniciação impostos pela sociedade, a códigos de escrita estereotipados, a regras coletivas herdadas que permitiam a integração ou que significavam a exclusão social. É essa a grande mudança: o que decorria de lógicas holísticas, tribais ou comunitárias foi capturado num processo de expressão, de afirmação e de teatralização de tipo radicalmente individualista.

Aqui não é o lugar para analisar as diversas motivações pessoais que estão na origem da tatuagem e do *piercing*. Salientemos apenas alguns grandes fatores sociais que possibilitaram o desenvolvimento e a dignificação social dessas práticas. Entre estes, nenhum teve um papel tão crucial quanto a formidável dinâmica de individualização que foi aplicada à mise-en-scène espetacular do corpo. Se outrora era a tradição que estabelecia imperativamente a maneira como o corpo devia ser marcado, agora é o indivíduo que escolhe como decorar sua pele de acordo com seus gostos, seus desejos, seus sonhos. A tatuagem tinha um sentido coletivo de iniciação, hoje não é mais que um teatro individual destinado a atrair o olhar, a se dotar de um enfeite estético original, a expor a memória de um acontecimento pessoal, sua personalidade, sua diferença. Não mais o sinal do poder da sociedade sobre seus membros, mas o dos indivíduos livres para artealizar segundo sua conveniência o que lhes foi transmitido pela natureza. Com a tatuagem hipermoderna, não é mais a sociedade que dita sua lei aos homens na intensidade do sofrimento, para que se tornem membros plenos da comunidade, é o eu que se torna senhor do seu corpo-espetáculo, e como bem lhe aprouver; as marcas inscritas no corpo diziam a subordinação dos seres ao todo social e constituíam formas de dissolução das diferenças individuais; agora elas são, ao contrário, subjetivizantes, traduzindo uma livre apropriação do corpo assim como uma vontade de singularização.

Ao mesmo tempo que se veem anexados pela lógica do indivíduo, a tatuagem e o *piercing* se tornam fenômenos de moda, práticas cujo valor artístico é celebrado e que dão lugar a exposições nas galerias descoladas do mundo inteiro. Afastando-se das figuras estereotipadas do coração flechado, das sereias, das âncoras, barcos, crucifixos, a decoração do corpo quer ser, atualmente, cada vez mais sob medida, criação original e única, à maneira de uma obra de arte e realizada por um artista tatuador especializado. Multiplicam-se em toda parte os estúdios, os artistas profissionais, os catálogos de motivos disponíveis na internet ou nas lojas especializadas. E já nem se contam as estrelas do cinema, da moda e do show business que exibem sua epiderme tatuada de motivos ou de inscrições pessoais.

Se a tatuagem e o *piercing* simbolizavam não faz muito certa dissidência ou marginalidade de grupo (os punks), hoje eles tendem a se tornar acessórios estéticos, um espetáculo da pessoa em que o corpo é posto em cena à maneira de um teatro de sedução. Quaisquer que sejam as razões sentimentais e outras a levar os indivíduos a enfeitar o corpo, a tatuagem e o *piercing* aparecem agora como elementos decorativos escolhidos, formas de artealização ou de estilização de si que visam embelezar a aparência do corpo, criar um look livre de toda obrigação e de toda escrita coletiva. De ritual social que era, a tatuagem se torna um sinal estético, uma maneira de fazer de seu corpo uma obra de arte com finalidades estritamente pessoais. Valorização da individualidade, a tatuagem expressa um desejo de mise-en-scène personalizada de si, uma vontade de estilização da imagem de si e do corpo a fim de não passar despercebido e construir uma identidade visível singular. Como tal, ela participa plenamente do processo de estetização do mundo.

Se a razão de fundo da promoção social da tatuagem está na exacerbação do individualismo liberal, outros fatores ligados à moda merecem ser ressaltados. A tatuagem hoje aparece sob uma luz paradoxal. De um lado, ela se aparenta a um fenômeno de moda que envolve o corpo. Mas, de outro, inscreve-se às vezes nos antípodas da moda por seu caráter indelével, permanente, "para toda a vida". Enquanto na sociedade-moda produzida pelo capitalismo artista tudo muda sem parar, cresce a necessidade de sinais intangíveis que escapem à obsolescência de todas as coisas e que permitam exibir ostensivamente a singularidade do sujeito. Ao optar por enfeitar meu corpo com este ou aquele motivo indelével, afirmo uma "verdadeira" singularidade, uma diferença mais acentuada, mais "autêntica", mais "engajada" do que aquela que a roupa na moda possibilita.

Ao não jogar o jogo da versatilidade da moda, mas, ao contrário, o da duração "para sempre", a tatuagem se torna o instrumento da singularização pessoal, da extrema personalização da aparência individual. Isso, contra o fundo de um superinvestimento no corpo que substitui o fetichismo da moda vestimentária. À medida que a moda perde sua velha centralidade distintiva, se impõe o corpo como teatro primordial, meio de afirmar a própria identidade mostrando-se único. É quando todos os estilos de moda são legítimos e abertos a todos que se afirma a exigência de marcas invariantes e imutáveis, de marcas de si definitivas que permitam se mostrar parecido com nenhum outro. E é quando a moda efêmera não parece mais ser suficientemente individualizante que pode triunfar a tatuagem como estratégia que se vale da durabilidade como meio de hiperdiferenciação e de hiperpersonalização. Ao culto das marcas comerciais se soma agora o *branding de si próprio* na pele.

Não obstante, a tendência mais forte é a tatuagem de henna, temporária, que se pratica diante de todos, na rua, na praia, como puro produto de consumo: atualmente, os jovens escolhem uma tatuagem de verão como escolhem uma camiseta ou uma bolsa de praia. A *tattoo*, que registrava a duração para um pequeníssimo número de pessoas, tende a se tornar uma prática da massa,[66] ao mesmo tempo que um desenho efêmero com finalidade exclusivamente decorativa e sedutora. Também neste caso, estetização hipermoderna significa triunfo da lógica-moda, lúdica, versátil, personalizada.

O INTERNAUTA TRANSESTÉTICO

A fase II do capitalismo foi a do triunfo do consumidor passivo hipnotizado pela mercadoria: o que Guy Debord chamava de "sociedade do espetáculo". Com a sociedade de hiperconsumo somos testemunhas, ao contrário, do recuo desse modelo ante o formidável desenvolvimento das possibilidades de escolha e de um consumidor-ator que tem de efetuar todo um conjunto de tarefas realizadas outrora por um vendedor, um caixa, um conselheiro, um técnico, um consertador. O hiperconsumidor é, cada vez mais, quem deve "trabalhar" para poder consumir: ele tende a se tornar "prosumer", o coprodutor do que consome.[67]

O fenômeno começou com o self-service na grande distribuição, depois com o "do it yourself". Em nossos dias ele se prolonga com as novas tecnologias da informação e da comunicação. Agora, é o próprio consumidor que instala seus programas no micro, que realiza, em caso de defeito, as tarefas de reparação on--line graças a serviços de assistência, que faz na internet suas buscas de informação em matéria de horários de transporte, de preços e de reservas de hotel.

As redes sociais, que nasceram com a internet, também desenvolveram a confusão dos papéis desempenhados pelos internautas, que são, de fato, ao mesmo tempo produtores e consumidores, usuários e encenadores, autores e público dos conteúdos que intercambiam on-line. Nas plataformas virtuais, cada qual é consumidor dos dados fornecidos pelos outros, ao mesmo tempo que produtor do seu "perfil". Com o ciberespaço se leva a cabo uma hibridização dos papéis entre oferta e procura, entre produção, consumo e distribuição de dados.

Se alguns utilizam essas redes com finalidades profissionais, a maioria se conecta pelo prazer de trocar conteúdos, conversar com amigos, encontrar pessoas, trocar imagens e links musicais. Desenvolve-se assim um vasto uso estético do virtual digital. Porque é de fato um consumo de tipo emocional e estético que se realiza: as interações são feitas para se divertir e fazer passar o tempo, exprimir seus gostos, se pôr em cena, produzir uma imagem de si.

Na era do individualismo hipermoderno, o eu não é mais detestável, o que testemunha a formidável expansão social das práticas de exposição de si a que assistimos. Um novo tipo de autorretrato se desenvolve, de tipo hipermoderno e democrático. Primeiro, por não ser mais elitista e limitado a esta ou aquela categoria etária: agora, jovens, velhos, homens, mulheres, desempregados, homens de negócios de todo o mundo se mostram na internet através de blogs e redes sociais, imagens de webcam ou de celular.

Depois, apresentar o Eu on-line não é mais se empenhar numa busca paciente, voluntária, metódica de si, mas se expor na imediatez da sua experiência enquanto é vivida, sem recuo, sem segredo, sem pudor. Não mais o diário íntimo, oculto, mas a semostração contínua: eis o tempo da transparência de Si, exposta no Facebook. Um individualismo que, ao contrário de uma construção à antiga que se empenhava para se emancipar das convenções, das normas sociais e religiosas, se elabora numa busca obsessiva e lúdica de comunicação, de compartilhamento, de vínculo. Uma representação de si que não procura mais o que era, outrora, a finalidade afirmada desta — a autenticidade, a verdade profunda do sujeito —, mas que valoriza a expressão direta, transitória e fugidia das emoções: não um mergulho analítico e labiríntico dentro de si, mas a exposição imediata das suas experiências, de seus gostos, de suas impressões mutáveis. Assim é que nas redes sociais não se para de "atualizar" seu "perfil", que tem uma validade cada vez mais efêmera. Um autorretrato ao vivo em perpétua revisão, traçado na simultaneidade do instante: mais informativo do que retrospectivo, ilustrando a figura do novo indivíduo em tempo real. "Solteiro desde as 11", podemos ler, por exemplo, no Facebook. Não precisa dizer mais: os fatos no presente, não sua auscultação, e os fatos amontoados em sua sucessão e em sua descontinuidade.

Enfim, outra característica do universo do Facebook reside na importância que tem a lógica afetiva, levada a cabo em particular pelo botão "curtir". O importante não é mais o ideológico ou a posição na escala social, mas o reativo, o apreciativo e a estética, que aparecem como polos privilegiados da expressão da identidade hiperindividualista. Assim, diante de uma mensagem, uma opinião, uma foto, uma música, o usuário do Facebook clica no botão "curtir". Não é necessário dizer por que curte, o que conta é dizer curte ou não curte. No estado atual, é por meus gostos, minhas reações emocionais, meus juízos apreciativos que melhor exprimo minha identidade singular, é isso que me posiciona perante os outros: sou aquele que curte isto, que não curte aquilo, que não curte mais isto. Não mais "penso, logo existo", mas sou o que curto, o que me agrada aqui e agora. É uma identidade de tipo estético, emocional e passageira, que triunfa no Facebook.

Alguns interpretam essa eflorescência de autorrepresentações como sinal da superação do individualismo, sustentando que o indivíduo não existe mais, a não ser no olhar dos outros, olhar que ele busca para existir e sem o qual não é mais nada. O erro de perspectiva é total. Essa é, muito exatamente, uma das figuras do indivíduo hipermoderno, não enquadrado e volátil que se manifesta, um indivíduo que só é ele mesmo comunicando-se de todas as maneiras no plano das emoções, das apreciações e das inclinações pessoais. Estamos no momento em que as referências objetivas (profissão, idade, local de residência, religião, orientação política) parecem demasiado gerais, demasiado impessoais, demasiado rígidas, incapazes de estar à altura da exigência hipermoderna de personalidade e de mobilidade. Dizer que profissão eu tenho, qual é minha situação familiar, qual é minha religião não basta mais para satisfazer nossos desejos de subjetividade e de expressividade. Os gostos pessoais e imediatos, as reações e as emoções capazes de revisão é que suscitam os interesses, e são esses mesmos gostos que apreciamos compartilhar com nossos "amigos".

Assim, é um eu expressivo ou transestético que domina, expondo os detalhes mais tênues, às vezes os mais derrisórios do seu viver e de seus gostos subjetivos. Uma necessidade de dizer quem se é ainda mais imperiosa por terem os referenciais coletivos duradouros (a nação, a classe social, a religião, a política) perdido grande parte de seu antigo poder regulador. Donde esta espiral de revelações e de expressões fragmentadas: eu sou o cara que gosta ou que não gosta do filme tal ou do concerto tal, que é fã de X ou de Y, que escolheu ou tirou estas fotos... É essa a minha singularidade, sem lei sintética, sem busca nem pretensão de coerência, mas nas múltiplas facetas de um eu difratado, que um só clique basta para pôr em relevo. O que gostamos de pôr em relevo não é mais tanto a nossa posição social e as nossas convicções estáveis e duráveis, mas nossa identidade móvel e flexível, as impressões sentidas num momento dado e que podem se transformar de uma situação a outra, ou seja, um eu desinstitucionalizado e fluido, descentrado e pontual. Enquanto a identidade na primeira modernidade aparecia como identidade estável e coerente, resultante de uma opção individual raramente questionada, a identidade hipermoderna, por sua vez, se dá como transitória, experimental, aberta a revisões permanentes. Para falar de si, a ênfase não é posta no que é duradouro, mas sim no que tem sentido agora, de maneira instantânea, sem projeto identitário visando a duração ou o longo prazo. E, nesse contexto, os elementos periféricos da existência (marcas comerciais, grupos musicais, revistas, fotos...) são tratados com a mesma importância narrativa (ou o mesmo distanciamento irônico) que as dimensões mais centrais.

O autorretrato do indivíduo hipermoderno não se constrói mais por meio de uma introspecção excepcional e de longo fôlego. Ele se afirma como modo de vida cada vez mais banalizado, como compulsão de se comunicar e de "ser descolado", mas também como marketing de si, cada qual procurando ganhar novos "amigos", procurando valorizar seu "perfil" e encontrando uma gratificação na aprovação de si mesmo pelos outros. Ele traduz uma espécie de estética de si que ora é um donjuanismo virtual, ora um novo Narciso no espelho da tela global.

CONSUMO CULTURAL: DO *HOMO FESTIVUS* AO *HOMO AESTHETICUS*

O advento do *Homo consumans* como *Homo aestheticus* se deve também ao formidável desenvolvimento, em nossas economias, das produções culturais e estéticas: filmes, séries de TV, músicas, concertos, variedades televisivas, turismo cultural, festas de todo tipo, museus e exposições. No estágio atual, o consumidor se tornou um hiperconsumidor que dispõe de uma oferta pletórica, em crescimento incessante, de produtos culturais e que consagra mais tempo ao consumo audiovisual em casa do que ao trabalho: 43 horas por semana em média para pessoas que exercem uma atividade profissional. Em 2001, cada telespectador francês assistiu a 74 horas de filmes de cinema e 262 horas de ficção televisiva. Em 2009, os franceses ouviram em média uma hora e dez minutos de música por dia e consagraram cerca de 24 horas por semana à televisão. Graças às novas tecnologias, a experiência estética tende a se infiltrar em todos os momentos da vida cotidiana: ouve-se música em todos os lugares e em todas as situações e pode-se assistir a filmes em quase toda parte, no trem, no avião, no carro. Nunca o público teve tanto acesso a tantos estilos musicais, a tantas imagens, espetáculos e músicas. No tempo da internet, dos DVDs, da música digitalizada, o consumo cultural se emancipou de seus antigos rituais sociais, das formas de programação coletiva e até de qualquer limite espaçotemporal: ele ocorre sob demanda, num supermercado cultural proliferante, hipertrófico, quase ilimitado.

Simultaneamente, conforme lembramos, a época vê multiplicar-se como nunca a quantidade de museus, de bienais e de exposições. Os castelos e as catedrais, as obras-primas da arquitetura mundial são visitados por milhões de turistas; as grandes exposições de prestígio em Paris movimentam centenas de milhares de visitantes: com público de cerca de 900 mil, a retrospectiva Monet no Grand Palais teve tamanho sucesso que ficou 24 horas *non-stop* aberta nos quatro últimos dias. A cada dia se afirma a importância crescente dos apetites estéticos envolvendo um vastíssimo público.

A *dissonância das preferências individuais*

Cada vez mais oferta musical, livros, espetáculos, concertos, filmes, o que não é, como se sabe, sinônimo de redução das desigualdades sociais no que diz respeito à alta cultura (literária, teatral, musical ou pictórica). A despeito da profusão da oferta e das ações de política cultural, é sempre o capital cultural que determina as práticas e preferências estéticas dos consumidores. Aliás, do mesmo modo que não é capaz de homogeneizar os gostos do público de massa, nem mesmo dos membros de uma classe, o capitalismo artista não consegue democratizar a cultura "nobre". Qualquer que seja a atração exercida pelos best-sellers, pelos hits musicais ou pela bilheteria, as práticas e os gostos dos indivíduos se particularizam, se diversificam, se diferenciam irresistivelmente. Não somente as diferenças entre os indivíduos saltam aos olhos, mas o mesmo ocorre com as diferenças internas a cada pessoa, se considerarmos as práticas culturais do prisma do seu grau de legitimidade. O que domina não é em absoluto a homogeneidade, mas sim a incoerência dos gostos culturais, a heterogeneidade das preferências e das práticas culturais individuais: os "perfis dissonantes" compõem-se de elementos altos e baixos, dignos e "grosseiros", nobres e comerciais.[68] Em toda parte, em todas as classes sociais, se fazem ver majoritariamente consumidores que associam as opções culturais mais legítimas e menos legítimas: ópera e Madonna, Shakespeare e as séries americanas, *O cidadão Kane* e *Os visitantes*, Braque e a Star Ac.

Para explicar semelhante fenômeno de dissonância cultural, Bernard Lahire ressalta o caráter altamente diferenciado das nossas sociedades, assim como a concorrência que se exerce entre as normas das instâncias de socialização (família, escola, grupos de pares, mídias) e que torna pouco provável o advento de consumidores conquistados por um só registro de cultura. Mas, ao mesmo tempo, ele contesta a ideia de que o ecletismo cultural teria aumentado desde os anos 1960 e, inclusive, desde o início do século xx.[69] Ora, temos todo o direito de pensar o contrário.

A privatização das práticas culturais intensificada pelos meios de comunicação de massa transformou em profundidade a relação com a oferta, banalizando o consumo "só para ver como é", que permite a cada um, por exemplo, ver um filme que nunca teria tido a ideia de escolher, se tivesse de sair de casa e comprar seu ingresso no cinema. A possibilidade de ter acesso fácil, gratuito e longe do olhar alheio aos bens culturais, graças à televisão, aos discos e ao rádio, faz os graus de vergonha cultural recuarem, multiplica quase "mecanicamente" as ocasiões de mixagem cultural, as práticas e as preferências heterogêneas.[70] E tanto mais na medida em que se eclipsam as socializações, os enquadramentos e os éthos de classe. Ao que se soma também a diversificação da oferta cultural, a qual trabalha manifestamente no sentido da heterogeneização dos gostos intraindividuais. Não são apenas os conflitos existentes entre as instâncias socializadoras que explicam o crescimento das dissonâncias culturais, mas também a dinâmica da individualização e do mercado, das técnicas, das mídias, com a profusão da oferta que as acompanha.

Atualmente, a grande maioria dos indivíduos, atraídos por bens culturais de todo tipo, alterna os consumos "nobres" e os consumos "vulgares". E é inegável que grande número de consumidores não deixa de julgar a oferta cultural conforme as oposições entre legítimo e ilegítimo, "superior" e "inferior", muito embora reconheçam sucumbir regularmente às tentações da facilidade e do divertimento midiático. É o caso, em particular, da televisão, em que os indivíduos assistem a programas que denunciam ao mesmo tempo como nulos, lamentáveis, emburrecedores. Na época do capitalismo artista avançado, os indivíduos, inclusive os que fazem parte das classes superiores, consomem regularmente, em alta dose, bens culturais que julgam regressivos e lamentáveis. Agora, o que mais vemos nem sempre é o que nos inspira maior respeito. A explicação do fenômeno é dada pelos próprios consumidores que, acerca desses programas, declaram escolhê-los a fim de aliviar a tensão, descontrair-se, esvaziar a cabeça depois de dias de trabalho estressantes e extenuantes. O divertimento, a descontração, o relaxamento puros se tornaram os grandes motores do consumo cultural: o sucesso das comédias, na sua forma mais ecumenicamente popular, como *A Riviera não é aqui* ou *Intocáveis*, que um em cada três franceses assistiu numa sala de cinema, atesta-o. A cultura clássica tinha a ambição de formar, educar, elevar o homem: hoje pedimos à cultura, ao contrário, que ela "nos esvazie a cabeça".

É inegável que, a despeito da onda de individualização extrema, a lógica hierárquica das legitimidades culturais não desapareceu de forma alguma, e alguns gêneros continuam a ser classificados como "superiores" e dotados de uma dignidade mais elevada conforme os cânones culturais herdados. No entanto, os efeitos da expansão do individualismo se manifestam mediante novas formas de avaliação e de consagração baseadas exclusivamente no prazer dos consumidores. Em matéria de música de variedade, por exemplo, os juízos se articulam menos com base na oposição alto/baixo do que na diferença subjetiva gosto/não gosto. O importante não é mais classificar as obras e os gêneros num eixo vertical, mas apenas expressar uma subjetividade estética plena, para lá dos graus oficiais de prestígio e das classificações opondo o nobre e o vulgar. A apreciação pessoal, e somente ela, pesa a ponto de se poder desdenhar a ordem dominante das legitimidades culturais e atribuir o mais alto valor ou dignidade ao que a Grande Cultura desqualifica ou desvaloriza: Johnny Hallyday é melhor que Mozart. O princípio da singularidade e do feeling triunfa, mas não elimina com isso desprezo, ojeriza e outros tipos de excomunhão: os fãs do reggae podem detestar o rap ou a house. Quando não há mais classificação simbólica institucional unanimista, os indivíduos detestam as opções e preferências dos que, na verdade, lhes são próximos e não compreendem mais os gostos dos outros.

Tédio e decepção

As inúmeras satisfações do *Homo aestheticus* possibilitadas por uma oferta proliferante não devem ocultar a outra face do fenômeno, tão frequentes são os momentos de tédio diante da televisão, no cinema, no teatro. A televisão nos decepciona frequentemente, mas, ao mesmo tempo, não conseguimos nos impedir de assistir: ligamos sistematicamente o aparelho ao chegar em casa, qualquer que seja o programa, que aliás nem sempre conhecemos. Os consumidores das sociedades desenvolvidas consagram em média 40% a 50% de seu tempo livre — ou seja, três horas por dia na Europa — à televisão, apesar de às vezes obterem com isso, conforme eles mesmos dizem, menos satisfação do que com sua atividade profissional. Como se sabe, a escuta da televisão é flutuante e distraída, acompanhada de mudanças frequentes de canal e, além do mais, ela proporciona uma sensação de "perda de tempo" e vacuidade. Os consumidores zapeiam, denunciam a nulidade, a estupidez dos programas, mas somente 23% dos franceses declaram que a televisão não lhes faria falta alguma se fossem privados dela. Estamos assim numa sociedade em que os consumidores consagram seu tempo livre principalmente a atividades que consideram como de pouquíssimo valor e de que nem sempre obtêm grande satisfação.

Donde a situação inédita que é a nossa. Nas sociedades tradicionais, a vida cultural era repetitiva, marcada por gostos e práticas uniformes; mas era tida como natural, e os indivíduos, adaptados a essa vida, não se queixavam dela, não a viviam nem na monotonia nem no tédio. Já em nossas sociedades, a oferta cultural é imensa e variada, os gostos se diversificam e se singularizam: é por isso que as insatisfações culturais se tornaram tão numerosas quanto inevitáveis. A cultura aparece como um setor não apenas de dissenso, mas também, frequentemente, gerador de irritação, de tédio e de decepção.

Isso vale para a televisão e mais ainda para a arte contemporânea, com a maioria considerando-a incompreensível, "bobagem", uma vasta impostura. Desde o início dos tempos, as obras de arte causaram a admiração do público: temos agora o tédio, a rejeição, a sensação de um eterno repisar em face das desconstruções, dos happenings, instalações e que tais. Nas sociedades tradicionais, o sistema cultural profundamente legítimo, incorporado e interiorizado, era fonte de satisfações, ao passo que a vida material estava longe de sempre permitir a satisfação das necessidades elementares. Em nossos dias é o contrário: as insatisfações culturais proliferam na mesma proporção em que as satisfações materiais se multiplicam.[71]

A relação turística com a Arte

As transformações do consumo cultural se manifestam também na relação com a arte dos museus e das exposições. Porque a estética consumatória que domina nossa cultura não tem mais nada a ver com o estetismo culto clássico que visava à elevação da alma e se consumava na contemplação e na veneração silenciosas das obras. Nos antípodas desse ascetismo cultural, o consumidor hipcrmoderno é hedonista, descontraído e apressado, detendo-se apenas alguns segundos diante das obras-primas da arte penduradas nas paredes dos museus: menos amante de arte que zapeador bulímico de imagens, à maneira de um turista curioso de tudo e de nada, na expectativa perpétua de emoções sempre renovadas. Hoje, as pessoas *deslizam* pelas obras de arte como se desliza de patins nas calçadas ou como se navega em alta velocidade pela rede.

Isso significa o declínio do *Homo aestheticus*? É o exato inverso. Porque no estado atual, mesmo o que nas civilizações antigas não era "obra de arte", mas objetos mágicos, máscaras rituais, fetiches sagrados ou máscaras guerreiras, aparece como arte pura admirada unicamente por suas qualidades formais. O hiperconsumidor é aquele que olha para as coisas do passado apenas segundo seus gostos subjetivos e as julga de acordo com critérios puramente estéticos. Desde o início dos tempos, os objetos e edifícios eram envoltos em sentido social, mítico ou mágico, e suas cargas de emoções religiosas faziam obstáculo a uma percepção puramente visual. Produziu-se uma reviravolta completa: desse universo antigo não vemos mais que a forma pela forma, a dimensão artística por si só, destinada a satisfazer os novos consumidores estéticos apaixonados por exotismo e descontração turística. Este é o tempo da anexação de todas as obras do passado pelo puro olhar e pelo puro interesse estético: com o capitalismo artista, "tudo é arte", vista e apreciada como arte, realizando à sua maneira a utopia das vanguardas modernistas.

Não obstante, quanto mais os locais culturais relevantes, as catedrais e os museus são visitados pelas massas estéticas, mais esse consumo é desculturado, pois que os indivíduos das sociedades hipermodernas não têm mais à sua disposição os códigos culturais necessários à plena compreensão das obras. Até os elementos da cultura cristã lhes faltam. O que o hiperconsumidor admira e compreende na Capela Sistina, numa natividade do Quattrocento, num quadro representando determinado episódio do Antigo Testamento ou da vida de um santo? O que ele vê, senão admiráveis composições coloridas? De fato, a "democratização" estética do acesso às grandes obras do passado se dá tendo como pano de fundo o desapossamento dos contextos culturais que possibilitam a inteligibilidade destas.

Em face de tal devir da relação com a arte, como deixar de reconhecer nele uma derradeira ilustração da célebre fórmula: "A arte é para nós, quanto à sua destinação suprema, uma coisa do passado". A tese hegeliana não significa, evidentemente, o desaparecimento das obras ou dos amantes da arte, mas a nova posição desta, tornando-se um tipo de consumo frívolo, um simples acessório divertido da vida. Não que a arte tenha deixado de apaixonar o público — muito pelo contrário, jamais tantas belezas artísticas foram apreciadas por tantos indivíduos —, mas ela só o toca de maneira epidérmica, como um objeto de consumo ou um espetáculo de animação do cotidiano. Não há mais mistério, poder mágico, temores e tremores, "a arte deixou de satisfazer a necessidade mais elevada do espírito [...], a admiração que sentimos ao ver essas estátuas e imagens é impotente para nos fazer cair de joelhos".[72] Despojada de toda "necessidade objetiva", de qualquer vínculo com o absoluto e as forças sagradas, a relação com a arte fica parecendo um jogo, agradável por certo, sensível, "interessante", mas dessubstancializado, marginal, sem aposta real. Na era hipermoderna, somos cada vez mais abertos à arte, mas esta é cada vez menos capaz de nos tocar em profundidade e de criar uma "participação vital".[73] Não sendo mais ligada às suas antigas funções religiosas e sociais, a arte perde "seu interesse direto para a nossa existência: ela se torna esplêndido supérfluo. Uma arte assim desligada das realidades da vida não para de ser ampla e intensamente apreciada".[74] Assim caminha a estetização hipermoderna do mundo.

Homo festivus *como* Homo aestheticus

Para além do consumo cultural no sentido estrito, o *Homo aestheticus* alcançou também o universo da festa. No tempo do capitalismo artista, os consumidores se mostram cada vez mais sedentos de *live*, de festivais, de festas que atraem um público cada vez mais amplo. A festa da música é celebrada numa centena de países dos cinco continentes com dezenas de milhares de concertos. Tudo virou ocasião para organizar festas: os jardins e as flores, as frutas, o mar, a neve, as luzes, o futebol, o patrimônio, os gays e as lésbicas, a Techno, o ano 2000... neofestas que, não tendo mais nada de tradicional, ilustram o avanço hipermoderno de um consumo transestético de tipo individualista.

Philippe Muray descreveu num estilo inesquecível essa festivização galopante da sociedade bem como o *Homo festivus* de terceiro tipo que nela desabrocha.[75] Mas como pensar o *Homo festivus* quando a festa não tem mais a função de regenerar a ordem social ou cósmica, quando as formas desta, livrando-se dos enquadramentos da tradição, não têm mais um sentido coletivo forte? Philippe Muray viu muito bem que não era mais possível pensar a festa à maneira de um Georges Bataille, que opunha o mundo da dilapidação festiva ao do trabalho e da utilidade. A festa agora não tem mais nada a ver com a transgressão ritual dos interditos, a tal ponto está imbricada na ordem econômico-cultural, a tal ponto também fusiona com as lógicas que embasam o universo ordinário do consumo: hedonismo individualista, self-service, ecletismo, mobilidade, fluidez, higiene, segurança, risco zero, busca de ambiências, de emoções estéticas, de novidades permanentes. O *Homo festivus* não viola mais as normas sociais, ele desliza no espaço-tempo da festa, surfa, circula como num parque de diversões, celular numa mão, sanduíche na outra. As neofestas não derrubam mais nada, não são mais que uma das formas de animação recreativa própria das sociedades de fruição ilimitada.

Mas não concluamos daí, à maneira de Philippe Muray, que o *Homo festivus* assinala o advento da sociedade e do homem "pós-históricos" que eliminaram todas as contradições e oposições, quando não se trata mais do que da estetização progressiva de nossas sociedades sustentadas sobre o capitalismo artista e o hiperindividualismo consumista. Todas as formas de desregramento que marcavam a festa tradicional (festins, embriaguez, violências, insultos, piadas escatológicas) não têm mais direito de cidadania. A festa não é mais "o mundo às avessas": chegou o tempo da festa light, suave, "bacana", estruturada de acordo com os próprios princípios da ordem consumacionista.[76] Depois da incandescência da transgressão, o processo de *californização* da festa, em que arte e cultura mercantil, turismo e folclore, comércio e jogos de férias se misturam cada vez mais. De fato, o *Homo festivus* nada mais é que o turista ou o consumidor individualista dos tempos hipermodernos à espera de sensações, de experiências, de divertimentos que não abalem o curso normal da vida. Deve-se pensar o *Homo festivus* como uma declinação ou uma extensão do *Homo consumans*, como uma das figuras do *Homo aestheticus* na época hiperconsumista.

6. A sociedade transestética: até onde?

A sociedade estética hipermoderna não se reduz a um sistema dominado por uma produção em massa de bens impregnados de valor estilístico e emocional e por um consumo hedonista de produtos culturais. Ela se caracteriza igualmente pela promoção de uma cultura, de um ideal de vida, de uma ética específica. Esta, baseada nas fruições do presente, na renovação das vivências, no divertimento perpétuo, constitui, para sermos mais precisos, uma ética estetizada da vida. Se o capitalismo artista inventou e desenvolveu as artes de consumo de massa, ele contribuiu ao mesmo tempo para promover um modo de vida estético de massa. Estetização da economia e estetização da ética caminham juntas. A sociedade estética hipermoderna designa esse estado social que celebra cotidianamente e difunde em escala de massas um ideal de vida estética (no sentido etimológico de *aisthesis*, isto é, de sensação e de percepção): uma *est-ética*.

UMA ÉTICA ESTÉTICA DE MASSA

Ideal estético na medida em que esse modelo se identifica com uma vida voltada para o prazer dos sentidos e das imagens, os deleites da música e da natureza, as sensações do corpo, o jogo das aparências, a frivolidade da moda, as viagens e os jogos, a multiplicação das experiências sensitivas. A sociedade transestética coincide com a desqualificação das morais ascéticas em benefício de um modelo estético da existência centrado nas satisfações sensíveis, imediatas e renovadas: em suma, uma ética hedonista da realização pessoal. A salvação não reside mais nem na moral religiosa, nem na História, nem na política, mas sim na plenitude pessoal e no melhor-viver experiencial. Agora, é essa ética estética da vida[1] que nos rege. Ela forma um todo com o desenvolvimento do individualismo hipermoderno.

A ética estetizada que se propagou no decorrer da segunda metade do século passado deve muito aos combates travados pela contracultura romântica dos anos 1960, que denunciava a alienação, o conformismo da vida burguesa assim como as obrigações tradicionais da moralidade. Em nome da libertação individual e coletiva, os referenciais do desejo, da espontaneidade, do gozo sexual substituíram os mandamentos rigoristas da moral. Toda uma época e uma geração se ergueram contra as morais burguesas e familistas, sexistas e virtudistas, assimiladas à antiliberdade e à antivida. Nada é mais importante então do que romper as barras da jaula moral a fim de "viver sem tempos mortos" e "gozar sem empecilhos". Movimento antimoralista que foi acompanhado por violentas críticas dirigidas contra a sociedade de consumo acusada de anestesiar as existências. Foi brandindo a flâmula da liberdade absoluta assim como o valor do sonho, do prazer, da vida criativa que se construiu a utopia contestatária e transpolítica na qual o ideológico e o poético, o político e o existencial, o coletivo e o individual, a luta coletiva e o gozo se acham intimamente misturados. Em vez das prescrições intransigentes da moralidade e das religiões políticas, desenvolveu-se um ideal de vida propriamente estética, em outras palavras, baseada no culto da experiência, do prazer, da realização individual. O "mudar a vida" de Rimbaud se tornou *"be yourself"*.

Mas a estetização hipermoderna da cultura cotidiana não tem como única origem as críticas que emanam da rebelião contracultural. Foi também o materialismo consumista do capitalismo artista que possibilitou a legitimação social dos valores românticos da realização pessoal e das sensações supermultiplicadas. Pois o que é o ideal de vida incensado pelo capitalismo artista, se não uma vida sem tempos mortos, perpetuamente enriquecida de sensações diversas, de viagens, de novidades, de espetáculos, de decibéis? Ou seja, uma vida estética. Ao culto dos santos e dos heróis sucedeu a sagração do prazer e das sensações excitantes. "Viver mais", "sentir mais", "sair para o mundo": estamos numa cultura que exibe sem tréguas o gozo e promete a todos uma satisfação perfeita e imediata, "uma sociedade hiperfestiva" que glorifica em todas as esquinas os princípios consubstanciais ao "estágio estético da existência" (Kierkegaard) marcado pela busca dos prazeres do instante, o gosto das experiências efêmeras e sensitivas, a descoberta dos climas inebriantes.

Para lá dos conformismos que acarretou, o consumo de massa gerou ao mesmo tempo uma nova valorização do eixo presentista da vida e da felicidade privada. Foi a partir desse pano de fundo destradicionalizado e individualista que puderam "pegar" os hinos em homenagem à vida "artista" em que a experiência é posta como valor supremo, a um estilo de existência livre das convenções e das diferentes obrigações tradicionalistas. Desse ponto de vista, o capitalismo de consumo é de fato a origem de uma profunda revolução cultural, que nada mais é que a deslegitimação das morais autoritárias em benefício dos ideais da realização pessoal, da liberdade privada, do gozo. Difundindo em grande escala tal sistema de normas, o capitalismo artista conseguiu impor socialmente os princípios da cultura artista moderna, o estilo "liberado" (antitradicionalismo, anticonvencionalismo, antiburguesismo, antipuritanismo), de que o dandismo, o estetismo, os pequenos cenáculos da boêmia foram, a partir do século XIX, os primeiros elos.

De fato, não é a primeira vez que a vida estética (prazeres, beleza, autenticidade, sensações) é posta como meta da existência. As correntes ditas do estetismo no século XIX e início do XX afirmaram que a vida boa não consistia nem na obediência aos mandamentos da religião e da moral, nem nos combates para aperfeiçoar a sociedade, mas num procedimento com vista a se autorrealizar, acumular o máximo de prazeres, prestar um culto à Beleza erigida em novo absoluto que substitui a religião. A vida bela se confunde portanto com a rejeição das convenções sociais que constituem um obstáculo à existência autêntica, com a plena afirmação do ser profundo na coincidência perfeita consigo mesmo. "Quero fazer da minha vida uma obra de arte", dizia Oscar Wilde, uma vida tão perfeita, tão autônoma e emancipada de fins transcendentes quanto uma obra de arte que só obedece a si mesma.[2]

É evidente que não estamos mais nesse ponto. Bem diferente é a ética estética hipermoderna, que não se constrói mais em oposição às normas da moral tradicional e não se desenvolve mais em nome da verdade ou da autenticidade do eu. O espontaneísmo e a imediatidade dos desejos é que prevalecem, muito mais do que o "construtivismo" individualista da primeira modernidade. Não há mais grandes combates, não há mais inimigos a abater, não há mais objetivos de emancipação vis-à-vis as antigas imposições morais: somente o "ideal" de uma satisfação diversificada, "sempre recomeçada". Não obstante, essas diferenças não devem impedir de reconhecer o ponto em que se encontram o ideal da estética da modernidade heroica e o de nossos dias, a saber, a celebração de um mesmo modelo individualista que convida a fruir os sentidos, a apreender os prazeres do instante, multiplicar as experiências sensitivas, se autorrealizar dando as costas às leis ascéticas. O capitalismo artista, nesse sentido, leva adiante a obra moderna de valorização do indivíduo e da experiência como valor supremo. Empenha-se nisso não mais por meio da negação transgressiva das normas coletivas morais e religiosas, mas com o convite para "aproveitar a vida" escolhendo cada um seu próprio estilo de existência na oferta proliferante de bens de consumo.

UMA HIPERMODERNIDADE DESUNIFICADA

Inúmeros analistas insistiram na ruptura cultural fundamental constituída pelo advento dessa ética estética de massa que acompanha a sociedade de consumo. Ao exaltar o hedonismo e a vida sem imposições, uma nova lógica cultural se firmou, destruindo a concepção puritana do mundo e se opondo às regras convencionais da vida burguesa. As consequências não são pequenas: resultam daí formações sociais que se caracterizam não apenas pela ausência de justificações transcendentes, mas também pela destruição do todo unificado da sociedade e pela discordância entre as grandes esferas da vida social. É nessas condições que se impõe — aos olhos de Daniel Bell, notadamente — um neocapitalismo regido por princípios antinômicos, por novas contradições e, mais precisamente, pelas disjunções entre as normas exigidas na economia (disciplina, esforço, eficácia, rentabilidade), no domínio político (a igualdade) e na cultura (hedonismo, realização pessoal).[3] Lógica econômica, lógica política e lógica cultural não constituem mais um universo coerente: tornaram-se antagonistas. Dessas tensões estruturais resultam diversas contradições das nossas sociedades.

Correções nesse modelo podem e devem ser feitas. Se é inegável que as normas da ética estética da realização pessoal se opõem às que a empresa eficiente exige, não é menos verdade, porém, que é impossível estabelecer uma oposição absoluta entre cultura e economia hipermoderna. Porque, como se sabe, hoje é o consumo das famílias que impulsiona o crescimento das nações desenvolvidas: não há desenvolvimento econômico sem hedonismo consumidor. No tempo do capitalismo criativo, a ética estética não é estruturalmente antinômica em relação à vida econômica: ela é em grande parte resultado desta, ao mesmo tempo que condição do seu desenvolvimento. Sem dúvida, a partir de certo momento, o processo pode entrar em pane e provocar sismos, como vimos recentemente com a crise das *subprimes* de 2008. Simplesmente, não se trata mais de "contradições culturais do capitalismo", mas de consequências ligadas aos excessos de um sistema financeiro desregulado, à excrescência do crédito imobiliário, à desregulamentação do sistema bancário sem respeito às regras prudenciais.

De outra parte, se, por um lado, o ideal de vida estética se choca contra os princípios organizadores da esfera econômica, não é menos verdade, por outro, que ele contribuiu para estender a lógica liberal-individualista à ordem dos costumes. Na esteira da contracultura, constituiu-se uma civilização liberal geral, tendo o liberalismo político e econômico sido completado por um liberalismo cultural baseado no hedonismo individualista, no antitradicionalismo, no antiautoritarismo. Do mesmo modo que a política se emancipou do religioso e o econômico, do político, o cultural (os modos de vida) se libertou dos costumes e tradições em nome do princípio da liberdade individual. Para lá da nova disjunção das ordens, criou-se assim uma esfera cultural liberal-

-individualista em concordância de princípio com o que funda o sistema econômico do mercado livre.

Não obstante, a ideia de "cultura antinomiana" ligada à nova ética estetizada constitui um modelo teórico essencial para analisar o que há de complexo em jogo nas nossas sociedades contemporâneas. Temos apenas de ampliar o sentido dessa ideia não a limitando exclusivamente às contradições existentes entre o econômico e o cultural. De fato, não são mais somente as normas da vida econômica que estão em contradição com a cultura, é esta, em sua ordem própria, que se organiza de acordo com normas antinomianas. O hedonismo não é o todo da cultura hipermoderna, que faz jus a outros sistemas de valor: o trabalho, a eficácia, os valores humanistas, o ambiente, a saúde, a educação. Esses são referenciais que não apenas não se reduzem a um ideal estético, mas que se chocam, muitas vezes frontalmente, contra as exigências de satisfações imediatas dos indivíduos.

Houve no passado, sem dúvida, diversos tipos de antagonismos culturais. Mas estes opunham ou religiões entre si (conflitos inter-religiosos), ou, mais tarde, os princípios modernos à ordem tradicional persistente (a laicidade contra o domínio institucional da religião, a liberdade individualista dos modernos contra as imposições coletivas tradicionais, os movimentos progressistas contra os adversários da modernização, a arte moderna contra o academismo). Não é mais assim em nossos dias, ainda que todas as formas de conflitos comunitários e inter-religiosos estejam longe de haver desaparecido. Inúmeros antagonismos culturais de que somos testemunhas não põem mais frente a frente valores herdados de sistemas radicalmente antinômicos (modernidade contra tradição): ao contrário, eles são plenamente *intramodernos*. Não se trata mais da primeira modernidade em seu combate prometeico contra a ordem tradicionalista, mas da hipermodernidade em que os sistemas de valor que se chocam são igualmente de essência moderna. A hipermodernidade não é apenas o momento histórico em que a modernidade se torna reflexiva ou autorreferencial,[4] é também aquele em que as normas constitutivas da modernidade cultural nos orientam em direções diametralmente opostas. Com o aprofundamento da secularização e o desaparecimento da ordem tradicionalista, não é mais uma cultura unificada, em plena coincidência consigo mesma, que se organiza, mas, inversamente, um pluralismo normativo feito de contradições intraculturais.

E, ao mesmo tempo, não são mais os conflitos geradores de culpa moral, que Freud analisava, a dominar, mas antagonismos que geram novos tipos de mal-estares e de dramas na vida dos indivíduos: a ansiedade, a sensação de vazio, a depressão, a adicção, a perda de confiança em si, a depreciação de si. Se a ética estetizada é construída em nome da felicidade e da livre posse de si, há que se observar que ela só se desenvolve acompanhada de novas formas de despossessão subjetiva.

AS CONTRADIÇÕES DA CULTURA HIPERMODERNA

A ética estética hipermoderna se confunde com o ideal hedonista e lúdico que dá à vivência presente dos indivíduos e à busca dos prazeres uma legitimidade de massa. Mas esse hedonismo cultural, por mais fundamental que seja, não está sozinho na arena: outros tipos de normas se afirmam e se chocam frontalmente contra os ideais de fruição e de realização imediata de si. Entre estas, a saúde, e também a ecologia, a educação, o trabalho, o desempenho ocupam uma posição crucial. Valores hedonistas contra injunções sanitárias, ecológicas, educativas ou de desempenho: essas tensões estão no âmago da cultura antinomiana hipermoderna. Não cessamos de vivenciar seus efeitos no cotidiano.

Valores hedonistas e medicalização da vida

Nossa época não pode mais ser pensada fora do culto à saúde, atestado ostensivamente pela expansão dos gastos médicos, pela multiplicação das consultas, dos exames e das análises. Cada vez mais o referencial da saúde se associa a múltiplas esferas da oferta mercantil: o hábitat, a moradia, o lazer, o esporte, a cosmética, a alimentação — todos esses domínios são mais ou menos redefinidos por promessas sanitárias. Não basta mais estar com boa saúde, trata-se de identificar os fatores de risco, passar por exames de prevenção, mudar o modo de vida em benefício de modelos saudáveis e higiênicos. É a época das medidas preventivas através de todo um conjunto de práticas esportivas, alimentares, higiênicas (evitar a alimentação gordurosa, comer frutas e legumes, fazer exercícios físicos, não fumar). Enquanto as mídias alertam permanentemente as populações para os riscos que correm e dão uma porção de conselhos médicos, as conversas cotidianas são invadidas pela temática da saúde, da alimentação saudável, da forma.

Ao hedonismo liberacionista sucedeu um hedonismo higiênico, ansioso e medicalizado sob a égide da preocupação crescente com a saúde. Embora nossos valores sejam hedonistas, na verdade não paramos de nos afastar das delícias do *carpe diem*, a tal ponto aumenta a ansiedade sanitária acompanhada por um trabalho interminável de informação, de precaução e de controle. O *Homo aestheticus* escorrega cada vez mais em direção ao *Homo medicus*, vigiando-se e transformando seus "maus" hábitos de vida. Fruição, saúde: estamos manifestamente no momento em que o modelo estético da existência baseada no primado das fruições do momento recua diante da ascensão de um modelo preventivo e sanitário governado pelo medo.

A essa contradição de princípio se somam outras, em particular no domínio da alimentação. O que comer se tornou uma questão cada vez mais complexa, estando o consumidor preso entre os estímulos glutônicos e o medo de absorver açúcares, gorduras, corantes em demasia.[5] Medo também de ganhar peso numa sociedade que erige a magreza em modelo. Ao que se soma o medo dos riscos eventuais ligados ao consumo dos produtos geneticamente modificados. A proliferação de injunções contraditórias (higienistas, hedonistas, identitárias, estéticas), as pressões publicitárias, a enxurrada de informações médicas difundidas cotidianamente criaram um novo estado de insegurança em quem come.[6] Chegou o tempo do consumidor ao mesmo tempo hedonista e ansioso, bem distante do gozo despreocupado dos prazeres: embora estética, nossa ética se esvazia cada vez mais do espírito do *carpe diem*.[7]

É nesse contexto que alguns observadores puderam falar de um "consumidor empreendedor" ou de um consumidor "especialista".[8] Mas essa é tão só uma meia verdade. Porque, simultaneamente, este é o tempo do desregramento das condutas alimentares, da cacofonia das referências e critérios, do advento de uma verdadeira "gastro-anomia".[9] Enquanto se amplifica a atenção à saúde e à qualidade de vida, multiplicam-se os consumos anômicos marcados pelas compras compulsivas, as toxicomanias e as práticas adictivas de todo tipo. De um lado, a obsessão por higiene e magreza, por parte de indivíduos que se informam e têm comportamentos cada vez mais preventivos; de outro, a anarquia dos comportamentos alimentares, as bulimias e obesidades que se multiplicam pelo mundo afora. É tanto um consumidor desestruturado ou anômico como um consumidor prudente e especialista que progride.

O excesso de opções em matéria de oferta alimentar, a cultura hedonista, a erosão das imposições de grupo favoreceram o desenvolvimento de um tipo de personalidade destradicionalizada que apresenta dificuldades crescentes para resistir às seduções do mercado e aos desejos impulsivos. Donde todo um conjunto de comportamentos de excesso, de consumo compulsivo, de desregramentos patológicos. Paralelamente ao indivíduo autocontrolado, que privilegia a qualidade e a saúde, progride um indivíduo caótico que expressa o desregramento de si e a impotência subjetiva.[10] É a face negativa da ética estética, que, longe de criar uma arte de viver harmoniosa, gera novas patologias da existência.

Valores ecológicos contra ética estética?

A saúde e a beleza do corpo não são as únicas coisas que lançam um desafio ao ideal presenteísta da vida estética. O mesmo se dá com os valores ecológicos que, em nome da proteção da Terra ameaçada pela loucura tecnomercantil, conclamam a pôr um freio na festa consumista irresponsável. Em face dos perigos e das catástrofes que se anunciam, eleva-se uma ética de futuro que afirma a obrigação de não comprometer as condições de vida das próximas gerações. Assim, a primazia das fruições consumistas do presente é estigmatizada em nome de uma ética da responsabilidade a longo prazo.[11] Contra o desperdício orquestrado pelo capitalismo de consumo, trata-se de economizar as energias fósseis, descarbonizar a economia, desenvolver as energias sustentáveis, reduzir a pegada ecológica. E, nessa trilha, responsabilizar os consumidores por sua maneira de se alimentar, morar, se aquecer, se locomover, comprar, descartar. É nesse âmbito que um número cada vez maior de radicais chegam a preconizar o decrescimento, o pós-desenvolvimento, a "simplicidade voluntária", considerando que o desenvolvimento sustentável é um beco sem saída, incapaz de resolver os problemas postos pela inadequação absoluta entre uma Terra de recursos finitos e um desenvolvimento infinito.

A cultura ecológica e a crise econômica que atravessamos levaram um grande número de observadores a defender a ideia de que o hiperconsumo, a despreocupação e a frivolidade próprios da ética estética estão inevitavelmente fadados a desaparecer em breve. Será mesmo tão inelutável quanto dão a entender todas essas vozes? É evidente que não. Mais exatamente, começamos a assistir ao fim da era do hiperconsumo devorador de energia não renovável e poluidor, mas não do hedonismo consumista. De fato, as inevitáveis transformações que se anunciam (menos desperdício, redução das emissões de CO_2, energias limpas, ecoconsumo) não significam em absoluto o advento de uma cultura pós-consumista. Claro, os comportamentos evoluem e eles integram a si as exigências ecológicas. No entanto, não nos enganemos: isso não fará nascer uma cultura da abstinência, mas antes um hiperconsumo sustentável. Vamos parar de desejar novidades, estocar músicas, viajar, ir a concertos, frequentar parques de lazer, esperar os últimos filmes e os novos videogames? Nada disso acontecerá. Teremos menos produtos devoradores de energia, porém mais consumo de serviços e de produtos culturais baseados no imaterial.

Nada deterá nossa neofilia frenética, e isso porque ela deita raízes nesses fenômenos de fundo que são a destradicionalização das culturas e o advento de economias fundadas na inovação perpétua. Essas estruturas nos "condenam" a viver em culturas dominadas pelo "amor ao movimento pelo movimento". Não se trata de uma contingência, mas de uma estrutura mental consubstancial às sociedades de mobilidade destradicionalizada. O que vemos? O gosto pelas viagens, pelos videogames, pelas marcas de luxo não está recuando, muito pelo contrário. Além disso, num universo de desorientação generalizada, em que se acentua o isolamento dos seres e o mal-estar, o consumo é o que vem compensar a sensação de incompletude; é ele também que possibilita combater certa fossilização do cotidiano por meio das pequenas excitações e minifestas da compra. Na sociedade estética dominada pelo capitalismo artista, tornou-se insuportável não "se oferecer um agrado". O hiperconsumidor é aquele que luta contra os tempos mortos da vida, que procura "rejuvenescer" sua vivência do tempo, revivificá-la com novidades que lhe trazem, sem riscos, o perfume da aventura. Nessas condições, o advento de uma nova cultura de frugalidade e o fim da febre de comprar constituem um mito. O apetite das fruições e das novidades, consubstancial à ética estética, está longe de ter acabado. E, com isso, a discordância existente entre normas hedonistas e injunções ecológicas não está prestes a se desvanecer.

A educação contra a permissividade

Outro sistema de normas se inscreve na contramão da cultura dos prazeres imediatos: trata-se da educação. Até os anos 1960, o funcionamento social da educação se baseava em valores tradicionais e autoritários: educar as crianças "com mão forte" gozava de uma forte legitimidade, sendo considerado o melhor meio de prepará-las para a dura realidade da vida. Esse tipo de valores sofreu diferentes críticas desde o início do século xx, de parte das correntes reformadoras, mas foi só na esteira dos anos 1960 que o tipo de educação compreensiva, psicológica, às vezes permissiva, se difundiu verdadeiramente no corpo social. Assim, os valores educacionais se alinharam com a cultura individualista-hedonista estimulada pela era do consumismo.

Essa reviravolta tem inegavelmente seu lado bom, mas, levada ao extremo, seus efeitos se mostram desastrosos. Do lado dos pais, alguns deles se encontram completamente desarmados, incapazes de dizer não aos filhos porque ficam apavorados com a ideia de perder o amor deles e se sentem culpados por não lhes dedicar tempo bastante. Do lado dos filhos, a educação sem imposição de limites favorece o desenvolvimento de seres agitados, hiperativos, ansiosos, frágeis porque criados sem regras nem limites; em outras palavras, na onipotência e na onifruição. É o que atesta o forte aumento das crianças acompanhadas por psicólogos e pelos serviços de psiquiatria públicos. Essa maneira de educar priva as crianças e, mais tarde, os adultos dos recursos psíquicos necessários para aguentar o confronto com o real, suportar o princípio de realidade, o fracasso e a adversidade.

Não obstante, a cultura hedonista-permissiva não ocupa todo o terreno. Felizmente, ela não destruiu a ideia de que educar implica dar prova de autoridade estabelecendo limites aos desejos. Não há educação digna desse nome sem enquadramento, sem imposição de normas e regras, sem frustração, única maneira de aprender a adiar a satisfação e se apropriar das diversas imposições do mundo. Donde a multidão de conselhos, de livros, de artigos e até de programas de televisão alertando contra o laxismo educacional. Muitos pais resistem aos chamados do hedonismo total e obrigam os filhos a terem aulas particulares e a se iniciarem em práticas diversas que implicam a aquisição de uma disciplina. E os professores se veem confrontados com demasiada frequência com as dificuldades crescentes de sua profissão para não ansiarem por novas orientações.

Evidentemente, há tensões, contradições: nem tudo está assentado. Em face dos impasses e dos prejuízos psicológicos criados pela ética estetizada radical, ergue-se um outro tipo de exigência necessária para estar à altura da formação de seres capazes de se cultivar, de se autocontrolar, de se organizar, de se adaptar a um mundo móvel e em permanente mutação.

Hedonismo e performance

A constatação é pouco contestável: testemunhamos num número crescente de setores um forte crescimento dos princípios de competição e de desempenho que lançam um terrível desafio à ética estética em sua busca da vida bela. E isso em mais ou menos todos os domínios. Primeiro na empresa, que, pressionada pela intensificação da concorrência, as exigências de ganhos de produtividade, os resultados de curto prazo, reduz seus efetivos, flexibiliza os empregos, introduz as práticas de avaliação individualizada dos desempenhos e estabelece objetivos cada vez mais elevados. O estresse ligado ao trabalho adquire amplitude em toda parte, não poupando mais nenhum setor e nenhuma categoria social. Devido às novas técnicas de informação e à mundialização, não cessa de se ampliar o fosso que nos separa da cultura estética da existência: espalha-se um clima de medo e de urgência gerado por uma cultura de competição desenfreada em expansão.

Reciclar-se, atualizar continuamente nossas competências, fazer cada vez mais num tempo cada vez mais curto e com cada vez menos pessoal: a empresa hipermoderna faz os atores viverem sob pressão permanente, obrigando-os a agir sem tardar, a ser móveis, a dar respostas instantâneas, hiper-reativas.[12] Esses novos métodos de gestão prejudicam o bem-estar no trabalho e a qualidade de vida na empresa, tornam cada vez mais difícil a conciliação entre vida familiar e vida profissional[13] e provocam patologias de esgotamento profissional (*burn-out*), o medo de não alcançar seus objetivos, a autodepreciação, depressões, às vezes suicídio. É nesse contexto de ultradesempenho que se difundem "o sofrimento no trabalho", a sensação de ser maltratado, "assediado", desconsiderado no trabalho.

O esporte é outra esfera particularmente significativa do universo concorrencial hipermoderno, em que o atleta tem de estar no topo, otimizando seu desempenho: prova exemplar disso é a difusão do doping, não apenas entre os profissionais, mas também entre os mais jovens e em todos os níveis de práticas esportivas. Enquanto se confundem as fronteiras entre a saúde e a alimentação, a medicina e o doping, o mercado registra o sucesso dos produtos tonificantes e estimulantes, dos produtos enriquecidos de vitaminas, minerais e das diversas "pílulas de desempenho": não mais uma salvação assegurada pela vida estética, mas pelo consumo farmacológico e pelas "pílulas químicas da felicidade" para estar à altura dos imperativos do desempenho.

Mesma lógica de desempenho no que concerne à aparência física, nestes tempos da "tirania" da magreza, da juventude e das medidas perfeitas. Nossa época vê se desenvolver uma beleza ativista ou prometeica que requer cada vez mais esforços (atividades físicas), cada vez mais restrições (regimes dietéticos) e manutenção (alimentação saudável), cada vez mais correções (cirurgia estética) e prevenção (hidratação e regeneração da pele). Não mais a primazia da estética do presente e dos prazeres da mesa, mas uma ordem marcada pelos regimes alimentares, pelos imperativos do autocontrole, pela observação contínua do próprio corpo. A estética normativa da otimização da aparência funciona muitas vezes em oposição frontal à ética estética da existência.

OS PARADOXOS DA SOCIEDADE TRANSESTÉTICA

Ante o devir do mundo tecnomercantil, é forte a tendência de propor uma leitura de tipo apocalíptico. Seus termos são conhecidos. A técnica desenfreada faz pesar ameaças assustadoras sobre a ecosfera. O neoliberalismo gera crises financeiras e econômicas repetidas, ao mesmo tempo que a insegurança permanente, o estresse, a ansiedade e a depressão num grande número de assalariados. As megalópoles se tornam inviáveis, irrespiráveis, inadministráveis. O digital gera uma existência abstrata, descorporizada, sem laço tátil com o outro. Esses aspectos levaram certo número de teóricos a sustentar a ideia de que nossa época trabalha em profundidade para aniquilar o éthos estético e a arte de viver em benefício de uma nova barbárie, a da velocidade e da superatividade. Em vez das delícias sensualistas do *Homo aestheticus*, ascendem a desrealização do mundo, as ansiedades e doenças do "homem apressado".

O juízo é sem ambiguidade: no ponto de encontro dos universos da racionalidade instrumental, da hipervelocidade e da rentabilidade econômica, o que toma forma está mais para um mundo frenético e dopante do que para uma vida que se pareça com uma obra de arte. Não é apenas a experiência vivida que se choca contra a vida estetizada, mas também os referenciais que nos governam: a competitividade, a velocidade, a eficácia, a virtualidade. Nesse mundo se esvaem em alta velocidade as qualidades e as disposições estéticas, as volúpias carnais, o tempo saboreado por si mesmo. O que domina não é nada mais que o ativismo enlouquecido, a força pela força, a corrida ao sucesso e ao dinheiro. O que resta da dimensão carnal da existência e do "sabor do mundo"? Vivemos no momento em que agir por agir substitui as volúpias sensoriais; a velocidade, o sonho; o virtual, o sensível; o doping, as atividades indolentes. Alguns proclamam: os diletantismos do prazer ficaram para trás e o hedonismo hoje pertence a uma "antropologia superada".[14] A civilização vindoura é a da desencarnação dos prazeres, da agitação, da exploração máxima dos potenciais, nos antípodas do sensualismo estético. Tudo isso compõe um réquiem para o *Homo aestheticus*.

Essas análises comportam aspectos inegavelmente justos. Mas não bastam para dar crédito à ideia de uma vitória do homem hiperativo sobre o *Homo aestheticus*. Insuficientemente atentas à cultura antinomiana da nossa época, essas interpretações pecam por um radicalismo sistemático que muitas vezes beira a caricatura. Propomos aqui uma outra leitura de conjunto: uma leitura em termos de tensões paradoxais, não em termos nostálgicos e catastróficos.

Qualidade de vida e ativismo

A época hipermoderna é inegavelmente testemunha da expansão social da norma da eficiência máxima. Mas ela é contemporânea, paralelamente, da extraordinária dilatação de uma exigência que traz consigo o ideal de harmonia e de vida bela: trata-se da *qualidade de vida*. Esse ideal se imiscui hoje em todos os setores, não apenas no domínio do meio ambiente, mas também nos do hábitat, do transporte, do trabalho, da alimentação, do corpo, dos lazeres, dos ritmos de vida e até dos hospitais. É assim que se recompõe a ética estética da nossa época e, no mesmo passo, a dimensão paradoxal desta.

Até meados dos anos 1970, o conforto se concretizava essencialmente no equipamento básico das famílias: o carro, a geladeira, a tv, o banheiro, a lavadora, o rádio... É um conforto técnico, de tipo quantitativo, funcional e higienista, que está no âmago da sociedade de consumo de massa nascente. Isso mudou. Na nova cultura do melhor-viver, os indivíduos já não buscam apenas um mínimo confortável, eles querem um ambiente natural de qualidade, espaços de bem-estar sentido e estetizado, paisagens respeitadas, cidades agradáveis de viver que valorizem o patrimônio histórico. Tudo acontece como se o equipamento de base do conforto material não bastasse mais. As pessoas não querem mais apenas uma casa para se abrigar; querem se sentir bem em casa. A era hipermoderna da qualidade de vida coincide com uma demanda sensitiva, cultural, de melhor-viver, de ambiente natural, de patrimônio: tudo menos o desaparecimento dos universos hedonistas, estéticos e sensualistas. Impõe-se uma nova era do bem-estar, marcada por uma demanda qualitativa, cultural e natural, de um meio ambiente sensível e harmonioso.

A expectativa da qualidade de vida não se limita à natureza, ao hábitat e ao patrimônio. Ela atingiu a relação com o corpo.

Atesta-o, antes de mais nada, a multiplicação das atividades de forma, de manutenção de si, as ginásticas suaves e aquáticas, mas também o desenvolvimento das talassoterapias, dos spas, das massagens, das saunas, dos banhos turcos, dos banhos californianos, que visam nos fazer sentir melhor, experimentar sensações íntimas, o melhor-estar do corpo. A sociedade contemporânea vê igualmente o sucesso do zen, do ioga, das técnicas de meditação, todo um conjunto de técnicas de recentramento e de escuta de si. Enquanto se difunde o universo da eficiência e da superatividade, se desenvolve a valorização da qualidade de vida, que significa psicologização e sensualização do bem-estar, experiências sensitivas e emocionais. Uma estética das qualidades sensíveis na contramão da tendência à desmaterialização e descorporização do mundo.

Busca da qualidade de vida que se exprime até na esfera do trabalho[15] e das relações desta com o tempo livre. De fato, os hinos ao desempenho só conseguiram transformar em ganhadores uma minoria de assalariados; a maioria, e as mulheres em particular, aspira encontrar um equilíbrio entre vida profissional e vida familiar. É antes um desejo de conciliação ou de harmonia entre vida na empresa e vida privada do que religião dos recordes que marca os indivíduos no trabalho. Prova, também, dessa busca da qualidade de vida é a nova importância dada à boa atmosfera na empresa, a chamada *ambiência* no trabalho, figurando esta como uma das principais aspirações dos assalariados. O indivíduo hipermoderno deseja agora "sentir-se bem" não apenas em casa, mas também em seu universo profissional, trabalhar num ambiente "bacana". A qualidade de vida ampliou consideravelmente seu perímetro: ela engloba agora a relação de si com o outro, a valorização e o reconhecimento pessoal no trabalho.

A exigência de qualidade de vida constitui uma figura da ética estética no âmago do universo da eficácia e do curto prazo: com toda evidência, o *Homo aestheticus* não foi triturado pelas mandíbulas do mundo do ativismo desenfreado.

O virtual e o sensual

Não faltam as análises que mostraram de que maneira o mundo virtual das grandes velocidades representava um banho ácido para a vida estética. Na sociedade das redes informáticas, os indivíduos passam o tempo diante das telas em vez de se encontrarem e viverem juntos. Comunicam-se de modo digital, em vez de se falarem diretamente. Com o cybersex, as pessoas não fazem mais amor, o parceiro "faz o que quero", numa espécie de onanização da sexualidade. Numa palavra, vivemos cada vez mais uma existência abstrata, digitalizada, sem vínculo tátil: assim, o mundo sensível e inter-humano estaria em vias de desrealização avançada. Enquanto o corpo deixa de ser a ancoragem real da vida, caminharíamos para um universo descorporizado, verdadeiro pesadelo, que não é o de Orwell, mas o de um mundo que faz desaparecer o universo carnal, hedonista e sensualista: é a "estética do desaparecimento" de que fala Paul Virilio.

É mesmo essa lógica abstrata e descencarnada que nos rege? Na verdade, à medida que tudo se acelera e que uma parte notável da nossa vida é passada diante das telas, vemos ascender novas valorizações da dimensão sensorial ou sensível. Assim, o design contemporâneo, expressivo e emocional, favorece as impressões sensíveis, o polissensorial, nos antípodas do design funcionalista frio e abstrato. Observa-se igualmente o gosto crescente pelos prazeres sensitivos dos *boardsports*, pela decoração, os jardins, a natureza, mas também pelo luxo, a gastronomia, os produtos e vinhos de qualidade. E também as paixões turísticas, o desejo de ver, descobrir, sentir as belezas do mundo. Ao que se soma a erotização da vida sexual. Nada de adeus ao corpo, nada de desaparecimento trágico dos referenciais táteis, estéticos e sensualistas, a tal ponto o mundo virtual engendra uma forte necessidade de contrapeso que se torna veículo de tatilidade e de sensorialidade.

É essa a ironia da época: quanto mais nosso mundo se torna imaterial e virtual, mais se assiste à ascensão de uma cultura que valoriza a sensualização, a erotização, a hedonização da existência.[16]

Interpretou-se com frequência o universo consumista como um agente de fragmentação da sociedade que gera o narcisismo, que separa os indivíduos uns dos outros. E, hoje, a internet apenas amplificaria esse processo. Mas é um narcisismo paradoxal que se manifesta, a tal ponto ele se mostra dependente da relação com os outros. Enquanto se desenvolvem os videogames e as comunicações virtuais, os indivíduos têm cada vez mais o gosto de sair à noite, vão à casa de amigos, ao restaurante, participam de festivais e de festas. O indivíduo hipermoderno não quer apenas o virtual, ele plebiscita o "*live*". É inexato assimilar a vida hiperindividualizada ao *cocooning*, ao fechar-se em si. Finalmente, quanto mais ferramentas de comunicação virtual existem, quanto mais telas high-tech, mais os indivíduos procuram se encontrar, ver gente, sentir uma ambiência.[17]

O falso e o autêntico

Enquanto triunfam o culto do novo e a lógica generalizada da moda (imagem, espetáculo, sedução midiática, jogos e lazer), desenvolve-se, a contrapelo dessa espécie de frivolidade estrutural, todo um imaginário social do "autêntico". Notadamente por meio da busca das "raízes", da celebração das regiões, da proliferação dos museus e ecomuseus. É o culto do patrimônio, com seus bairros reabilitados, a fachada de seus imóveis restaurada, os galpões reconvertidos. É também a moda do vintage. A lógica do autêntico inerva numerosos setores, inclusive alimentícios, com as célebres denominações de origem controlada e protegida, que garantem ao consumidor a autenticidade dos produtos.

O avanço desse imaginário deve ser relacionado à ansiedade ligada à modernização desenfreada das nossas sociedades, à escalada técnico-científica, aos novos perigos que pesam sobre o planeta. Ele traduz a nostalgia de um passado idealizado, de um tempo que não se devorava a si mesmo e em que, imagina-se, os indivíduos sabiam viver melhor. Uma ilusão, sem dúvida, que é acompanhada por um olhar crítico sobre nosso universo insípido, estereotipado, em que a sociabilidade é maltratada e onde reina a ditadura do mercado e das marcas. O autêntico compensa, por seu calor, essa falta de raízes e essa impessoalidade. É um imaginário protetor que evoca um mundo ao abrigo desses desastres. O autêntico não é o outro da hipermodernidade: ele não passa de uma das suas faces, uma das manifestações da nova fisionomia do bem-estar, o bem-estar emocional impregnado de expectativas sensitivas, de ressonâncias culturais e psicológicas.

Mas esse gosto do verdadeiro, essa busca ao mesmo tempo nostálgica e hedonista do autêntico é paradoxalmente acompanhada pelo domínio crescente do falso e do inautêntico. A sociedade hipermoderna também é a sociedade da artificialidade, da falsificação, do falso luxo e da verdadeira pacotilha, do falso verdadeiro e do verdadeiro virtual. As pessoas se comprazem, e não apenas por uma questão de economia, com usar joias falsas, ostentar uma falsa bolsa Louis Vuitton, usar Ray Ban falsos: uma estética "Canada Dry", que tem o cheiro, a cor, até o rótulo do produto original, mas que não é o produto original. Fruição obscura da mentira e do proibido? Jogo social com os sinais da distinção e da elegância? Liberdade de um bem-estar que faz seu prazer pessoal tomar a dianteira de tudo, sem se preocupar com as normas morais tradicionais? Há tudo isso ao mesmo tempo nessa maneira que temos, inclusive quando procuramos a autenticidade dos produtos, de encontrar satisfação também no adulterado, no artificial, no falsificado.

Há mais: o deleite também é o do duplo, da cópia, por meio dos quais vivemos uma vida como que, ela mesma, desdobrada. Reveladora a esse respeito é a força adquirida pelo universo virtual, que dá a impressão da verdade da vida, quando não passa de uma projeção sem realidade concreta. O avatar de Second Life se torna como que um outro eu, que impregnamos de nossos sonhos, nossos fantasmas, nossos desejos e que os realiza virtualmente, fazendo experimentar as sensações e os sentimentos que teríamos tido se os realizássemos na verdadeira vida: uma satisfação por procuração, uma transferência da realidade do seu eu próprio para um outro virtual. É o mesmo prazer que se tem com os videogames, que instalam quem os pratica num mundo inventado em que o jogador se projeta. Uma projeção imaginária que não é sentida como uma vida menor, uma restrição, uma amputação, e sim como uma exaltação, uma forma de se propulsar além de si num universo cuja falsidade acrescenta beleza à realidade. "Ô! Tromperie aimable, ô! jeu de la nature!/ Est-ce une vérité? n'est-ce qu'une peinture?",[18] já se comprazia em dizer o poeta Desmarets de Saint-Sorlin diante do reflexo imaterial do castelo de Richelieu se projetando duplamente em sua sombra e na água de um canal. Nas vertigens perturbadoras da ilusão e do inautêntico, o eu hipermoderno, levado pela busca do autêntico, se compraz da mesma maneira em jogar com a ilusão do real e do verdadeiro.

São todos criativos

Semelhante paradoxo surge na maneira como, apesar de completamente envolvidos numa vida agitada em que se trata antes de tudo de ser produtivo, um número crescente de indivíduos manifesta, ao contrário, um gosto gratuito pela criação ou a expressão estética. Longe da visão tradicional do consumidor passi-

vo, todos querem cada vez mais ser criadores, tocar música, fotografar, praticar dança, dedicar-se à pintura, participar de um
coral, fazer cursos de teatro, exercitar-se na gastronomia, escrever
memórias, manter um blog.[19]

O desenvolvimento da web e dos equipamentos high-tech foi
um acelerador formidável dessa tendência ao exercício artístico,
proporcionando uma ferramenta inédita e "simples" ao desejo de
expressão individual. Hoje, os indivíduos fotografam e filmam facilmente, graças ao celular, ao iPhone, à câmera, os lugares que
visitam, os encontros esportivos, as exposições, as propagandas, as
cenas de rua, os acontecimentos insólitos: filma-se tudo, o tempo
todo. Essas imagens são carregadas e trocadas na net, via redes sociais. YouTube e Facebook se tornam uma midiateca planetária em
perpétuo movimento e expansão, onde centenas de milhares de
filmes e de clipes são vistos a cada dia. Tudo acontece como se em
cada um estivesse adormecido um desejo artista, uma paixão para
pôr o mundo e a si próprio em música, em imagem e em cena.

Vê-se que o hedonismo individualista não é sinônimo de
consumismo: ele coincide também com a vontade de realizar algo
pessoal, inteiramente escolhido, um mundo que se pareça comi-
go e corresponda à minha subjetividade. Não para adquirir aque-
les quinze minutos de fama e reconhecimento anunciados por
Warhol, e sim, mais profundamente, para ser quem se é sem imposições externas. Já não é tanto ganhar dinheiro que se busca
por esse caminho, mas realizar algo de enriquecedor, divertido,
original e de que se goste. Um desejo estimulado e exacerbado
pela frequentação das obras de arte, dos sítios, das grandes exposições. E igualmente por um mais alto nível de formação escolar.
O gosto de se expressar se democratizou sob o impulso da cultura
individualista-hedonista-psicológica, que leva os indivíduos a
realizar atividades mais ricas que permitam manifestar um Eu
singular: maneira de se desenvolver, de se realizar, de ser quem se

é. Há nisso uma necessidade de dizer e de se exprimir tanto maior por terem os grandes combates coletivos deixado de emprestar um sentido forte à existência. A atividade expressiva é esse campo livre e aberto, que permite ao indivíduo se encontrar, escapar da rotina dos dias e do trabalho, construir uma singularidade sob o signo da criatividade pessoal. Se o capitalismo artista produz um consumo cultural de massa, também favorece o desenvolvimento das ambições expressivas individuais. O artista, hoje, não é mais o outro: em meus sonhos e um pouco no cotidiano, sou eu.

Amenidade e violência

Os paradoxos não param aí. Vivemos num tempo marcado pela ligeireza feliz dos símbolos do consumo, da publicidade e do lazer, bem como pelo psicologismo e a ideologia da comunicação. Um clima cultural ameno que no entanto é acompanhado por uma violência redobrada das imagens. De fato, consumimos cada vez mais violência, através das imagens televisivas dos conflitos armados, dos enfrentamentos sociais, do terrorismo, da criminalidade. No cinema, os filmes de guerra não são os únicos a difundir imagens sangrentas: os filmes de artes marciais, os filmes de terror, os filmes "gore", os thrillers de ação, os filmes de ficção científica erigem a violência num espetáculo que os efeitos especiais transformam em hiperespetáculo. O sangue escorre aos borbotões nas telas, como escorre em toda uma parte da arte contemporânea que se compraz em exibir corpos mutilados e desmembrados, cenas de um horror de dar náuseas.

Essa proliferação da violência, cujo lado exacerbado e repetitivo faz que o espectador se acostume a ela e que, de certo modo, nela veja mais uma espécie de estilo estético do que um reflexo naturalista da realidade, se destaca paradoxalmente sobre um fundo de declínio da violência coletiva em sociedades que já não passam pela experiência da guerra e em que os choques sociais não fazem mais vítimas sangrentas. É verdade que, ao mesmo tempo, não faltam massacres e guerras no globo, como não falta a violência dos indivíduos e das gangues, dos integrismos, das máfias internacionais. Não obstante, a orgia de imagens extremas exprime menos a violência do real social do que a lógica da economia cultural que leva os criativos a ir cada vez mais longe, cada vez com mais estrépito, para se impor no mercado, cativar um público de hiperconsumidores "blasés" que "já viram de tudo" e estão em busca de sensações e de emoções fortes. Na base da exacerbação das imagens extremas da violência se encontra antes a dinâmica do capitalismo artista do que as guerras e assassinatos sangrentos de que somos testemunhas.

VIDA ESTÉTICA E VALORES MORAIS

O capitalismo artista e o individualismo erigiram a ética estética em ideal de vida dominante. Mas isso não significa ideal hegemônico. Uma categoria de valores fundamentais impede o advento do estetismo total na vida social e individual: trata-se dos valores superiores constitutivos da vida moral e da ordem democrática. De fato, cumpre ressaltar que a erosão das grandes obrigações morais é acompanhada por um vasto consenso sobre os princípios éticos e políticos da modernidade liberal. Os protestos e os engajamentos éticos se multiplicam, os impulsos de solidariedade e as doações às vítimas nunca foram tão elevados; os direitos humanos têm uma adesão generalizada. O fenômeno é ainda mais notável por se desenvolver numa época em que os valores de fruição individual predominam. Cabe observar que o culto hedonista que se manifesta não impede, em absoluto, a indignação diante das misérias e das injustiças nem o interesse pelas devastações da fome no mundo, pelas crianças vítimas de violências, pela defesa da igualdade de direitos entre homens e mulheres, pela exigência de justiça e de compartilhamento, pelos grandes combates ecológicos, pela preocupação de preservar um futuro para as próximas gerações. Multiplicam-se assim as associações, os movimentos humanitários, as ONGS transnacionais (contam-se 40 mil hoje), o voluntariado: este, em diversos países, nunca mobilizou tanta gente (12 milhões na França) e continua muito dinâmico nos Estados Unidos (93 milhões de pessoas), apesar de ter ligeiramente declinado nestes últimos anos. Evidentemente, a ética estética individualista não se manifesta num deserto de valores.

Os valores primordiais do humanismo moral, os referenciais de sentido (a justiça, o amor, a amizade) se volatilizaram? Não temos mais nenhuma bússola, nenhum senso moral? Na verdade, não desapareceram nem os ideais da solidariedade e da ajuda mútua,[20] nem o altruísmo, nem a indignação, nem o valor do amor.[21] Não se pode assimilar pura e simplesmente a sociedade transestética ao reinado do mercado e das fruições egocêntricas, a tal ponto ela é inseparável do fortalecimento do tronco comum dos valores humanistas democráticos. O universalismo não é apenas o do mercado: é também o dos direitos do indivíduo, que desfrutam de um consenso excepcional. Nem tudo foi fagocitado pelo valor de troca e pelo reino hipertrofiado do consumo estetizado. O individualismo que triunfa não é nem o grau zero dos valores nem a negação do valor da relação afetiva com o outro. A nova cultura estética não encerra os indivíduos em si mesmos nem os condena a um niilismo exponencial. A despeito das inúmeras injustiças do mundo presente e do hiperindividualismo às vezes cúpido, os princípios morais superiores não estão de modo algum caducos. Não perdemos nossa alma: o decadentismo moral é um mito.

Não estamos fadados ao niilismo, tampouco a um relativismo absoluto que afirma que tudo se equivale. Allan Bloom escrevia que "não se é mais capaz de falar do bem e do mal com uma ponta que seja de convicção".[22] Esse diagnóstico é tão caricato quanto inexato. A consciência moral se mostra sempre vigilante, ela condena enfaticamente as práticas discriminatórias, as diversas formas de escravidão, as agressões à dignidade das crianças, as violências cometidas contra as mulheres, os atentados terroristas. Somos "abertos" a todas as diferenças culturais? O multiculturalismo é denunciado e muitas vezes apresentado como um fracasso, como um instrumento de encerramento dos indivíduos em sua comunidade original.

Não se contam mais as questões morais que suscitam debates apaixonados. A linha divisória entre o bem e o mal não é mais estabelecida pela Igreja, mas debatida na mídia e em instâncias civis, comissões de ética, comissões de deontologia. As controvérsias não param de se multiplicar: casamento gay, direito de adoção pelos homossexuais, "barrigas de aluguel", liberação das drogas, manipulações genéticas, castração química para delinquentes sexuais. De toda forma, nossa época é testemunha de enfrentamentos entre sistemas de valores cuja intensidade não expressa um declínio, mas uma dinâmica de pluralização e de democratização do domínio ético, a lei moral não sendo mais ditada de fora para os indivíduos. O que pensamos ser uma decadência de valores é antes de mais nada o sinal do avanço da destradicionalização e da secularização da esfera moral.

Enquanto se afirma a ética estética, as antigas regulações familiares e religiosas se desintegram, favorecendo o enfraquecimento das obrigações consubstanciais à vida moral. E num universo de competição, em que o dinheiro é rei, o egocentrismo individualista impele as pessoas a se preocuparem mais com seus interesses privados do que com a observância de princípios superiores. Mas essa é apenas uma das faces do individualismo, que podemos chamar de extrema ou irresponsável, porque voltada exclusivamente para o Ego. Há outra que, menos autocentrada, responsável, traduz a preocupação com o outro e o respeito do direito, o que impede de assimilar a sociedade transestética a um estado de barbárie moral.[23]

E não se deve assimilar essa consciência moral a uma sobrevivência em vias de desaparecimento, um "resíduo" vindo de outra era. Pertence à própria dinâmica da individualização e da sociedade transestética a recomposição de parte do valor da vida moral. O vazio criado pelo desinvestimento dos projetos de transformação revolucionária foi preenchido pelo engajamento, mais imediato e mais direto, na proteção da vida humana e da sua dignidade. Daí se impôs a prioridade da ajuda mútua urgentista, do caritativismo e da intervenção humanitária.

Por outro lado, cumpre salientar o que pode ter de positivo o desenvolvimento do hiperindividualismo contemporâneo, na medida em que trabalhe para fortalecer a tendência à identificação com o outro. Em bonitas páginas, Tocqueville frisou como a "compaixão geral por todos os membros da espécie humana" é uma consequência da cultura individualista democrática, a qual tem por efeito criar uma participação imaginária nas desgraças alheias.[24] Isso continua. Num tempo em que as imagens midiáticas difundem nos quatro cantos do mundo o espetáculo das misérias humanas, uma vasta empatia pelos que sofrem se cria no próprio seio de um universo marcado por um individualismo hipertrofiado. Todos sentem uma forte emoção diante dos horrores que sobrevêm do outro lado do planeta e cujas imagens são recebidas em tempo real. As fronteiras entre o aqui e o distante são como que abolidas, as barreiras entre o nós e os outros se erodem: a igualdade das condições, a espiral de individualização e o poder das mídias funcionam como agentes de sensibilização ao sofrimento dos que nos são desconhecidos. Embora fugazes e epidérmicas, essas emoções revelam uma inegável abertura para os males dos outros: o indivíduo hipermoderno não está fechado em si mesmo. Como não reconhecer nessa sentimentalização da relação com os valores morais e dos comportamentos solidários, favorecida pela sociedade transestética, uma nova inscrição social da vida ética?

SOCIEDADE DE ACELERAÇÃO E ESTÉTICA DA VIDA

Se o capitalismo é denunciado como máquina destrutiva dos valores, ele também o é cada vez mais, como vimos, enquanto sistema de aceleração que aniquila as formas da qualidade de vida. O fast-food, os SMS, o *zapping*, os celulares, os videogames, o *speed dating*, as mensagens eletrônicas são algumas das ilustrações dessa cultura em que tudo deve andar cada vez mais depressa, em que cada vez mais momentos são vividos num regime de urgência. O que é feito do estilo de vida propriamente estético quando a velocidade e a urgência comandam o ritmo do cotidiano, quando os visitantes dos museus ficam menos de dez segundos em média diante de um quadro, quando tudo deve ser dito em no máximo 140 caracteres (Twitter), quando o celular, ligado o tempo todo, vem interromper os prazeres sensíveis do face a face ou da paisagem? E, mais amplamente, o que resta da existência estética quando se intensificam cada vez mais a exigência de ganhar tempo, as sensações de urgência e de estresse assim como a impressão de não se ter mais um minuto para si, de não se ter tempo?[25] O homem apressado, caro a Paul Morand, que podia representar na euforia da descoberta da velocidade uma forma de romantismo da modernidade, não traduz, num mundo da aceleração contínua, mais do que a imagem de um indivíduo na busca impossível de si mesmo, esgotando-se na corrida sem fim que lhe impõe a mecânica desabalada do sistema.

Donde o sucesso das celebrações da lentidão em oposição às formas e *diktats* da sociedade hiperacelerada. Por toda parte se exprime a necessidade de travas qualitativas, de uma "respiração" para que o ideal de vida estética não seja uma caricatura de si mesmo. Porque se os prazeres ligados à velocidade são bem reais, esta também traz em si a negação mesma da vida estética em benefício da corrida obsessiva em busca de resultados, da aceleração pela aceleração, de um *zapping* permanente estendido a todas as atividades. Diante da estética da velocidade e da imediatidade que se enraíza no universo do mercado se afirma a exigência de poder desfrutar de outras belezas, de outras experiências, de outras temporalidades. Não estética contra política, mas estética contra estética, estética de uma existência qualitativa e rica contra estética compulsiva do consumo, para que a existência não se reduza a uma corrida às compras, a uma febre consumista inconsistente. Enquanto se amplifica o turbilhão do quantitativo, do tempo minutado, da mudança a qualquer preço, aumenta a preocupação com uma estética da qualidade de vida que redescobre as fruições de uma plena sensorialidade, de um novo equilíbrio entre velocidade e lentidão.

Desde o movimento Slow Food, lançado em 1986, a designação slow fez carreira através de diversos best-sellers e todo um conjunto de correntes e associações que conclamam, numa multidão de setores, a reduzir o ritmo de vida e "não ter pressa" para saborear os momentos vividos: *slow money*, *slow management*, *slow city*, *slow sex*, *slow tourism*, em toda parte se difunde o desejo de desfrutar o sabor da vida e das coisas graças a uma estética da desaceleração. Quanto mais se aceleram os ritmos da vida, mais o ideal de qualidade de vida se casa com uma desaceleração deliberada. Quanto mais a hipermodernidade impõe as pressões da velocidade, mais se exprime a necessidade de desacelerar o andamento da vida a fim de sensualizar as vivências e desfrutar melhor dos prazeres da existência. "Não ter pressa" para "habitar o tempo": a estética da lentidão se tornou uma exigência para reequilibrar os modos de existência, avançar no caminho de uma maior qualidade de vida.

Slow life, tudo bem. Mas até que ponto? E essa aspiração pode ser considerada como o ponto de partida de uma nova arte de viver de alcance geral? Temos vários motivos para duvidar, visto que essa aspiração à lentidão se acompanha no mais das vezes de aspirações contrárias. Protesta-se contra o frenesi do ritmo de trabalho, mas não se suporta a espera no caixa do supermercado ou as lentidões do computador. Gosta-se de caminhar ou andar de bicicleta, mas quem está disposto a renunciar ao avião para descobrir o mundo? Quem quer renunciar à imediatez dos e-mails? Como nos falta cada vez mais tempo, a necessidade de ganhar tempo e ir mais depressa vai continuar enquanto se construirão "ilhas de desaceleração" que serão como momentos de felicidade para saborear o instante, mas também "recarregar as baterias", e portanto ser mais eficaz e reativo.[26] Agindo em elementos isolados da vida, o modelo de desaceleração não constitui um contramodelo para a sociedade da hipervelocidade. Deve-se ver nele um meio que possibilita abrir mais a panóplia da vida à la carte, diversificar os ritmos e modos de vida, ganhar momentos de qualidade de vida.

A desaceleração generalizada tem tão pouca chance de se concretizar quanto o decrescimento e a simplicidade voluntária. Porque é toda a modernidade que é velocidade, aceleração, ganho de produtividade, e até as expressões culturais veem seu ritmo se acelerar (cinema, spots publicitários, criações musicais). No mundo vindouro, haverá uma busca geral da aceleração e, pontualmente, processos de desaceleração em resposta às necessidades de experiências de qualidade, de contemplação, de tranquilidade, de silêncio, de prazeres estéticos mais refinados. O que está em jogo é a diversificação-dualização da própria ética estética hipermoderna.

Podemos assim distinguir duas formas de ética estética contemporânea. Uma remete à *fun morality* do divertimento e do consumo de massa, às atividades lúdicas sem memória que, ocupando o tempo, tendem à novidade pela novidade. Uma ética estética kitsch, na medida em que a arte da felicidade[27] exaltada no cotidiano aparece com os traços da facilidade e da imediatez, da heterogeneidade e da fragmentação consumatória. A outra corresponde às experiências de prazeres mais controlados e seletivos, mais refinados e raros, às buscas hedonistas de qualidade sensitiva e emocional. Uma não excluirá a outra: as duas são chamadas a se desenvolver simultaneamente.

Nessa ótica, no entanto, o reinado da velocidade não é para ser posto, como tal, no pelourinho. Acaso Marinetti não via nela a nova forma moderna da vida estética? Mas, sobretudo, é pelo aumento da velocidade (da produtividade) que melhoraremos as condições de vida da maioria, que viveremos mais tempo com melhor saúde, que se extrairá tempo livre a ser eventualmente ocupado com o viver melhor. O mundo da tecnociência cria estresse, mas também é a condição material para melhorar a qualidade de vida (saúde, meio ambiente, hábitat). No futuro teremos mais estresse em nossa vida (profissional, em particular), mas também mais focos de qualidade de vida.

O capitalismo artista encontra sua legitimidade na realização de uma vida bela, sinônimo de vida livre sob o signo de uma ética da realização pessoal. A ambiguidade vem do fato de que a vida estética, tal como o capitalismo artista a desenvolveu, liga intimamente esse ideal de existência à cultura consumista. Mas encerrá-la nos limites das satisfações proporcionadas pela oferta do mercado exprime uma visão particularmente pobre da vida estética: a vida bela e boa requer outros valores, outros objetivos que não o consumo mercantil e nada mais. O ideal a buscar não pode se reduzir a aumentar infinitamente as compras, a maximizar o consumo: tal cultura reduz abusivamente o homem ao *Homo consumericus*. Nesse modelo, a vida estética não é mais tanto uma criação de si quanto uma existência heterônoma fadada à insignificância. Se a vida estética implica a criação de si, ela deve ser encontrada num estilo de vida não limitado aos ideais promovidos pelo mercado; ela deve ter por meta, certamente, se construir por meio dos prazeres distrativos, sensitivos e corporais, mas também, e sobretudo, por meio dos processos que abrem para as diversas satisfações da melhoria do pensamento e da harmonia da existência, do *aperfeiçoamento* e do *enriquecimento de si*.

Não se trata de satanizar o capitalismo artista e o mundo do consumo: como sistema gerador de emancipação individual e propiciador de prazeres incessantemente diversos e novos, seus méritos estéticos são tudo, salvo secundários. E que outro sistema é capaz de assegurar o bem-estar de bilhões de indivíduos no planeta? A vida estetizada a ser construída não pode consistir numa saída utópica do sistema consumista: tal perspectiva radical não é nem crível nem desejável. Outro objetivo deve ser perseguido, o qual, não sendo propriamente revolucionário, nem por isso deixa de constituir uma tarefa quase hercúlea, se levarmos em conta o poderio hiperbólico do processo de mercantilização dos modos de vida: a saber, reduzir o peso do consumo nas existências, descentrá-lo, oferecer novas perspectivas de vida mais qualitativa. O consumo é bom como meio, detestável como fim. Nesse sentido, o desejável está na invenção ou no fortalecimento de todos os dispositivos capazes de possibilitar que os homens apreciem mais os prazeres não mercantis e, sobretudo, vivam para outra coisa que não as compras e as grifes, sem com isso abandonar as satisfações da civilização do bem-estar.

Se quisermos favorecer um modelo de existência estética diferente do proposto pelo mercado, a escola, a formação, a cultura humanista preservam toda a sua importância, contanto apenas que não as oponhamos ao mundo tal como é hoje e tal como será, mas que, ao contrário, procuremos harmonizá-las com ele. No entanto, embora eminentemente desejável, iniciar-se nas artes é notoriamente insuficiente. Como compartilhar ainda a fé de Schiller, que fazia o progresso do homem, da moralidade e da sociedade repousar sobre a educação estética? O Belo não é o Bem, e a arte não é condição nem da moralidade nem da liberdade política, nem da qualidade de vida. Há muita ilusão em crer que a formação estética possa ser o caminho moderno da salvação. Não esperemos da educação cultural e estética uma reviravolta do mundo e, menos ainda, uma regeneração do homem.

Como vimos, a estetização do mundo impulsionada pelo capitalismo artista não é, apesar das suas lacunas e das suas ameaças, nem um impasse nem um parêntese anedótico. Ela se inscreve na própria aventura da humanidade, que nunca cessou de criar estilos e narrativas, depois de procurar tornar a vida mais bela. As leis do mercado e do lucro não aboliram de modo algum essa dimensão. Mas no decorrer da história da arte e das formas sensíveis, a era moderna trouxe uma dimensão nova, em particular propulsando a estetização da economia, criando artes de massa, fazendo da vida estética e de seus prazeres um ideal para todos. Assim o capitalismo artista não só criou uma economia estética, mas pôs em movimento uma sociedade, uma cultura, um indivíduo estético de um gênero inédito. A estética se tornou um objeto de consumo de massa ao mesmo tempo que um modo de vida democrático. Isso para o bem e para o mal. O bem está num universo cotidiano cada vez mais remodelado pela operatividade da arte, pela abertura a todos os prazeres do belo e das narrações emocionais; o mal, numa cultura degradada em show comercial sem consistência, numa vida fagocitada por um consumismo hipertrofiado.

É por isso que a sociedade transestética não deve ser nem incensada, nem demonizada: é preciso fazê-la evoluir no sentido do elevado e do melhor para conter a febre do "cada vez mais". A hibridização hipermoderna da economia e da arte leva a não mais apostar tudo na "alta cultura", que por muito tempo se apresentou como o viático supremo. É uma exigência transversal a da nossa época, e que não é outra senão o imperativo de qualidade aplicado às artes de massa, à vida cotidiana, e não apenas à "grande" cultura. Cresce em toda parte a exigência de qualidade, e é ela que deve ser promovida no que diz respeito tanto ao comercial como à vida. A modernidade venceu o desafio da quantidade, a hipermodernidade deve enfrentar o da qualidade na relação com as coisas, com a cultura, com o tempo vivido. A tarefa é imensa. Mas não impossível.

Notas

INTRODUÇÃO [pp. 11-37]

1. Bertrand de Jouvenel, *Arcadie: Essais sur le mieux-vivre* [1968]. Paris: Gallimard, 2002, pp. 149-51. (Coleção Tetl).

2. Segundo a expressão de Patrick Le Lay (então presidente do canal TF1), que causou polêmica em 2004. Essa entrevista se encontra em Executive Interim Management, *Les Dirigeants face au changement: Baromètre 2004*. Paris: Éditions du Huitième Jour, 2004.

3. Jean-Paul Dollé, *L'Inhabitable Capital: Crise mondiale et expropriation*. Fécamp: Lignes, 2010, p. 99.

4. Título francês de um dos livros de Mike Davis: *Le pire des mondes possibles: De l'explosion urbaine au bidonville global*. Trad. fr. de Jacques Mailhos. Paris: La Découverte, 2006.

5. Martin Heidegger, *Essais et conférences* [1954]. Trad. fr. de André Préau. Paris: Gallimard, 1980, p. 109. (Coleção Tel). [Ed. bras.: *Ensaios e conferências*. Trad. de Emmanuel Carneiro Leão, Gilvan Fogel e Marcia Sá Cavalcante Schuback. Petrópolis: Vozes, 2002.]

6. Ulrich Beck, *La Société du risque: Sur la voie d'une autre modernité*. Trad. fr. de Laure Bernardi. Paris: Aubier, 2001.

7. Karl Marx, *Manuscrits de 1844, économie politique et philosophie*. In: *Oeuvres complètes*. Trad. fr. de Émile Bottigelli. Paris: Éditions Sociales, 1962, p. 64. t.

vii. [Ed. bras.: *Manuscritos econômico-filosóficos*. Trad. de Jesus Ranieri. São Paulo: Boitempo, 2004.]

8. Esse conceito é tomado de empréstimo a Charles Lalo, *Introduction à l'Esthétique*. Paris: A. Colin, 1912. Sobre esse ponto, também, Alain Roger, *Nus et paysages: Essai sur la fonction de l'art* [1978]. Paris: Aubier, 2001.

9. Marcel Mauss, "Esthétique". In: *Manuel d'ethnographie* [1947]. Paris: Payot, 1970, p. 88. (Coleção Petite Bibliothèque Payot).

10. Ibid., p. 87.

11. Não é aqui o lugar para desenvolver a questão da Antiguidade grega e suas relações com a arte. Salientemos apenas a excepcional importância na história da arte desse momento cujas obras constituíram um modelo de perfeição estética do Renascimento a nossos dias: o que Renan chamava de "o milagre grego". Impuseram-se os princípios de harmonia, de equilíbrio das proporções, de simetria, de justa medida. O processo de estetização não se aparta mais do projeto de purificação das formas, do alcance de uma beleza idealizada e equilibrada, sinônimo de elegância e de graça. A arte não imita a natureza; ela deve sublimá-la, transfigurá-la exprimindo a beleza ideal, a perfeição harmoniosa que é aquela do Cosmos.

12. Ver Louis Dumont, *Homo aequalis: Genèse et épanouissement de l'idéologie économique* [1977]. Paris: Gallimard, 2008, p. 13. (Coleção Tel). [Ed. bras.: *Homo aequalis: Gênese e plenitude da ideologia econômica*. São Paulo: EDUSC, 2000.]

13. Referência ao título em francês da obra fundadora de Norbert Elias: *La Civilisation des moeurs* [1939]. Trad. fr. de Pierre Kamnitzer. Paris: Calmann-Lévy, 1973. (Coleção Archives des Sciences Sociales). [Ed. bras.: *O processo civilizador*. Rio de Janeiro: Zahar, 1990; 1993. 2 v.]

14. Madame de La Fayette, *La Princesse de Clèves* [1678]. Paris: Gallimard, 2000, p. 37. (Coleção Folio Classique). [Ed. bras.: *A princesa de Clèves*. Rio de Janeiro: Record, 2004.]

15. Para Victor Hugo, ele é o mago, o vidente: "Povos! escutai o poeta!/ Escutai o sonhador sagrado! [...] Somente ele tem a fronte iluminada. [...] Ele fulgura! ele lança sua flama/ Na eterna verdade". "Função do poeta", in: *Os raios e as sombras* [1840], versos 277-80 e 297-8.

16. Cumpre acrescentar, porém, que a sacralização da arte realizada pelo romantismo e o simbolismo foi, mais tarde, ferozmente combatida por diversos movimentos vanguardistas, como o construtivismo, o dadaísmo e o surrealismo.

17. Sacralização do museu que, ao mesmo tempo, deflagrou o furor das correntes de vanguarda, que denunciavam a instituição simbólica por excelência da arte antiga a ser destruída: "Queremos demolir os museus, as bibliotecas [...].

Museus, cemitérios!" (Filippo Tommaso Marinetti, "Manifeste du Futurisme". In: *Le Figaro*, 20 fev. 1909).

18. Tzvetan Todorov, *Les aventuriers de l'absolu*. Paris: Robert Laffont, 2005.

19. Desdefinição da arte que, no entanto, implica uma forma inédita de experiência estética.

20. Gilles Lipovetsky, *Les Temps hypermodernes*. Paris: Grasset, 2004. (Coleção Nouveau Collège de Philosophie); reed. Paris: LGF, 2006. (Coleção Le Livre de Poche/ Biblio Essais). [Ed. bras.: *Os tempos hipermodernos*. Trad. de Mário Vilela. São Paulo: Bacarolla, 2005]; e *Le Bonheur paradoxal: Essai sur la Société d'hyperconsommation*. Paris: Gallimard, 2006. (Coleção NRF Essais); reed. Coleção Folio Essais, 2009. [Ed. bras.: *A felicidade paradoxal: Ensaio sobre a sociedade de hiperconsumo*. Trad. de Maria Lucia Machado. São Paulo: Companhia das Letras, 2007.]

21. David Le Breton, *Marcher: Éloge des chemins et de la lenteur*. Paris: Métailié, 2012, p. 153. (Coleção Suites).

22. Embora a meta desta obra seja teórica, ela dá amplo espaço ao enfoque empírico dos fatos estéticos ligados ao mercado. Em vez de nos determos numa leitura puramente conceitual ou teoricista, nos empenhamos deliberadamente em apoiar as teses formuladas em análises "descritivas" dos múltiplos domínios da estética hipermoderna. Como a ordem do capitalismo artista se infiltra em todos os setores relativos ao mundo consumista, era importante mostrar a coerência de conjunto do sistema e de seu funcionamento, atendo-nos o máximo possível à diversidade das realidades criativas e imaginárias, organizacionais e individuais. Donde os cruzamentos entre o macroscópico e o microscópico, o "abstrato" e o "concreto", o teórico e o descritivo, mas também entre a longa duração e o contemporâneo.

1. O CAPITALISMO ARTISTA [pp. 39-129]

1. Com a exceção notável do domínio circunscrito do mercado da arte contemporânea, acompanhado por uma bolha especulativa que, como se viu, podia explodir em diferentes momentos.

2. Daniel Cohen, *La Prospérité du vice: Une introduction* (inquiète) *à l'économie*. Paris: Albin Michel, 2009, cap. xv; também Philippe Moati, *La nouvelle révolution commerciale*. Paris: Odile Jacob, 2011, pp. 39-41. [Ed. bras.: *A prosperidade do vício: Uma viagem (inquieta) pela economia*. Trad. de Wandyr Hagge. Rio de Janeiro: Zahar, 2010.]

3. Olivier Bomsel, *L'Économie immatérielle: Industries et marchés d'expériences*. Paris: Gallimard, 2010, p. 25. (Coleção NRF Essais).

4. André Gorz, *L'Immatériel: Connaissance, valeur et capital*. Paris: Gallimard, 2003. (Coleção Débats). [Ed. bras.: *O imaterial: Conhecimento, valor e capital*. Trad. de Celso Azzan Jr. São Paulo: Annablume, 2005.]

5. Alexandre Bohas, *Disney: Un capitalisme mondial du rêve*. Paris: L'Harmattan, 2010, pp. 152-6. (Coleção Chaos International).

6. Steven Watts, *The Magic Kingdom: Walt Disney and the American Way of Life*. Boston: Houghton Mifflin, 1997, p. 183.

7. Pierre Bourdieu, *Les Règles de l'art: Genèse et structure du champ littéraire* [1992]. Paris: Éditions du Seuil, 1998, p. 234. (Coleção Points). [Ed. bras.: *As regras da arte: Gênese e estrutura do campo literário*. Trad. de Maria Lucia Machado. São Paulo: Companhia das Letras, 1996.]

8. Vemos em particular os luminosos das farmácias comporem agora decorações diversificadas, cinéticas e criativas.

9. A esse respeito, Virginia Postrel evoca com razão uma "nova era estética", em que o design está em toda parte e em que tudo é "designeado": *The Substance of Style: How the Rise of Aesthetic Value is Remaking Commerce, Culture, and Consciousness*. Nova York: HarperCollins, 2003, pp. 1-33.

10. Mike Featherstone, *Consumer Culture & Postmodernism*. Londres; Newbury Park: SAGE Publications, 1991, p. 71. [Ed. bras.: *Cultura de consumo e pós-modernismo*. Trad. de Júlio Assis Simões. São Paulo: Studio Nobel, 1995.]

11. Filippo Tommaso Marinetti, op. cit.

12. Arthur Danto, *Après la fin de l'art*. Trad. fr. de Claude Hary-Schaeffer. Paris: Éditions du Seuil, 1996. (Coleção Poétique).

13. Yves Michaud, *L'Artiste et les commissaires: Quatre essais non pas sur l'art contemporain mais sur ceux qui s'en occupent*. Nîmes: Jacqueline Chambon, 1989, pp. 77-8. (Coleção Rayon Art).

14. Hartmut Rosa fala de "hiperaceleração da modernidade avançada", de "sociedade da aceleração levada ao extremo". Em *Accélération: Une critique sociale du temps*. Trad. fr. de Didier Renault. Paris: La Découverte, 2010, pp. 290 e 296. (Coleção Théorie Critique).

15. Pascal Nègre, *Sans Contrefaçon*. Paris: Fayard, 2010, p. 229.

16. A França possui 38 mil monumentos históricos e quinhentos vilarejos pitorescos.

17. Dominique Poulot, "L'Avenir du passé: les musées en mouvement". *Le Débat*, n. 12, pp. 105-15, maio 1981.

18. Em 1988, o número de galerias na França era de 848. Raymond Moulin, *L'Artiste, l'institution et le marché* [1992]. Paris: Flammarion, 1997, p. 185. (Coleção Champs).

19. Françoise Benhamou, Nathalie Moureau, Dominique Sagot-Duvauroux, *Les Galeries d'art contemporain en France: Portrait et enjeux dans un marché*

mondialisé. Paris: La Documentation Française, 2001, p. 37. (Coleção Questions de Culture).

20. A Ásia participa plenamente delas hoje em dia: a feira Art Stage Singapore reuniu, em 2012, 140 galerias, e a Hong Kong HK Art, o dobro.

21. Em 2010, a tela do pintor chinês Zhang Xiaogang, *Nascimento da república popular da China*, foi arrematada por 4,7 milhões de euros, enquanto *Bestiaire et musique* de Marc Chagall foi vendida, no mesmo ano, por menos de 3 milhões de euros.

22. Recentemente, a fortuna de Damien Hirst foi avaliada pelo *Sunday Times* em 338 milhões de dólares.

23. Florence de Changy, "Le Marché international de l'art s'installe à Hong-Kong". *Le Monde*, 15 out. 2010.

24. Esse duopólio realizou, em 2011, 47% do produto das vendas mundiais em leilão. Trata-se de uma participação que está regredindo, pois era de 73% há dez anos.

25. Raymonde Moulin, *Le Marché de l'art: Mondialisation et nouvelles technologies*, ed. rev. e aum. Paris: Flammarion, 2003, pp. 88-97. (Coleção Champs).

26. O perfil desse hiperconsumidor é analisado no capítulo 5.

27. 8,8 milhões no caso do Louvre, 6,5 milhões do Castelo de Versalhes, 3,6 milhões do Centre Pompidou, em 2011. Em 2008, foram contados mais de 70 milhões de ingressos nos cinquenta principais sítios culturais parisienses. Note-se porém que essa profusão não é absolutamente sinônimo de democratização da cultura.

28. Paul Valéry, "Notion générale de l'art". In: *Oeuvres*. Paris: Gallimard, 1957, pp. 1404-12. t. I. (Coleção Bibliothèque de la Pléiade).

29. Alexandre Kojève, *Introduction à la lecture de Hegel* [1947]. Paris: Gallimard, Coleção Tel, 1980, pp. 436-7 ("Note de la seconde édition"). [Ed. bras.: *Introdução à leitura de Hegel: Aulas sobre a fenomenologia do espírito ministradas de 1933 a 1939 na École des Hautes Études reunidas e publicadas por Raymond Queneau*. Trad. de Estela dos Santos Abreu. Rio de Janeiro: EDUERJ; Contraponto, 2002.]

30. Luc Boltanski e Ève Chiapello, *Le Nouvel esprit du capitalisme*. Paris: Gallimard, 1999. (Coleção NRF Essais); reed. Coleção Tel, 2011. [Ed. bras.: *O novo espírito do capitalismo*. Trad. de Ivone C. Benedetti. São Paulo: WMF Martins Fontes, 2009.]

31. Por exemplo, José Frèches (org.), *Art & Cie: L'art est indispensable à l'entreprise*. Paris: Dunod, 2005.

32. Pierre-Michel Menger, *Portrait de l'artiste en travailleur: Métamorphoses du capitalisme*. Paris: Éditions du Seuil, 2002. (Coleção La République des Idées).

33. B. Joseph Pine II e James H. Gilmore, *The Experience Economy: Work is Theatre and Every Business a Stage*. Boston: Harvard Business School Press, 1999.

34. Jeremy Rifkin, *L'Âge de l'accès: La révolution de la nouvelle économie*. Trad. fr. de Marc Saint-Upéry. Paris: La Découverte, 2000, p. 212. (Coleção Cahiers Libres).

35. Howard S. Becker, *Les Mondes de l'art*. Trad. fr. de Jeanne Bouniort. Paris: Flammarion, 1988, pp. 91-6. (Coleção Art, Histoire et Société).

36. Manuel Castells, *La Société en réseaux: L'ère de l'information*. Trad. fr. de Philippe Delamare. Paris: Fayard, 1998, p. 42. [Ed. bras.: *A sociedade em rede*. Trad. de Roneide Venancio Majer. São Paulo: Paz e Terra, 1999.]

37. Sobre esse tipo de mercado, ver Lucien Karpik, *L'Économie des singularités*. Paris: Gallimard, 2007. (Coleção Bibliothèque des Sciences Humaines).

38. Milad Doueihi, "L'esthète du numérique". *Le Monde*, 8 out. 2011.

39. É a um mestre da sabedoria, que lhes tornou a vida mais bela, que se dirigiam os autores de milhões de mensagens que, via internet, se derramaram no dia 5 de outubro nas redes sociais quando sua morte foi anunciada. A expressão que mais se repetia era, com "Thank you", "He changed the world".

40. Algumas podem sê-lo, aliás, de maneiras sucessivas, em função da estratégia da empresa: o caso da Disney é um exemplo de uma empresa que, tendo descuidado da dimensão criativa em razão de uma burocratização excessiva, voltou, graças à sua aliança com a Pixar, a privilegiar novamente o polo artístico e a pesquisa inovadora.

41. Paul Valéry, "La conquête de l'ubiquité", in *Oeuvres*. Paris: Gallimard, 1960, t. II, p. 1284. (Coleção Bibliothèque de la Pléiade). [Ed. bras.: "A conquista da ubiquidade". In: *Revista de Comunicação e Linguagens*, v. 34-5, pp. 313-5, jun. 2005.]

42. Roger Pouivet, *L'Oeuvre d'art à l'âge de sa mondialisation. Un essai d'ontologie de l'art de masse*. Bruxelas: La Lettre volée, Coleção Essais, 2003. Também Noël Carroll, *A Philosophy of Mass Art*. Nova York: Oxford University Press, 1998.

43. "Na arte de massa, a obra é *ontologicamente* determinada pela difusão de massa. Ela só *existe*, aliás, pela e na sua difusão", precisa Roger Pouivet. Ibid., p. 23.

44. Este ponto é bem salientado por Roger Pouivet, ibid., pp. 101-3.

45. Sobre as citações acima, ver Alexandre Bohas, *Disney*, op. cit., pp. 38-9.

46. "Game-story: Une histoire du jeu vidéo", Grand Palais, nov. 2011-jan. 2012.

47. Charles Baudelaire, *Le Peintre de la vie moderne* [1863]. In: *Critique d'art seguido de Critique musicale*. Paris: Gallimard, 1992, pp. 374-8. [Ed. bras.: *O pintor da vida moderna*. Trad. de Tomaz Tadeu. Belo Horizonte: Autêntica,

2010.] Baudelaire sustenta que a maquiagem "aproxima imediatamente o ser humano da estátua, isto é, de um ser divino e superior" (p. 377).

48. Durante milênios, as "obras de arte" obedeceram a regras estéticas convencionais estritamente codificadas.

49. Richard Shusterman, *L'Art à l'état vif: La pensée pragmatiste et l'esthétique populaire*. Trad. fr. de Christine Noille. Paris: Éditions de Minuit, 1991, pp. 182-232. (Coleção Le Sens Commun). [Ed. bras.:*Vivendo a arte: O pensamento pragmatista e a estética popular*. Trad. de Gisela Domschke. São Paulo: Ed. 34, 1998.]

50. "A série de TV, ao contrário do cinema, não é uma arte visual [...]. A série de TV é uma arte verbal, a mais verbal das artes audiovisuais", sublinha Vincent Colonna, *L'Art des séries télé*. Paris: Payot, 2010, p. 26.

51. Gilles Lipovetsky e Jean Serroy, *L'Écran global: Culture-médias et cinéma à l'âge hypermoderne*. Paris: Éditions du Seuil, 2007, pp. 106-12. (Coleção La Couleur des Idées).

52. "Havia formas populprescas que escandalizavam as pessoas sérias", ressalta Jean-Paul Sartre, em *Les Mots* [1964]. Paris: Gallimard, 1972, p. 110. (Coleção Folio). [Ed. bras.: *As palavras*. Trad. de J. Guinsburg. Rio de Janeiro: Nova Fronteira, 1986.]

53. Harold Rosenberg, *La Dé-définition de l'art*. Trad. fr. de Christian Bounay. Nîmes: Jacqueline Chambon, 1992.

54. Yves Michaud, *L'Art à l'état gazeux: Essai sur le triomphe de l'esthétique*. Paris: Stock, 2003. (Coleção Les Essais); reed. Hachette Littérature, 2004. (Coleção Pluriel). O diagnóstico geral do livro é correto; no entanto, não são analisados nem a ascensão progressiva da arte comercial e industrial no funcionamento do capitalismo moderno, nem os múltiplos dispositivos pelos quais se concretiza o "triunfo da estética".

55. Jill Gasparina, *L'Art contemporain et la mode*. Paris: Cercle d'Art, 2006. (Coleção Imaginaire, Mode d'Emploi).

56. Gilles Lipovetsky, "Art and Aesthetics in the Fashion Society". In: Jan Band, José Teunissen e Anne Van der Zwaag (orgs.), *The Power of Fashion: About Design and Meaning*. Arnhem: ArtEZ Press, 2006.

57. Gilles Lipovetsky, *L'Empire de l'éphémère: La mode et son destin dans les sociétés modernes*. Paris: Gallimard, 1987. (Coleção Bibliothèque des Sciences Humaines); reed. Coleção Folio Essais, 1991. [Ed. bras.: *O império do efêmero: A moda e seu destino nas sociedades modernas*. Trad. de Maria Lucia Machado. São Paulo: Companhia das Letras, 1991.]

58. Nem sempre é fácil diferenciar as obras de arte de Murakami de seus produtos derivados: "Compreendi que o mercado da arte pode ser comparado

com o da moda, ele é variável, muda a cada seis meses. Sou reativo e respondo a esse mercado", citado em *Le Monde*, "Murakami, un cas sur le marché de l'art", 22-3 out. 2006.

59. O que causa certa confusão no público: "Ele anda mesmo ou é um objeto de arte?", se pergunta um visitante (*Le Monde*, 9 dez. 2011).

60. "Em 1999, havia 1043 marcas Picasso registradas no mundo, setecentas das quais ilegais, trezentas registradas por Paloma, onze pela indivisão" (*Le Monde*, 4 jan. 1999).

61. Engajamento em operações artísticas que hoje mobiliza inclusive marcas de grande consumo (Disneyland Paris, JC Decaux, Ariel, Nivea, Unilever, Electrolux...).

62. A repercussão na imprensa faz da fundação Cartier uma fonte importante de visibilidade: ela representa 25% de toda a exposição na imprensa que a Cartier tem no mundo.

63. Segundo a Admical, de 2008 a 2010 o mecenato da cultura na França caiu de 975 milhões a 380 milhões de euros, acusando assim uma perda de 63%. A cultura não representa mais do que 19% do orçamento global do mecenato. Nesse contexto, as operações de prestígio permanecem: prova disso, para só tomar este exemplo, é o financiamento pela Ferragamo da espetacular restauração da obra-prima de Leonardo da Vinci, *A virgem e o menino Jesus com Sant'Ana*, que em abril de 2012 deu ensejo a uma grande exposição no Louvre, que pela primeira vez abre as partes históricas internas do museu para um desfile, na ala Denon, da coleção de calçados de luxo da marca.

64. Nathalie Moureau e Dominique Sagot-Duvauroux, *Le Marché de l'art contemporain*. Paris: La Découverte, 2006, pp. 104-6. (Coleção Repères).

65. Para uma análise detalhada dessas correntes artísticas, Paul Ardenne, *Un Art contextuel: Création artistique en milieu urbain, en situation, d'intervention, de participation*. Paris: Flammarion, 2004, pp. 213-29. (Coleção Champs). Também Dominique Baqué, *Pour un Nouvel art politique: De l'art contemporain au documentaire*. Paris: Flammarion, 2006, pp. 85-97. (Coleção Champs).

66. Citado por Irving Sandler, *Le Triomphe de l'art américain*. Trad. fr. de Frank Straschitz. Paris: Carré, 1990, p. 106, t. II: "Les Années soixante".

67. Florence Müller, "Art et mode, fascination réciproque". In: *Repères Mode 2003: Visages d'un secteur*. Paris: Institut Français de la Mode; Éditions du Regard, 2002, pp. 364-77.

68. A fórmula é de Jack Tworkov, citado por Irving Sandler, *Le Triomphe de l'art américain*, op. cit., p. 112.

69. Pascale Weil, *À Quoi Rêvent les Années 90: Les nouveaux imaginaires, consommation et communication*. Paris: Éditions du Seuil, 1993.

70. Sobre essa questão, ver Georges Roque (org.), *Majeur ou mineur? Les hiérarchies en art.* Nîmes: Jacqueline Chambon, 2000. (Coleção Rayon Art).

71. O cinema indiano, com seus prolongamentos televisivos, gerou em 2009 7,7 bilhões de dólares de receitas.

72. Se acrescentarmos as compras realizadas pelos turistas chineses no mundo inteiro, a China já é o primeiro comprador mundial do luxo, com 25% de participação nesse mercado. E segundo a consultoria McKinsey, a China pode vir a ser o primeiro mercado mundial do luxo em 2015.

73. Assim, a Eurocom e a RSCG fusionaram-se na EuroRSCG; Publicis comprou a Saatchi&Saatchi; a Omnicom agrupa as redes TBWA, DDB, BBDO; a britânica WPP, líder mundial, agrupa as agências Grey Global Group, Wunderman, Ogilvy & Mater, Young & Rubicam.

74. Este, particularmente na França, apresenta um forte crescimento, com aumento de 60% de bilheteria entre 2005 e 2009.

75. Na França, as vendas de música gravada foram divididas pela metade entre 2002 e 2010. O consumo de música representou em 2010 uma despesa total (CD, concertos...) de cerca de 1,5 bilhão de euros.

76. Daniel Zajdenweber, *Économie des extremes.* Paris: Flammarion, 2000. (Coleção Nouvelle Bibliothèque Scientifique); reed. Coleção Champs, 2009.

77. Françoise Benhamou, *L'Économie de la culture.* 3. ed. Paris: La Découverte, 2001, p. 67. [Ed. bras.: *A economia da cultura.* Trad. de Geraldo Gerson de Souza. São Paulo: Ateliê Editorial, 2007.]

78. Mas dos 1214 museus da França, um em cada dois vende menos de 10 mil ingressos por ano.

79. O fenômeno não se atém exclusivamente às indústrias culturais. Para dar apenas um exemplo, 20% dos produtos expostos na rede Ikea são responsáveis por 80% do seu faturamento.

80. De acordo com um estudo britânico, de 13 milhões de títulos musicais disponíveis para download, 10 milhões não vendem nada, enquanto 3% dos títulos vendidos são responsáveis por 80% do faturamento global.

81. Pierre-Jean Benghozi e Françoise Benhamou, "Longue traîne: levier numérique de la diversité culturelle?". In: Philippe Chantepie (org.). *Culture prospective: Production, diffusion et marchés.* Paris: Ministère de la Culture et de la Communication, 2007.

82. Serge R. Denisoff, *Tarnished Gold: The Record Industry Revisited.* New Brunswick: Transaction Books, 1986. Também Harold L. Vogel, *Entertainment Industry Economics: A Guide for Financial Analysis.* 5. ed. Cambridge; Nova York: Cambridge University Press, 2001.

83. Nicole Vulser, "La grande majorité des films français sont déficitaires". *Le Monde*, 6 out. 2008.

84. Richard E. Caves, *Creative Industries: Contracts between Art and Commerce*. Cambridge; Londres: Harvard University Press, 2000.

85. Donald S. Passman, *All You Need to Know about the Music Business*. 4. ed. Londres: Penguin Books, 2004.

86. Paule Gonzales, "Hollywood fascine les fonds d'investissement". *Le Figaro*, 18 maio 2007. Na França, Europacorp, que produz filmes internacionais, é uma sociedade cotada na Bolsa desde 2007.

87. Edward N. Luttwak, *Le Turbo-capitalisme: Les gagnants et les perdants de l'économie globale*. Trad. fr. de Michel Bessières e Patrice Jorland. Paris: Odile Jacob, 1999. [Ed. bras.: *Turbocapitalismo: Perdedores e ganhadores na economia globalizada*. Trad. de Maria Abramo Caldeira Brant e Gustavo Steinberg. São Paulo: Nova Alexandria, 2001.]

88. Ver, sobre esses pontos, Pascal Nègre, *Sans contrefaçon*, op. cit.

89. André Gorz, *L'Immatériel*, op. cit., p. 63.

90. Sobre este ponto, ver o capítulo 4.

91. Naomi Klein, *No logo: La tyrannie des marques*. Montréal; Arles: Leméac- -Actes Sud, 2001; reed. Paris: Flammarion, 2004, cap. 2. (Coleção J'ai Lu). [Ed. bras.: *Sem logo: A tirania das marcas em um planeta vendido*. Trad. de Ryta Vinagre. Rio de Janeiro: Record, 2002.]

92. Na Alemanha, mais de um terço dos rendimentos dos artistas visuais provém de atividades de ensino e mais de um quarto de atividades não artísticas. Ver Nathalie Moureau e Dominique Sagot-Duvauroux, *Le Marché de l'art contemporain*, op. cit., p. 33.

93. Pierre-Michel Menger, *Les Intermittents du spectacle: Sociologie d'une exception*. Éditions de l'EHESS, 2005, p. 35. (Coleção Cas de Figure).

94. Essa hibridização entre o amador e o profissional é analisada por Patrice Flichy em *Le Sacre de l'amateur: Sociologie des passions ordinaires à l'ère numérique*. Paris: Éditions du Seuil, 2010. (Coleção La République des Idées).

95. Segundo um estudo de 2008, existem na França 450 conservatórios, 2500 escolas de música, 10 mil corais, e 18% dos franceses de quinze anos ou mais praticam música como amadores.

96. Esses pontos são desenvolvidos por Nathalie Heinich, *L'Élite artiste: Excellence et singularité en régime démocratique*. Paris: Gallimard, 2005, pp. 219-75. (Coleção Bibliothèque des Sciences Humaines).

97. Jean-Marie Schaeffer, *L'Art de l'âge moderne: L'esthétique et la philosophie de l'art du XVIIIᵉ siècle à nos jours*. Paris: Gallimard, 1992. (Coleção NRF Essais).

98. Citado por Jean-Marie Schaeffer, ibid., p. 109.

99. Gilles Lipovetsky, "Art and Aesthetics in the Fashion Society", op. cit.

100. Richard L. Florida, *The Rise of the Creative Class: And How It's Transforming Work, Leisure, Community and Everyday Life*. Nova York: Basic Books, 2004; e Robert B. Reich, *Futur parfait: Progrès techniques, défis sociaux*. Trad. fr. de Agnès Prigent. Paris: Village Mondial, 2001. [Ed. bras.: *A ascensão da classe criativa: E seu papel na transformação do trabalho, do lazer, da comunidade e do cotidiano*. Trad. de Ana Luiza Lopes. Porto Alegre: L&PM, 2011.]

101. Richard E. Caves, *Creative Industries*, op. cit.

102. Em 2001, havia na França cerca de 13 mil designers. No início dos anos 1970, o American Institute of Graphic Arts tinha 1700 membros; trinta anos depois, a associação podia declarar 150 mil designers gráficos.

103. Howard S. Becker, *Les Mondes de l'art*, op. cit.

104. Emmanuel Levy, "The Democratic Elite: America's movie stars". *Qualitative Sociology*, vol. 12, n. 1, p. 31, primavera 1989.

105. Pierre-Michel Menger, *La Profession de comédien: Formations, activités et carrières dans la démultiplication de soi*. Paris: Ministère de la Culture et de la Communication, 1997.

106. Françoise Benhamou, *L'Économie du star-system*. Paris: La Découverte, 2002, pp. 131-52.

107. Ibid., p. 85.

108. É no universo do esporte e da arte contemporânea — por ser ele acusado de "nulidade" e "impostura" — que os altíssimos rendimentos causam mais "escândalo". É espantoso o contraste entre o cinema e o show business.

109. Luc Boltanski e Ève Chiapello, *Le Nouvel esprit du capitalisme*. Paris: Gallimard, 1999. (Coleção NRF Essais); reed. Coleção Tel, 2011. [Ed. bras.: *O novo espírito do capitalismo*. Trad. de Ivone C. Benedetti. São Paulo: WMF Martins Fontes, 2009.]

110. Ibid., pp. 529-46 (Coleção Tel, pp. 587-606).

111. Alfred D. Chandler, *La Main visible des managers: Une analyse historique*. Trad. fr. de Frédéric Langer. Paris: Economica, 1988.

112. Sobre esses pontos, Stuart Ewen, *All Consuming Images. The Politics of Style in Contemporary Culture*. Nova York: Basic Books, 1988, pp. 41-7.

113. Max Weber, *L'Éthique protestante et l'esprit du capitalisme* [1964]. Trad. fr. de Jean-Pierre Grossein. Paris: Gallimard, 2004. (Coleção Tel). [Ed. bras.: *A ética protestante e o espírito do capitalismo*. Trad. de M. Irene de Q. F. Szmrecsanyi. Brasília: Ed. UNB [1982?].]

114. Marshall Sahlins, *Au coeur des sociétés: Raison utilitaire et raison culturelle*. Trad. fr. de Sylvie Fainzang. Paris: Gallimard, 1980, p. 262. (Coleção Bibliothèque des Sciences Humaines).

115. Jean Baudrillard, *La Société de consommation: Ses mythes, ses structures* [1970]. Paris: Gallimard, 1986, p. 312. (Coleção Folio Essais). [Ed. port.: *A sociedade de consumo*. Lisboa: Edições 70, 1991.]

116. Luc Boltanski e Ève Chiapello, *Le Nouvel esprit du capitalisme*, op. cit., p. 585 (Coleção Tel, p. 650).

2. AS FIGURAS INAUGURAIS DO CAPITALISMO ARTISTA [pp. 130-224]

1. Karl Polanyi, *La Grande Transformation: Aux origines politiques et économiques de notre temps*. Trad. fr. de Maurice Angeno e Catherine Malamoud. Paris: Gallimard, 1983 (Coleção Bibliothèque des Sciences Humaines); reed. Coleção Tel, 2009. [Ed. bras.: *A grande transformação: As origens da nossa época*. Rio de Janeiro: Campus, 1980.]

2. Quanto ao domínio artístico propriamente dito, entre a Idade Média e o século XVIII, ele não dependia das leis do mercado, do sistema impessoal da oferta e da procura, mas da aristocracia e da Igreja, através do sistema do mecenato.

3. Alfred D. Chandler, *La Main visible des managers: Une analyse historique*. Trad. fr. de Frédéric Langer. Paris: Economica, 1988.

4. Walter Benjamin, *Paris, capitale du XIXᵉ siècle: Le Livre des Passages*. Éditions du Cerf, 1989, p. 408.

5. Franck Cochoy, "Tasting, testing, teasing. L'emballage ou comment (faire) goûter avec les yeux". In: Olivier Assouly (org.), *Goûts à vendre: Essais sur la captation esthétique*. Paris: Institut Français de la Mode; Éditions du Regard, 2007, pp. 151-8.

6. Gilles Lipovetsky, *Le Bonheur paradoxal: Essai sur la Société d'hyperconsommation*. Paris: Gallimard, 2006, pp. 24-34. (Coleção NRF Essais); reed. Coleção Folio Essais, 2009, pp. 27-39.

7. Só a precedeu as célebres "passagens" surgidas nos anos 1820 e apresentadas por Walter Benjamin como "precursoras das lojas de departamentos". A despeito da novidade de sua forma arquitetônica e das "fantasmagorias" que geraram, as passagens não tiveram nem o brilho monumental, nem a dimensão revolucionária mercantil, nem a importância comercial e imaginária das lojas de departamentos.

8. Émile Zola, *Pot-Bouille* [1882]. Paris: Gallimard, 1982, p. 254. (Coleção Folio Classique).

9. Assim, o Ao Velho Elbeuf, que só tem "três janelas de fachada", é uma "loja térrea, esmagada por um teto, com um entressolo baixíssimo, com lunetas

de prisão em meia-lua" e "duas vitrines profundas, escuras, empoeiradas", enquanto "a porta, aberta, parec[e] dar para as trevas úmidas de um porão". Émile Zola, *Au Bonheur des Dames* [1883]. Paris: Gallimard, 1999, p. 34. (Coleção Folio Classique). [Ed. bras.: *O paraíso das damas*. Trad. de Joana Canêdo. São Paulo: Estação Liberdade, 2008.]

10. A célebre cúpula de vitrais da Galeries Lafayette, que inunda de luz o grande hall, tem 33 metros de altura. De estilo neobizantino, data de 1912.

11. Para se dar conta da revolução que esse tipo de fachada e de entrada representa, basta compará-las com a loja de tecidos de *La Maison du Chat-qui-pelote*, que Balzac descreve em 1829: "Teria sido difícil para um passante adivinhar o gênero de comércio do sr. Guillaume. Através das grossas barras de ferro que protegiam externamente sua loja, mal dava para perceber os pacotes enrolados com pano bege, tão numerosos quanto os arenques quando cruzam o oceano". Honoré de Balzac, *La Maison du Chat-qui-pelote* [1829]. In: *La Comédie humaine*. Paris: Gallimard, p. 44. t. i. (Coleção Bibliothèque de la Pléiade).

12. Michael B. Miller, *Au Bon Marché, 1869-1920: Le consommateur apprivoisé*. Trad. fr. de Jacques Chabert. Paris: Armand Colin, 1987, p. 156.

13. Já no caso das passagens parisienses que antecedem em algumas décadas as lojas de departamentos, a vitrine aparece como espaço de desejos e de sonhos, paisagem poética e artística. Ver Walter Benjamin, *Paris, capitale du XIXe siècle*, op. cit.

14. William Leach definiu-a como tal: "*the stage upon which the play is enacted*" [o palco no qual a peça é representada]. William R. Leach, *Land of Desire: Merchants, Power, and the Rise of a New American Culture*. Nova York: Vintage Books, 1994, p. 75.

15. As vitrines também fascinaram um pintor expressionista como August Macke, bem como Léger e Delaunay.

16. William R. Leach, *Land of Desire*, op. cit., p. 76.

17. As exposições, em particular as universais, destinadas a mostrar a força econômica dos grandes países, são uma ocasião para construir prédios que utilizam os novos materiais e técnicas e que rivalizam em audácias arquitetônicas e decorativas. A mesma preocupação estética se manifesta nelas, com a mesma vontade de impressionar os visitantes: a Torre Eiffel, construída em 1887-9 para a Exposição Universal de Paris, é o exemplo mais famoso.

18. Sobre esses pontos, Wiliam R. Leach, *Land of Desire*, op. cit., pp. 91-111.

19. Citado por Michael B. Miller, *Au Bon Marché, 1869-1920*, op. cit., p. 162.

20. Émile Zola, *Au Bonheur des Dames*, op. cit., p. 111.

21. Paul Dubuisson, *Les Voleuses des grands magasins*. Paris: A. Storck, 1902.

22. Gilles Lipovetsky, *L'Empire de l'éphémère: La mode et son destin dans les sociétés modernes*. Paris: Gallimard, 1987. (Coleção Bibliothèque des Sciences

Humaines); reed. Coleção Folio Essais, 1991, pp. 80-124. [Ed. bras.: *O império do efêmero: A moda e seu destino nas sociedades modernas*. Trad. de Maria Lucia Machado. São Paulo: Companhia das Letras, 1991.]

23. Citado por Didier Grumbach, *Histoires de la mode*. Paris: Éditions du Seuil, 1993, p. 19.

24. Sobre esses pontos, Gilles Lipovetsky, *L'Empire de l'éphémère*, op. cit.

25. Aliás, a hierarquização nas equipes não está ligada à lógica da autoridade administrativa, mas à da mestria e do talento: a chefe de ateliê é a melhor costureira. Do mesmo modo, nas fábricas que produzem calçados ou bolsas de luxo, o cortador é aquele que melhor conhece o trabalho do couro.

26. Catherine d'Omnès, "L'âge d'or éphémère des ouvrières de la Haute Couture pendant les annés 1920". In: Jacques Marseille (org.), *Le Luxe en France du siècle des Lumières à nos jours*. Paris: ADHE, 1999, pp. 166-7. (Coleção Histoire Économique).

27. Elyette Roux e Jean-Marie Floch, "Gérer l'ingérable: la contradiction interne de toute maison de luxe", *Décisions Marketing*, n. 9, set.-dez. 1996.

28. Robert Ricci se insurgia contra o fato de que pudessem "lançar um perfume como um sabão em pó... O perfume não é uma mercadoria, sua criação é um ato de amor", citado por Marie-France Pochna, *Nina Ricci*. Paris: Éditions du Regard, 1992, p. 212. A importância desse estado de espírito é frisada por Christian Blanckaert, *Luxe*. Paris: Le Cherche Midi, 2007.

29. A ligação entre alta-costura e automóvel, que de Deauville a Mônaco esses prestigiosos concursos de elegância exibem, é sensível nos anos 1920-30, sob o signo comum da arte, precisamente. Vários costureiros (Worth, Poiret, Lanvin) veem a pureza das linhas de suas criações da mesma maneira que os criadores de carrocerias de automóvel. Em 1924, Sonia Delaunay pinta um Bugatti 35 com as mesmas linhas e cores do vestido usado pela motorista. E em 1926 Coco Chanel, que é a primeira a criar modelos que a mulher elegante pode vestir sem ajuda (os sistemas de fecho ficam ao alcance da mão), inventa seu atemporal vestidinho preto, que seus detratores batizam ironicamente de Ford T.

30. *Libération*, 28 jan. 2005.

31. *Le Monde*, 25 jan. 2008.

32. Baudelaire denuncia a indústria como "a inimiga mais mortal [da arte]". Charles Baudelaire, "Le public moderne et la photographie", *Salon de 1859*. In: *Critique d'art* seguido de *Critique musicale*. Paris: Gallimard, 1992, p. 278. (Coleção Folio Essais).

33. Ver Ludwig von Mises, *The Anti-Capitalistic Mentality*. Londres: Macmillan, 1956. O autor salienta em particular o papel de John Ruskin, "grande detrator da economia de mercado e apologista romântico das guildas [...]. Foram

[seus] escritos que popularizaram o preconceito segundo o qual o capitalismo, além de ser um sistema econômico ruim, teria substituído a beleza pela feiura, a grandeza pela insignificância, a arte pelo lixo" (in: cap. IV, "The noneconomic objections to capitalism", 2. Materialism; trad. fr. de Hervé de Quengo). [Ed. bras.: *A mentalidade anticapitalista*. Trad. de Carlos dos Santos Abreu. Rio de Janeiro: José Olympio; Instituto Liberal, 1988.]

34. Siegfried Giedion, *La Mécanisation au pouvoir*, t. II, *Technique et environnement humain*. Trad. fr. de Paule Guivarch. Paris: Denoël-Gonthier, 1983, p. 87.

35. Ibid., p. 132.

36. Richard S. Tedlow, *L'Audace et le marché: L'invention du marketing aux États Unis*. trad. fr. de J.-M. Hallagues. Paris: Odile Jacob, 1997, p. 191. (Coleção Histoires, Hommes, Entreprises).

37. Ibid., p. 156.

38. Henry Cole, *Fifty Years of Public Work*, citado por Siegfried Giedion, in *La Mécanisation au pouvoir*, op. cit., p. 89.

39. Evocando os efeitos da sua "lei do Ripolin" [lei da caiação], Le Corbusier escreve: "A gente deixa a casa limpinha... tudo se mostra como é... A cal é extremamente moral". Le Corbusier, *L'Art décoratif aujourd'hui* [1925]. Paris: Artaud, 1980, pp. 191 e 193.

40. Entre 1930 e 1934, contam-se mais de mil objetos transformados pelos designers para a indústria. Ver Denis Huisman e Georges Patrix, *L'Esthétique industrielle*. Paris: PUF, 1961, p. 28. (Coleção Que Sais-Je?). [Ed. bras.: *A estética industrial*. Trad. de Raimundo Rodrigues Pereira. São Paulo: Difusão Europeia do Livro, 1967.]

41. O que Raymond Loewy desenvolverá vinte anos depois, em 1951, em sua célebre obra *La Laideur se vend mal*. Trad. fr. de Miriam Cendrars. Paris: Gallimard, 1953; reed. Coleção Tel, 1990.

42. Stéphane Laurent, *Chronologie du design*. Paris: Flammarion, 1999, p. 125. (Coleção Tout L'Art).

43. Penny Sparke, *Consultant Design: The History and Practice of the Designer in Industry*. Londres: Pembridge Press, 1983, p. 23.

44. Christopher Lorenz, *La Dimension design: Atout concurrentiel décisif*. Trad. fr. de Liliane Charrier. Paris: Les Éditions d'Organisation, 1990.

45. Sobre essas citações, Peter Dormer, *Le Design depuis 1945*. Trad. fr. de Michèle Hechter. Paris: Thames & Hudson, 1993, caps. I e III. (Coleção L'Univers de L'Art).

46. Vance Packard, *L'Art du gaspillage* [1960]. Trad. fr. de Roland Mehl. Paris: Calmann-Lévy, 1962.

47. Victor J. Papanek, *Design pour un monde réel: Écologie humaine et changement social*. Trad. fr. de Robert Louit e Nelly Josset. Paris: Mercure de France, 1974. (Coleção Environnement et Société).

48. Sobre a moda como nova forma estruturante da economia e da sociedade de consumo, Gilles Lipovetsky, *L'empire de l'éphémère*, op. cit.

49. Gilles Lipovetsky, *L'ère du vide: Essais sur l'individualisme contemporain*. Paris: Gallimard, 1983. (Coleção NRF Essais); reed. Coleção Folio Essais, 1989. [Ed. bras.: *A era do vazio: Ensaios sobre o individualismo contemporâneo*. São Paulo: Manole, 2008.]

50. Gilles Lipovetsky, *L'empire de l'éphémère*, op. cit.

51. Françoise Vincent-Ricard, *Raison et Passion: Langages de société — la mode 1940-1990*. Colombes: Textile/Art/Langages, 1983, p. 90.

52. Em 1984, a roupa feita sob medida representava apenas 1% das despesas das pessoas com vestuário.

53. Uma pesquisa feita pela revista *Elle* em setembro de 1982 revela que a grande maioria das mulheres interrogadas não faz distinção entre as grifes dos costureiros e as do prêt-à-porter: Saint Laurent ou Kenzo são citados indiferentemente com Karting, Cacharel ou Sonia Rykiel.

54. Citado por Anne Bony, *Le Design: Histoire, principaux courants, grandes figures*. Paris: Larousse, 2004, p. 130. (Coleção Comprendre, Reconnaître).

55. René Péron, *Les Boîtes: Les grandes surfaces dans la ville*. Nantes: L'Atalante, 2004, pp. 122-3. (Coleção Comme un Accordéon).

56. Christine Rheys, "Lieux d'écriture. Le passage couvert comme motif littéraire". *Le Nouveau Recueil*, n. 40, set.-nov. 1966. Da Galerie du Palais-Royal de Balzac em *Les Illusions perdues* e da Passage du Pont-Neuf de Zola, em *Thérèse Raquin*, à Passage de l'Opéra, tão cara a Aragon, que serve de revelador a Walter Benjamin e leva este às pesquisas que resultarão em seu livro magistral consagrado ao tema, a passagem atua ao mesmo tempo como "casa de sonho do coletivo", local de memória da capital e "templo do capital comercial" (*Paris, capitale du XIXe siècle: Le Livre des passages*, op. cit., p. 68).

57. Walter Benjamin, ibid., p. 581.

58. William Severini Kowinski, *The Malling of America: An Inside Look at the Great Consumer Paradise*. Nova York: W. Morrow, 1985, p. 119.

59. Apesar disso, o shopping center aparece originariamente como uma expressão emblemática do racionalismo moderno. Baseado na racionalização do espaço e na separação das funções (o zoneamento celebrado pela Carta de Atenas), o shopping center deve ser vinculado aos princípios do urbanismo funcionalista-corbusiano.

60. "O centro comercial (*mall*) é o primeiro formato de distribuição que existe *por causa do* ar-condicionado. O centro comercial fechado (*enclosed mall*) teria sido fisicamente impossível sem o ar-condicionado." Sze Tsun Leong e Srdjan Jovanovic Weiss, "Air Conditioning". In: Chuihua Judy Chung et al. (org.), *The Harvard Design School Guide to Shopping* (*Project on the City*, 2). Colônia: Taschen, 2001, p. 116 (citado e traduzido por Catherine Grandclément, "Climatiser le marché. Les contributions des marketings de l'ambiance et de l'atmosphère", *ethnographiques.org*, n. 6, nov. 2004). A primeira climatização de um local de compras é realizada na loja de departamentos Abraham & Strauss Department Store, de Nova York. Logo será acompanhada pela Macy's, ibid., p. 109.

61. Jean Baudrillard, *La Société de consommation: Ses mythes, ses structures* [1970]. Paris: Gallimard, 1986, p. 25. (Coleção Folio Essais).

62. William Severini Kowinski, *The Malling of America*, op. cit., p. 61.

63. Jeremy Rifkin, *L'Âge de l'accès: La révolution de la nouvelle économie*. Trad. fr. de Marc Saint-Upéry. Paris: La Découverte, 2000, p. 201. (Coleção Cahiers Libres). [Ed. bras.: *A era do acesso*. Trad. de Maria Lúcia G. L. Rosa. São Paulo: Makron Books, 2001.]

64. É assim que designamos o período da história do cinema que cobre as décadas de 1950 a 1970, em *L'Écran global: Culture-médias et cinema à l'âge hypermoderne*. Paris: Éditions du Seuil, 2007, p. 19. (Coleção La Couleur des Idées). [Ed. bras.: *A tela global: Mídias culturais e cinema na era hipermoderna*. Trad. de Paulo Neves. Porto Alegre: Sulina, 2009.]

65. Em 1961, um terço dos filmes produzidos em Hollywood foi feito no exterior.

66. Por muito mais tempo que o cinema, a fotografia foi excluída do domínio da arte. Identificada em meados do século XIX como simples cópia do real, como registro automático que dispensa o trabalho da mão e toda dimensão espiritual, a fotografia, em Baudelaire ou Delacroix, é incompatível com a arte. O slogan "Você aperta o botão, nós fazemos o resto", lançado pela Kodak em 1888, reforça esse tipo de interpretação.

67. "As massas gostam do mito, e o cinema se dirige às massas", anota Jean-Luc Godard, in *Histoire(s) du cinema*, "*Toutes les histoires*", "*Une histoire seule*". Paris: Gallimard, 1998, p. 96. t. I.

68. "Então os sonhos sobem na noite para ir se abrasar na miragem da luz que se move", Louis-Ferdinand Céline, *Voyage au bout de la nuit* [1932]. Paris: Gallimard, 1972, p. 201. (Coleção Folio). [Ed. bras.: *Viagem ao fim da noite*. Trad. de Rosa Freire d'Aguiar. São Paulo: Companhia das Letras, 1994.]

69. Max Horkheimer e Theodor W. Adorno, *La Dialectique de la raison: Fragments philosophiques*. Trad. fr. de Éliane Kaufholz. Paris: Gallimard, 1974. (Cole-

ção Bibliothèque des Idées); reed. Coleção Tel, 1983, pp. 130, 134, 143. [Ed. bras.: *Dialética do Esclarecimento: Fragmentos filosóficos.* Rio de Janeiro: Zahar, 1985.]

70. Scott Lash e John Urry, *Economies of Signs and Space.* Londres; Thousand Oaks: SAGE Publications, 1994, p. 123.

71. A expressão foi popularizada pelo livro que Ilya Ehrenburg consagra a Hollywood nos anos 1930: *Usine de rêves.* Trad. fr. de Madeleine Étard. Paris: Gallimard, 1936. Ele diz bem a dupla natureza — industrial e artística — do cinema.

72. Richard Dyer, *Stars.* Londres: British Film Institute Publications, 1979, p. 39.

73. A primeira revista dedicada ao cinema, a *Motion Picture Story Magazine,* foi lançada em 1911. Em 1918, as seis principais revistas de cinema americanas já atingem 800 mil exemplares. Na década de 1930, essa imprensa alcança 75 milhões de leitores, ou seja, a metade da população americana: ver Jib Fowles, *Starstruck: Celebrity Performers and the American Public.* Washington: Smithsonian Institution Press, 1992, p. 121.

74. Sobre esse ponto, Vinzenz Hediger, "Ce qui fait la star: les difficultés d'appréhension théorique du phénomène de la star". In: Gian Luca Farinelli e Jean-Loup Passek (org.), *Stars au féminin: Naissance, apogée et décadence du star system.* Paris: Éditions du Centre Georges-Pompidou, 2000, p. 25.

75. Stephen Gundle, "Les déesses-marchandises du star system américain dans les années quarante et cinquante". Ibid., p. 165.

76. Sobre as críticas desse gênero de problemática, Nathalie Heinich, *De la visibilité: Excellence et singularité en régime médiatique.* Paris: Gallimard, 2012, pp. 407-17. (Coleção Bibliothèque des Sciences Humaines); Gilles Lipovetsky, *L'Empire de l'éphémère,* op. cit., pp. 258-9.

77. Ele se exprime, por excelência, no fenômeno dos fãs que, nos anos 1930, são contados aos milhões; nesses mesmos anos, contavam-se setenta fãs-clubes de Clark Gable, uns cinquenta celebravam Joan Crawford e outros tantos, Jean Harlow. Ver Alexander Walker, *Stardom: The Hollywood Phenomenon.* Londres: Michael Joseph, 1970.

78. Edgar Morin, *Les Stars* [1957]. Paris: Éditions du Seuil, 1972, p. 40. (Coleção Points). [Ed. bras.: *As estrelas: Mito e sedução no cinema.* Rio de Janeiro: José Olympio, 1990.]

79. Alain Roger, *Nus et paysages. Essai sur la fonction de l'art* [1978]. Paris: Aubier, 2001, pp. 80-90.

80. "A modelo se faz estátua, perdendo até mesmo sua identidade e seu nome", escreve Geneviève Olivier, "Ateliers de couture". *La Mode, Traverses,* n. 3, p. 85, fev. 1976.

81. Edgar Morin, *Les Stars,* op. cit., pp. 43-7.

82. Como observa André Philip, jurista francês que realizou um estudo sobre a classe operária americana em 1925, o operário qualificado americano "geralmente possui sua casinha e seu jardinzinho, sua mulher usa casaco de peles e ele pode dividir seu lazer entre o rádio, o fonógrafo e o carro", citado por Ludovic Tournès, *Du phonographe au MP3: Une histoire de la musique enregistrée, XIXe-XXIe siècle*. Paris: Éditions Autrement, 2008. p. 53. (Coleção Mémoires).

83. Ibid., p. 71.

84. Ludovic Tournès, "Reproduire l'oeuvre, la nouvelle économie musicale". In: Jean-Pierre Rioux e Jean-François Sirinelli (org.), *La culture de masse en France de la Belle Époque à aujourd'hui*. Fayard: 2002, pp. 253-5.

85. Herbert Marcuse, *L'Homme unidimensionnel, essai sur l'idéologie de la société industrielle avancée*. Trad. fr. de Monique Wittig e Herbert Marcuse. Paris: Éditions de Minuit, 1968. (Coleção Arguments). [Ed. bras.: *A ideologia da sociedade industrial*. Trad. de G. Rebuá. Rio de Janeiro: Zahar, 1969.]

86. Nathalie Heinich, *De la visibilité*, op. cit., p. 21.

87. Gabriel Segré, *Le culte Presley*. Paris: PUF, 2003, pp. 38-9. (Coleção Sociologie D'Aujourd'Hui).

88. Os mesmos imperativos estéticos se manifestam neste outro dispositivo consubstancial ao sistema da produção e consumo de massa: a embalagem. Também nesse caso, convocam-se artistas, pintores, desenhistas, grafistas para decorar caixas, tornar atraentes as embalagens, provocar pelo continente desejo do conteúdo. Já em 1898, Van de Velde propõe para a Tropon, uma empresa do ramo alimentício de Colônia, em vez da representação realista esperada do produto, uma linha gráfica que estiliza ao extremo os três pardais do emblema da firma, que se exprime por meio do cartaz, mas também da embalagem e até do papel de carta da empresa.

89. Roman Jakobson, *Essais de linguistique générale*. Trad. fr. de Nicolas Ruwet. Paris: Éditions de Minuit, 1963, pp. 218-20. (Coleção Arguments).

90. Olivier Reboul, "Slogan et poésie". In: *Art et publicité, 1890-1990, un siècle de création*. Paris: Éditions du Centre Georges-Pompidou, 1990, pp. 88-97.

91. Bruno Remaury, *Marques et récits: La marque face à l'imaginaire culturel contemporain*. Paris: Institut français de la mode; Éditions du Regard, 2004, p. 108 e p. 16.

92. Ibid., p. 108.

93. Louis-Ferdinand Céline, *Voyage au bout de la nuit* [1932], op. cit., p. 206.

94. "Do que mais gostam os diretores de cinema é fazer figurar na tela os apelos noturnos de nossas modernas capitais, Nova York, Paris, Berlim, onde triunfam esses mil e um jogos de luzes que a publicidade, magnífica e incansável maga, suscitou", anota G. Renon no *Le Figaro* em 1931.

95. Paul Valéry, *Regards sur le monde actuel* [1931]. Paris: Gallimard, 1988, p. 75. (Coleção Folio Essais).

96. Fernand Léger, *Fonctions de la peinture* [1965]. Paris: Gallimard, 1997, p. 42. (Coleção Folio Essais). [Ed. bras.: *Funções da pintura*. São Paulo: Nobel, 1989.]

97. Louis Aragon, *Le Paysan de Paris* [1926]. In: *Oeuvres poétiques complètes*. Paris: Gallimard, 2007, p. 145. t. I. (Coleção Bibliothèque de la Pléiade).

98. Violette Morin, estudando o sentido dessa proliferação, aponta um "fluxo erótico" em dois terços de trezentos outdoors que ela usa em sua pesquisa "Érotisme et publicité: un mécanisme d'auto-censure", *Communications*, v. 9, n. 1, 1967, p. 105.

99. Para a radiografia dessa mutação ver Jean-Marie Dru, *Le Saut créatif: Ces idées publicitaires qui valent des milliards*. Paris: Jean-Claude Lattès, 1984.

100. Étienne Chatiliez, "Les dessous de la pub à la TV". *Le Nouvel Observateur*, 15 jul. 1983.

3. UM MUNDO DESIGN [pp. 225-61]

1. Em média, o trabalho de fabricação de uma roupa de grife não representa mais do que 5% de seu preço de venda.

2. A cada ano, 20 mil novos produtos de grande consumo são oferecidos aos europeus. Nesse contexto, "nada menos que 30% das inovações periclitam antes do fim de seu primeiro ano, e a metade não passa de dois anos". Yves Puget, *LSA*, 5 fev. 2009.

3. Até os artigos *discount* das grandes bandeiras da distribuição aparecem hoje como produtos elegantes e de qualidade (os eletrodomésticos pequenos, por exemplo), que, por sinal, são testados por grupos de consumidores antes de serem postos à venda.

4. Em 1982 (a firma foi fundada em 1975), Steve Jobs busca no mundo inteiro uma equipe de designers encarregada da estética e do programa criativo da Apple. Entre oitenta candidatos europeus, foi a Frogdesign de Hartmut Esslinger o escolhido. Ele é que desenha em 1984 o célebre mouse, de formas mais geométricas do que ergonômicas, e que concebe em 1987 o Apple SE, cuja cor, bege, e a forma, pequena e com perfil acentuado, estabelecem para mais de uma década a linha-padrão dos microcomputadores, que em 1998 o iMac, desenhado por Jonathan Ive, pequeno "ovo azul" transparente, vem novamente transformar.

5. Para um percurso na criação de moda na era da mundialização, ver Laura Eceiza Nebreda, *Fashion Design: L'Atlas des stylistes de mode*. Trad. fr. de Cécile Carrion. Barcelona: Maomao Publications, 2008.

6. A exposição Design Contre Design atraiu, em 2007, quase 170 mil visitantes ao Grand Palais.

7. A editora de mobiliário Vitra obtém 30% do seu faturamento com as reedições de peças emblemáticas.

8. Ezio Manzini, *Artefacts: Vers une nouvelle écologie de l'environnement artificiel*. Trad. fr. de Adriana Pilia. Paris: Éditions du Centre Georges-Pompidou, 1991.

9. Harmut Esslinger, "Form Follows Emotion". *Forbes ASAP*, pp. 237-8, 29 nov. 1999.

10. Christine Colin, *Question(s) design*. Paris: Flammarion, 2010, pp. 256-62.

11. Frédérique Houssard-Andrieux e Céline Caumon, "Du technocentré à l'anthropocentré dans le design". In: *Les Ateliers de la Recherche em Design 3*, Bordeaux, 11-12 set. 2007. Artigo disponível no site da Universidade de Nîmes (<www.unimes.fr>).

12. Mais de 600 milhões de pessoas frequentam a cada ano uma loja da Ikea. Entre 1980 e 2008, a tiragem do catálogo da empresa passou de 45 milhões a 198 milhões de exemplares.

13. Clement Greenberg, "Avant-garde et kitsch" [1939]. In: *Art et culture: Essais critiques*. Trad. fr. de Ann Hindry. Paris: Macula, 1988. (Coleção Vues). [Ed. bras.: *Arte e cultura: Ensaios críticos*. São Paulo: Cosac Naify, 2013.]

14. Evidentemente, o pluralismo hipermoderno não é exclusivo do design. Ele se manifesta com igual intensidade na moda, na publicidade, na decoração, na arquitetura, no cinema e, *last but not least*, na arte contemporânea. Em todos os domínios, é a heterogeneidade dos critérios, a proliferação das correntes, a cacofonia das referências que se impõem, tudo ou quase tudo sendo possível e coabitando ao mesmo tempo.

15. Não obstante, os objetos-arquétipo são, ao mesmo título que as formas mais barrocas, expressões do design emocional. A despeito da simplicidade destes, Starck fala de "objetos poéticos", de "arquétipos sentimentais [...] mais discretos à vista, porém mais ricos ao sentir" por repousarem num "fundo comum de memória, de infância certamente mítica, sobre o qual se pode construir como que um jogo mental", citado in Christine Colin, *Question(s) design*, op. cit., pp. 355 e 236.

16. Como fizeram R. Craig Miller, Penny Sparke e Catherine McDermott, *Le Design européen depuis 1985: Quelles formes pour le XXIᵉ siècle?*. Trad. fr. de Géraldine Bretault, Valérie Feugeas e Christian Vair. Paris: Citadelles et Mazenod, 2009, de quem retomamos a classificação.

17. Sobre a tomada de consciência da necessária dimensão ecológica do design: Victor J. Papanek, *The Green Imperative: Ecology and Ethics in Design and Architecture*. Londres: Thames & Hudson, 1995.

18. Um vasto painel do problema é encontrado na obra de Vanessa Causse, *Design responsable: Guide et inspirations pour un nouvel art de vivre*. Paris: La Martinière, 2010, de quem tomamos os exemplos citados.

4. O IMPÉRIO DO ESPETÁCULO E DO DIVERTIMENTO [pp. 262-314]

1. O design, tratado nos dois capítulos precedentes, também é um dos territórios constitutivos dessa economia criativa.

2. Em 2010, os dez episódios de *The Pacific*, produzido por Steven Spielberg e Tom Hanks, ultrapassaram os 200 milhões de dólares, ou seja, o custo de um *blockbuster* hollywoodiano.

3. Por exemplo, Jean Baudrillard: "Assistimos ao fim do espaço perspectivo e panóptico, logo à própria abolição do espetacular". In: *Simulacres et simulation*. Paris: Galilée, 1981, pp. 51-2. (Coleção Débats). [Ed. port.: *Simulacros e simulação*. Lisboa: Relógio d'Água, 1991.]

4. O hiperespetáculo constitui uma das dimensões da nova etapa da modernidade ou hipermodernidade na qual nos encontramos agora. Sobre essa questão, ver Gilles Lipovetsky, *Les Temps hypermodernes*. Paris: Grasset, 2004 (Coleção Nouveau Collège de Philosophie); reed. LGF, 2006. (Coleção Le Livre de Poche; Biblio Essais). Também, do mesmo autor, *Le Bonheur paradoxal: Essai sur la société d'hyperconsommation*. Paris: Gallimard, 2006 (Coleção NRF Essais); reed. Coleção Folio Essais, 2009.

5. Guy Debord, *La société du spectacle* [1967]. Paris: Gallimard, 1996, p. 27. (Coleção Folio). [Ed. bras.: *A sociedade do espetáculo*. Rio de Janeiro: Contraponto, 1997.]

6. O espetáculo "é o sol que nunca se põe no império da passividade moderna". Ibid., p. 21.

7. Daniel Joseph Boorstin, *L'Image*. Trad. fr. de Marie-Jo Milcent. Paris: UGE, 1971. (Coleção 10/18).

8. Guy Debord, *La société du spectacle*, op. cit., p. 181.

9. Ibid., p. 38.

10. B. Joseph Pine II e James H. Gilmore, *The Experience Economy: Work is Theatre and Every Business a Stage*. Boston: Harvard Business School Press, 1999; Michael J. Wolf, *The Entertainment Economy: How Mega-Media Forces Are Transforming Our Lives*. Nova York: Time Books, 1999; Jeremy Rifkin, *L'âge de l'accès: La révolution de la nouvelle économie*. Trad. fr. de Marc Saint-Upéry. Paris: La Découverte, 2000. (Coleção Cahiers Libres).

11. Françoise Benhamou, *L'Économie du star-system*. Paris: La Découverte, 2002.

12. Neil Postman, *Se distraire à en mourir*. Trad. fr. de Thérésa de Chérisey. Paris: Flammarion, 1986; reed. Hachette Littérature, 2011. (Coleção Pluriel).

13. De acordo com certas estimativas, os bens hollywoodianos poderiam abastecer "mercados de cerca de 968 bilhões de dólares, ou seja, mais da metade da esfera do lazer e das mídias". Alexandre Bohas, *Disney: Un capitalisme mondial du rêve*. Paris: L'Harmattan, 2010, p. 129. (Coleção Chaos International).

14. A Disneyland de Paris ocupa uma superfície de 22 quilômetros quadrados; ela recebe a cada ano 13 milhões de visitantes e emprega mais de 12 mil pessoas. Quando foi lançada, a Dubailand deveria ocupar uma superfície de 185 quilômetros quadrados.

15. Mike Davis, *Le Stade Dubaï du capitalisme*. Trad. fr. de Hugues Jallon e Marc Saint-Upéry. Paris: Les Prairies Ordinaires, 2007, p. 42. (Coleção Penser/ Croiser).

16. Os megacentros batem um recorde depois do outro: o Golden Resources Center (Beijing), o South China Mall, o Dubai Mall têm respectivamente 560 mil, 660 mil e 1,1 milhão de metros quadrados de superfície.

17. B. Joseph Pine II e James H. Gilmore, *The Experience Economy*, op. cit. Também, Patrick Hetzel, *Planète conso: Marketing expérientiel et nouveaux univers de consommation*. Paris: Les Éditions d'Organisation, 2002.

18. Philippe Genestier, "Grands projets ou médiocres desseins?". *Le Débat*, n. 70, p. 87, maio-set. 1992; também Françoise Choay, *Pour une anthropologie de l'espace*. Paris: Éditions du Seuil, 2006, pp. 58-9, 152-3. (Coleção La Couleur des Idées).

19. Na era moderna, eram os críticos do capitalismo (dadaístas, surrealistas, anarquistas) que lançavam desafios provocadores à sociedade burguesa. Na era hipermoderna, são as próprias empresas do capitalismo artista que exploram os recursos da provocação tendo em vista a notoriedade de suas marcas.

20. Terceira figura do cinema híper, assim como o definimos em *L'Écran global: Culture-médias et cinéma à l'âge hypermoderne*. Paris: Éditions du Seuil, 2007. (Coleção La Couleur des Idées); reed. Point Essais, 2011.

21. Paul Ardenne, *Extrême: Esthétiques de la limite dépassée*. Paris: Flammarion, 2006.

22. "O conteúdo da obra não é a obra. O sentido da obra é a experiência que você vive quando entra nela", declara Richard Serra.

23. Notemos que várias vezes essa produção dita "experimental" provoca muito mais surpresa do que emoção.

24. Harold Rosenberg, *La Dé-définition de l'art*. Trad. fr. de Christian Bounay. Nîmes: Jacqueline Chambon, 1992, pp. 27-37.

25. François Jost, *Le Culte du banal: De Duchamp à la télé-réalité*. Paris: CNRS Éditions, 2007, p. 6. A obra de Arthur Danto aludida é *La Transfiguration du*

banal: Une philosophie de l'art. Paris: Éditions du Seuil, 1989. (Coleção Poétique). [Ed. bras.: *A transfiguração do lugar-comum: Uma filosofia da arte.* São Paulo: Cosac Naify, 2005.]

26. François Jost aproxima de forma judiciosa *Loft Story* da ideia lançada por Fernand Léger em 1931, no artigo "À propos du cinéma", de uma representação cinematográfica do banal, a partir de um roteiro que poria em cena "24 horas na vida de um casal qualquer com uma profissão qualquer... Aparelhos novos e misteriosos permitem filmá-los 'sem que eles saibam', com uma inquisição visual aguda durante as 24 horas, sem deixar escapar nada: o trabalho, o silêncio, a vida íntima e amorosa deles" (ibid., p. 27).

27. Jean-Louis Missika fala com razão de um "real de laboratório", que "parodia" a vida. Ver *La Fin de la télévision.* Paris: Éditions du Seuil, 2006, p. 34. (Coleção La République des Idées).

28. Fenômeno híbrido, transgênero, o reality show não confunde apenas as fronteiras entre realidade e ficção, mas também entre vida pública e intimidade, atores e gente comum, jogo e atividade contratual, performance e folhetim.

29. Gabriel Segré, "La fabrication télévisuelle de la star". *Réseaux*, v. xxiv, n. 137, pp. 207-40, 2006.

30. François Jost, *La Culte du banal*, op. cit., p. 91.

31. Jean Clair evoca "o lado Barnum" dos museus americanos. In: *Malaise dans les musées.* Paris: Flammarion, 2007, p. 69. (Coleção Café Voltaire). Sobre o papel motor dos museus americanos nessa evolução, ver Gérard Selbach, *Les Musées d'art américains, une industrie culturelle.* Paris/Montréal: L'Harmattan, 2000. (Coleção Esthétiques).

32. Sobre esses pontos, Jean-Michel Tobelem, *Le Nouvel âge des musées: Les institutions culturelles au défi de la gestion.* Paris: Armand Colin, 2005. (Coleção Sociétales); nova edição revista e aumentada, 2010.

33. Podemos salientar que os desfiles são hoje filmados e explorados como um espetáculo, nas lojas de moda, nas lojas de departamentos, nos restaurantes até, que os projetam numa tela, e também na televisão. Um canal como Fashion tv passa permanentemente imagens de desfiles.

34. A lógica hipertrófica não poupa gastos. O desfile Armani Haute Couture de 2008 custou 3 milhões de euros. Os de Dior e Chanel atingiram 5 milhões de euros. Em 2007, Fendi pôs 88 modelos para desfilar numa passarela de noventa metros montada na grande muralha da China: o orçamento desse show faraônico imaginado por Karl Lagerfeld se elevou a 10 milhões de euros.

35. Ginger Gregg Duggan, "The Greatest Show on Earth". In: Jan Brand, José Teunissen e Anne Van Der Zwaag (orgs.), *The Power of Fashion: About Design and Meaning.* Arnhem: ArtEZ Press, 2006, pp. 222-43. Também Lydia Kamitsis, "Une

histoire impressioniste du défilé depuis les années 1960". In: *Showtime, le défilé de mode: Exposition, Paris, Musée Galliera, 3 mars-30 juillet 2006*. Paris: Paris-Musées, 2006, pp. 166-71.

36. Claude Franck, "Un monde d'objets". *Le Débat*, n. 155, p. 157, maio-ago. 2009. Esse artigo será inserido num conjunto intitulado "De l'architecture spectacle à l'architecture de crise?".

37. Sobre essa questão da modéstia, ver Guy Desgrandchamps, "L'architecture et la question de la modestie". Ibid.

38. *Beaux Arts magazine*, jan. 2007.

39. Recentemente, Laurent Habib, *La communication transformative: Pour en finir avec les idées vaines*. Paris: PUF, 2010.

40. Nicolas Riou, *Pub Fiction: Société postmoderne et nouvelles tendances publicitaires*. Paris: Les Éditions d'Organisation, 1999.

41. Kevin Robert, *Lovemarks: Le nouveau souffle des marques*. Trad. fr. de Fabienne Malfait-Duvillier. Paris: Les Éditions d'Organisation, 1999. [Ed. bras.: *Lovemarks: O futuro além das marcas*. São Paulo: M. Books, 2005.]

42. Hermann Broch, *Quelques remarques à propos du kitsch* [1955]. Trad. fr. de Albert Kohn. Paris: Allia, 2001.

43. Clement Greenberg, "Avant-garde et kitsch" [1939]. In: *Art et culture: Essais critiques*. Trad. fr. de Ann Hindry. Paris: Macula, 1989, p. 18. (Coleção Vues). [Ed. bras.: *Arte e cultura: Ensaios críticos*. São Paulo: Cosac Naify, 2013.]

44. "Prefiro o mau gosto à falta total de gosto", declara John Galliano.

45. De resto, os próprios turistas oferecem com frequência o espetáculo do mau gosto kitsch: gente demais, barulho demais, excesso de cores berrantes, pizzas demais.

46. *M, le magazine du Monde*, 21 jan. 2012.

47. Valérie Arrault, *L'Empire du kitsch*. Paris: Klincksieck, 2010. (Coleção Collection d'Esthétique).

48. Umberto Eco, *La Guerre du faux* [1973]. Trad. fr. de Myriam Tanant. Paris: Grasset, 1985. Ver também Pascale Froment e Brice Matthieussent (orgs.), *L'ère du faux: Art, sexe, politique*. Paris: Autrement, 1986.

49. Para usar o título francês do ensaio de Benjamin Barber, *Comment le capitalisme nous infantilise*. Trad. fr. de Lise e Paul Chemla. Paris: Fayard, 2007.

50. Abraham Moles, *Psychologie du kitsch: L'art du bonheur*. Paris: Denoël-Gonthier, 1976. (Coleção Bibliothèque Médiations). [Ed. bras.: *O kitsch, a arte da felicidade*. São Paulo: Perspectiva, EDUSP, 1972.]

51. Ibid., p. 21.

52. O caso é que o kitsch "clássico" do objeto, como vimos, não desaparece. De sorte que no período hipermoderno convivem um kitsch do primeiro grau e

um do segundo grau, o "bling-bling" e sua paródia, o sentimentalismo e sua derrisão.

53. Milan Kundera, *L'Insoutenable légèreté de l'être* [1984]. Paris: Gallimard, 1990, p. 357. (Coleção Folio). [Ed. bras.: *A insustentável leveza do ser*. São Paulo: Companhia das Letras, 2008.]

54. Ibid., p. 356.

5. O ESTÁGIO ESTÉTICO DO CONSUMO [pp. 315-86]

1. Na verdade, esse processo está em andamento desde o advento das lojas de departamentos no século XIX, as quais aumentaram consideravelmente a influência do comércio sobre a organização dos centros urbanos, rompendo em particular com o isolamento de diversos bairros e exigindo vias de acesso mais largas; ver sobre esse ponto Jeanne Gaillard, *Paris, la ville: 1852-1870*. Paris: Honoré Champion, 1977.

2. David Mangin, *La ville franchisée: Formes et structures de la ville contemporaine*. Paris: Éditions de la Villette, 2004. (Coleção SC).

3. Já em 1971, Robert Venturi, Denise Scott Brown e Steven Izenour publicam *Learning from Las Vegas* (*L'enseignement de Las Vegas ou le Symbolisme oublié de la forme architecturale*. Bruxelas: Éditions Mardaga, 1978 [Ed. bras.: *Aprendendo com Las Vegas: O simbolismo (esquecido) da forma arquitetônica*. São Paulo: Cosac Naify, 2003]), em que o modernismo elitista é rejeitado em benefício de uma arquitetura inspirada no universo do kitsch mercantil e da arquitetura comercial mais simbólica do que plástica. E o que foi chamado de pós-modernismo se impôs como uma arquitetura eclética de imagem e comunicação que empresta sua linguagem do universo comercial, espetacular e publicitário.

4. Rem Koolhaas, "Shopping, Harvard Project on the City". In: *Mutations*. Bordeaux; Barcelona: Arc en Rêve Centre d'Architecture; Actar, 2005, p. 164.

5. Atualmente, o parque comercial francês supera os 52 milhões de metros quadrados. Em 2011, a França contava 912 shopping centers, representando 19 milhões de metros quadrados e abrigando 34 mil lojas: 25% se encontram em centros urbanos e 75% na periferia.

6. In: *LSA*, 5 abr. 2001.

7. Sharon Zukin, *The Culture of Cities*. Cambridge; Oxford: Blackwell Publishers, 1995.

8. Yves Chalas, "Quelle ville pour demain?". In: Jean-Yves Chapuis, Évelyne Hardy e Julien Giusti (orgs.), *Villes en évolution*. Paris: La Documentation Française, 2005, pp. 23-5. (Coleção Villes et Sociétés); François Ascher, *L'Âge des mé-*

tapoles. La Tour-d'Aigues: Éditions de l'Aube, 2009. pp. 229-30. (Coleção Monde en Cours).

9. Pierre Sansot, *Poétique de la ville*. Paris: Klincksieck, 1971 (Coleção Collection d'Esthétique); reed. Payot & Rivages, 2004. (Coleção Petite Bibliothèque Payot).

10. Guy Burgel, *La Ville aujourd'hui*. Paris: Hachette Littérature, 1993, pp. 121-2. (Coleção Pluriel).

11. Alain Bourdin, *La Métropole des individus*. La Tour-d'Aigues: Éditions de l'Aube, 2005, p. 72. (Coleção Monde en Cours).

12. Christian Ruby, "Art en public ou art public". *Le Débat*, n. 98, jan.-fev. 1998, p. 56.

13. Ibid., p. 58.

14. Sobre a nova organização do espaço social urbano: Maria Gravari-Barbas, "Les nouveaux loisirs créent-ils un nouvel urbanisme?". In: *Actes du Festival International de Géographie 2001:* Géographie de l'innovation, Saint-Dié-des--Vosges. Disponível em: <http://archives-fig-st-die.cndp.fr/actes/actes_2001/barbas/article.htm>. Acesso em: 12 fev. 2015.

15. Numerosos também os vilarejos "típicos", que são transformados em cenário de opereta para os que saem de férias.

16. "É estranho ver, em apenas um quarto de século, um centro de cidade empurrar para o exterior muitas das suas atividades para se tornar rapidamente um local neutro, um centro sagrado, devotado ao passado, à lembrança, ao turismo. Tornar-se algo que só vive graças ao que está morto." Françoise Cachin, "Paris muséifié". *Le Débat*, n. 80, pp. 302 e 303, maio-ago. 1994.

17. Pesquisa Ifop-*Le Journal du dimanche*, fev. 2009.

18. Pascale Hébel, Nicolas Siounandan e Franck Lehuede, *Le consommateur va-t-il changer durablement de comportement avec la crise?*, Crédoc, "Cahier de recherche", n. 268, dez. 2009.

19. Sobre esses pontos, Philippe Moati. *La Nouvelle révolution commerciale*. Paris: Odile Jacob, 2011, pp. 146-56.

20. Alvin Toffler, *Le choc du futur*. Trad. fr. de Sylvie Laroche e Solange Metzger. Paris: Denoël, 1971 (Coleção Défi); reed. Gallimard, 1987, p. 258. (Coleção Folio Essais). [Ed. bras.: *O choque do futuro*. Rio de Janeiro: Record, 1985.]

21. Sobre a nova dimensão emocional e estética do consumo, Gilles Lipovetsky, *Le Bonheur paradoxal: Essai sur la société d'hyperconsommation*. Paris: Gallimard, 2006 (Coleção NRF Essais); reed. Coleção Folio Essais, 2009. Também Gilles Lipovetsky e Elyette Roux, *Le Luxe éternel: De l'âge du sacré au temps des marques*. Paris: Gallimard, 2003. (Coleção Le Débat). [Ed. bras.: *O luxo eterno: Da idade do sagrado ao tempo das marcas*. São Paulo: Companhia das Letras, 2005.]

22. O que não impede que os gostos se construam cada vez mais mediante informações difundidas pelas mídias: a época vê, assim, multiplicarem-se as revistas de decoração doméstica e de arranjo dos jardins, bem como as revistas de mídia, os guias turísticos, as revistas e colunas de culinária, os livros de receitas e de enologia.

23. Pierre Bourdieu, *La Distinction: Critique sociale du jugement*. Paris: Éditions de Minuit, 1979. (Coleção Le Sens Commun). [Ed. bras.: *A distinção: Crítica social do julgamento*. 2. ed. São Paulo: EDUSP, 2011.]

24. Jean Baudrillard, *Le Système des objets* [1968]. Paris: Gallimard, 1978, pp. 205-8. (Coleção Tel). [Ed. bras.: *O sistema dos objetos*. São Paulo: Perspectiva, 1973.]

25. Michel Henry, *La Barbarie*. Paris: Grasset, 1987; reed. LGF, 1988, p. 161. (Coleção Le Livre de Poche/Biblio Essais). [Ed. bras.: *A barbárie*. São Paulo: É Realizações, 2012.]

26. Paul Virilio, *Cybermonde, la politique du pire: Entretien mené par Philippe Petit*. Paris: Textuel, 1996. (Coleção Conversations pour Demain). [Ed. port.: *Cibermundo: A política do pior*. Alfragide: Teorema, 2000.]

27. A décima edição da Nuit Blanche de Paris, ocorrida em 2011, teve um recorde de afluência, com cerca de 2,5 milhões de visitantes.

28. Bernard Stiegler, *Mécréance et discrédit*. Paris: Galilée, 2004. (Coleção Débats). [Ed. port.: *Descrença e descrédito*. Lisboa: Vendaval, 2006.]

29. Edgar Morin, *L'Esprit du temps: Essai sur la culture de masse*. Paris: Grasset, 1962, p. 97. (Coleção La Galerie). [Ed. bras.: *Cultura de massas no século XX: O espírito do tempo*. Rio de Janeiro, Forense-Universitaria, 1977.]

30. John Urry, *The Tourist Gaze: Leisure and Travel in Contemporary Societies*. Londres; Newbury Park: SAGE Publications, 1990; Yves Michaud, *L'Art à l'état gazeux: Essai sur le triomphe de l'esthétique*. Paris: Stock, 2003. (Coleção Les Essais); reed. Hachette Littérature, 2004, p. 190. (Coleção Pluriel). [Ed. bras.: *O olhar do turista: Lazer e viagens nas sociedades contemporâneas*. São Paulo: SESC; Studio Nobel, 1996.]

31. Norbert Elias, *La Civilisation des moeurs* [1939]. Trad. fr. de Pierre Kamnitzer. Paris: Calmann-Lévy, 1973. (Coleção Archives des Sciences Sociales); *La Société de cour* [1969]. Trad. fr. de Pierre Kamnitzer. Paris: Calmann-Lévy, 1974. (Coleção Archives des Sciences Sociales).

32. Sobre a visão do Grande Século pela literatura, ver Patrick Dandrey, *Quand Versailles était conté: La cour de Louis XIV par les écrivains de son temps*. Paris: Les Belles Lettres, 2009. Sobre a máquina curial, ver Jacques Revel, "La Cour". In: Pierre Nora (org.), *Les Lieux de mémoire*. Paris: Gallimard, 1997, pp. 3141-97. t. III. (Coleção Quarto).

33. Norbert Elias, "La solitude du mourant dans la société moderne". *Le Débat*, n. 12, pp. 93-4, maio 1981.

34. Prevê-se que em 2020 os tetos de Paris abriguem, em nome do desenvolvimento sustentável, cerca de onze hectares de hortas e de jardins.

35. Criado em 1999, o movimento Cittaslow promove uma gestão municipal centrada na qualidade de vida, no respeito às paisagens, na economia de proximidade. Em 2011, reunia cerca de 150 cidades pequenas e médias, em 21 países.

36. Thierry Paquot, *L'urbanisme c'est notre affaire!* Nantes: L'Atalante, 2010, pp. 79-104. (Coleção Comme un Acordéon).

37. Sobre essa problemática, Nathalie Blanc, *Les Nouvelles esthétiques urbaines*. Paris: Armand Colin, 2012. (Coleção Émergences).

38. Donde novos programas urbanos: é em nome da luta contra a "poluição visual" que a prefeitura de São Paulo proíbe, desde 2007, anúncios publicitários no espaço público.

39. Em 2001, mais de 7 milhões de lares americanos, ou seja, 10 milhões de pessoas e 3,5% da população, viviam numa comunidade privatizada e cercada.

40. David Mangin, *La Ville franchisée*, op. cit., p. 236.

41. Ir a um brechó ou a um "família vende tudo" (mais de 50 mil eventos desse tipo são organizados todos os anos) é hoje um dos programas de fim de semana preferidos dos franceses.

42. François Ascher, *Le mangeur hypermoderne: Une figure de l'individu éclectique*. Paris: Odile Jacob, 2005, pp. 210-5.

43. Jean-Claude Ribaut, "Oenotourisme gourmand en Bourgogne". *Le Monde*, 15 set. 2011.

44. Esse percentual triplicou em meio século, e nem as crianças são poupadas: uma em cada três tem hoje sobrepeso ou é obesa.

45. Claude Fischler, *L'Homnivore: Le goût, la cuisine et le corps*. Paris: Odile Jacob, 1990; reed. Éditions du Seuil, 1993, pp. 212-6. (Coleção Points). Jean-Pierre Poulain anota, acerca da cacofonia alimentar hipermoderna, que ela não remete apenas a uma ausência de regras sociais, mas também "à inflação de injunções contraditórias: higienistas, identitárias, hedonistas, estéticas…". Jean-Pierre Poulain, *Sociologies de l'alimentation: Les mangeurs et l'espace social alimentaire*. Paris: PUF, 2002, p. 53. (Coleção Sciences Sociales et Sociétés). [Ed. bras.: *Sociologias da alimentação: Os comedores e o espaço social alimentar*. Florianópolis: Editora da UFSC, 2004.]

46. 95% das francesas compram produtos de beleza.

47. 31% das jovens de treze a quinze anos utilizam lápis para olhos pelo menos uma vez por semana; 16% das meninas de oito a doze anos utilizam um creme todos os dias, 11% esmalte para unhas, 9% máscara (estudo Consojunior

realizado por Kantar Media em 2010). A Wallmart lançou em 2011 uma linha de cosméticos para meninas de oito a doze anos.

48. Na França, a cirurgia estética alcança cerca de 120 mil pessoas por ano; o número de institutos de beleza passou de 2 300 a 15 300, entre 1970 e 2006; o faturamento dos cosméticos dobrou entre 1990 e 2000.

49. Georges Vigarello, *Histoire de la beauté: Le corps et l'art d'embellir de la Renaissance à nos jours*. Paris: Éditions du Seuil, 2004, pp. 240-9. (Coleção L'Univers Historique). [Ed. bras.: *História da beleza: O corpo e a arte de se embelezar, do Renascimento aos dias de hoje*. Rio de Janeiro: Ediouro, 2006.]

50. Gilles Lipovetsky, *La Troisième femme: Permanence et révolution du féminin*. Paris: Gallimard, 1997, pp. 140-4. (Coleção NRF Essais); reed. Coleção Folio Essais, 2006, pp. 172-7. [Ed. bras.: *A terceira mulher: Permanência e revolução do feminino*. São Paulo: Companhia das Letras, 2000.]

51. O mercado das injeções antirrugas progride. Na França, cerca de 3 milhões de seringas de produtos de preenchimento de rugas foram vendidos entre 2003 e 2008.

52. De resto, nem todas as intervenções estéticas são realizadas para se fazer admirar por uma beleza perfeita. Às vezes é, ao contrário, para passar despercebidas que certo número de mulheres recorrem à cirurgia estética de que esperam a eliminação de imperfeições demasiado evidentes, fontes de complexos.

53. Gilles Lipovetsky, "Demain, le beau sexe". In: Élisabeth Azoulay (org.), *100 000 ans de beauté*. Paris: Gallimard, 2009, pp. 132-5. t. v: Futur: projections.

54. Arthur Marwick, *Beauty in History: Society, Politics, and Personal Appearance*. Londres: Thames & Hudson, 1988, cap. VIII.

55. Em 2009, o orçamento têxtil anual dos homens se elevava a 298 euros contra 343 para as mulheres: em dez anos, a diferença do orçamento dos dois sexos passou de 20% a 13%. E entre as pessoas de quinze a 24 anos, é de apenas 6 %.

56. Susan Bordo, "Réinventer la beauté masculine". In: Élisabeth Azoulay (org.), *100 000 ans de beauté*, op. cit., pp. 122-3. t. v: Futur: projections.

57. Gilles Lipovetsky, *La Troisième femme*, op. cit., pp. 188-200; Coleção Folio Essais, pp. 231-46.

58. Jackie Assayag, *La Mondialisation vue d'ailleurs: L'Inde désorientée*. Paris: Éditions du Seuil, 2005, pp. 103-26. (Coleção La Couleur des Idées).

59. Carolyn Cooper, "Le clown blanc de Kingston", *Le Monde*, 28 jan. 2012.

60. Virgina Postrel, *The Substance of Style: How the Rise of Aesthetic Value is Remaking Commerce, Culture, and Consciousness*. Nova York: HarperCollins, 2003, p. 26.

61. Gilles Lipovetsky, *L'Empire de l'éphémère: La mode et son destin dans les sociétés modernes*. Paris: Gallimard, 1987. (Coleção Bibliothèque des Sciences Humaines); reed. Coleção Folio Essais, 1991, parte I, capítulo III.

62. Anne Hollander, *Sex and Suits*. Londres: Claridge Press, 1994, p. 167. [Ed. bras.: *O sexo e as roupas*. Rio de Janeiro: Rocco, 1996.]

63. Eric de Kuyper, "If Everything's Fashion, What's Happening to Fashion". In: Jan Brand, José Teunissen e Anne Van Der Zwaag (org.), *The Power of Fashion. About Design and Meaning*. Arnhem: ArtEZ Press, 2006, p. 121.

64. Anne Hollander, *Sex and Suits*, op. cit., pp. 167-77.

65. David Le Breton, *Signes d'identité: Tatouages, piercings et autres marques corporelles*. Paris: Métailié, 2002. (Coleção Traversées). [Ed. port.: *Sinais de identidade: Tatuagens, piercings e outras marcas corporais*. Lisboa: Miosótis, 2004.]

66. De acordo com uma pesquisa da Northwestern University publicada no *Journal of the American Academy of Dermatology* em 2006, nos Estados Unidos, cerca de um quarto dos homens e mulheres entre dezoito e cinquenta anos têm pelo menos uma tatuagem.

67. Marie-Anne Dujarier, *Le Travail du consommateur. De McDo à eBay: Comment nous coproduisons ce que nous achetons*. Paris: La Découverte, 2008. (Coleção Cahiers Libres).

68. Bernard Lahire, *La Culture des individus: Dissonances culturelles et distinction de soi*. Paris: La Découverte, 2004. (Coleção Textes à l'Appui). [Ed. bras.: *A cultura dos indivíduos*. Porto Alegre: Artmed, 2006.]

69. Ibid., p. 258.

70. Ibid., pp. 624-36. Esses pontos são bem analisados por Bernard Lahire, mas ele não tira as conclusões que se impõem em matéria de intensificação histórica das dissonâncias individuais culturais. [Ed. bras.: *Estética*. 4. ed. São Paulo: Nova Cultural, 1988.]

71. Gilles Lipovetsky, *La Société de déception: Entretien mené par Bertrand Richard*. Paris: Textuel. pp. 47-8. (Coleção Conversations pour Demain).

72. Georg Wilhelm Friedrich Hegel, *Esthétique* [1818-1830]. Trad. fr. de Samuel Jankélévitch, Flammarion, 2009, p. 153. t. I. (Coleção Champs).

73. Edgar Wind, *Art et anarchie*. Trad. fr. de Pierre-Emmanuel Dauzat. Paris: Gallimard, 1988, p. 46. (Coleção Bibliothèque des Sciences Humaines).

74. Ibid., p. 39.

75. Philippe Muray, *Après l'Histoire*. Paris: Les Belles Lettres. t. I, 1999, t. II, 2000; reed. Gallimard, 2007. (Coleção Tel).

76. Gilles Lipovetsky, *Le Bonheur paradoxal*, op. cit., pp. 233-6; Coleção Folio Essais, pp. 290-3.

6. A SOCIEDADE TRANSESTÉTICA: ATÉ ONDE? [pp. 387-422]

1. Sobre o enfoque filosófico da estetização contemporânea da ética, ver Richard Shusterman, *L'Art à l'état vif: La pensée pragmatiste et l'esthétique populai-*

re. Trad. fr. de Christine Noille. Paris: Éditions de Minuit, 1991, pp. 233-68. (Coleção Le Sens Commun).

2. Esses pontos são desenvolvidos por Tzvetan Todorov em *Les Aventuriers de l'absolu* (Paris: Robert Laffont, 2005).

3. Daniel Bell, *Les Contradictions culturelles du capitalisme*. Trad. fr. de Marie Matignon. Paris: PUF, 1979. (Coleção Sociologies).

4. Ulrich Beck, *La Société du risque: Sur la voie d'une autre modernité*. Trad. fr. de Laure Bernardi. Paris: Aubier, 2001. [Ed. bras.: *Sociedade de risco: Rumo a uma outra modernidade*. São Paulo: Ed. 34, 2010.]

5. O que a embalagem dos produtos alimentícios traduz: de um lado, cores, formas, tipografias atraentes, incitando ao prazer de consumir; de outro, nomenclatura dos componentes do produto, dos corantes, dos excipientes e tabela de valores de lipídios, glicídios, sais, açúcares, que estimulam a vigilância higienista e sanitária.

6. Jean-Pierre Poulain, *Sociologies de l'alimentation: Les mangeurs et l'espace social alimentaire*. Paris: PUF, 2002, p. 53. (Coleção Sciences Sociales et Sociétés).

7. Gilles Lipovetsky, *Le Bonheur paradoxal: Essai sur la Société d'hyperconsommation*. Paris: Gallimard, 2006, pp. 216-20. (Coleção NRF Essais); reed. Coleção Folio Essais, 2009, pp. 268-73.

8. Robert Rochefort, *Le Consommateur entrepreneur: Les nouveaux modes de vie*. Paris: Odile Jacob, 1997.

9. Claude Fischler, *L'Homnivore: Le goût, la cuisine et le corps*. Paris: Odile Jacob, 1990; reed. Éditions du Seuil, 1993. (Coleção Points).

10. Sobre esses pontos, ver Gilles Lipovetsky, *Le Bonheur paradoxal*, op. cit.

11. Se os valores ecológicos podem se opor à ética estética, a recíproca também é verdadeira. Vemos assim se constituírem associações contra os projetos de construção de parques eólicos em nome, precisamente, da defesa da estética das paisagens.

12. Nicole Aubert, *Le Culte de l'urgence: La société malade du temps*. Paris: Flammarion, 2003; reed. Coleção Champs, 2004.

13. O computador portátil e os smartphones desempenham um grande papel nessa deterioração, porque criam as condições de uma disponibilidade a qualquer instante que acarreta uma invasão crescente do trabalho na vida privada: um quarto dos assalariados afirma que o equilíbrio entre sua vida familiar e sua vida profissional não é satisfatório (*Le Monde*, 7 abr. 2012).

14. Anne Godignon e Jean-Louis Thiriet, "De la servitude volontaire: Réflexions sur l'agir moderne". *Le Débat*, n. 59, p. 150, mar.-abr. 1990.

15. Para melhorar o bem-estar dos assalariados, as empresas agora instalam salas de ginástica, desenvolvem atividades esportivas e culturais no próprio local

de trabalho. É em nome desse ideal que são organizados horários flexíveis e, muito raramente, creches.

16. Gilles Lipovetsky, *Le Bonheur paradoxal*, op. cit., pp. 197-212; Coleção Folio Essais, pp. 244-63.

17. François Ascher, *Métapolis ou l'avenir des villes*. Paris: Odile Jacob, 1995, pp. 138-40. [Ed. port.: *Metapolis: Acerca do futuro da cidade*. Oeiras: Celta Editora, 1998.]

18. ["Oh engano adorável! oh jogo da natura!/ É isso uma verdade? não passa de uma pintura?"] Jean Desmarets de Saint-Sorlin, *Promenades de Richelieu ou Les vertus chrestiennes dédiées à Madame la duchesse de Richelieu*. Paris: H. Le Gras, 1653.

19. Atualmente, de cada dez franceses, três têm uma atividade artística, contra 1,5 na década de 1970. A prática, como amador, de um instrumento ou do teatro dobrou; a da dança triplicou.

20. A internet ilustra a seu modo a persistência do ideal de ajuda mútua por meio dos fóruns, dos jornais, das wikis (entre elas a Wikipédia), realizados por contribuintes voluntários e anônimos que não esperam em troca nem remuneração, nem gratificação particular.

21. É por isso que se deve recusar leituras que, sem nenhuma preocupação com as tensões contraditórias em ação na cultura hipermoderna, afirmam sem hesitar que é preciso substituir por "egoísmo" um "individualismo" que se pretende inencontrável: "sai o individualismo e entra o egoísmo". Sob a aparência de altitudes filosóficas, isso nada mais é que a aceitação mais trivial do fenômeno veiculado pela *doxa* que volta à tona: ver Dany-Robert Dufour, *Le Divin Marché: La révolution culturelle libérale*. Paris: Denoël, 2008. (Coleção Bibliothèque Médiations); reed. Gallimard, 2012, p. 29, para a citação. (Coleção Folio Essais). [Ed. bras.: *O divino mercado: A revolução cultural liberal*. Rio de Janeiro: Companhia de Freud, 2008.]

22. Allan David Bloom, *L'Âme désarmée*. Trad. fr. de Paul Alexandre. Paris: Julliard, 1987, p. 159.

23. Sobre essas duas figuras do individualismo, Gilles Lipovetsky, *Le Crépuscule du devoir: L'éthique indolore des nouveaux temps démocratiques*. Paris: Gallimard, 1992. (Coleção NRF Essais); reed. Coleção Folio Essais, 2000. [Ed. bras.: *O crepúsculo do dever: A ética indolor dos novos tempos democráticos*. Porto Alegre: Dom Quixote, 2010.]

24. Alexis de Tocqueville, *De la démocratie en Amérique* [1835]. Paris: Gallimard, p. 234. t. II. (Coleção Folio Histoire). [Ed. bras.: *A democracia na América*. São Paulo: Martins Fontes, 2005.]

25. Lothar Baier, *Pas le temps! Traité sur l'accélération*. Trad. fr. de Marie-Hélène Desort e Peter Kraus. Arles: Actes Sud, 2002. (Coleção Lettres Allemandes).

26. Hartmut Rosa, *Accélération: Une critique sociale du temps.* Trad. fr. de Didier Renault. Paris: La Découverte, 2010, pp. 113-4. (Coleção Théorie Critique).

27. Sobre o kitsch como "arte da felicidade", estado de espírito e maneira de viver, ver Abraham Moles, *Psychologie du kitsch: L'art du bonheur.* Paris: Denoël-Gonthier, 1976. (Coleção Bibliothèque Médiations).

Índice onomástico

Adorno, Theodor Wisengrund, 202, 207, 439
Ai Wei Wei, 235
Akhmadullina, Alena, 237
Alaïa, Azzedine, 184
Alberti, Leon Battista, 19
Ali, Mohammed, 279
Allais, Alphonse, 338
Almodóvar, Pedro, 83, 303, 314
Anderson, Chris, 101-2
Andreu, Paul, 235, 274
Antonioni, Michelangelo, 199
Apollinaire, Guillaume, 23, 219
Arad, Ron, 239-40, 258
Aragon, Louis, 220, 438, 442
Ardenne, Paul, 280, 430, 445
Arendt, Hannah, 209
Arens, Egmont, 124
Armani, Giorgio, 80-1, 89, 184, 230, 446
Arp, Jean (Hans), 114
Arrault, Valérie, 447

Artaud, Antonin, 88, 437
Arthus-Bertrand, Yann, 334
Ascher, François, 448, 451, 455
Assayag, Jackie, 452
Assouly, Olivier, 434
Aubert, Nicole, 454
Aulenti, Gae, 179
Azoulay, Élisabeth, 452

Baas, Maarten, 258
Baier, Lothar, 455
Balzac, Honoré de, 435, 438
Baqué, Dominique, 430
Barber, Benjamin, 447
Basquiat, Jean-Michel, 230
Bataille, Georges, 58, 385
Baudelaire, Charles, 74, 207, 428-9, 436, 439
Baudrillard, Jean, 126, 190, 434, 439, 444, 450
Baum, Lyman Frank, 140, 143
Bausch, Pina, 245

Beck, Ulrich, 423, 454
Becker, Howard S., 66, 116, 428, 433
Beethoven, Ludwig van, 75
Behrens, Peter, 123, 167
Beineix, Jean-Jacques, 284
Bell, Daniel, 168, 391, 454
Bellini, Mario, 174
Beltrami, Giovanni, 25
Benghozi, Pierre-Jean, 431
Benhamou, Françoise, 426, 431, 433, 444
Benjamin, Walter, 148, 434-5, 438
Bergman, Ingmar, 200
Berkeley, Busby, 200
Bernard, Christian, 296
Bernhardt, Sarah, 199
Bertoia, Harry, 174
Bey, Jurgen, 258
Beyoncé, 298
Bich, Marcel, barão, 178
Bidgood, James, 305
Bill, Max, 172, 174
Blanc, Nathalie, 451
Blanchard, Gilles, 305, 314
Blanckaert, Christian, 436
Bloom, Allan David, 413, 455
Bohas, Alexandre, 426, 428, 445
Boileau, Louis-Charles, 138, 148
Boltanski, Luc, 63, 120, 125, 127, 427, 433-4
Bomsel, Olivier, 425
Bonetti, Mattia, 231, 249
Bonnard, Pierre, 215
Bony, Anne, 438
Boorstin, Daniel Joseph, 444
Bordo, Susan, 452
Borromini, Francesco, 138
Borzage, Frank, 200
Bosch, Hieronymus, 359

Boucicaut, Aristide, 123, 134, 137, 149
Bourdieu, Pierre, 426, 450
Bourdin, Alain, 449
Brand, Jan, 446, 453
Brandt, Marianne, 164
Branzi, Andrea, 245, 249
Braque, Georges, 151, 378
Bredendiek, Hin, 164
Breton, André, 24
Breuer, Marcel Lajos, 164
Broch, Hermann, 302, 312, 447
Brooks, Louise, 205, 208
Brown, Denise Scott, 448
Buñuel, Luis, 199
Burden, Chris, 281
Burgel, Guy, 320, 449
Burnham, Daniel H., 123

Cachin, Françoise, 326, 449
Cage, John, 245
Calatrava, Santiago, 273
Calkins, Elmo, 124
Cameron, James, 103
Campana, Fernando e Humberto, irmãos, 238-9, 249
Canudo, Ricciotto, 199
Capeto, Isabela, 237
Cappiello, Leonetto, 215-6
Caravaggio, 76, 289
Carlo, Ron, 277
Carroll, Noël, 428
Carsen, Robert, 288
Caruso, Enrico, 210
Cassandre, Adolphe Mouron, 216
Castelbajac, Jean-Charles de, 81
Castelli, Leo, 88
Castells, Manuel, 428
Castiglioni, Achille, 251
Castoriadis, Cornelius, 126

Caumon, Céline, 443
Causse, Vanessa, 444
Caves, Richard E., 432-3
Cayatte, André, 200
Céline, Louis-Ferdinand, 200, 219, 439, 441, 443
Cendrars, Blaise, 216, 219
Chagall, Marc, 427
Chalas, Yves, 448
Chalayan, Hussein, 81, 89, 237, 293
Chabon, Michael, 76, 426, 429, 431, 445
Chandler, Alfred D., 433-4
Chanel, Coco, 85, 108, 152, 246, 279, 293, 298, 436, 446
Changy, Florence de, 427
Chantepie, Philippe, 431
Chaplin, Charlie, 199
Chapman, Jake, 281
Chapuis, Jean-Yves, 448
Chatiliez, Étienne, 223, 442
Chéret, Jules, 215
Cheskin, Louis, 177
Cheung Laam, Shirley, 237
Chiapello, Ève, 63, 120, 125, 127, 427, 433-4
Choay, Françoise, 445
Choo, Jimmy, 81
Chung, Chuihua Judy, 439
Cibic, Aldo, 244
Clair, Jean, 446
Clément, Gilles, 338
Cleópatra, 279
Cochoy, Franck, 434
Cocteau, Jean, 153
Cohen, Daniel, 425
Cole, Henry, 163, 437
Colin, Christine, 443
Colin, Paul, 216

Colombo, Cesare Joe, 179
Colonna, Vincent, 429
Commoy, Pierre, 305, 314
Cooper, Carolyn, 452
Coppola, Francis Ford, 277
Coppola, Sofia, 303, 312
Cordes, August Wilhelm, 139
Corneille, Pierre, 116, 308
Costoulas, Constantin, 317
Crawford, Joan, 440
Curtiz, Michael, 200

Dalí, Salvador, 84
Dalida, 312
Dandrey, Patrick, 450
Danto, Anthur, 284, 426, 445
Davis, Mike, 423, 445
De Lemos, Theodore Wilhelm Emile, 139
De Rudder, Nora, 258
Debord, Guy, 264, 266-7, 372, 444
Decouflé, Philippe, 291
Deitch, Jeffrey, 86
Dejanov, Plamen, 86
Delacroix, Eugène, 439
Delaunay, Robert, 435
Delaunay, Sonia, 436
Delvoye, Wim, 305
DeMille, Cecil B., 202
Denisoff, Serge R., 431
Desgrandchamps, Guy, 447
Desmarets de Saint-Sorlin, jean, 409, 455
Dion, Céline, 306
Dior, Christian, 80, 89, 154, 298, 446
Disney, Walt, 45, 72-3, 94, 98, 272, 306, 321, 426, 428, 445
Dixon, Tom, 258
Dollé, Jean-Paul, 423

Dormer, Peter, 437
Dors, Diana, 205
Dos Passos, John, 141
Doueihi, Milad, 428
Dreyfuss, Henry, 168
Drocco, Guido, 180
Dru, Jean-Marie, 442
Dubossarsky, Vladimir, 305
Dubuisson, Paul, 435
Duchamp, Marcel, 284, 445
Dufour, Raoul, 455
Duggan, Ginger Gregg, 446
Dujarier, Marie-Anne, 453
Dumas, Alexandre, 77
Dumont, Louis, 424
Durant, William Crapo, 160
Dyer, Richard, 204, 440

Earl, Harley J., 177-8
Eceiza Nebreda, Laura, 442
Eco, Umberto, 308, 447
Edison, Thomas Alva, 195, 209-10
Ehrenburg, Ilya, 440
Eiffel, Gustave, 138
Eisenstein, Serguei, 200
Ekberg, Anita, 205
Elias, Norbert, 336, 424, 450-1
Engels, Peter, 86
Erasmo, 336
Esslinger, Hartmut, 250, 442-3
Ewen, Stuart, 433

Fairbanks, Douglas, 205
Farinelli, Gian Luca, 440
Farmer, Mylène, 306
Fassbinder, Rainer Werner, 199
Faustino, Didier, 84
Fayolle, Denise, 183
Featherstone, Mike, 426

Fellini, Federico, 200
Fischler, Claude, 451, 454
Fleury, Sylvie, 305
Flichy, Patrice, 432
Flindt, Christian, 258
Floch, Jean-Marie, 436
Florida, Richard L., 433
Forain, Jean-Louis, 215
Ford, Henry, 14, 26, 42, 44, 135, 153, 155, 158-60, 171, 175-7, 187-8, 203, 205, 226-8, 231-2, 257, 328
Ford, John, 202
Ford, Tom, 82
Foster, Norman, 231, 235
Fowles, Jib, 440
Francesco di Giorgio Martini, 19
Francis, Sam, 83
Franck, Claude, 447
François, Claude, 279
Franju, Georges, 200
Fraser, Arthur, 141
Frèches, José, 427
Freud, Sigmund, 394
Froment, Pascale, 447

Gable, Clark, 440
Gabor, Zsa Zsa, 352
Gagnère, Olivier, 258
Gaillard, Jeanne, 448
Gainsbourg, Serge, 279
Galbraith, John Kenneth, 180
Galliano, John, 89, 293, 303, 447
Garbo, Greta, 208
Garnier, Charles, 142
Garouste, Élisabeth, 231, 249
Gasparina, Jill, 429
Gaultier, Jean Paul, 82, 89, 239, 244, 303, 365
Gaumont, Léon, 194

Gaynor, Gloria, 306

Gehry, Frank, 29, 244, 273, 275, 324

Genestier, Philippe, 445

Gibson, Mel, 277

Giedion, Siegfried, 157, 437

Gilles, Pierre e *ver* Blanchard, Gilles; Commoy, Pierre

Gilmore, James H., 65, 428, 444-5

Giusti, Julien, 448

Godard, Jean-Luc, 199, 439

Godignon, Anne, 454

Gonzales, Paule, 432

Gorz, André, 44, 426, 432

Goude, Jean-Paul, 223

Gravari-Barbas, Maria, 449

Graves, Michael, 249

Greenberg, Clement, 257, 302, 443, 447

Griffith, David Wark, 199

Gropius, Walter, 163-5

Gruen, Victor, 189, 190

Grumbach, Didier, 154, 436

Guarini, Camillo-Guarino, 138

Gundle, Stephen, 440

Gursky, Andreas, 59

Häberli, Alfredo, 258

Habib, Laurent, 447

Hadid, Zaha, 85, 240, 258

Halliday, Johnny, 116, 306

Hanks, Howard, 201

Hanks, Tom, 444

Hardy, Évelyne, 448

Hardy, Pierre, 81

Harlow, Jean, 440

Harring, Keith, 83

Hayworth, Rita, 204, 208

Hébel, Pascale, 449

Hechter, Daniel, 184, 437

Hediger, Vinzenz, 440

Hegel, Georg Wilhelm Friedrich, 113, 427, 453

Heger, Swetlana, 86

Heidegger, Martin, 15, 423

Heinich, Nathalie, 213, 432, 440-1

Heizer, Michael, 273

Henry, Michel, 450

Herchcovitch, Alexandre, 237

Herzog, Jacques, 235, 323

Hetzel, Patrick, 445

Hichens, Robert Smythe, 144

Hirst, Damien, 59, 84, 120, 230, 281, 305, 427

Hollander, Anne, 363, 365, 453

Honert, Martin, 305

Hopper, Hedda, 205

Horkheimer, Max, 439

Horsting, Viktor, 293

Houssard-Andrieux, Frédérique, 443

Hugo, Victor, 424

Huisman, Denis, 437

Hyber, Fabrice, 86

Ive, Jonathan, 68, 442

Izenour, Steven, 448

Jacobs, Marc, 82

Jakobson, Roman, 441

James, Henry, 141

Jencks, Charles, 245

Joana d'Arc, 140

Jobs, Steve, 29, 68, 442

Jones, Grace, 297, 306

Joplin, Janis, 279

Jordan, Michael, 279

Josefina de Beauharnais, imperatriz, 144

Josse, Christophe, 89

Jost, François, 284, 445-6
Jouin, Patrick, 231
Jouvenel, Bertrand de, 12, 423

Kamitsis, Lydia, 446
Kamprad, Ingvar Feodor, 174
Kandinsky, Wassily, 114
Kant, Immanuel, 22
Kapoor, Anish, 273
Karpik, Lucien, 428
Katzenberg, Jeffrey, 72
Kawakubo, Rei, 237
Kennedy, Jacqueline, 88, 287
Khazem, Jean-Pierre, 89
Kidman, Nicole, 108
Kierkegaard, Søren, 389
Kiki Picasso, 83
King, Stephen, 76
Klein, Naomi, 432
Kojève, Alexandre, 63, 427
Kokosalaki, Sophia, 237
Koolhaas, Rem, 85, 235, 273, 448
Koons, Jeff, 59, 84, 86, 118, 289, 305
Kowinski, William Severini, 192, 438-9
Kubrick, Stanley, 200
Kumar, Ritu, 237
Kundera, Milan, 313, 448
Kurosawa, Akira, 200
Kuyper, Eric de, 453

La Tour, Georges de, 76
LaChapelle, David, 305, 314
Lacroix, Christian, 81, 303
Lady Gaga, 306
Lafitte, irmãos, 199
Lagerfeld, Karl, 81, 243, 446
Lahire, Bernard, 378, 453
Lalo, Charles, 424

Lambert, Madame de, 336
Lane, Dann, 258
Lang, Fritz, 200
Lanvin, Jeanne, 105, 436
Lash, Scott, 440
Lauper, Cyndi, 306
Lauren, Ralph, 184, 299
Laurent, Stéphane, 437
Lautréamont, Isidore Ducasse, conde de, 290
Laviani, Ferruccio, 258
Le Breton, David, 425, 453
Le Corbusier, 24, 234, 246, 339, 437
Le Lay, Patrick, 423
Leach, William R., 435
Léger, Fernand, 220, 284, 435, 442, 446
Lehuede, Franck, 449
Lemaître, Jules, 199
Lennon, John, 214
Leonardo da Vinci, 430
Leong, Sze Tsun, 439
Levy, Emmanuel, 433
Libeskind, Daniel, 273
Lie Sang Bong, 237
Lieshout, Joep van, 86
Lipovetsky, Gilles, 425, 429, 433-6, 438, 440, 444, 449, 452-5
Lissitzky, El, 114
Liu Xiaodong, 59
Loana, 285
Loewy, Raymond, 124, 168-9, 174, 238, 437
Loos, Adolf, 165, 178
Lorenz, Christopher, 437
Losey, Joseph, 199
Loupot, Charles, 216-7
Luhrmann, Baz, 303
Luís XIV, rei da França, 289

Luttwak, Edward, 432
Lynch, David, 83

Mabille, Alexis, 89
Macke, August, 435
Madonna, 81, 104, 117, 239-40, 306, 378
Malevitch, Kazimir, 114
Malraux, André, 326
Mandela, Nelson, 279
Manet, Édouard, 215
Mangin, David, 448, 451
Mansfield, Jayne, 205-6
Manzini, Ezio, 246, 443
Marcuse, Herbert, 212, 441
Margiela, Martin, 82, 89
Mari, Enzo, 185
Marinetti, Filippo Tommaso, 23, 52, 419, 425-6
Marley, Bob, 213
Marseille, Jacques, 436
Marwick, Arthur, 452
Marx, Karl, 15, 91, 423
Matthieussent, Brice, 447
Mauss, Marcel, 17, 424
McCartney, Stella, 81
McDermott, Catherine, 443
McQueen, Alexander, 81, 293, 351
Méliès, Georges, 280
Mello, Franco, 180
Mendini, Alessandro, 249
Menger, Pierre-Michel, 64, 427, 432-3
Mennour, Kamel, 89
Mesrine, Jacques, 279
Meuron, Pierre de, 235, 323
Meyer, Hannes, 165, 174
Michaud, Yves, 77, 426, 429, 450
Mies van der Rohe, Ludwig, 174, 178, 246

Miller, Michael B., 139, 435
Miller, R. Craig, 443
Minnelli, Vincente, 200
Mir, Ana, 258
Miró, Joan, 59
Mises, Ludwig von, 436
Missika, Jean-Louis, 446
Mittal, Megha, 105
Mitterrand, François, 238, 274
Miyake, Issey, 83, 237
Moati, Philippe, 425, 449
Moles, Abraham, 313, 447, 456
Molière, Jean-Baptiste Poquelin, *dito*, 308
Mondrian, Piet, 114
Monet, Claude, 377
Monroe, Marilyn, 88, 206, 208, 279, 314
Monroe, Steven R., 277
Montana, Claude, 184
Morand, Paul, 158, 416
Morin, Edgar, 206, 440, 450
Morin, Violette, 442
Morris, Robert, 273
Morris, William, 162-3, 166
Morrison, Jasper, 258
Moss, Kate, 300
Motte, Joseph-André, 256
Moulin, Raymond, 426
Moulin, Xavier, 244
Moureau, Nathalie, 426, 430, 432
Mourgue, Olivier, 179
Mozart, Wolfgang Amadeus, 306, 380
Mucha, Alfons, 215
Mugler, Thierry, 184
Mulder, Monika, 258
Mullins, Aimme, 351
Munkácsy, Mihály, 143
Murakami, Takashi, 83-4, 86, 118, 289, 429-30

Muray, Philippe, 385, 453
Murdoch, Peter, 178-9
Muthesius, Hermann, 167

Napoleão I (Napoleão Bonaparte), 144, 279
Nègre, Pascal, 426, 432
Newson, Marc, 238-40
Nora, Pierre, 450
North, Sheree, 205
Nouvel, Jean, 235
Novalis, Georg Philipp Friedrich von Hardenberg, dito, 114

Ofili, Chris, 281
Oldenbourg, Serge ver Serge III
Olivier, Geneviève, 440
Omnès, Catherine, 436
Orwell, George, 406
Ozbek, Rifat, 237

Packard, Vance, 177, 180, 437
Pakhalé, Satyendra, 258
Panton, Verner, 179-80, 185
Papanek, Victor J., 180, 438, 443
Paquin, Jeanne, 144
Paquot, Thierry, 451
Parker, Tom, 213
Parsons, Louella, 205
Passek, Jean-Loup, 440
Passman, Donald S., 432
Pathé, Charles, 194-5, 210
Patou, Jean, 151, 154
Patrix, Georges, 437
Paul, Satya, 237
Perec, Georges, 171
Perkal, Nestor, 258
Péron, René, 438
Perriand, Charlotte, 246

Perwani, Deepak, 237
Pesce, Gaetano, 180
Philip, André, 441
Piaf, Édith, 279
Picasso, Pablo, 77, 84, 100, 151, 430
Picasso, Paloma, 430
Pickford, Mary, 205
Pierre e Gilles ver Commoy, Pierre; Blanchard, Gilles
Pillet, Christophe, 250, 258
Pinault, François, 86
Pine II, B. Joseph, 428, 444-5
Pink (cantora), 298
Pochna, Marie-France, 436
Poiret, Paul, 144, 153-4, 436
Polanyi, Karl, 434
Ponti, Gio, 174, 185
Postman, Neil, 445
Postrel, Virginia, 359, 426, 452
Pouivet, Roger, 428
Poulain, Jean-Pierre, 451, 454
Poulot, Dominique, 426
Poussin, Nicolas, 76
Presley, Elvis, 88, 213, 278
Prince, Richard, 60
Prouvé, Jean, 240
Puget, Yves, 442

Rathenau, Walther, 123, 167
Reboul, Olivier, 441
Reich, Robert B., 433
Remaury, Bruno, 441
Remy, Téjo, 258
Renan, Ernest, 424
Renoir, Jean, 199
Renon, G., 441
Revel, Jacques, 450
Rheys, Christine, 189, 438
Ribaut, Jean-Claude, 451

Ricci, Robert, 436
Rietveld, Gerrit Thomas, 234
Rifkin, Jeremy, 192, 428, 439, 444
Rimbaud, Arthur, 389
Riou, Nicolas, 447
Rioux, Jean-Pierre, 441
Robert, Kevin, 447
Robinson, Boardman, 143
Rochefort, Robert, 454
Roger, Alain, 424, 440
Roque, Georges, 431
Rosa, Hartmut, 426, 456
Rosenberg, Harold, 429, 445
Ross, Diana, 306
Roux, Elyette, 436, 449
Ruby, Christian, 449
Rushdie, Salman, 76
Ruskin, John, 436
Rykiel, Sonia, 184, 438

Saarinen, Eero, 174-5
Saatchi, Charles, 86, 281, 431
Safdie, Moshe, 274
Sagot-Duvauroux, Dominique, 426, 430, 432
Sahlins, Marshall, 433
Saint-Aignan, François Honorat de Beauvilliers, conde de, 308
Saint-Saëns, Camille, 199
Sander, Jil, 81, 95, 104
Sandler, Irving, 430
Sans, Jérôme, 89
Sansot, Pierre, 320, 449
Sardou, Victorien, 199
Sarkozy, Nicolas, 279
Sartre, Jean-Paul, 429
Schaeffer, Jean-Marie, 426, 432
Schiaparelli, Elsa, 151, 153
Schiller, Friederich von, 22, 421

Segré, Gabriel, 286, 441, 446
Séguéla, Jacques, 223, 297
Selbach, Gérard, 446
Serge III (Serge Oldenbourg), 281
Serra, Richard, 273, 445
Serroy, Jean, 429
Sévigné, Madame de, 336
Seymour, Jerszy, 258
Shakespeare, William, 378
Shaw-Lan Wang, 105
Sheldon, Roy, 124
Sheppard, Eugenia, 88
Sherman, Cindy, 60
Shigeru Ban, 273
Shusterman, Richard, 429, 453
Siegel, Henry, 139
Simachev, Denis, 237
Simon, David, 76
Siounandan, Nicolas, 449
Šípek, Bo ek, 251
Sirinelli, Jean-François, 441
Sloan, Alfred Pritchard, 155, 160
Snoeren, Rolf, 293
Somers, Gregory, 258
Sontag, Susan, 312
Sparke, Penny, 437, 443
Spears, Britney, 298
Speer, Albert, 272
Spielberg, Steven, 72, 444
Sprouse, Stephen, 83
Starck, Phillipe, 231, 235, 238-9, 250, 258, 303, 443
Steinlen, Théophile Alexandre, 215
Stewart, Alexander Turney, 138
Stiegler, Bernard, 450
Sullivan, Louis Henry, 165
Szekely, Martin, 231, 258

Tatlin, Vladimir, 24

Taylor, Elizabeth, 88
Taylor, Friederick Winslow, 26, 171, 202
Teague, Walter Dorwin, 168
Tedlow, Richard S., 437
Teunissen, José, 429, 446, 453
Thatcher, Margaret, 279
Thiriet, Jean-Louis, 454
Thomass, Chantal, 184, 230
Tobelem, Jean-Michel, 446
Tocqueville, Alexis de, 241, 415, 455
Todorov, Tzvetan, 425, 454
Toffler, Alvin, 330, 449
Torelli, Giacomo, 308
Toscani, Oliviero, 276
Totò (humorista italiano), 200
Toulouse-Lautrec, Henri de, 215
Tournès, Ludovic, 211, 441
Truffaut, François, 199
Tusquets, Oscar, 249
Tworkov, Jack, 430

Urry, John, 440, 450

Valentino (estilista), 104, 154
Valentino, Rodolfo, 205
Valéry, Paul, 62, 70, 220, 427-8, 442
Vallotton, Félix, 215
Van de Velde, Henry Clemens, 25, 165, 167, 441
Van Der Zwaag, Anne, 429
Van Doren, Mamie, 205
Van Laer, Pieter (Bamboccio), 76
Van Severen, Maarten, 258
Vasarely, Victor, 83
Vasconcelos, Joanna, 289, 314
Venturi, Robert, 245, 448
Verdi, Giuseppe, 308
Vezzoli, Fracesco, 305

Viennot, Jacques, 172
Vigarani, Carlo, 308
Vigarello, Georges, 452
Vincent-Ricard, Françoise, 438
Vinogradov, Alexander, 305
Vionnet, Madeleine, 152
Virilio, Paul, 326, 406, 450
Visconti, Luchino, 199
Vogel, Harold L., 431
Vulser, Nicole, 432

Wagener, Gorden, 84
Walker, Alexander, 440
Walsh, Raoul, 201
Wanamaker, John, 139, 142-3
Wanamaker, Lewis Rodman, 143
Wanders, Marcel, 258
Warhol, Andy, 40, 84, 86, 88-91, 179, 284, 286-7, 410
Watts, Steven, 426
Weber, Max, 44, 125, 433
Weil, Benjamin, 84
Weil, Pascale, 91, 430
Weiss, Srdjan Jovanovic, 439
Welles, Orson, 199
West, Mae, 205
Westwood, Vivienne, 244
Wilde, Oscar, 207, 390
Willette, Adolphe, 215
Williams, Pharrell, 243
Willis, Bruce, 118
Wilmotte, Jean-Michel, 289
Wilson, Bob, 89, 245
Wind, Edgar, 453
Wolf, Michael J., 444
Worth, Charles Frédéric, 144, 149-52, 154, 436
Wright, Frank Lloyd, 234

Yamamoto, Yohji, 89, 237
Yran, Knutt Otto, 174

Zajdenweber, Daniel, 431
Zhang Xiaogang, 427
Zhang Yimou, 291

Zidane, Zinédine, 117, 277
Zola, Émile, 76, 136, 146, 193, 434-5, 438
Zuckerberg, Mark, 279
Zukin, Sharon, 448
Zukor, Adolph, 195, 204